DIE STAATSBEDINGTE GESELLSCHAFT
IM
MOSKAUER REICH

STUDIEN ZUR GESCHICHTE OSTEUROPAS
STUDIES IN EAST EUROREAN HISTORY
ÉTUDES D'HISTOIRE DE L'EUROPE ORIENTALE

HERAUSGEGEBEN VON/EDITED BY/ÉDITÉ PAR

W. PHILIPP
Freie Universität Berlin

P. SCHEIBERT
Universität Marburg

UNTER MITARBEIT VON/IN COLLABORATION WITH/AVEC LE CONCOURS DE

A. M. AMMANN S.J.
Pontificio Istituto Orientale, Roma

F. T. EPSTEIN
Indiana University, Bloomington, Ind.

C. E. BLACK
Princeton University, Princeton, N.J.

R. PORTAL
Institut d'Études Slaves, Paris

XVII

HANS-JOACHIM TORKE

DIE
STAATSBEDINGTE GESELLSCHAFT
IM MOSKAUER REICH

LEIDEN
E. J. BRILL
1974

DIE STAATSBEDINGTE GESELLSCHAFT
IM
MOSKAUER REICH

ZAR UND ZEMLJA
IN DER ALTRUSSISCHEN HERRSCHAFTSVERFASSUNG
1613-1689

VON

HANS-JOACHIM TORKE

LEIDEN
E. J. BRILL
1974

Gedruckt mit Unterstützung der Deutschen Forschungsgemeinschaft

Diese Untersuchung hat in erweiterter Form dem Fachbereich Geschichtswissen-
schaften und dem Osteuropa-Institut der Freien Universität Berlin als Habilitations-
schrift vorgelegen. Der Verf. dankt Herrn Professor Dr. Werner Philipp, Berlin, für
zahlreiche Anregungen und unschätzbare Hilfe.

ISBN 90 04 03979 1

PRINTED IN BELGIUM

FÜR KARIN

Ich möchte kein Prophet sein, aber ich bin fest davon überzeugt, daß (wenn sich die Welt und die menschliche Natur nicht verändern) auch in diesem Zartum die Zeit kommen wird, da das ganze Volk gegen die gottlosen, tyrannischen Gesetze des Zaren Ivan und des Zaren Boris aufstehen wird, und dabei wird es nicht ohne Unruhen, Zusammenstöße und großen Schaden für das ganze Volk abgehen, wie die klaren Vorboten und Anzeichen dafür zeigen: die drei Aufstände unserer Zeit, der Pskover und die beiden Moskauer, und die drei Fälle von Verrat, am Dnepr, bei den Baschkiren und bei Berezov. Es wäre sehr viel besser, wenn der Zar und Herrscher selbst darauf achtete, sich darum kümmerte und diese tyrannischen Gesetze korrigierte...

Križanić, 1663-1666

INHALTSVERZEICHNIS

THEMENSTELLUNG

Im Mittelpunkt der vorliegenden Arbeit steht die in ihrer politischen Qualität bisher nicht näher bekanntgewordene „Klasse", die im 17. Jahrhundert mehr als andere soziale Gruppen im Moskauer Rußland, mehr als dienstverpflichteter Adel und Geistlichkeit, mehr als leibeigene Bauern und Knechte oder gar der Pöbel, ein Gegengewicht zur zarischen Herrschergewalt darstellte. Dies war nicht der Dritte Stand, nach Bluntschli die eigentliche Quelle der Gesellschaft,[1]) denn einen solchen und überhaupt Stände im westlichen Sinne gab es vor 1861 kaum, sondern allenfalls seine Vorläuferin, die an der gewählten Kommunalverwaltung passiv und aktiv beteiligte Bevölkerung, eine zwar vorwiegend aus Steuerzahlern bestehende, aber keineswegs derart ökonomischrechtlich definierbare Gruppe. Es handelt sich um die zemskie ljudi bzw. als Kollektivum zemlja, das hier zur Unterscheidung von den anderen Bedeutungen des Wortes in der Form „Zemlja" gebraucht werden soll.

Die Wiedergabe des Begriffes „Zemlja" mit „Land" im Sinne von (ständischer) Landschaft würde das Bild einer von der Fürstengewalt getrennten Rechtsgemeinschaft, wie sie für den Westen durch O. Brunner und Mitteis definiert wurde,[2]) erwecken. Für Altrußland kann dies nicht gelten, und dennoch stellen „Zemlja und gosudar' (Herrscher)" insofern eine Variante des Themas „Land und Herrschaft" dar, als hier — und insbesondere in der vorpetrinischen Zeit — einerseits der Herrscher allein den Staat verkörperte und andererseits mit dem Wort „zemlja" eben nicht nur die geographische Einheit des Landes, sondern auch die obengenannte mehr oder weniger außerhalb des Regierungsbereichs politisch tätige Bevölkerung bezeichnet wurde. In den zeitgenössischen Quellen tritt dieses Gegensatzpaar unter anderem in dem häufig anzutreffenden Begriff „gosudarevy i zemskie dela" (Angelegenheiten des Herrschers und des „Landes") auf, mit dem etwa der Aufga-

---

[1]) „Der ganze Begriff der Gesellschaft im socialen und politischen Sinne fiindet eine natürliche Grundlage in den Sitten und Anschauungen des dritten Standes. Er ist eigentlich kein Volksbegriff, sondern immerhin nur ein D r i t t e n s t a n d s b e g r i f f ... Wo immer die städtische Kultur Blüten und Früchte trägt, da erscheint auch die Gesellschaft als ihr unentbehrliches Organ." (Bluntschli, S. 247.)

[2]) Brunner, S. 114 f.; Mitteis, S. 472 f.

benkreis eines Voevoden, des obersten Provinzbeamten der Regierung, oder auch die Beratungsgegenstände der Reichsversammlungen (zemskie sobory) umschrieben wurden. Im einzelnen werden diese Termini noch näher zu erläutern sein. Es sei nur schon grundsätzlich darauf hingewiesen, daß die altrussische Rechts- und Sozialterminologie infolge der fehlenden Rezeption des römischen weltlichen Rechts keine eigenen Definitionen aufweist und daß infolge des zum Teil isolierten Verlaufs der russischen Geschichte nur in seltenen Fällen adäquate Übersetzungen in den westeuropäischen Sprachen zur Verfügung stehen. Meist muß daher der russische Begriff erstmalig umschrieben und definiert werden. Das Glossar am Ende der Arbeit enthält alle russischen Wörter und verweist auf die Seite ihrer Erklärung im Text. Damit soll eine zweifache Ungenauigkeit vermieden werden. Erstens würde der Gebrauch der westeuropäischen Terminologie zu einer so oberflächlichen Beschreibung führen, wie sie zum Beispiel Storožev 1912 (durch Rückübersetzung aus dem westlichen Geschichtsraum) anbot : „Das russische Reich war eine absolute Monarchie mit einem Kaiser an der Spitze; der Kaiser regierte mit Hilfe der Bürokratie, indem er sich auf den Kleinadel stützte. Der Kaiser handelte ‚von Gottes Gnaden'; der Kleinadel lebte ‚von des Königs Gnaden'; die Bürokratie wurde die Mauer zwischen Kaiser und Volk, indem sie mit dem Adel verschmolz..." [1]) Dies ist alles richtig — und stimmt doch nicht. Zweitens trägt dieses Verfahren auch der notwendigen Revision des deutschen, aus dem 19. Jahrhundert überkommenen Begriffsapparats Rechnung, der zweifellos ebenfalls durch eine quellengerechte Begriffssprache ersetzt werden müßte.

Aus diesen Gründen sind „Land und Herrschaft" ebenso behelfsmäßige Erläuterungen des Themas wie „Staat und Gesellschaft". Der Begriff des Staates (gosudarstvo) entstand gerade erst langsam im 17. Jahrhundert, nachdem man in der Zeit der Wirren (smuta, 1598-1613) zwar zeitweise ohne Zar gelebt, aber eine Trennung von Staat und Herrscher keineswegs reflektiert hatte. Im allgemeinen wurde das Wort noch im Plural (gosudarstva) als Unterbegriff von Zartum oder Reich (carstvo) sowie von Staatsmacht (deržava) gebraucht, wobei das Zusam-

---

[1]) Storožev, Bojarstvo, S. 186. Der Auffassung, russische Termini sollten durchgehend nicht übersetzt, sondern im Original gebraucht werden, kann sich der Verf. außer hinsichtlich allgemein bekannter Begriffe wie „Zar", „Voevoden" usw. oder hinsichtlich solcher Begriffe wie „Zemlja", die ausführlich umschrieben werden müßten, nicht anschließen. Wo immer eine einigermaßen genaue und knappe Übersetzung möglich ist, erleichtert sie zweifellos den nicht auf Rußland spezialisierten Historikern erheblich die Lektüre.

menwachsen der russischen (politischen und territorialen) „Herrschaften" nachklang.[1]) Die sich in der sprachlichen Verwandtschaft zwischen gosudar' und gosudarstvo ausdrückende Auffassung vom Staat als Patrimonium (votčina) der Zaren dauerte an. Gegenüber diesem wenigstens privatrechtlichen Herrschaftsausdruck war der Begriff der Gesellschaft in Altrußland überhaupt nicht existent, falls man ihn nicht dem des Volkes gleichsetzen will. Wenn hier die Zemlja als potentielle Wurzel einer später nicht erblühten russischen Gesellschaft vorgestellt wird, geschieht dies mit dem Anliegen, den Raum auszumessen, der angesichts des gewaltigen, historisch bedingten staatlichen Übergewichts den Ansätzen „gesellschaftlicher" Aktivität zur Verfügung stand. Zwar gab es weder im Westen noch im Osten vor dem 18. Jahrhundert den modernen Gegensatz zwischen Staat und Gesellschaft, aber Rußland besaß in der von Ivan IV. vorgenommenen Aufteilung des Reiches in opričnina (hier: „Abgesondertes"; eigentlich: Witwenanteil), in die sich Zar und Regierung zurückzogen, und zemščina (von zemlja!) in den Jahren 1564 bis 1572 immerhin den ersten Versuch einer Differenzierung von staatlicher (herrscherunmittelbarer) und nichtstaatlicher Sphäre. Einen außerstaatlichen Bereich im Sinne Rudolph von Iherings und Max Webers, ein Gegengewicht zum Staatsmonopol der Gewalt, gab es auch im 17. Jahrhundert, ob man nun die Zemlja dem vieldeutigen Terminus „Gesellschaft" gleichsetzen will oder nicht. Es war dies eine durch soziale Interessen bereits stark gegliederte Welt, die zwar vergleichsweise wenig politische Initiative, aber doch immerhin, wenn nötig, einen durch gewohnheitsrechtliche Ansprüche untermauerten Widerstand zeigte, der sogar in Aufstände gegen die Verwaltung münden konnte. Keineswegs soll dem 17. Jahrhundert unterstellt werden, was nicht einmal das 18. in Rußland leistete: eine zu politischer Verantwortung bereite Ständegesellschaft. Aber schon Alekseev hat 1904 festgestellt:

---

[1]) Zimin, Akty, S. 187. Beispiele zu 1613 s. im „Neuen Chronisten" (Novyj letopisec): Moskovskoe gosudarstvo, Novgorodskoe gosudarstvo, Kazanskoe gosudarstvo (PSRL, Bd. 14,1, S. 128 ff.). Ein anderer Chronist, der Kellermeister des Troice-Sergiev-Klosters, Avramij Palicyn, überschrieb das Kapitel 71 seiner „Geschichte zum Gedenken der vorangegangenen Geschlechter..." (Istorija v pamjat' prediduščim rodom...) folgendermaßen: „Über die Wahl Michail Fedorovičs zum Zaren des Moskauer Staates und der anderen Staaten der russischen Staatsmacht (deržava)" (Palicyn, S. 230). 1645 bestieg Aleksej Michajlovič den Thron „im Staate Vladimir und im Staate Moskau und in allen großen Staaten des russischen Reiches" (na Vladimirskom i na Moskovskom Gosudarstve i na vsech velikich Gosudarstvach Rossijskago Carstvija) (SGGD, Bd. 3, S. 122). Zur Geschichte des Wortes „Staat" im Großrussichen s. Stökl, Die Begriffe, S. 114 ff. Vgl. auch Zaozerskij, K voprosu, S. 316 f.

„Im Bewußtsein der Menschen jener Zeit verschmolzen Herrscher und Zemlja nicht in eins, sondern unterschieden sich, und der letzteren wurde ebenso wie dem ersteren ein bestimmtes Recht, eine (eigene) Stimme zuerkannt."[1])

Der im folgenden zugrunde liegende Gesellschaftsbegriff läuft also keineswegs auf ein antagonistisches Verhältnis zum Staat hinaus. Gesellschaftliche Aktivität entfaltet sich auch und entfaltete sich in Rußland überwiegend in Mitarbeit an den staatlichen Aufgaben, selbst wenn dabei zum Teil das Moment der Freiwilligkeit in den Hintergrund tritt. Entscheidend ist eine gewisse, im vorliegenden Falle durch Wahlen gegebene Unabhängigkeit von der Staatsverwaltung und im Ergebnis ein gewisser Einfluß auf den Gang der Dinge. Die Kapitel 2 und 4 dieser Arbeit legen davon Zeugnis ab, während die Kapitel 3 bis 5 den Ansätzen zu einem gesellschaftlichen Bewußtsein nachspüren, wie sie sich in der Unterstützung der Zemlja durch die Dienstleute und andere soziale Gruppen äußerten. Die Frage, wie die Autokratie, die nie in Frage gestellt wurde, mit Solidarisierungstendenzen und Aufständen verfuhr, führt letztlich zum Problem eines vorpetrinischen Absolutismus bzw. eines eventuell voraufgegangenen ständischen Gefüges; ihm ist das Schlußkapitel gewidmet. Die in der Person des Zaren verkörperte staatliche Sphäre ist im ersten Kapitel andeutungsweise dargestellt, wobei das Zarenamt nur unter dem Gesichtspunkt der Restauration nach der Smuta betrachtet wird. Die Einzelheiten der altrussischen Zentralverwaltung und der Dienststruktur müssen hier als bekannt vorausgesetzt werden.[2])

In manchen einzelnen Aspekten, vor allem jedoch im skizzierten Zusammenhang sind die aufgeworfenen Fragen bisher nicht behandelt worden. Zwar schrieb N.I. Chlebnikov 1869 ein Buch mit dem Titel „Der Einfluß der Gesellschaft auf die Staatsorganisation in der Zarenperiode der russischen Geschichte", aber darin steht kaum etwas von dem, was der Titel verspricht.[3]) Außerdem läßt sich wohl ganz allgemein sagen, daß das 17. Jahrhundert zu den verhältnismäßig spät und daher noch immer unzureichend erforschten Zeitaltern der russischen Geschichte gehört. Weder V.N. Tatiščev noch N.M. Karamzin noch irgendein anderer Historiker der Zeit vor der Mitte des 19. Jahrhunderts ist

---

[1]) Alekseev, Zemskie sobory, S. 53.
[2]) Diesen Themenkreis behandelt der Verf. in einer geplanten weiteren Arbeit.
[3]) Chlebnikov, N.I., O vlijanii obščestva na organizaciju gosudarstva v carskij period russkoj istorii, SPb 1869.

in seiner Gesamtdarstellung dorthin vorgedrungen. Daß auch Monographien relativ selten waren, ist nicht etwa auf einen Mangel, sondern vielleicht eher auf eine Überfülle an Quellen zurückzuführen, auf die der kompetente P.M. Stroev 1844 hinwies.[1]) Eine andere Frage ist natürlich, daß oft gerade besonders wichtige Quellen fehlen; es gibt zum Beispiel keine einzige rechtstheoretische Schrift der zeitgenössischen Publizistik zur politischen Verfassung! Vor allem aber haben die Historiker seit M.M. Ščerbatov das 17. Jahrhundert entweder am Glanz des 16. oder am Erfolg des petrinischen 18. Jahrhunderts gemessen, so daß es bald als Anhängsel der Geschichte Altrußlands, bald als Auftakt einer Darstellung der Neuzeit in Erscheinung trat. Es war ihm von der Historiographie das Schicksal eines Übergangszeitalters beschieden worden, und es litt daher noch mehr als die voraufgegangene Epoche unter der Eigenheit der Anfänge der Rußland-Geschichtsschreibung: Ehe M.P. Pogodin 1838 eine Untersuchung über das Einzelproblem der Rangplatzordnung (mestničestvo) vorlegte,[2]) hatte sich die Forschung hauptsächlich für die Herkunft der Waräger-Russen interessiert, andere Themen jedoch kaum aufgegriffen. Schließlich geriet infolge der besonderen Bedeutung Peters der Großen die Zeit vor 1700 noch in den Meinungsstreit zwischen Slavophilen und Westlern. Dies zeigte sich bereits, als die Rechtshistoriker in den 40er Jahren des 19. Jahrhunderts das Uloženie, den Gesetzeskodex von 1649, zu untersuchen begannen, den sie als Ergebnis einer organischen Entwicklung im Volksleben ansahen. Die slavophile Betrachtungsweise führte zu einer Abwertung Peters des Großen, während umgekehrt S.M. Solov'ev, der das 17. Jahrhundert als erster auf Grund des Quellenmaterials erforschte und ihm nicht weniger als sieben seiner 29 Bände umfassenden „Geschichte Rußlands seit den ältesten Zeiten" (1851-1879) widmete, die Zeit vor Peter in etwas düsteren Farben als Vorbereitung der nachfolgenden Reformen malte.[3]) Im Gegensatz zur „staatlichen Schule" ließen, abgesehen von einer Vorlesung über das 17. Jahrhundert, die E.E. Zamyslovskij im Wintersemester 1871/72 an der St. Petersburger Universität hielt, erst V.O. Ključevskij und danach S.F. Platonov dem Eigengewicht dieser Zeit größere Gerechtigkeit widerfahren, indem sie die bleibende Bedeutung der Smuta für die ganze Periode nachwiesen. Die Zahl der Monographien

---

[1]) Stroev, S. III.
[2]) Pogodin.
[3]) Zamyslovskij, SS. 036 ff. u. 019 f.; Očerki istorii SSSR, XVII v., S. 8; Platonov, Car' Aleksej, S. 27.

wuchs um die Jahrhundertwende stark an, aber so wie der Liberale
B.N. Čičerin das Hegelsche Schema auf Rußland anwandte und deduk-
tive Schlüsse zog, haben fast alle Historiker vor 1917 das Schwergewicht
ihrer Forschung auf die Institutionen gelegt oder zumindest gesellschaftliche Erscheinungen aus den staatlichen Notwendigkeiten heraus
dargestellt,[1]) was übrigens interessanterweise schon für die zeitgenössischen Rußlandberichte des 17. Jahrhunderts gilt.[2])

Nur die Slavophilen und die Marxisten haben das gesellschaftliche
Element stärker betont, allerdings die einen romantisch verzerrt und
die anderen einseitig klassenkämpferisch bzw. bis zur Liquidierung der
Richtung M.N. Pokrovskijs Anfang der 30er Jahre dieses Jahrhunderts
einseitig ökonomisch.[3]) Das bedeutet, daß die Sowjethistoriographie
sehr viel zur Erforschung etwa der Aufstände im 17. Jahrhundert beigetragen hat, demgegenüber aber die Beziehungen zwischen Staat und
Gesellschaft ebenfalls vernachlässigte. Ein 1961 erschienener Sammelband, der sich „Der russische Staat (!) im 17. Jahrhundert" nennt,
enthält acht Beiträge zu ökonomischen, vier zu sozioökonomischen,
drei zu sozialen und drei zu geistes- und kirchengeschichtlichen Themen.
Einer der Herausgeber, N.V. Ustjugov, muß viel Platz für die Aufzählung
dessen verwenden, was an Erscheinungen des Überbaus (im Sinne des
historischen Materialismus) mangels sowjetischer Forschung nicht
berücksichtigt werden konnte, u.a. Außenpolitik, Nationsbildung,
Staatsstruktur und Staatsform.[4]) Fasziniert von der größtenteils durch

---

[1]) Außer für die genannten Historiker (vgl. dazu Aleksandrov/Zimin, S. 369 f.;
Sacharov, Buch 5, S. 699 ff.; Tichonov, Kommentarii, S. 636; Ključevskij, Kurs,
Bd. 3, SS. 9 u. 6 f.) gilt dies vor allem für Nevolin (Verwaltung), Kavelin (Gericht),
Gradovskij (Staatsrecht und Lokalverwaltung), Čičerin (Lokalverwaltung) und Zabelin
(Hof).

[2]) Cook, SS. 280 ff. u. 330.

[3]) Für die Slavophilen steht stellvertretend K.S. Aksakov (Zamyslovskij, S. 042 ff.),
für den ökonomischen Materialismus sei auf Rožkov und M.N. Pokrovskij verwiesen
(Očerki istorii SSSR, XVII v., S. 11 ff.); bezüglich der neueren sowjetischen Geschichts-
schreibung vgl. ebenda, S. 14, ferner das Schlußkapitel dieses Buches und vor allem
Yaresh. Vgl. auch die historiographische Übersicht bei Keep, The Muscovite Élite,
S. 202 f. — Natürlich hat es auch vor der Revolution Monographien zur Ge-
schichte der Gesellschaft, genauer: Bevölkerung, gegeben, zum Beispiel in dem
Sammelband von M.V. Dovnar-Zapol'skij, Die russische Geschichte in Skizzen und
Aufsätzen (Russkaja istorija v očerkach i stat'jach), wo im dritten Band (Kiev
1912) Staševskij die Dienstklassen und die Aufstände, Roždestvenskij die Land-
bewohner, Smirnov die Städter, Kurc die Reichsversammlungen und Gribovskij die
Lokalverwaltung untersuchten.

[4]) Gosudarstvo, SS. 3, 8 f. u. 14 ff.

Lenin diktierten angeblichen Entstehung eines Bürgertums und des Kapitalismus in dieser Periode, hatten die sowjetischen Historiker die gesellschaftlichen Probleme von den Fragen der staatlichen Entwicklung abgelöst und sind erst in jüngster Zeit auf das Dilemma gestoßen, den russischen Absolutismus im 17. und 18. Jahrhundert nicht definieren zu können. Darüber wird im Schlußkapitel dieser Arbeit mehr zu sagen sein, wie überhaupt historiographische Fragen am besten nur in Beziehung zu den einzelnen Abschnitten behandelt werden können.

Auf eine Einbeziehung der Smuta in die Untersuchung konnte weitgehend verzichtet werden, weil für diese Periode bereits die Ergebnisse Platonovs vorliegen. Zudem ergibt sich der Leitgedanke der anvisierten Fragestellung erst aus der Konfrontation der nach der Smuta wiederhergestellten Zarenmacht (Beginn der Romanov-Dynastie im Jahre 1613) mit der im Interregnum zwangsläufig geweckten gesellschaftlichen Selbständigkeit: Das 17. Jahrhundert ist trotz der sich verstärkenden Neuerungen westlicher Provenienz ohne Zweifel als Epoche zu Altrußland zu rechnen, und zwar vor allem deshalb, weil nach der Intention der Herrscher und dem Verlangen der Untertanen die Grundkonzeption aller Politik auf eine Anknüpfung an das 16. Jahrhundert hinauslief. Die sogenannte Europäisierung blieb auf dringende technische Notwendigkeiten beschränkt; ansonsten aber gab sich dieser Staat bis in die 80er Jahre restaurativ. Mit der Inkorporierung der Ukraine (1653/54) und der Unterstellung der Kiever Metropolie unter das Moskauer Patriarchat (1685/86) wurde die altrussische Entwicklung weltlich und kirchlich vollendet. Geistesgeschichtlich gesehen, beginnt die Neuzeit ohnehin erst mit der von Peter dem Großen betriebenen Ablösung der orthodoxen Frömmigkeit durch das Prinzip der westlichen autonomen Vernunft.[1] Der in den folgenden Ausführungen beschriebenen „Verstaatlichung" der Gesellschaft durch die restaurative Autokratie entsprach in anderen Ländern Europas der Sieg des Absolutismus über die Stände. Doch während sich dort mit Hilfe des erstarkenden Bürgertums die Standesgesellschaft des Rechtsstaates entwickelte, blieb die Zemlja-Gesellschaft „staatsbedingt" und im 18. Jahrhundert, dem „Adelsjahrhundert", ohne jede Entfaltung.

---

[1] Philipp, Grundfragen, S. 77 f.

KAPITEL 1

DIE ERSTEN ROMANOV-ZAREN

Als im März 1668 zum erstenmal eine russische Gesandtschaft am Madrider Hof verhandelte und der Gesandte P.I. Potemkin nach dem üblichen protokollarischen Nervenkrieg der Russen um Ränge, Ehren und Titel endlich bereit war, einen Brief König Carlos' II. an Zar Aleksej Michajlovič zu akzeptieren, fragten die Spanier sicherheitshalber an, was denn die Titel Zar und Selbstherrscher bedeuteten, damit sie korrekt ins Spanische übersetzt werden könnten. Die Antwort der Gesandten verzeichnet Potemkins offizielle Relation: „Unserem Großen Herrscher... (Titel)... hat Gott die Zarenwürde von den früheren russischen Großen Herrschern, Zaren und Großfürsten gegeben. Der Vorfahr Seiner Majestät unseres Großen Herrschers, der Große Herrscher, Zar und Großfürst Vladimir Vsevolodič Monomach von Kiev und ganz Rußland bekriegte den großen griechischen Staat (gosudarstva), sogar bis nach Konstantinopel hin... Und seit dieser Zeit wurden bis heute alle unsere russischen Großen Herrscher, Zaren und Großfürsten in allen großen und hochrühmlichen Herrschaften (gosudarstva) des russischen Zartums mit der Zarenkrone und dem Diadem (des byzantinischen Kaisers Konstantinos IX. Monomachos — H.-J. T.) eingesetzt." Nach der Schilderung der Eroberungen Ivans IV., der als Urgroßvater des regierenden Zaren bezeichnet wird, heißt es in der Antwort weiter und kategorisch: „Und in Anbetracht dieser großen Zartümer und Herrschaften wird Seine Majestät unser Großer Herrscher in Seinen Briefen und Urkunden Zar und Selbstherrscher genannt."[1]

Ob die Sekretäre des letzten Habsburgers auf dem spanischen Thron nach dieser Antwort, die sich auf die historische und die geographische Dimension beschränkte, klüger waren als zuvor, ist nicht überliefert. Eine verfassungsrechtliche Definition des Zarenamtes hätten sie höchstens aus dem Hinweis auf Vladimir Monomach herauslesen können, nämlich auf die translatio imperii aus Byzanz. Freilich folgten die russischen Diplomaten dabei, weil sie die tatsächlichen Ereignisse nach dem Fall

---

[1] DRV, Bd. 4, S. 422 f.

von Konstantinopel im Jahre 1453 nicht kannten, der in jener Zeit entstandenen Moskauer Publizistik, die die Herleitung von Byzanz ins 12. Jahrhundert vorverlegt hatte (z.B. mit der Legende von der „Monomachsmütze", der russischen Krone). Dies drückte sich auch in dem anachronistischen Gebrauch der Titel „Großer Herrscher" (velikij gosudar'), „Zar" (car') und „Selbstherrscher" (samoderžec) aus, die erst zwischen der Mitte des 15. und dem Ende des 16. Jahrhunderts aufkamen. „Selbstherrscher" wurde regelmäßig sogar erst nach der Inkorporierung der Ukraine im Jahre 1654 benutzt. Schließlich sagte auch die Erwähnung Ivans des Schrecklichen nichts über die Qualität des Herrschertitels aus, sondern diente lediglich dem Zweck, mit Hilfe einer konstruierten direkten Abstammungslinie — Aleksejs Urgroßvater war in Wirklichkeit nur der Schwager Ivans IV. — die Kontinuität der neuen Dynastie der Romanovs in bezug auf die alte Dynastie der Rjurikiden nachzuweisen. Offenbar war das alte Gedankengut der Moskauer Ideologen nach 1613 um eine weitere Legende vermehrt worden. Offenbar stand der Zar aber auch noch immer außerhalb aller juristischen Kategorien, sofern man solche für Altrußland überhaupt anerkennen will. Nicht einmal die orthodoxe Kirche war über die Jahrhunderte definitorisch weiter als zu solchen Gemeinplätzen vorgestoßen, wie sie gerade fünf Jahre vor Potemkin die orientalischen Patriarchen noch einmal formuliert hatten. Als Aleksej Michajlovič die Absetzung des Moskauer Patriarchen Nikon betrieb, ließ er nämlich den übrigen Patriarchen unter anderem die Frage vorlegen, die für seine Konfrontation mit Nikon so wichtig war: „Was ist der Zar?" Die Antwort vom Mai 1663 lautete: „Dem Zaren ziemt es, als Haupt aller und als Obrigkeit wohltätig gegenüber allen ihm unterstehenden Ländern zu sein... Daraus erhellt, daß der Zar der Herr aller ist..."[1])

Für die Kirchenfürsten war auf Grund der byzantinischen Tradition auch selbstverständlich, was der kaiserliche Gesandte von Bottoni 1675 im Titelstreit mit seinen Moskauer Gesprächspartnern kritisierte, wenn er feststellte, „daß die Selbst-Erhaltung / dero Sich der Grosse Czar in seinem Titul rühmete / niemand / als Gott allein zuständig wäre".[2]) Tatsächlich waren es die ausländischen Beobachter, denen die kritischen Erläuterungen des russischen Herrschaftssystems vorbehalten blieben,

[1]) SGGD, Bd. 4, S. 86 f.
[2]) Wickhart, S. 113. Der Leiter des russischen Außenamts (posol'skij prikaz), A.S. Matveev, hatte bei dieser Konferenz am 2. Okt. 1675 zuvor mit dem gleichen Argument an dem Wort „Unüberwindlichster" im Kaiserlichen Titel Anstoß genommen (ebenda, S. 112).

wobei wohl Adam Olearius die bekannteste Beschreibung der „Monarchia dominica et despotica" im 17. Jahrhundert lieferte.[1]) Lediglich der ehemalige Moskauer Beamte G.K. Kotošichin legte sich 1666/67 als Emigrant in seiner Denkschrift für die schwedische Regierung die Frage vor, warum der Zar Selbstherrscher heiße. Seine Antwort klingt allerdings wenig einleuchtend und widersprüchlich; sie ist obendrein falsch: Aleksej Michajlovič könne sich so nennen, weil er als einziger Zar seit 1584 nicht gewählt worden sei und keine Kapitulation unterzeichnet habe; andererseits habe aber Aleksejs Vater, der gewählte Michail Fedorovič, auch Selbstherrscher geheißen.[2]) Doch hier ist weder der Ort, Kotošichin oder die Ausländerberichte zu untersuchen, noch soll schon versucht werden, die staatsrechtliche Stellung des russischen Herrschers zu umreißen, wie es im Schlußkapitel dieser Arbeit geschieht. Doch zum zarischen Selbstverständnis in dieser Frage kann einiges gesagt werden.

Welche Auffassung hatten im 17. Jahrhundert die Zaren selbst von ihrer Stellung? Die Äußerungen dazu sind spärlich und keineswegs mit denen Ivans IV. aus dem 16. Jahrhundert vergleichbar. Von Michail Fedorovič läßt sich kaum etwas Konkretes heranziehen, man kennt aber seine Religiosität und seine Traditionsgebundenheit. Beide Grundhaltungen galten auch für seinen Sohn und Nachfolger, der sich immerhin in Privatbriefen geäußert hat. Unzählig sind darüber hinaus die Zeugnisse seiner Frömmigkeit, wurde er doch zu seiner Zeit als das Muster des frommen und geistlich gebildeten Zaren angesehen. Es verwundert daher nicht, daß in Aleksej Michajlovičs Selbstinterpretation die Beziehung zu Gott immer eine Rolle spielt, wobei er mit Vorliebe auf Wendungen teils aus der zarischen Krönungsordnung, teils aus dem neunten Kapitel der Weisheit Salomos zurückgriff. „Gott ist gnädig, und der Zar verleiht Privilegien" (Bog de miluet da car' žjaluet...), faßte er diese Beziehung einmal kurz und bündig in einem undatierten eigenhändigen Brief an A.L. Ordin-Naščokin zusammen. Ausführlicher schrieb er 1668 an G.G. Romodanovskij: „Gott hat uns, dem Herrscher, aufgegeben, unsere Untertanen (ljudi) im Osten und im Westen, im Süden und im Norden gerecht zu regieren und zu richten; und wir delegieren die göttlichen und unsere herrscherlichen Angelegenheiten in den verschiedenen Landen an je einen (Würdenträger)..." Und zum Tode von N.I. Odoevskijs Sohn ließ er die Hinterbliebenen wissen, „daß ihr außer Gott im

---

[1]) Olearius, S. 124 ff. Darüber mehr im Schlußkapitel dieser Arbeit.
[2]) Kotošichin, S. 126. Vgl. dazu auch Kap. 4.

Himmel und mir auf Erden niemanden habt... Deswegen hat Gott uns
auch eingesetzt, daß wir den Hilflosen helfen."[1]) Regieren als Richten
und Helfen—das ist wohl die Essenz dieses Patriarchalismus, der auf der
göttlichen Herkunft der zarischen Macht aufbaute und sich darin auch
durch die Tatsache nicht stören ließ, daß die Romanovs 1613 auf den
Thron gewählt worden waren. Im Wahlakt selbst wurde im Gegenteil
bereits großer Wert darauf gelegt, daß nur ein von Gott Gegebener
gewählt werden könne.[2])

   Natürlich vertrug diese Auslegung des Zarenamtes weder Ungehorsam
noch Widerspruch und nicht einmal eigenständiges Handeln der obersten
Bojaren (bojare). Aleksej pflegte in solchen Fällen moralisierende Ermahnungen zu schicken, wie die vom August 1659 an I.I. Lobanov-Rostovskij
in Smolensk, der in seinen Briefen von der Front die Gefallenen und
Gefangenen „verschwiegen" hatte: So etwas täten nur gemeine Leute
ohne Dumarang. Außerdem habe er entgegen dem ausdrücklichen
Befehl viele Soldaten aufs Spiel gesetzt und aus Stolz ein Versprechen
gebrochen. Nur der Fürbitte des Thronfolgers habe Lobanov-Rostovskij
sein Verbleiben im Dienst zu verdanken. Ähnlich warf der Zar am 17.
Nov. 1668 Ju.A. Dolgorukov „Entehrung" vor, weil dieser trotz eines
anderslautenden zarischen Befehls nach Smolensk gezogen war. Noch
schlimmer erging es dem schon erwähnten G.G. Romodanovskij, der
seine Krieger ebenfalls entgegen einem Befehl nicht in das Regiment eines
anderen Heerführers geschickt hatte und dadurch eine russische Nieder-
lage verursacht haben sollte. In einem undatierten Brief redete ihn Aleksej
mit „Feind des Kreuzes Christi" an, der ihm wie Judas einen „satanischen
Dienst" erwiesen habe. „Verräter, Satanssohn und Freund des Teufels"
sind andere Ausdrücke dieses Schreibens. Schließlich heißt es sogar,
nicht einmal der Teufel hätte das getan. Nicht nur die christlichen Analo-
gien, auch die direkte Gleichsetzung des zarischen ukaz mit einem göttlichen Befehl (Božie povelenie i naš gosudarev ukaz) sind hier Hinweise
auf Aleksejs Selbstverständnis. Der Zar verdammt und vergibt, wenn
nicht wie Gott, so doch zusammen mit Gott: Wenn Romodanovskij den
Befehl noch nachträglich ausführe, werde ihm alles verziehen. In dieser
Weltordnung hat der Zar seinen festen Platz über den Bojaren, denen
er die Würde verleiht. „Nach dem Willen Gottes", so heißt es in einem
Brief an V.B. Šeremetev in Kiev vom 6. Mai 1660, „existiert unser
herrscherlicher Rang, (während) die Bojarenehre über euch ehrbaren

---

[1]) Zapiski, S. 767; Solov'ev, Istorija, Buch 6, SS. 610 f. u. 614 f.
[2]) SGGD, Bd. 1, Nr. 203.

Leuten (erst) zustande kommt... Nicht umsonst hat Gott bestimmt, daß wir, der Große Herrscher und vergängliche Zar, diese Ehre vergeben und du sie empfängst.''[1])

Im Denken des Zaren Aleksej Michajlovič war für die Neuzeit noch kein Raum; er ähnelte in allem seinem Vorbild Ivan IV. Dagegen schlug sein Sohn Fedor ganz neue Töne an, als er am 8. Juni 1680 gebot, man solle in Bittschriften nicht mehr schreiben, der Zar möge „geruhen und sich erbarmen wie Gott''; nur ein langes Leben und Gesundheit könne man ihm wünschen.[2]) Noch deutlicher machte sich die Abkehr von der Tradition bzw., positiv ausgedrückt, die Übernahme des westlichen Naturrechts in der Ansprache bemerkbar, die der Zar am 12. Jan. 1682 aus Anlaß der Abschaffung der alten Rangplatzordnung (mestničestvo) hielt. Er habe die Zügel von Gott erhalten, hieß es da, um über den besten Zustand seines Landes nachzudenken. Es sei ihm auferlegt, diesen Zustand zum Wohle aller orthodoxen Christen zu erreichen und in Gesetze zu fassen, jedoch „zu zerstören und auszurotten, was zum Verderb und zur Minderung des allgemeinen Wohls (obščee dobro) führt''.[3]) Neue and alte Vorstellungen vom Herrscheramt mischten sich bei Fedor Alekseevič auch in der programmatischen Einleitung, die dem (überarbeiteten) Akademie-Statut von 1682 voranging. Daß darin noch einmal Zitate aus der Weisheit Salomos vorkamen, ist sicher auf die geistlichen Verfasser dieses Projektes zurückzuführen. Sie ließen den Zaren erklären, er habe sich bemüht, das von seinem Vater übernommene Zartum „in rechter Weise zu regieren und die zarischen Aufgaben zu erfüllen. Unter ihnen ist die erste und größte Aufgabe die Bewahrung des östlichen orthodoxen Glaubens und die Sorge um seine Verbreitung. Ähnlich (wichtig) ist es, sich um eine ordentliche Verwaltung des Staates und um seine Verteidigung zu bemühen.'' Die Voraussetzung dieser und anderer zarischer Aufgaben sei die Weisheit. „Dadurch erwerben alle Reiche eine geordnete Position und Justizverwaltung sowie eine starke Verteidigung und große Ausdehnung. Kurz gesagt, durch die Weisheit erkennen wir in allen zivilen und kriminalen Angelegenheiten das Schlechte und das Gute.''[4]) Zweifellos kündigen diese Gedanken über

---

[1]) Zapiski, SS. 743 ff. u. 771 ff. Eigenmächtiges Vorgehen von untergeordneten Rängen wurde meist mit Gehaltskürzung geahndet, zum Beispiel in dem Erlaß vom 27. Okt. 1661 (PSZ, Bd. 1, Nr. 312).

[2]) Ebenda, Bd. 2. Nr, 826; auch SGGD, Bd. 4, Nr. 120.

[3]) PSZ, Bd. 2, Nr. 905. Mehr über die Rangplatzordnung in Kap. 3.

[4]) DRV, Bd. 6, S. 397 ff. Auf die Beeinflussung Fedors durch thomistische Rechtsvorstellungen hat bereits Lappo-Danilevskij (Ideja, S. 13 f.) hingewiesen.

das allgemeine Wohl, über eine ordentliche Verwaltung (sprich: Polizei) und die Aufgaben des Herrschers den Übergang zu den Anfängen des aufgeklärten Absolutismus des 18. Jahrhunderts, zu Peter dem Großen an.

Für die Verspätung des Einbruchs der Aufklärung in Rußland lassen sich drei Gründe anführen. Einmal blieb die Orthodoxie (bzw. als Institution die orthodoxe Kirche), die einzige geistige Macht Altrußlands, bis über die Mitte des 17. Jahrhunderts hinaus unangetastet und wurde erst durch den Fall des Patriarchen Nikon und das Schisma (raskol), beides im Jahre 1666/67, erschüttert. Die zweite Stütze der Autokratie, die gewohnheitsrechtliche Tradition (starina), war zum andern zwar bereits seit dem Aussterben der Rjurik-Dynastie im Jahre 1598 in Frage gestellt und in der Smuta unter polnischem Einfluß durch verfassungsrechtliche Neuerungen bedroht worden, aber gerade deshalb traten die Romanovs zur Rettung der überlieferten Regierungsform an. Sie erreichten die Verzögerung neuer Formen und Inhalte drittens mit einem Rückgriff auf Byzanz, mit der von Neubauer kürzlich beschriebenen Tendenz zur Regräzisierung,[1]) die wohl als ein Versuch der Auffrischung russischer Frömmigkeit und russischer Tradition von den Quellen her gesehen werden muß. Es ist von großem Reiz, das zweite genannte Element, nämlich die Restaurationspolitik der Zaren, näher zu untersuchen.

Dieses Bemühen der Romanovs begann sofort mit der Thronbesteigung Michails im Jahre 1613. Es läßt sich damit erklären, daß er seine Stellung gegenüber den anderen Kandidaten, die Ansprüche auf den Thron angemeldet hatten (s. Kap. 4), rechtfertigen und obendrein die Wahl als solche möglichst vergessen machen, d.h. als unumgängliche Entscheidung ohne Alternative ausgeben mußte. Deshalb wurde schon im Wahlakt (Utverždennaja gramota) die dynastische Genealogie nach dem im 16. Jahrhundert entstandenen Muster fortgeführt: Beginnend mit dem römischen Kaiser Augustus, wurden die einzelnen russischen Herrscher unter kurzer Erwähnung ihrer hervorragendsten Taten genannt. Die Argumente der russischen Diplomaten in der eingangs mitgeteilten Begebenheit am spanischen Hof stammten aus diesem Gedankengut der offiziellen „Historiographie". Eine gradlinige Abstammung von den Rjurikiden konnte freilich 1613 wegen der zeitlichen Nähe noch nicht behauptet werden. Waren doch die Romanovs in einem kurz vor 1613 privat aufgezeichneten Geschlechterbuch (rodoslovnaja kniga) gerade erst als die einfache Familie des A.I. Kobylin und seines Bruders F.I. Ševljaga vorge-

---

[1]) Neubauer, passim u. bes. S. 220.

stellt worden.[1]) Immerhin wurde Michail Romanov bei der Wahl bereits zum Neffen Fedor Ivanovičs, des letzten Zaren der alten Dynastie, gemacht. Später bezeichnete Michail Ivan IV. als seinen Großvater, so daß Fedor Ivanovič eigentlich sein Vater hätte sein müssen. Diese Auslegung war feilich mit Rücksicht auf den wirklichen Vater, Filaret, mit weltlichem Namen Fedor Nikitič Romanov, unmöglich, aber der Umstand, daß Michails Patronymikon auf beide „Fedore" paßte, mag zur Festigung der Legende beigetragen haben. Jedenfalls störte sich nach Filarets Tod (1633) niemand mehr daran: Als die 600 Strelitzen des Stremjannyj-Regiments am 17. Nov. 1648 eine Bittschrift an Aleksej Michajlovič richteten, priesen sie ihre Dienste unter seinem „Urgroßvater", Ivan IV., und seinem „Großvater", Fedor Ivanovič. Der richtige Großvater, Filaret, tauchte allerdings in der Petition ebenfalls auf, ohne daß man sich des Widerspruchs bewußt gewesen wäre.[2]) 1613 sollte übrigens nicht nur vergessen gemacht werden, daß die dynastische Kontinuität fehlte, sondern daß sie darüber hinaus für anderthalb Jahrzehnte unterbrochen gewesen war. Der in der ersten Fassung der Wahlurkunde vorhandene Hinweis auf die Unterbrechung der „zarischen Wurzel" (carskij koren') wurde nicht in die endgültige Redaktion übernommen. Es versteht sich von selbst, daß das Verhalten der Romanovs während der Smuta außerdem möglichst heroisch dargestellt wurde.[3])

In der Periode nach 1613 offenbarte sich die politische Restauration besonders deutlich in der Chronistik und der Historiographie, soweit sie im Dienste der offiziellen Linie standen. Die an Tiefe und Bildung hervorragende Verarbeitung der Smuta, das „Zeitbuch" (Vremennik) des Sekretärs Ivan Timofeev, ließ in einer Herrschertabelle Michail Fedorovič fast direkt auf Fedor Ivanovič folgen.[4]) Die allenthalben beabsichtigte Verschleierung der Unterbrechung des „zarischen Stam-

---

[1]) Vremennik, S. 86 ff.
[2]) Zabelin, Čelobitnaja, SS. 1. u. 3. „Ded" (Großvater) und „praded" (Urgroßvater) werden zwar gelegentlich auch in der Bedeutung „Vorfahr" gebraucht, aber auch dann nur verwandtschaftlich. Auch Ključevskij sprach in diesem Zusammenhang von „Großvater" (Kurs, Bd. 3, S. 65). Zum Inhalt der Bittschrift s. Kap. 3.
[3]) SGGD, Bd. 1, Nr. 203. In gedrängter Form gab Michail Fedorovič diese Gedanken auch in der Ansprache wieder, die er selbst anläßlich seiner Krönung am 11. Juni 1613 vor den hohen geistlichen und weltlichen Würdenträgern hielt (ebenda, Bd. 3, Nr. 16). Die erste Fassung der Wahlurkunde geht wahrscheinlich auf den Kellermeister Palicyn zurück. Er stand den Romanovs nahe und charakterisierte die Interimsherrscher der Smuta viel schärfer, als dies die zweite Version tat (Čerepnin, „Smuta", S. 100), die offenbar im Zeichen der Aussöhnung stand.
[4]) Timofeev, S. 164 f. Nur Vasilij Šujskij wurde erwähnt.

mes" läßt vermuten, daß die Konzeption des „Stufenbuches" (stepen-naja kniga) wiederaufgenommen werden sollte, jener Anfang der 60er Jahre des 16. Jahrhunderts entstandenen quasisystematischen Darstellung der russischen Geschichte nach Regierungszeiten („Stufen") der Herrscher, mit der unter anderem die göttliche Herkunft der Autokratie bewiesen werden sollte. Tatsächlich gründete Aleksej Michajlovič 1657 ein besonderes Zentralamt für die Abfassung einer Fortsetzung dieser Chronik, das „Amt für Aufzeichnungen" (zapisnoj prikaz), während sonst die Geschichtsschreibung in die Kompetenz des Außenamtes (posol'skij prikaz) fiel. Die neue Stelle gelangte jedoch über eine Material-sammlung nicht hinaus und hängte der Einfachheit halber eine vorhandene, bereits um 1630 entstandene Chronik, den „Neuen Chronisten" (Novyj letopisec), an das alte Stufenbuch an. Daß dies ohne weiteres möglich war, zeigt, wie sehr der „Neue Chronist" den Absichten der Regierung entsprach, die Lücke nach 1584 zu füllen. Er stimmte schließlich, worauf Čerepnin hingewiesen hat, zum Teil wörtlich mit dem Wahlakt von 1613 überein.[1]) Es handelte sich bei dieser Chronik um die offizielle Darstellung des Patriarchenhofes, die die Auffassung von der göttlichen Herkunft der Zarenwürde, der erblichen Kontinuität der Dynastie und der Anerkennung dieser Dynastie durch das ganze Volk vertrat. In diesem Sinne erschien die Volkswahl von 1613 als Wille Gottes, dessen Gnade auf den Romanovs ruhte, nachdem er sich „um unserer Sünden willen" in der Smuta für kurze Zeit von Rußland abgewandt hatte.[2]) Beziehungsvoll wies ein anderer Chronist in der „Pskover Erzählung" (Pskovskoe skazanie) auf die Namensverwandt-schaft Michails mit dem Erzengel und dem byzantinischen Kaiser Michael VIII. Palaiologos, der die Lateiner (sprich: Polen) vertrieben hatte, hin.[3]) Auch der erwähnte Timofeev charakterisierte die Herrschernatur, genau wie dies im 16. Jahrhundert geschehen war, mit der Formel Papst Agapetus' I. aus dem 6. Jahrhundert, wonach ein Herrscher kör-perlich den übrigen Menschen gleiche, im Amt aber wie Gott sei. Timo-feev betonte darüber hinaus in natürlicher Reaktion auf die „Sünden" der Smuta die göttliche Natur dieses Amtes besonders. Wie oben an den Äußerungen Aleksej Michajlovičs gezeigt wurde, ging diese Auffassung auch in sein eigenes Denken ein. Mit seinem Tode hörte dies äußerlich auf und lebte doch weiter in der säkularisierten Verabsolutierung Peters

---

[1]) Čerepnin, „Smuta", SS. 107 ff. u. 86.
[2]) PSRL, Bd. 14,1, S. 128 ff.
[3]) Ebenda, Bd. 5, S. 63. Val'denberg, Drevnerusskie učenija, S. 363 ff.

des Großen, der nicht mehr an äußeren (christlichen) Maßstäben gemessen wurde.

Trotz oder gerade wegen der göttlichen Natur des Zarenamtes trennte Timofeev keineswegs Zar und „Staat". Diese Einheit ging in der Smuta nicht verloren, wie man vielleicht aus der an sich richtigen Erkenntnis schließen könnte, daß die Russen erfahren hatten, wie ein Staat auch ohne Herrscher existieren konnte. Diese Erfahrung wurde aber nicht bewußt erlebt. Gegen Ende der Smuta entstandene und von Timofeev mitgeteilte Gleichnisse, deren eines wohl von ihm selbst stammt, sprechen entweder davon, daß Rußland (also der Staat) gar nicht mehr existiere, oder davon, daß es (russisch: sie) verwitwet sei, womit die Fiktion der Einheit aufrecht erhalten blieb. Das Bild von Rußland als trauernder Frau hatte zuerst Maksim Grek fast einhundert Jahre früher gebraucht. Timofeev fügte andere Bilder wie „Haus ohne Haupt", „Körper ohne Seele" and „hilflose Waise" hinzu.[1]) Ähnlich schrieben D.T. Trubeckoj und D.M. Požarskij, als sie gegen Ende der Smuta die Bevölkerung zur Wahlversammlung nach Moskau luden, zum Beispiel am 31. Dez. 1612 an die Dvina, daß „der Moskauer Staat ohne Herrscher durch nichts gebaut wird".[2])

An diesem Herrscherbild änderte sich, wie gesagt, in den späteren Jahrzehnten nichts, es sei denn, daß das Gottesgnadentum noch stärker hervortrat. Insofern blieb auch der Gedanke des „Dritten Roms", Anfang des 16. Jahrhunderts entstanden, lebendig, denn von der Orthodoxie (vor dem Schisma) und der persönlichen Frömmigkeit des Herrschers hing nach wie vor das Heil Rußlands ab. So ist es kein Wunder, daß die offizielle Interpretation der Smuta lange Zeit die Geschichtsschreibung, sogar späterer Jahrhunderte, beeinflußte. In den Fortsetzungen des „Neuen Chronisten" wurde die geschilderte Konzeption von der Tradition beibehalten, so zum Beispiel in der um 1658 entstandenen „Chronik von den vielen Aufruhren" (Letopis' o mnogich mjatežach). Auch die in den 80er Jahren entstandenen Fassungen des Novyj letopisec gingen auf die der Regierung genehmen Quellen zurück.[3]) Das gleiche gilt von der auf Wunsch Aleksej Michajlovičs verfaßten und 1669 beendeten „Geschichte von den Zaren und Großfürsten des russischen Landes" (Istorija o carjach i velikich knjaz'jach zemli russkoj). Verfasser war ein Sekretär des Dienstlistenamtes (razrjad), F.A. Griboedov, wohl der

---

[1]) Timofeev, SS. 107, 155 ff., 159 ff. u. 365; Cherniavsky, SS. 54 u. 78.
[2]) Chrestomatija, S. 351; Zimin, Akty, S. 187.
[3]) Čerepnin, „Smuta", S. 116 ff.

letzte Vertreter des alten annalistischen Stils in der russischen Historiographie. Er bewies ein weiteres Mal die fiktive Genealogie von Augustus
bis Aleksej Michajlovič auf Grund des Quellenmaterials des „Stufenbuches", des „Chronographen" und anderer Werke. Die Familie der
Romanovs wurde bis zu einem Verwandten des Kaisers zurückverfolgt.
Ein Vergleich der verschiedenen Redaktionen dieser Arbeit enthüllt,
daß — offenfar auf Befehl — in der endgültigen Fassung die Mitteilung
über die Romanovs erheblich erweitert wurde und daß im 18. Kapitel
das Wort vom Abbrechen der „zarischen Wurzel" entfallen mußte.[1]
Erwähnt sei hier auch das gleichermaßen angelegte „Große Staatsbuch"
(Bol'šaja gosudarstvennaja kniga) von 1672, in dem Aleksej Michajlovič
seine Vorgänger nicht nur beschreiben, sondern auch porträtieren
ließ.[2] Erst das von Fedor Alekseevič in Auftrag gegebene Geschichtsbuch
basierte auf einem neuen, von der Smuta unabhängigen Geschichtsbild:
Im Vorwort wurden Notwendigkeit und Vorzug des Studiums der russischen Geschichte mit einem immanenten Interesse an der Historie
begründet.[3]

Nicht nur in der schriftlichen Verarbeitung, sondern natürlich auch
in der konkreten Herrschaftspraxis äußerte sich das Bestreben, die
Erblichkeit des Throns durch Wiederaufnahme der Tradition für die
Romanovs zu sichern. Ein wichtiges Mittel zur Aufrechterhaltung des
zarischen Herrschaftsanspruchs war dabei die Gestaltung und Durchsetzung des Herrschertitels. In diesen Komplex gehören auch die
russischen Idosynkrasien in Protokollfragen, wie sie in den Berichten
ausländischer Gesandter nachzulessen sind. Auf diese außenpolitisch
bedeutsamen Vorgänge soll hier jedoch nicht näher eingegangen werden.
Dagegen ist für die innerrussischen Zustände aufschlußreich, daß den
Schreibern der Zentralämter die Bestrafung mit der Knute drohte, wenn
sie am zarischen Namen und Titel irgend etwas ausließen oder verkehrt
schrieben. Solches geschah Kotošichin 1660. Auch Gefängnis von einer
Woche ist als Bestrafung belegt.[4]

---

[1] Pamjatniki drevnej pis'mennosti, bes. S. X f.; Ključevskij, Kurs, Bd. 3, S. 134;
Očerki istorii SSSR, XVII v., S. 346.

[2] DRV, Bd. 16, S. 86 f. Wenn E. L. Keenans Thesen über die apokryphe Entstehung des Kurbskij-Groznyj-Briefwechsels stimmen, müßte auch der um 1675 von
einem Verteidiger der Autokratie (Golicyn?) verfaßte zweite „Kurbskij-Brief" in diese
Reihe gestellt werden (Keenan, S. 94).

[3] Zamyslovskij, S. XXXV ff.

[4] So im Erlaß vom 14. Aug. 1658 (PSZ, Bd. 1, Nr. 233). S. ferner ebenda, Nr. 351;
Kotošichin, S. XXVIII. Auf Siegelfälschung und Fälschung von Unterschriften der
zarischen Beamten setzte das Uloženie die Todesstrafe (Kap. IV, § 1 f.) (PRP, Bd. 6,
S. 42).

Titel und Siegel des neuen Zaren wurden 1613 festgelegt. Aber schon im Februar 1625 teilte ein Zirkular allen Voevoden mit, daß vom 25. März an ein neues, größeres Siegel gelte, weil auf dem alten das Wort „Selbstherrscher" gefehlt habe. Außerdem erhielten die Köpfe des Doppeladlers nun Kronen. Solov'ev hat darauf hingewiesen, daß diese Erweiterung die gesteigerte Macht des Zaren symbolisieren sollte, der sich nach der Rückkehr seines Vaters aus polnischer Gefangenschaft von der „Mitregierung" der Reichsversammlung freigemacht habe.[1] Mit der Reichsversammlung wird dieser Vorgang freilich kaum etwas zu tun gehabt haben (s. Kap. 4), eher schon mit den wachsenden Spannungen mit Polen-Litauen und einer Befreiung von dessen Ansprüchen. Ähnlich drückte Aleksej Michajlovič sofort nach der Inkorporierung der Ukraine im Titel aus, daß er nun auch Herrscher „von Kleinrußland" war, und er ließ dies am 27. März 1654 zuallererst Bohdan Chmel'nyc'kyj, den Hetman der Zaporoger Kosaken, wissen.[2] Im gleichen Jahr wurden am 28. Juli nach der Eroberung westrussischer Gebiete die Städte Polock und Mstislavl' in den Titel eingefügt, der schließlich am 3. Sept. 1655 mit der Bezeichnung „Großfürst von Litauen, Weißrußland, Wolhynien und Podolien" vervollständigt wurde[3] und in dieser Form erhalten blieb, obwohl die litauischen Gebiete nur vorübergehend besetzt waren. Nach dem Friedensschluß von Andrusovo am 20. (30.) Jan. 1667 gab Aleksej Michajlovič einen Rückblick auf die Entwicklung des Titels unter seiner Regierung und schloß auch eine Deutung des Staatswappens an. Demnach standen die drei Kronen auf dem Doppeladler für die drei großen Zartümer Kazan', Astrachan' und Sibir', die drei Städte der rechten Seite, vertreten durch die Darstellung ihrer Einwohner, für Groß-, Klein- und Weißrußland, diejenigen auf der linken Seite des Adlers für die östlichen, westlichen und nördlichen Länder des Reiches. In den Krallen halte der Adler Szepter und Reichsapfel, auf seiner Brust befinde sich das Bild des Thronfolgers, und unter dem Wappentier stellten Bewaffnete den Schutz der Erbländer dar (znak otčiča i dediča).[4]

[1] Solov'ev, Istorija, Buch 5, S. 257. Das Zirkular s. SGGD, Bd. 3, Nr. 70.
[2] PSZ, Bd. 1, Nr. 119.
[3] Zu Polock und Mstislavl' vgl. ebenda, Nr. 134, u. SGGD, Bd. 3, Nr. 177; zu Litauen, Weißrußland, Wolhynien und Podolien s. PZS, Bd. 1, Nr. 164, u. SGGD, Bd. 3, Nr. 183. Das Wort „Weißrußland" taucht schon am 12. Juli 1655 in einem Erlaß auf (PSZ, Bd. 1, Nr. 160).
[4] Ebenda, Nr. 421. Dort auch der vollständige Titel. Mit der gleichen Erklärung schickte der Zar den Übersetzer des Außenamts V. Bouš am 4. Juni 1667 zum Kurfürsten von Brandenburg und zum Herzog von Kurland (SGGD, Bd. 4, Nr. 57). 1672 erschien in dem erwähnten „Großen Staatsbuch" eine Zusammenfassung aller

Daß der Thronfolger im Wappen in Erscheinung trat, darf durchaus als Bemühen um Sicherung der Herrschaft für die Dynastie gewertet werden. Aleksej ging darin noch weiter. Als der Krieg mit Polen und Schweden eine längere Abwesenheit des Zaren aus Moskau bedingte, wurde 1656 bestimmt, daß offizielle Schriftstücke auch an den nominell die Regierungsgeschäfte führenden Thronfolger Aleksej Alekseevič, der später vor seinem Vater starb, zu adressieren seien. Daraus entwickelte sich bald die Gewohnheit, auch die anderen zarischen Kinder, die Brüder des Zaren und andere Verwandte in die Anreden einzuschließen. Fedor Alekseevič verbot dies durch Zirkular an die Voevoden am 8. Dez. 1677.[1]) Daß gut neun Jahre später in Verleihungsurkunden neben den Namen der Zaren Peter und Ivan auch derjenige ihrer Schwester Sofija auftauchte, lag im Ehrgeiz der Regentin begründet, die die Übernahme der Zarenkrone anstrebte.[2]) Ein Thronfolger bekam im übrigen schon zu Lebzeiten des Vaters den Titel „Großer Herrscher" und wurde Mitregent wie der genannte Aleksej Alekseevič. Dieser Brauch ging auf Vasilij II. in der Mitte des 15. Jahrhunderts zurück. Dagegen stellte es eine Neuerung dar, daß 1619 auch der Vater des regierenden Zaren Mitregent wurde, weil Autorität und Vergangenheit des Patriarchen Filaret diesen als den eigentlichen, nur verhinderten Zaren der Romanov-Dynastie erscheinen ließen. Am 20. Juni 1619 nannte Michail Fedorovič in einem Brief an den sibirischen Voevoden seinen Vater noch vor dessen Rückkehr zum erstenmal „Großer Herrscher",[3]) während seine Mutter

---

mit Titel, Wappen und Siegel zusammenhängenden Fragen. Samuel Collins, der englische Arzt Aleksej Michajlovičs, schrieb über den Titel des Zaren: „He puts in many Titles into his broad Seal as the Spanyards do. And thus he stiles himself." (Collins, S. 55.)

[1]) PSZ, Bd. 2, Nr. 709; SGGD, Bd. 4, Nr. 109. Eine von Fedor geplante Änderung des Staatssiegels, die er im Juni 1881 anordnete, wurde nach seinem Tode nicht mehr verwirklicht. Vgl. dazu den Erlaß vom 29. April 1882 (PSZ, Bd. 2, Nr. 915; SGGD, Bd. 4, Nr. 133). — Seine nominelle Vertretung durch seinen Sohn Aleksej hatte Aleksej Michajlovič 1656 verfügt, wie aus einem Brief an den Voevoden von Novgorod vom 29. Mai hervorgeht (PSZ, Bd. 1, Nr. 178). Zuvor hatte seit dem 10. März 1655 Fürst G.S. Kurakin die Regierungsgeschäfte in Moskau allein führen dürfen (ebenda, Nr. 149; SGGD, Bd. 3, Nr. 182). In dem letztgenannten Zirkular an die Voevoden wurde Kurakin mit dem Schutz der Zarin und des Thronfolgers beauftragt, und strenge Strafen wurden demjenigen angedroht, der ihn als zarischen Vertreter nicht ernst nehmen würde. Vgl. auch den Erlaß vom 31. Aug. 1656 (PSZ, Bd. 1, Nr. 190). Eine solche Delegierung zarischer Macht war im 17. Jahrhundert nichts Neues, sondern bereits durch Ivan IV. praktiziert worden.

[2]) S. den Erlaß vom 8. Jan. 1687 (PSZ, Bd. 2, Nr. 1231). Vgl. dazu auch Kap. 5.

[3]) SGGD, Bd. 3, Nr. 44. Sechs Tage früher findet sich dieser Titel im Bericht des „Staatsbuches" (gosudarstvennaja kniga) über die Begegnung von Vater und Sohn

Marfa bereits im Wahlakt von 1613 als „Große Herrscherin" bezeichnet worden war. Es erschien undenkbar, daß die Mutter, solange sie allein für Michail verantwortlich war, und später der Vater die Untertanen ihres eigenen Sohnes sein sollten: „Welcher Art der Herrscher ist, ebensolcher Art ist auch sein herrscherlicher Vater, der allerheiligste Patriarch; ihre herrscherliche Majestät ist unteilbar."[1] Freilich galt dies nur für die Dynastie. Als der Patriarch Nikon sich später ebenfalls mit „Herrscher" anreden ließ, trug diese Überheblichkeit zu seinem Sturz bei. Die vier orientalischen Patriarchen verneinten im Mai 1663 die Frage des Zaren, ob sich ein Kirchenfürst „Herrscher" nennen dürfe.[2]

Eine verfassungsrechtliche Neuheit bedeutete auch die Inthronisierung zweier Zaren, nämlich der Brüder Peter und Ivan im Jahre 1682. Dieser aus den Wirren und Intrigen nach dem Tode Fedor Alekseevičs hervorgegangene Kompromiß konnte gleichfalls mit der Pluralität des Majestätsbegriffs motiviert werden. Als historische Präzedenzfälle wurden Pharao und Joseph und die Kaiser Arcadius und Honorius sowie Basilius und Konstantin herangezogen. Im übrigen fand man die Doppelherrschaft insofern nützlich, als ein Zar im Kreml' regieren könnte, wenn der andere etwa ins Feld ziehen müßte.[3] Als die Regentin Sofija sich dann, wie gesagt, seit dem Erlaß vom 8. Jan. 1687 ebenfalls Selbstherrscherin nannte (allerdings noch nicht in außenpolitischer Beziehung), gab es zeitweilig drei Autokraten. Sofijas Ambitionen führten allerdings zum Konflikt von 1689, in dessen Verlauf Peter ihren Titel am 7. September für nichtig erklärte,[4] während er den debilen Ivan V. bis zu dessen Tod im Jahre 1696 respektierte. Eine große Merkwürdigkeit stellte dagegen die Existenz weiterer Zaren im russischen Reich neben dem Moskauer dar. So führte der tatarische Fürst des bis 1681 bestehenden Zartums Kasimov diesen Titel, seit der Chan Qasim 1446 in moskauische Dienste getreten

nach der Rückkehr des ersteren aus polnischer Gefangenschaft noch nicht (ebenda, Nr. 43).

[1] Razrjady, Bd. 1, S. 491. Diese Feststellung wurde aus Anlaß der Aufhebung der Rangplatzordnung für die bewaffneten Leibwächter (ryndy) beider Herrscher getroffen. — Zum Problem „Große Herrscher" allgemein s. Fleischhacker, S. 225 ff.

[2] SGGD, Bd. 4, Nr. 27.

[3] „Denn unsere zarische Majestät bedeutet in den Personen beider Großer Herrscher eine gemeinsame Majestät in der Verkörperung des Throns, der Herrschaft und der Regierung." (Pamjatniki diplomatičeskich snošenij, Bd. 6, S. 23.) Die erste Urkunde mit der neuen Form, die „Musterurkunde" vom 26. Mai 1682, s. SGGD, Bd. 4, Nr. 145.

[4] PSZ, Bd. 3, Nr. 1347.

war.[1]) Im Februar 1682 gab es einen sibirischen Zaren Grigorij Alekseevič am Moskauer Hof. Bei diesen Titeln handelte es sich um Relikte aus der Zeit, als neben dem „Himmelskönig" und den biblischen Königen auch die bulgarischen, serbischen und kaukasischen Herrscher sowie die mongolischen Chane als Zaren bezeichnet wurden — lange vor der ersten Moskauer Zarenkrönung im Jahre 1547. Das Wort Zar besaß also keinesfalls die Ausschließlichkeit der Titel „Großer Herrscher" und „Selbstherrscher". Zudem bedeutete ein geduldeter und von der Bevölkerung durch Spenden unterhaltener Dienstfürst wie der Zar von Kasimov letzten Endes kein Problem. Anders dagegen die zahlreichen falschen Thronprätendenten (samozvancy), die im Laufe des 17. Jahrhunderts der Regierung Anlaß zu großer Besorgnis gaben.

Die Usurpation des ersten Falschen Demetrius (Lžedmitrij, 1605/06) und die außerordentliche Gefährdung des Reiches durch den zweiten Prätendenten gleichen Namens (1606-1610) sowie das Auftauchen mehrerer anderer angeblicher Thronerben während der Smuta waren nur dadurch möglich geworden, daß das Volk nicht an das Erlöschen der alten Dynastie zu glauben vermochte. Die Romanovs mußten deshalb auch unter dem Gesichtspunkt der Kontinuität im Interesse ihres Herrschaftsanspruches rigoros gegen solche Abenteurer vorgehen, um sich als rechtmäßige Throninhaber zu behaupten. Das dynastische Interesse überwog sowohl bei den Zaren als auch beim Volk unbedingt den sozialen Protest, den die sowjetische Historiographie in den Vordergrund stellt.[2]) Von den Romanovs aus gesehen, kam noch das außenpolitische Moment hinzu, daß die Polen, die einst auch beide Demetrii unterstützt hatten, die jeweiligen Situationen geschickt ausnutzten, um ihre eigenen Ansprüche auf den Moskauer Thron und russisches Territorium zu verfolgen. Als 1620 die diplomatischen Querelen um die Anerkennung des Zarentitels einen bedrohlichen Verlauf in Richtung auf einen Krieg nahmen, wiesen die polnischen Unterhändler darauf hin, daß in Polen mehrere (!) falsche Prätendenten bereitstünden, die der König zwar noch nicht anerkannt habe, die aber bereits mit verschiedenen Moskauer Bojaren und auch mit den Don-Kosaken korrespondierten.[3]) Eine echte Bedrohung ging von ihnen jedoch ebensowenig aus wie von einem Kosakenabkömmling, der sich 1639 in Polen S.V. Šujskij nannte und als Sohn des Zaren Vasilij Šujskij ausgab. Die Polen hatten ihn angeblich schon davongejagt,

---

[1]) Als Beispiel für den Titel s. SGGD, Bd. 3, Nr. 58. Über die Entstehung des Zartums Kasimov vgl. Veselovskij, Poslednie udely.
[2]) Am knappsten in SIĖ, Bd. 12, Sp. 515 f.
[3]) Solov'ev, Istorija, Buch 5, S. 156.

als sie 1643 von russischen Unterhändlern zur Rede gestellt wurden.
Gleich danach wiesen die Russen aber auf den seit fünfzehn Jahren in
Brest-Litovsk lebenden Ivan Dmitrievič Luba hin, der sich als Sohn
des ersten Falschen Demetrius und der Marina Mnyszech (Mniszek)
ausgab. A.M. L'vov, der Leiter der russischen Delegation, stützte sich
dabei auf einen Brief des Abtes des Simeon-Klosters in Brest vom 7.
Aug. 1644, in dem es hieß, der sich carevič nennende Luba sei auf Befehl
des litauischen Kanzlers Lew Sapieha zur Erziehung im Kloster. Ursprünglich sei er während des Krieges von Marina einem polnischen
Adligen übergeben worden. Luba, der daraufhin am 14. September der
Konferenz vorgeführt wurde, bestritt freilich, sich je carevič genannt zu
haben und bezeichnete die Geschichte seiner Herkunft als Erfindung.
So konnten die Russen den Polen ihre „Schande" vor Augen halten und
behaupten: „Solche Diebe stellen jetzt für den Moskauer Staat keinen
Schrecken mehr dar."[1]) Dennoch verfolgte Moskau die Affäre hart-
näckig weiter, bis der polnische König nach einigem Hin und Her in
eine Auslieferung Lubas unter der Bedingung willigte, daß sein Schütz-
ling unbestraft zurückkehren könne. Michail Fedorovič dachte jedoch
nicht an eine Herausgabe, obwohl Władysław IV. noch zweimal Lubas
Unschuld beteuerte. Erst Aleksej Michajlovič gab ihn zurück, nachdem
sich die Polen verpflichtet hatten, ihn in schwerer Festungshaft zu halten.
Noch einmal wurde 1646 über Luba verhandelt, als russische Gesandte
zum Abschluß eines dann nicht realisierten Bündnisses gegen die Krim
in Polen waren. Sie behaupteten, er nenne sich noch immer „Moskauer
carevič" und sei sogar bezahlter königlicher Schreiber geworden. Die
Polen versicherten schriftlich das Gegenteil.[2])

Ein anderer „Ivan Dmitrievič" befand sich 1644 in türkischer Gefangenschaft. Der griechische Archimandrit Amphilochios schickte dem
Zaren am 31. Oktober aus Konstantinopel die Übersetzung eines
Briefes dieses Prätendenten an den Sultan, in dem um Hilfe bei der
Besteigung des Moskauer Thrones gebeten wurde.[3]) Amphilochios
berichtete zwei Jahre später, am 25. Oktober 1646, auch über einen
weiteren angeblichen Šujskij, von dem am 25. August schon der Erzbischof von Saloniki dem Zaren geschrieben hatte. Neben zwei anderen
falschen Prätendenten dieses Jahres — offenbar hatte der Thronwechsel
von 1645 anregend gewirkt — sollte dieser von den Polen zum Sultan

---

[1]) SGGD, Bd. 3, Nr. 119 f. Lew Sapieha war nur bis 1623 litauischer Kanzler,
zur Zeit der Einweisung Lubas in das Kloster also nicht mehr in diesem Amt.

[2]) Ebenda, Nr. 121; Solov'ev, Istorija, Buch 5, S. 249 ff.

[3]) Ebenda, S. 248.

gesandte „Šujskij", mittlerweile schon der elfte Betrüger, in der Folgezeit am gefährlichsten werden. Er führte nicht nur Beglaubigungsschreiben des polnischen Königs und des Hospodars der Moldau bei sich, sondern auch einen Stammbaum und ein Bild seines „Vaters", Vasilij Vasil'evič Šujskijs, mit Siegeln, so daß er auch dann noch einige Glaubwürdigkeit für sich verbuchen konnte, als die Dolmetscher der im Serail anwesenden russischen Gesandten vor dem Sultan aussagten, es handele sich in Wirklichkeit um den Schreiber eines Moskauer Zentralamtes, des „Neuen Viertels" (novaja čet'), Timofej Akundinov (Akindinov, Ankudinov, Ankidinov), der nach dem Diebstahl von 200 Rubeln am 1. Sept. 1645 geflohen sei.[1]) Um seine Ziele besser zu erreichen, reiste Akundinov über Italien, Deutschland und Polen wieder zu den Kosaken. Aleksej Michajlovič wurde durch ein Schreiben des Jerusalemer Patriarchen Paisios vom 30. Sept. 1650 davon unterrichtet, daß der Prior Arsenij Suchanov aus der Moldau beauftragt worden sei, Akundinov gefangenzunehmen. Chmel'nyc'kyj verweigerte freilich die Herausgabe, die von Moskau auch schon auf anderen Wegen und im Zusammengehen mit Polen gefordert worden war. Der Hetman stellte sich auf den Standpunkt, der Zar brauche sich vor so nichtigen Leuten doch nicht zu fürchten, und wenn es zehn davon gäbe. So ungefährlich waren Akundinov und sein Genosse Konjuchov(skij) allerdings nicht, denn sie dachten vorübergehend sogar an eine Unterstützung des Pskover Aufstandes (s. Kap. 5). Die Kosaken schoben den unbequemen Gast schließlich Ende 1650 in die Walachei ab, von wo ihn eine abenteuerliche Flucht als „Johannes Sinensis", d.h. Ivan Šujskij, über Schweden, das ihn entkommen ließ, Livland, Holland und einige deutsche Länder nach Holstein führte. Hier wurde er schließlich verhaftet, und nach langem Briefwechsel mit dem Zaren erklärte sich der Herzog im August 1653 mit der Herausgabe des Gefangenen einverstanden, nicht ohne vorher Privilegien für den dänischen Persienhandel als Gegenleistung ausgehandelt zu haben. Letzteres ist um so bemerkenswerter, als gerade zu jener Zeit ausländische Kaufleute auf Drängen der russischen Kaufmannsschaft mehr und mehr Rechte im Moskauer Reich verloren (s. Kap. 3). Akundinov, der Kaufmannssohn aus Vologda, der offenbar selbst bis zuletzt der Überzeugung war, in Wirklichkeit der Enkel des Zaren Vasilij Šujskij zu sein, der „jure naturali in Imperium electus fuit", wie er es dem

---

[1]) SGGD, Bd. 3, Nr. 125 u. 127; Solov'ev, Istorija, Buch 5, S. 463 f.; Solov'ev, Timoška. — Olearius zählt auf Grund von Aussagen Moskauer Ausländer noch weitere Vergehen des Schreibers Akundinov auf (Olearius, S. 236 f.).

schwedischen Kanzler Oxenstierna mitteilte, wurde in Moskau hingerichtet, wobei der polnische Gesandte zuschauen mußte, um dem König berichten zu können.[1]) Der ganze Fall zeigt besonders deutlich, wie ernst es Aleksej Michajlovič mit der Zurückweisung von Ansprüchen auf den Thron war. Es ist sogar vermutet worden, daß er der Gefahr wegen, die von Akundinov ausging, die Ukraine nicht schon 1651, sondern erst drei Jahre später dem Reich einverleibte.[2])

Auch in seinen letzten Regierungsjahren blieb diesem Zaren die Konfrontation mit falschen Thronprätendenten nicht erspart. Daß Sten'ka Razin in seinem Heer einen angeblichen Zarensohn mit dem Namen des in Wirklichkeit am 17. Jan. 1670 verstorbenen Aleksej Alekseevič mitführte, wurde dabei nicht einmal als sehr bedrohlich empfunden, weil der Aufstand als Ganzes eine große Gefahr darstellte. Nach dem Aufstand aber gab sich einer seiner Teilnehmer, ein gewisser Vorob'ev, für den bereits am 18. Juni 1669 verstorbenen Zarensohn Semen Alekseevič aus und schloß sich zunächst Razins ehemaligem Genossen Miju(v)ska (Mievskij) an. Der Hetman der Don-Kosaken, Samojlovyč, berichtete über ihn und seinen Plan, nach Polen zu gehen, Ende 1673 nach Moskau. Als der Kiever Voevode den Betrüger auf Befehl des Zaren verhaften wollte, befand sich Vorob'ev allerdings bereits in der Gewalt des mit Samojlovyč rivalisierenden Führers der Zaporoger Sič, Sirko, der ihn verhörte und eine phantastische Geschichte der „Flucht" vom Moskauer Hof erfuhr. Dabei setzte der Prätendent geschickt auf die Abneigung der Kosaken gegen die Bojaren und ihre Treue zum „guten" Zaren. Aleksejs Briefe und Gesandte richteten bei Sirko zunächst nichts aus; Vorob'ev durfte sogar einen Brief an seinen vermeintlichen Vater schreiben. Erst am 12. Aug. 1674 schickten die Kosaken den falschen Semen nach Moskau, nachdem der Zar ihnen reiche Geschenke versprochen hatte, die sie nach der Hinrichtung des „Rebellen" (vor)

---

[1]) Solov'ev, Timoška, passim; SGGD, Bd. 3, Nr. 139; Belokurov, Arsenij, Teil 1, SS. 194 ff. u. 231 ff.; Tichomirov, Pskovskoe vosstanie, S. 106; Golikov, Bd. 13, S. 20 f., Olearius (der beim Verhör Akundinovs in Holstein anwesend war), S. 237 ff. Den Briefwechsel zwischen Aleksej Michajlovič und Frederik III. s. bei Ščerbačev, Datskij archiv, S. 235 ff. — Der genannte Prior Arsenij Suchanov hatte sich zu jener Zeit gerade auf der Durchreise von Moskau nach Jerusalem befunden, um während des russischen Streites um die Bücherkorrekturen im Orient Kenntnisse über griechische kirchliche Quellen zu sammeln. Seinen Begleitbrief des Patriarchen Paisios an Chmel'nyc'kyj s. bei Belokurov, a.a.O., S. LXVII ff.; seinen Bericht über die Unterredung mit dem Hetman ebenda, S. 19 f. Dort auch ein Schreiben Chmel'nyc'kyjs vom 11. Nov. 1650 in dieser Angelegenheit an der Zaren (Teil 2, S. VII ff.).

[2]) Neubauer, S. 119.

am 18. September auch erhielten. Das Verhör hatte die gesamte Duma, der Bojarenrat, vorgenommen.[1])

Daß immer wieder falsche Prätendenten auftauchen und bei ausländischen wie inländischen Gegnern Moskaus Unterstützung finden konnten, war also in den ersten Jahrzehnten nach der Smuta auf das Abbrechen der dynastischen Tradition im Jahre 1598 zurückzuführen. Das Auftreten der angeblichen Abkömmlinge des ersten Pseudo-Demetrius und der Šujskijs zeigt, daß es den Romanovs nur langsam gelang, ihre rechtmäßige Nachfolge im Bewußtsein des Volkes zu verankern. Erst zur Zeit des Razinschen Aufstandes traten Prätendenten auf, die sich zur neuen Dynastie bekannten, was auf eine Festigung der Stellung der Romanovs nach den Erfolgen und Landgewinnen im Süden und Westen schließen läßt. Von nun an und erst jetzt konnten diese Abenteurer die sozialen Spannungen und die Unzufriedenheit insbesondere bei den Bauern und Kosaken des Südens für ihre Ziele ausnutzen, wobei mehr als einhundert Jahre lang die Person des Zaren kaum angetastet wurde. Während die Angst vor Usurpatoren ihren Niederschlag im Uloženie (Kap. II, § 2) fand, bewirkte der alte Mythos vom „guten" Zaren jetzt auch bei den Romanovs, daß nur die „schlechten" Ratgeber, im 17. Jahrhundert die einflußreichen Bojaren, für Ungerechtigkeiten verantwortlich gemacht wurden. Der Zar war zudem durch ein umständliches Zeremoniell, das durch Erlasse ab und zu in Erinnerung gebracht wurde, geschützt.[2])

Die Zaren genossen darüber hinaus auch einen strafrechtlichen Schutz. Verbrechen der Kategorie gosudarevo slovo i delo, d. h. Beleidigungen des Herrschers (bzw. der Dynastie) in Wort und Tat, wurden außerordentlich intensiv verfolgt. Novombergskij hat allein für die Zeit von 1613 bis zum Erlaß des Uloženie im Jahre 1649 die Akten von 327 Prozessen in den erhaltenen Papieren des Dienstlistenamts gefunden und veröffentlicht.[3]) Nicht alle Anklagen wurden freilich von den Richtern als politisch, d.h. auf die Majestät bezogen, eingestuft. Die Untersuchungen wurden nur von den Voevoden, nicht von den sonst für Strafsachen zuständigen Gerichtsbezirksältesten (gubnye starosty) geleitet und von der Zentrale ständig überwacht. Auch Ausländer waren davon betroffen. Wenn sie

---

[1]) SGGD, Bd. 4, Nr. 89 f., 94 f. u. 99; PSZ, Bd. 1, Nr. 567; AJuZR, Bd. 11, Nr. 109 f. u. 119; Solov'ev, Istorija, Buch 6, S. 457 ff.

[2]) PRP, Bd. 6, S. 28. So wurde zum Beispiel am 29. Juni 1668 befohlen: Wenn der Zar vorüberzieht, soll jedermann vom Pferd steigen, den Hut ziehen, ruhig stehen und sich nicht hinsetzen und keine Spiele spielen (PSZ, Bd. 1, Nr. 430). Zum Zarenmythos vgl. Cherniavsky.

[3]) Novombergskij, Slovo i delo. Vgl. auch Veselovskij, Akty, Nr. 116 f.

sich abfällig über den Zaren äußerten, wie 1618 ein Lübecker Kaufmann in Archangel'sk, wurden ihnen die Waren abgenommen. Dabei fehlte nicht der Hinweis, daß eigentlich die Todesstrafe hätte angewandt werden müssen.[1]) Dies war freilich nur eine Drohung; in der überwiegenden Mehrheit der Fälle wurde, auch bei Russen, nur eine Körperstrafe verhängt. Dabei arbeitete man im Laufe des unruhigen, aufrührerischen 17. Jahrhunderts allmählich Normen aus: Die Lokalbehörde leitete die Anzeige an das Kriminalamt (razbojnyj prikaz, eigentlich: Räuberamt) oder an eine besondere Untersuchungskommission (prikaz sysknych del) weiter. Ihre Entscheidung wurde im Namen des Zaren den örtlichen Voevoden mitgeteilt, die dann das endgültige Urteil formulierten. Bei einer solchen Untersuchung mußte vor allem herausgefunden werden, ob der Beschuldigte nüchtern war, als er die ,,unanständigen Worte" (neprigožie slova, nepristojnye reči) über den Zaren geäußert, ob er sich etwas dabei gedacht und ob er Gesinnungsgenossen gehabt hatte.[2]) Geisteskrankheit und Fallsucht galten nur bedingt als Entlastung: Die Delinquenten wurden in solchen Fällen heimlich geknutet, während Äußerungen bei klarem Verstand so weit öffentlich mit der Knute geahndet wurden, bis der Angeklagte ,,kaum noch lebendig" war.[3]) Schwierig war — wie in allen Prozessen — oft auch die Feststellung, ob etwa eine Verleumdung vorlag. So dauerte die Untersuchung im Falle des Voevoden von Narym, Ivan Skobel'cyns, der mit seiner Familie im Herbst 1645 von einem Verwandten fälschlich eines Attentats auf den Zaren bezichtigt wurde, über ein Jahr und produzierte 156 Aktenblätter.[4]) Ungewöhnlich war dies allerdings nur bei dieser Art von Prozessen.

Aleksej Michajlovič pflegte harte Urteile gelegentlich gnädig zu mildern. Am 23. Jan. 1647 wandelte er die bereits über vier Geistliche verhängte Todesstrafe in ,,schwere körperliche Arbeit" um.[5]) Nach den

---

[1]) SGGD, Bd. 3, Nr. 38. In diesem Falle wurden die Waren allerdings auf Bitten der Stadt Lübeck zurückgegeben. Vgl. zum ganzen Problem auch Šachmatov, Vnutrennjaja ochrana, S. 15 f., u. Golikova, S. 245 f.

[2]) Dies war der Gang der Dinge im Falle des Wandertagelöhners Los' von 1627 (PRP, Bd. 5, SS. 154 ff. u. 175 ff.). Ein weiterer Fall bei Smirnov, Čelobitnyja, S. 67 ff.

[3]) Zajcev, S. 52 f.

[4]) Zercalov, O mjatežach, S. 116 ff.

[5]) Barsov, Iz rukopisej, 1885, S. 1 f. Während des Aufstandes von 1648 äußerten sich einige Leute des Truchseß (stol'nik) I. Jusupov abfällig über Aleksej Michajlovič — er sei gar kein richtiger Zar —, wofür sie auf Grund von Untersuchungen (vom 24. September bis Ende des Jahres) nebst ihrem Herrn nach Sibirien verbannt wurden. Die von der Duma ausgesprochene Verbannung des Fürsten, der bestraft worden

Schrecknissen des Aufstandes von 1648 (s. Kap. 5) wurde allerdings
am 29. Jan. 1649 die Todesstrafe über den Bauern S. Korepin tatsächlich
verhängt, nachdem er am 19. und 20. Januar in Gegenwart der gesamten
Duma grausam gefoltert worden war. Er hatte angeblich den Zaren
als „jungen Dummkopf" bezeichnet, dem der Teufel den Verstand
genommen habe und der deswegen alles tue, was ihm die Bojaren B.I.
Morozov und I.D. Miloslavskij sagten. Ausschlaggebend für den Vollzug
der Strafe mag jedoch gewesen sein, daß er, angestiftet von Gegnern der
genannten Bojaren, offenbar einen Aufstand der „Verpfändeten" vorbe-
reitete, jener zakladčiki, die durch die gerade ausgearbeiteten Bestimmungen des Uloženie ihre Steuerfreiheit in den „weißen (d.h. steuerfreien)
Plätzen" reicher Adliger oder der Kirche verlieren sollten.[1]

Das Gesetzbuch faßte nun in einem besonderen Kapitel „über die
Ehre des Herrschers, und wie seine Gesundheit zu schützen ist" alle
einschlägigen Bestimmungen zusammen. Es unterschied dabei zwischen
izmena (wörtlich: Verrat), dem gegen die Stellung des Herrschers gerichteten Delikt, das sich sowohl außenpolitisch auf Zusammenarbeit mit
dem Feind als auch im Innern auf das Auftreten von falschen Prätendenten beziehen konnte (Kap. II, §§ 3 u. 4), und dem gosudarskoe
velikoe delo (der „großen Herrscherangelegenheit"), dem Anschlag auf
Ehre, Gesundheit und Leben des Zaren, also dem eigentlichen crimen
laesae maiestatis. Für beide Arten von Verbrechen wurde nun schon
allein im Hinblick auf die Absicht die Todesstrafe zum erstenmal schriftlich fixiert (§§ 1 u. 2),[2] während in der Praxis bereits seit dem 14.
Jahrhundert auf diese Weise bestraft worden war. Wer es unterließ,
die Behörden von dem bösen Vorsatz einer Verschwörung (skop i zagovor)
zu benachrichtigen, wurde ebenfalls mit dem Tode bestraft (§§ 18 u. 19).
Trotz dieser Bestimmungen rissen weder die Majestätsbeleidigungen ab,

---

war, weil er den Fall nicht angezeigt hatte, wurde vom Zaren zum Weißen See umge-
leitet, und der ursprüngliche totale Vermögensentzug wurde auf den Moskauer Besitz
beschränkt. Aufang Juli 1652 durfte Jusupov auf Fürsprache eines Verwandten ins
Kirillov-Kloster, und seine Familie wurde ganz befreit (Zercalov, a.a.O., SS. 29 u.
192 ff.).

[1] Gorodskie vosstanija, S. 87.

[2] PRP, Bd. 6, S. 28 ff. Das erstgenannte Verbrechen läßt sich auf das Litauische
Statut (3. Redaktion von 1588), das letztere auf byzantinische Quellen zurückführen
(Glötzner, SS. 1 f., 70 f. u. 120 f.). — Obwohl Neubauer der Meinung ist, die eigent-
liche Majestätsbeleidigung fehle (Neubauer, S. 23), kann man die Formulierung dieser
Vergehen wohl als das eigentlich Neue am Uloženie bezeichnen. Die marxistische
Forschung wertet sie als einen Schritt zum Absolutismus (Czerska, bes. S. 122).
Vgl. dazu das Schlußkapitel.

noch wurde andererseits die Todesstrafe deswegen häufig angewandt. Immer wieder mußten Fälle der „Zauberei" gegen die zarische Familie und der übelsten Gerüchte über sie verfolgt werden.[1]) Natürlich dürfen die meisten geschilderten Fälle nicht überbewertet werden; sie fielen angesichts der unerschütterten Bindung des Volkes an den Zaren gar nicht ins Gewicht. Um so aufschlußreicher aber ist die heftige Reaktion der Regierung.[2])

Wenn die Beleidigung des Zaren mit einer Gefahr für das ganze Reich verbunden war, gab es auf keinen Fall eine Amnestie. Eine solche Kombination ergab sich nicht nur bei Korepin 1649, sondern sehr häufig bei den Altgläubigen, die bekanntlich später Peter den Großen direkt verteufelten. Schon am 29. Okt. 1668 wurde der Prior des Nikolo-Gorodišskij-Klosters bei Izborsk verbrannt, weil er als Schismatiker im voraufgegangenen Mai den Zaren, den Patriarchen und hohe Würdenträger öffentlich als Schurken und Häretiker bezeichnet hatte, die an den Antichrist glaubten.[3]) Das gleiche Schicksal erlitt bekanntermaßen Avvakum, der Führer des Raskol, der zwar in erster Linie als Häretiker verbrannt wurde, aber sicherlich auch deshalb den zarischen Zorn hervorrief, weil er den Mut hatte, dem Zaren mit Worten wie diesen zu widerstehen, die er ihm 1669 aus der Verbannung in Pustozersk schrieb: „Und wenn du uns noch mehr beleidigst und quälst und folterst — wir werden dich, den Zaren, um so mehr lieben und für dich bis zu deinem und unserem Tode zu Gott beten..."[4]) Da antiinstitutionelle Äußerungen in jenen ersten Jahren des Schismas besonders hart verfolgt wurden, erscheint das Urteil gegen den Erzbischof Iosif von Kolomna, das außergewöhnlich milde ausfiel, um so erstaunlicher. Er sollte, so

---

[1]) Tichomirov, Istočnikovedenie, S. 224 f.

[2]) Es bedurfte nicht einmal immer eines großen Anschlages, auch ein ungeschickter Ausdruck in einem Brief an den Zaren genügte für die Bestrafung, wie der Fall des Voevoden I.V. Buturlin vom Dezember 1670 zeigt. Er und sein Sekretär wurden von Aleksej Michajlovič mit einem Verweis belegt und regelrecht beschimpft, weil sie sich für einen Briefgruß des Zaren statt mit dem vorgeschriebenen Dank „für das gnädige Wort" (s milostivym slovom) mit den Gleichrangigkeit oder Überordnung voraussetzenden Worten des Dankes „für die Nachfrage nach unserer Gesundheit" (o zdorov'e sprašivat') revanchiert hatten (PSZ, Bd. 1, Nr. 485). Über I.V. Daškov wurde am 7. Dez. 1684 sogar eine Degradierung zum Provinzadligen (gorodovoj dvorjanin) ausgesprochen, weil er bei Hofe „unanständige Worte" gebraucht hatte (ebenda, Bd. 2, Nr. 1097). — Vgl. auch die systematische Untersuchung der politischen Gerichtsbarkeit von Tel'berg.

[3]) Belokurov, Dela, SS. 191 ff. u. 232 ff.

[4]) Pamjatniki istorii, S. 761.

wurde dem Patriarchen im Oktober 1675 berichtet, den Zaren „ dumm,
geschwätzig und einen Dummkopf" genannt und weiter gesagt haben:
„Er ist nicht imstande, irgendeine Regierungsgewalt auszuüben; seine
Leute beherrschen ihn..." Der Unterhalt der heiligen Stätten werde
vernachlässigt, zu hohe und überflüssige Steuern würden erhoben, und
der Zar wisse gar nicht, was die Bojaren täten. Eine Bischofssynode
untersuchte im Frühjahr des nächsten Jahres den Fall und behandelte
Iosif erstaunlich milde. Daß er seine Unschuld beteuerte und alles
abstritt, wurde ihm nicht abgenommen, aber wegen des Todes Aleksej
Michajlovičs wurde ihm verziehen. Lediglich für eine Beleidigung des
Patriarchen Ioakim mußte der Erzbischof in ein Kloster gehen, aus dem
er Ende 1678 schon wieder befreit wurde.[1] Obwohl viele Zeugen die
Anschuldigungen bestätigt hatten, scheinen die Bischöfe ihren Kollegen
insofern entlastet zu haben, als sie seine Schuld auf die kirchliche Sphäre
reduzierten. Alles deutet darauf hin, daß sie damit einen Beitrag zu dem
seit einem Jahrzehnt vom russischen Klerus vertretenen Standpunkt
leisten wollten, wonach der Staat nur in politischen Fragen die richterliche
Gewalt über Geistliche ausüben dürfe. Das Urteil könnte als Protest
dagegen verstanden werden, daß diese Meinung der Kirche nicht akzeptiert wurde.

Rechtlich gesehen, stellte eine Auflehnung gegen den Zaren in der
geschilderten Form einen Bruch des Untertaneneides dar, durch den
sich alle männlichen Einwohner verpflichteten, ihrem „Zaren zu dienen,
ihm gegenüber offen und ehrlich zu handeln und ihm in allem ohne
jede Hinterlist Gutes zu wünschen". Auch mußte man schwören, des
Zaren Gesundheit zu hüten, Verschwörungen aufzudecken bzw. zu verhindern, niemand anders, sei er Russe oder Ausländer, auf den Thron
zu heben, ferner dort zu dienen, wo es einem befohlen werde, nicht ins
Ausland zu gehen, sich mit jemandem, der dem Zaren nicht dienen wolle,
wie mit einem Feind zu schlagen, schließlich überhaupt nichts eigenmächtig ohne einen zarischen Erlaß zu tun und sich allgemein anständig
zu betragen. So jedenfalls legte ein Zirkular im Februar 1613 zum erstenmal die Eidesformel fest, nach der die Bevölkerung auf Michail Fedorovič und seine künftige Familie vereidigt wurde.[2] Diese Formel, aus der
unverkennbar die Erfahrungen der Smuta sprachen, bildete den Grund-
stock für den russischen Eid bis 1917. Die gleichen Erfahrungen bedingten
auch eine große Eile bei der Eidesleistung, die zur Sicherung der neuen

---

[1] Titov, S. III ff.
[2] SGGD, Bd. 3, Nr. 5.

Dynastie besonders wichtig war. Bereits vier Tage nach der zweiten und endgültigen Wahl Michail Romanovs schickte die Wahlversammlung, der Reichsrat (zemskij sovet), am 25. Febr. 1613 an alle Städte Zirkulare mit dem oben wiedergegebenen Eidesblatt als Beilage. Dies geschah also, noch ehe der Gewählte und seine Mutter in Kostroma die schwere Bürde der Form nach endgültig akzeptiert hatten. Die Versammlungsteilnehmer selbst hatten den Eid ebenfalls schon geleistet. Die erste Vollzugsmeldung von außerhalb kam am 4. März aus Perejaslavl'-Rjazanskij. Andererseits wurde zum Beispiel Archangel'sk erst am 22. März zur Eidesleistung aufgefordert.[1] Interessanterweise verpflichtete der Zar die Moskauer Würdenträger 1626 noch einmal auf sich und seine Kinder, was wohl ebenso beurteilt werden muß wie die oben erwähnte, ein Jahr zuvor erfolgte Titelerweiterung.[2] Im allgemeinen war die Doppelvereidigung ohnehin bei Beamten üblich, die den gleichen Eid bei ihrer Anstellung noch einmal leisteten. Die höheren Beamten schworen dabei einen auf das Amt zugeschnittenen Zusatz, eine Formel gegen die Korruption, wie sie unter Šujskij auch für die Schreiber (pod'-jačie) üblich gewesen war. Alle Eide wurden vor 1649 vormittags in den Kirchen geleistet, seit dem Uloženie auch in den Zentralämtern. Für die Ausländer gab es zwei besondere Eide, einen für „ewigen" und einen für vorübergehenden Dienst im Moskauer Reich.[3]

Eile war auch bei späteren Thronwechseln geboten. Noch in der Nacht des Todes Michails — er starb am 12. Juli 1645 um 4 Uhr früh — wurden die im Kreml' anwesenden Bojaren, Adligen und Soldaten auf seinen Sohn und Nachfolger vereidigt. Acht Tage später gingen dann die Zirkulare mit der Aufforderung an die Voevoden hinaus, die Untertanen zum Eid auf Aleksej Michajlovič zu führen. Dabei fehlte nicht der Hinweis, daß er schon von seinem Vater auf den Thron gesetzt worden sei, daß die Untertanen bereits im Eid auf Michail Fedorovič den Thronfolger wie auch die übrigen Kinder eingeschlossen hätten, daß der Segen des Patriarchen vorliege und daß die in Moskau anwesenden Würdenträger und Dienstleute bereits ihren Eid geschworen hätten. Die Eidesliste mit den Unterschriften der männlichen Einwohner sollte wie immer an die Zentralverwaltung, entweder an das zuständige Regionalamt oder an das Dienstlistenamt, geschickt werden. Als Gegenleistung versprach

---

[1] Ebenda, Nr. 4, u. Bd. 1, Nr. 203; PSRL, Bd. 14,1, S. 130; Zimin, Akty, S. 192 f. Vgl. auch Kap. 4.

[2] Istorija, Bd. 2, S. 321.

[3] Fedorov, S. 396 ff. Die Eidesformeln für die Zeit nach Michail Fedorovič s. in DRV, Bd. 8, S. 83 ff., u. Tri čina prisjag. Der Ausländereid in Formy.

der neue Zar, die Untertanen für ihre Treue je nach Dienstleistung zu belohnen.[1]) Etwas großzügiger war in dieser Beziehung sein Sohn Fedor, der anläßlich seiner Thronübernahme die zwischen dem 30. Jan. und dem 10. Febr. 1676 an die Voevoden verschickte Eidesformel mit den Worten beschloß: „Und Wir, Großer Herrscher und zarische Majestät, werden Unsere Krieger und Einwohner für ihren Dienst und ihren Eifer in Unserer herrscherlichen Gnade und Fürsorge halten, und sie mögen persönlich in allem auf Unsere herrscherliche Gnade hoffen."[2]) Dieses Versprechen stellte einen Auftakt zu der bereits erwähnten neuen Auffassung vom Herrscheramt dar. Was die Eile angeht, so wunderte sich der erste dänische Resident in Moskau, Magnus Giöe, daß man nicht, wie üblich, die sechswöchige Trauerzeit vor der Absendung der Briefe abgewartet habe. Eine solche Wartezeit war allerdings nie üblich gewesen, und der Botschafter berichtete auch keine Neuerung, wenn er sich über die Schnelligkeit wunderte, mit der noch in der Todesnacht Aleksejs am 29. Januar die Bojaren im Kreml', die Soldaten im Kreml'-Hof und die ausländischen Offiziere im Außenamt auf Fedor Alekseevič vereidigt wurden, „si bien que tout fust fait devant le iour, et qu'on eust presque connoissançe de la mort du zar".[3]) Immerhin — während 1645 noch eine Woche verging, bis die Eidesblätter abgeschickt wurden, geschah dies 1676 gleich am Tag nach dem Tod des verstorbenen Zaren, und ungewöhnlich war wohl auch, daß der neue Zar am 31. Jan. 1676 verfügte, die kranken Moskauer Adligen durch Sekretäre des Dienstlistenamts zur Eidesleistung in ihre Gemeindekirchen zu bringen.[4]) Ein Grund dafür kann darin gesehen werden, daß es Bestrebungen etwa des Leiters des Außenamts, A.S. Matveevs, gab, den Thron Fedors Halbbruder Peter zukommen zu lassen. Der Matveevs Plänen zugrunde liegende Gegensatz zwischen den Familien der Naryškins und der Miloslavskijs führte nach Fedors Tod am 27. April 1682 zu einem Streit um die Nachfolge, der die Eidesleistung besonders komplizierte. Jetzt konnte Peter, dessen Mutter eine Naryškina war, inthronisiert werden, und noch am gleichen 27. April schworen die Einwohner der Hauptstadt auf ihn, wie immer getrennt nach sozialen Gruppen und Tätigkeiten: die Bojaren und Würdenträger im Kreml', die Truchsesse (stol'niki), Haushofmeister (strjapčie), Moskauer Adligen und Residenzadligen (žil'cy) in der Erlöser-Kirche, die Hofbeamten in

---

[1]) SGGD, Bd. 3, Nr. 122. Der Eid ebenda, Nr. 123. Vgl. auch PSRL, Bd. 14,1, S. 164.
[2]) PSZ, Bd. 1, Nr. 619; SGGD, Bd. 4, Nr. 104.
[3]) Ščerbačev, Iz donesenij, S. 38 f.
[4]) PSZ, Bd. 1, Nr. 620.

der Geburtskirche, die Stadtbevölkerung in der Apostel-Kirche, die Schreiber und Übersetzer im Außenamt und die Ausländer in der Apotheke. Am nächsten Tag gingen die Zirkulare an die Voevoden hinaus. Doch am 26. Mai mußte der Eid auf den inzwischen zusätzlich eingesetzten Ivan geleistet werden, und die Verschickung der Zirkulare über den auf beide Zaren zu leistenden Eid dauerte noch bis zum 4. Juli.[1]

Mit der Nachfolgesituation des Jahres 1682 war der Strelitzen-Aufstand („Schützen"-Aufstand) eng verknüpft, der damit begann, daß das Karandeev-Regiment den Eid auf Peter zunächst verweigerte, bis es überredet werden konnte.[2] Auch früher hatte es einzelne Verweigerungen gegeben, besonders 1645. Einige „Landstreicher" wurden in Belgorod noch am 22. Febr. 1647 deswegen belangt, nachdem sie einen voraufgegangenen Versuch, sie zum Eid zu führen, durch Bestechung vereitelt hatten. Offenbar glaubten in jenen Jahren viele Leute den Gerüchten, mit denen ja auch die falschen Prätendenten Erfolge erzielten: Aleksej sei nicht der richtige Sohn Michails, er sei untergeschoben, und seine Nachfolge sei eine Intrige B.I. Morozovs.[3] 1613 hatte von den Rivalen der Romanovs, soweit bekannt, nur der mit einem Heer gegen Zaruckij ziehende Nikanor Šul'gin in Arzamas den Eid verweigert; er wollte erst die Zustimmung einer Regionalversammlung des Kazaner Gebiets einholen. Zur Strafe wurde er nach Sibirien geschickt.[4]

Zum Schluß dieses Kapitels sei anhand der zeitgenössischen Charakteristiken ein Blick auf die Naturen dieser Zaren geworfen, die mit so vielen Mitteln — der historischen Interpretation des Zeitgeschehens, der Gestaltung von Titel und Wappen, der Bekämpfung von falschen Prätendenten und Majestätsbeleidigungen, der Formulierung des Eides und der Forcierung der Eidesleistung — sich bemühten, ihren Staat in der Tradition und ihre Dynastie auf dem Thron zu halten, was in ihrem Denken sicher ein und dasselbe war. Der Zufall wollte es, daß sie alle, daß überhaupt die ersten fünf Romanov-Zaren als Minderjährige auf den Thron kamen: Michail, Aleksej und Ivan V. als Sechzehnjährige,

---

[1] Die beiden Eidesleistungen kann man anhand des Eides der Kosaken gut vergleichen: Sie schworen am 17. Mai auf Peter (SGGD, Bd. 4, Nr. 142) und am 14. Juni 1682 auf beide Zaren (ebenda, Nr. 149). Vgl. auch PSRL, Bd. 14,1, S. 176; Solov'ev, Istorija, Buch 7, S. 320 f.; Berch, S. 111 ff. Über den Gegensatz zwischen den Nachkommen Aleksej Michajlovičs und überhaupt die Ereignisse des Jahres 1682 s. Kap. 5.

[2] Buganov, Moskovskie vosstanija, S. 98.

[3] Zajcev, S. 62; Smirnov, Čelobitnyja, S. 20. Weitere Fälle von Eidesverweigerungen s. AMG, Bd. 2, Nr. 246 u. 249 f.

[4] PSRL, Bd. 14,1, S. 130; Solov'ev, Istorija, Buch 5, S. 19.

Fedor als Vierzehn- und Peter I. als Zehnjähriger. Dies machte sie oft zum Objekt der Interessen einflußreicher Günstlinge. Allerdings war durch einheitliche Erziehung sichergestellt, daß die Grundhaltungen dieser Gruppen und der jungen Zaren übereinstimmten, bis in den 80er Jahren des Jahrhunderts der junge Peter sein Wissen anderweitig suchte.

Die Nachrichten über Michail Fedorovič sind äußerst spärlich. Man weiß, daß er körperlich schwach war und noch mit über dreißig Jahren deswegen oft getragen werden mußte. Der Pskover Chronist nannte ihn einen „sehr sanften, stillen Zaren", der seinem Land Frieden gegeben und eine milde Rechtsprechung geübt habe, dem Zaren Fedor Ivanovič, seinem „Onkel", ähnlich. Schwedische Unterhändler machten sich 1625 darüber lustig, daß „euer Herrscher nichts beherrscht, sondern daß bei ihm das gewöhnliche Volk und die Fürsten und Bojaren herrschen"[1]. Von Kotošichin erfährt man nur, der Zar habe still und segensreich regiert, und ähnlich schrieb Olearius: Er „regierete sanfftmüthig / und erzeigete sich so wol gegen Ausländische als Einheimische glimpfflich / daß jederman darfür hielt / es hätte das Land wider ihre gewonheit in viel 100. Jahren nicht einen so frommen Herrn gehabt".[2] Körperliche Schwäche, Sanftmut und Frömmigkeit rechtfertigen sicher nicht Sacharovs Urteil, Michail sei ein „äußerst mittelmäßiger Mensch" gewesen.[3] Immerhin hat der Zar auch nach dem Tode seines tatkräftigen Vaters Filaret (1633) den widersprüchlichen Interessen nicht nur der Günstlinge, sondern auch der verschiedenen sozialen Gruppen Einhalt geboten: der große Aufstand brach erst drei Jahre nach seinem Tode aus. Aber es stimmt wohl, daß er von seinem Sohn übertroffen wurde.

Glaubt man den ausländischen Quellen, so war die Frömmigkeit auch Aleksej Michajlovičs hervorragendste Eigenschaft. Aber auch Kotošichin beschrieb ihn als „sehr sanft", und Aleksej trug ja schon zu Lebzeiten den Beinamen des „höchst sanften Zaren" (tišajšij car'). Dieses Epitheton war wie sein byzantinischer Ursprung (galenotetos) nicht Teil des offiziellen Zaren- bzw. Kaisertitels. Es traf auch nur zum Teil die wahre Natur Aleksejs, der sehr explosiv sein konnte. Cherniavsky bezeichnet den Beinamen daher als persönlich, aber nicht individuell, und weist darauf hin, daß er in Gebeten im Zusammenhang mit dem Namen des Zaren gebraucht wurde.[4] Es handelte sich also wohl um

---

[1]) Jakubov, S. 281; Platonov, Moskovskoe pravitel'stvo, S. 339; PSRL, Bd. 5, S. 63 f.

[2]) Olearius, S. 235; Kotošichin, S. 4.

[3]) Sacharov, Buch 5, S. 700.

[4]) Cherniavsky, S. 62 ff.; Kotošichin, a.a.O.; Bašilov, S. 7 f.

einen Ausdruck nicht nur der stets zum Zarenbild gehörenden Frömmigkeit, sondern auch der nach der Smuta üblichen gesteigerten zarischen
Frömmigkeit, wobei nur infolge der Quellenlage — die Reiseberichte
häuften sich in der zweiten Jahrhunderthälfte — Aleksej frömmer
erscheint als sein Vater. Einige dieser Aussagen seien der Anschaulich-
keit halber hier zitiert. C.V. Wickhart, einen Teilnehmer der kaiserlichen
Gesandtschaft von 1675, beeindruckte „ein sehr Gottsförchtig — und
barmhertziger Fürst / und von so grosser Milte...'' Augustin von Meyerberg (Mayerberg), der kaiserliche Gesandte der Jahre 1661/62, erkannte
immerhin, daß Aleksej zwar zornig werden könne, sich jedoch nicht
fortreißen lasse. Der schon einmal angeführte Engländer Collins ver-
merkte schließlich beide Seiten des zarischen Charakters: „His Imperial
Majesty is a goodly person..., severe in his anger, bountiful, charitable,
chastly uxorious..., strict in his Devotions, and a favourer of his Religion...; and had he not such a cloud of Sycophants and jealous Nobility
about him, who blind his good intentions, no doubt he might be num-
bered amongst the best and wisest of Princes.'' Collins schrieb dem
Zaren angesichts der vielen militärischen Auseinandersetzungen allerdings auch einen kriegerischen Geist zu.[1] Ähnlich ließ sich Jacob Reuten-
fels, der Sohn eines polnischen Würdenträgers in Moskau, in seinem
Bericht für den Herzog von Toscana aus: Er hob zwar die außerordentliche Frömmigkeit hervor, vergaß aber auch nicht die Jagd als Vergnügen
und die Feldzüge zu erwähnen, an denen Aleksej Michajlovič entgegen
der Sitte seiner Vorgänger persönlich teilnahm, solange die Moskauer
erfolgreich kämpften. Am kritischsten war wieder der dänische Resident
Giöe, der den Zaren in seinen Briefen als bis zur Schwäche sanftmütig
und den Staatsgeschäften fremd bezeichnete. Nur feierliche Zeremonien
und das Militärische erregten demzufolge sein Interesse. In einem seiner
letzten Briefe aus Moskau schrieb der Botschafter immerhin am 3. Febr.
1676, „le mellieur et plus devot Prince et zar que la Russie ayt iamais
eu'' sei gestorben.[2] Ohne Zweifel war dies die vorherrschende Seite am

---

[1] Wickhart, S. 202; Mayerberg, S. 61 f.; Collins, S. 44 f.
[2] Rejtenfel's, S. 2 ff.; Ščerbačev, Iz donesenij, SS. 34 u. 38. Aleksej Michajlovičs
Frömmigkeit ging so weit, daß er 1640 dem Patriarchen von Jerusalem die außerordentliche Summe von 100 000 Rubeln schenkte, weil dieser ihm einen Splitter vom
Kreuz Christi mitgebracht hatte (Rejtentel's, S. 4). Die erwähnten Vergnügungen über-
trieb der Zar keineswegs. Dafür ist das Motto bezeichnend, das er eigenhändig auf
das von ihm verfaßte Handbuch der Falkenjagd schrieb: „Delu vremja, a poteche
čas'', was ungefähr bedeutet: „Für die Arbeit die (ganze) Zeit, für das Vergnügen die
Freizeit''.

Wesen des Zaren. Denn so ist sein Bild in die historische Literatur eingegangen, wie ein polnischer Agent dem König am 20. Sept. 1682 es noch
einmal darstellte. Er schrieb von dem „principe clementissimo, piissimo,
et in egenos liberalissimo".[1])

Bei aller Zurückhaltung gegenüber zeitgenössischen Berichten muß
man ihren wahren Kern doch wohl anerkennen, da sie sich meist auf
die Aussagen der in Moskau lebenden und die Verhältnisse kennenden
Ausländer stützten. Auch die eingangs mitgeteilten Äußerungen der
Zaren über ihr eigenes Amt lassen an der Frömmigkeit und Rückwärts-
gewandtheit der ersten beiden Romanovs keinen Zweifel aufkommen.
Filaret ist ein weiterer Zeuge dafür. Aus seiner Gefangenschaft auf der
Marienburg brachte er das neue Zeitalter nicht mit nach Hause; seine
restaurative Politik scheint im Gegenteil von Abscheu für den Westen,
der in erster Linie durch Polen repräsentiert wurde, diktiert.[2]) Was
Aleksej angeht, so entspricht Ključevskijs und Platonovs Auffassung,
er habe mit einem Bein noch in der Vergangenheit, mit dem anderen
jedoch bereits in der Neuzeit gestanden,[3]) einer Sicht der Dinge, die das
Wesen einer Regierung an Äußerlichkeiten statt an Intentionen und
leitenden Ideen mißt. Der Zar war ganz und gar ein altrussischer Herrscher, der Macht mit Milde (groznost' und krotost') vereinigte, wofür
die Beschäftigung mit der Zeit Ivans IV., für den er mehrmals Toten-
messen anordnete, bezeichnend ist. Zwar stellt der in seiner Persönlich-
keit begründete menschlich-moralisierende Zug etwas Neues dar, doch
kann es auf die Quellensituation zurückzuführen sein, daß ähnliche
Eigenschaften bei früheren Herrschern nicht so deutlich hervortreten.
Es scheint daher, daß nie zuvor einen Zaren so tiefe Freundschaften mit
seinen Günstlingen verbanden. Wenn er tadelte, suchte er die Schuld des
„Sünders" zu beweisen, und der Ermordung Charles' II. von England
ließ er den Abbruch der Beziehungen folgen (der sich allerdings auch
ganz gut mit den Forderungen der russischen Kaufleute gegen die westliche Konkurrenz vereinbaren ließ (s. Kap. 3)). So hohe Moralbegriffe,
verbunden mit der hohen Auffassung vom Herrscheramt, haben aber
nichts mit der Einleitung eines neuen Zeitalters zu tun. Die neuere

---

[1]) Theiner, S. 239. — Zu den schwedischen Berichten über Aleksej Michajlovič
und Fedor Alekseevič s. auch Ellersiek, S. 257 ff.

[2]) Dazu das lange Kapitel über Filaret bei Staševskij, Očerki, S. 190 ff., und Keep,
The Régime, bes. 359 f.

[3]) Ključevskij, Kurs, Bd. 3, S. 320; Platonov, Car' Aleksej, S. 28. Ključevskij
schränkte allerdings ein, daß der Zar nicht die leitenden Ideen der neuen Zeit lieferte,
sondern passiv blieb (a.a.O., S. 326 f.).

Forschung ist deshalb auch zu einer kritischeren Sicht gelangt. Šestakov kommt zu dem Ergebnis, daß „Zar Aleksej Michajlovič und sein Sohn Fedor Alekseevič vollkommen unfähig waren, aus Rußland einen starken unabhängigen Staat zu machen". Das alte Verwaltungssystem mit der Bojarenduma und den Reichsversammlungen habe zu keinerlei ernsthaften Resultaten geführt.[1]) Dieses Urteil ist wiederum ins andere Extrem überspitzt; es kann nur gelten, wenn man die Zeit Peters des Großen als Maßstab nimmt.

Im Vergleich mit dem 18. Jahrhundert war Moskau natürlich kein „moderner" Staat. Fedor Alekseevič setzte jedoch bereits mit Reformen an, und deswegen stimmt Šestakovs Urteil ohnehin nicht ganz, während der Augenzeuge Giöe beim Tode Aleksej Michajlovičs sogar ganz klar gesehen hatte, „que cette mort apportera un notable changement à l'éstat".[2]) Aber Fedor war krank und starb bereits nach knapp sechsjähriger Regierung. Auch beraubte er sich von Anfang an des fähigsten Staatsmannes seiner Zeit durch Verbannung, weil er verständlicherweise Matveev die Parteinahme für Peter nicht verzeihen konnte. So blieb er ein schwacher Reformer, trotz seiner Polonophilie ebenso fromm wie seine Vorgänger. Die vielen Reforminitiativen, die noch der gründlichen Erforschung harren, vermitteln den Eindruck, daß er sein nahes Ende vorausgesehen hat. Vor allem das Akademie-Projekt zeigt, wohin der Weg geführt hätte, wenn ihm mehr Zeit beschieden gewesen wäre.[3])

Zu wenig Zeit hatte im Grunde auch Sofija, die nach den Wirren von 1682 erst allmählich in ihre Rolle von der Regentin zur Herrscherin fand. Sie war durch ihre Erziehung noch weit besser geeignet als ihr Bruder Fedor, Rußland zu modernisieren, und sie führte mit Hilfe V.V. Golicyns tatsächlich eine Reihe von Reformen durch, die ihr amerikanischer Biograph in Gegenüberstellung zu Peters späterem evolutionärem Vorgehen eher revolutionär nennt.[4]) Auf jeden Fall schuf sie die unmittelbare Basis für Peter, der einmal selbst bedauern sollte, sie nicht zur Mitarbeiterin zu haben. Noch bemerkenswerter ist das Zeugnis B.I. Kurakins, ansonsten eines Gegners der Regentin, der in seiner „Geschichte des Zaren Peter" (Gistorija o care Petre Alekseeviče) ihre Re-

---

[1]) Šestakov, S. 189 f.

[2]) Ščerbačev, Iz donesenij, S. 39.

[3]) Ellersiek, SS. 257 f. u. 272 ff.; Vejdemejer, S. 94 ff.; Solov'ev, Istorija, Buch 7, S. 182 ff. Die einzige Biographie Fedors stammt von Zamyslovskij, der aber über einen bibliographischen Einführungsband nicht hinausgelangt ist.

[4]) O'Brien, SS. 3 u. 49 f.; Vejdemejer, S. 109.

gierung so „fleißig", gerecht und weise nannte, wie es in der russischen Geschichte noch keine gegeben habe, denn Wirtschaft, Wissenschaft und Umgangsformen seien außerordentlich gefördert worden. Ein anderer Zeitgenosse, der Franzose Foy de la Neuville (Adrien Baillet), zeichnete Sofija vorwiegend negativ — er fand sie sogar häßlich —, aber auch er konnte ihren Verstand nicht übersehen.[1]) Von da her haben die Historiker, soweit sie Anhänger Peters des Großen waren, Sofijas Bild verfälscht. Stellvertretend sei hier A.P. Sumarokov angeführt, der 1768 als einer der ersten schrieb: „Diese Zarin war außerordentlich ehrgeizig und, da sie schön war, ebenso machtsüchtig, verschlagen und rachsüchtig wie prächtig."[2])

Wenn die Romanov-Zaren auch zumindest bis in die späten 70er Jahre hinein dem Geist der alten Dynastie verpflichtet blieben, so kann man diese Politik doch nicht ergebnislos nennen, wie das die zitierten sowjetischen Kritiker tun. Für die militärisch-technische Entwicklung des Westens waren bereits die Moskauer Regierungen des 16. Jahrhunderts offen, und im 17. Jahrhundert konnte die damals begonnene Expansion nach Osten durch die Ausdehnung nach Westen ergänzt werden. Der Expansionsdrang der Zaren bildete die Grundlage für die osteuropäische Großmachtstellung Rußlands im 18. Jahrhundert. Dabei war die Versuchung groß, den alten Rivalen Polen-Litauen unter eine wirksamere Kontrolle zu bringen, als siegreiche Kriege und Friedensschlüsse sie bieten konnten. Es muß eine interessante Spekulation bleiben, was aus Moskau geworden wäre, wenn Aleksej Michajlovič die für sich selbst oder seine Söhne seit 1648/49 angestrebte polnische Königskrone errungen hätte. Der Historiker darf höchstens den Gründen nachgehen, die zum mehrmaligen Scheitern dieser Pläne geführt haben. Sie sind in der hier beschriebenen Traditionsgebundenheit zu suchen. Der einst von der sogenannten staatlichen historiographischen Schule besonders hervorgehobene außenpolitische Umstand, daß Österreich die polnische Krone für sich selbst beansprucht habe und sie nicht habe aus der Hand geben wollen,[3]) erscheint demgegenüber zweitrangig.

---

[1]) Kurakin, Bd. 1, S. 50; Nevill', S. 258 f.

[2]) Sumarokov, Pervyj i glavnyj streleckij bunt, S. 7. Über Sofijas Bild in der Forschung vgl. auch Kap. 5.

[3]) Zum Beispiel Solov'ev, Istorija, Buch 6, S. 37 f. Demzufolge hatte der Kaiser die polnische Krone für seinen Sohn Karl Joseph reserviert und dem Zaren nur deshalb Hoffnungen gemacht, um ihn zum Krieg gegen Schweden zu bewegen. Dieser Gesichtspunkt spielte natürlich eine Rolle, kann jedoch nicht für das Scheitern ausschlaggebend gewesen sein.

Der wahre Hauptgrund wurde in einem Brief deutlich, den die polnischen Unterhändler am 25. Sept. 1656 (N.S.) von ihren seit August
laufenden Verhandlungen mit den Russen aus Niemiża bei Wilna an
den Großfürsten von Litauen sandten, als nach den militärischen Erfolgen Moskaus ein dauerhafter Friede durch Personalunion zur Debatte
stand: „Ducem Moschoviae hic et nunc impossibile ad fidem catholicam
inducere, multo magis ut triennalem filium daret in educationem...
Patrem et filium simul eligere vetant Jura; sed dubito, ut reciderent
ab eo puncto." Nur wenn Aleksej gestorben sei, könne man dem Sohn
die polnische Krone unter der Bedingung versprechen, „ut in perpe-
tuum respublica Polona cum dominio Moschorum sit una respublica
in aevum..." Die Polen hofften also, die Abtretung polnischen Gebiets
durch eine Personalunion vermeiden zu können, mußten aber gleichzeitig
einsehen, daß der Plan an der Religionsfrage zerbrach. Man kann
hinzufügen, daß auch ihr Glaube, Moskau würde eine Adelsrepublik
werden, illusorisch war. Der Zar hätte sich höchstens zu der von polnischer Seite in einem Vertragsentwurf vorgesehenen Bestätigung der polnischen Freiheiten bereitgefunden. Einen Monat später, am 25. Oktober
(N.S.), schrieben die gleichen Unterhändler an den König: „Atque in
primis maxima (!) difficultas in catholica fide, quod pro toto mundo
animam suam captivare caesar Moschus nolit."[1] Den vorläufigen Aufschub des Planes meldeten die russischen Gesandten neun Tage später,
am 24. Oktober/3. November, an den Zaren: Auf einem besonderen
Sejm, an dem eine russische Delegation teilnehmen solle, werde darüber
beraten werden. Dies war allerdings ein polnisches Täuschungsmanöver.
Die Wahl, so sagten die Polen, sei „wegen einiger weniger Ursachen"
nicht sofort möglich. In Wirklichkeit wurde sie auch auf den späteren
Zeitpunkt nur zum Schein vertraglich festgelegt, um Moskau zum
Angriff gegen Schweden zu bewegen. Dies geschah jedoch wohlgemerkt
erst, n a c h d e m sich die Religionsfrage als unüberwindlich erwiesen
hatte. Aleksej Michajlovič merkte davon nichts. Er meldete am 31.
Oktober die Absprache überschwenglich aus Polock nach Moskau
an Kurakin, der beauftragt wurde, Geistlichkeit und Würdenträger
zu Dankgebeten zu versammeln und das Ereignis zu verkünden.[2]

---

[1] Theiner, SS. 10 u. 14. Die Briefe werden hier nach den Abschriften zitiert, die
die polnische Nuntiatur an den Vatikan schickte. Der Vertragsentwurf ebenda,
S. 15.

[2] PSZ, Bd. 1, Nr. 193 f.; SGGD, Bd. 4, Nr. 3 u. 5. Der Abt des Klosters, in
dem Aleksej Michajlovič in Polock wohnte, redete den Zaren mit „erwählter (narečennyj) König von Polen, Großfürst von Litauen, Rußland, Preußen, Schamaiten,

Ein polnischer Abgeordneter der Botschafterkonferenz redete den Zaren am 21. November mit „erwählter polnischer König und litauischer Großfürst" (in der russischen Übersetzung: obrannyj Korol' Pol'skij i Velikij Knjaz' Litovskij) an. Aleksej Michajlovič schrieb an die Szlachta der Ende 1655 eroberten weißrussischen und litauischen Gebiete und legte ihr nahe, auf Provinziallandtagen (sejmiki) Abgeordnete für den Wahlreichstag (im örtlichen Dialekt: sojm val'nyj koruny) zu wählen. Der Adel, verstimmt darüber, daß er entgegen zarischer Zusage von den Waffenstillstandsverhandlungen ausgeschlossen worden war, nutzte die Gelegenheit, auf den zwischen Januar und April 1657 zusammentretenden Landtagen seine Bevollmächtigten mit Instruktionen auszustatten, in denen gegen die Beschränkung aldiger Rechte durch die neuen Moskauer Voevoden und andere Mißstände protestiert wurde.[1]) Trotz dieser Vorbereitungen gingen die wahren Absichten der Polen aus einem Protest der polnischen Bischöfe vom 26. Juli 1658 (N.S.) — so lange war der Zar bereits hingehalten worden — hervor, in dem es u.a. hieß: „Declaravimusque nos palam et publice, quod non prius in electionem magni Moschoviae ducis consentiemus, quam ille schismate ejurato fidem catholicam Romanam professus fuerit." König Jan II. Kazimierz ließ diese Erklärung, die am 24. August (N.S.) auch an den Papst geschickt wurde, im Reich veröffentlichen.[2]) Damit war die erste größere Episode der zarischen Polen-Träume (nach einem Vorspiel 1648/49)[3]) durch die Intervention der römischen Kirche beendet worden. Im Herbst des Jahres wurden die Feindseligkeiten zwischen beiden Ländern wiederaufgenommen.

Masowien, Livland usw." an (DRV, Bd. 3, S. 319 f.). Vgl. auch den Bericht des Apostolischen Nuntius in Polen vom 16. März 1657 über diese Vorgänge an den Papst bzw. an den Kardinal-Staatssekretär auf Grund der Informationen des Erzbischofs von Wilna (Theiner, S. 21).

[1]) Mal'cev, SS. 260 ff. u. 269; Diplomatičeskoe priloženie, SS. 248 u. 254 ff. Der Adel übersah geflissentlich, daß Moskau die sozialen und politischen Rechte der Szlachta wiederhergestellt hatte, abgesehen von der Frage der Bauerngerichtsbarkeit östlich der Berezina, die weiterhin den Voevoden, und der Frage des an die weißrussischen Städte grenzenden Landes, das den Städtern gelassen wurde.

[2]) Theiner, S. 35 ff.

[3]) Der erste Plan einer Übernahme der polnischen Krone durch den Zaren wurde am 7. Juni 1648, nach dem Tode Władysławs IV., vom polnischen Adel über die Voevoden von Sevsk an Aleksej Michajlovič herangetragen. Der Zar beriet sich darüber während des Moskauer Aufstandes mit der Duma, befahl absolute Geheimhaltung und ließ nähere Erkundigungen in Polen einziehen (AJuZR, Bd. 3, Nr. 196). Im Dezember des Jahres schrieb er an die Senatoren, daß er bereit sei (ebenda, Dopolnenija, Nr. 19), doch war zu dieser Zeit Jan Kazimierz bereits gewählt. Der Adel dankte dem Zaren am 26. Febr. 1649 für seine Bereitschaft (ebenda, Nr. 241).

Erst nach dem Frieden von Andrusovo im Jahre 1667 wurde das Problem der polnischen Thronfolge bzw. der kirchlichen Union wieder akut. In Moskau benutzte man die Anwesenheit der orientalischen Patriarchen aus Anlaß des Falles Nikon und der dortigen Kirchenreform dazu, die Eventualitäten zu diskutieren und mit den ebenfalls anwesenden polnischen Gesandten zu besprechen. Die Patriarchen äußerten sich angesichts der früher gescheiterten Unionsbemühungen skeptisch, wenn auch nicht ablehnend in bezug auf ein Unionskonzil.[1] Was den polnischen Thron anging, so hatte der Zar nach seinen bitteren Erfahrungen nun kein Interesse mehr daran, ihn für sich selbst zu gewinnen. Die Bemühungen der Polen konzentrierten sich daher auf den Thronfolger Aleksej Alekseevič, schon weil sie ihm einen Glaubenswechsel eher zumuten zu können glaubten. Nachdem Jan Kazimierz auf den Thron verzichtet hatte, fragten sie deswegen im August 1668 bei A.L. Ordin-Naščokin an, der mit seinen Truppen in Kurland stand. Der Vertraute des Zaren und Leiter des Außenamts antwortete ausweichend und schrieb an Aleksej Michajlovič, daß seiner Meinung nach die Polen „den Thronfolger nicht zum König wählen werden". Sie erhofften sich nur finanzielle Vorteile, werde doch die Krone schon wie eine Ware gehandelt.[2] Wenn man einer Mitteilung des Erzbischofs von Gnesen vom 16. Jan. 1669 (N.S.) an den polnischen Nuntius glauben darf, schrieb Ordin-Naščokin sogar nach Wilna, „che il granduca suo signore non ambisce la corona di Polonia, nè per se, nè par alcuno de' suoi figli". Dies erscheint glaubhafter als die Mitteilung des Großmarschalls von Litauen vom 14. Febr. 1669 (N.S.) an den Erzbischof, die Patriarchen hätten den Zaren überredet, seinen ältesten Sohn römisch-katholisch werden zu lassen.[3] Auf jeden Fall machte der Tod des Moskauer Thronfolgers am 17. Jan. 1670 alle Spekulationen zunächst einmal zunichte.

Nach dem Tode König Michałs Ende 1673 versuchten die Polen noch einmal, den Moskauer Thronfolger, jetzt Fedor Alekseevič, auf ihren Thron zu setzen. Im Hintergrund stand dabei der Plan, durch Fedors Verheiratung mit der polnischen Königin-Witwe, einer Österreicherin, zu einer Drei-Staaten-Allianz gegen die Türken zu gelangen.

---

[1] Diese Mitteilungen machte der polnische Nuntius an den Papst am 18. Jan. 1668 (N.S.), wobei er hinzufügte, das Beste an einer Union wäre, „che valerebbe alla total depressione del comun nemico, e di tutti gl'altri barbari, insieme" (Theiner, S. 52). Jan Kazimierz war übrigens bereit, sich zu Unionsverhandlungen nach Moskau zu begeben (ebenda, S. 53).

[2] Solov'ev, Istorija, Buch 6, S. 393 f.

[3] Theiner, SS. 63 u. 65.

Entsprechend lauteten auch die Bedingungen, die ein polnischer Gesandter am 14. Febr. 1674 im Moskauer Außenamt Ju. A. Dolgorukij und A.S. Matveev übergab. An erster Stelle stand dabei wiederum die Religionsfrage. Einen Übertritt zum Katholizismus lehnten die Russen aber kategorisch ab, ebenso die Verheiratung Fedors mit der Königin, denn „König möchte der Herrscher selbst sein". Die Frage der von Polen eroberten Gebiete wurde mit dem Hinweis auf die vertragliche Regelung abgetan, und sehr nachdrücklich wies man auf die bereits geleistete finanzielle Unterstützung hin. Im übrigen wollte Aleksej Michajlovič unter Wahrung der polnischen Verfassung nun wieder selbst König werden. Spätestens bei diesem Punkt mußten die Polen merken, daß die Russen offensichtlich gar nicht mehr ernsthaft an dem Projekt interessiert waren. Keine der polnischen Bedingungen war akzeptiert worden. Die polnische Anspielung, daß noch andere Bewerber um den Thron vorhanden seien, wurde denn auch konsequent mit dem Hinweis auf die Einzigartigkeit des Zaren und Selbstherrschers beantwortet.[1]) Nichts kann die Befangenheit in der eigenen Tradition deutlicher vor Augen führen. Erst 1815 verwirklichten die Russen ihre eigene Lösung der Personalunion.

Die Konfrontation mit der polnischen Verfassung verdeutlicht die Kalamitäten, die das Selbstverständnis der Zaren in ihrer Einzigartigkeit und Orthodoxie mit sich brachte. Sie waren eben doch nicht „auf der Höhe aller Schicklichkeiten in Europa" (vsjakimi godnost'mi vo Europe cvetuščij), wie die Bojaren ihren Herrscher Aleksej Michajlovič den Polen priesen.[2]) Sie hatten seit 1613 strikt an den alten Prinzipien festgehalten und nach dem Grundsatz gehandelt, „wie es bei den früheren Großen Herrschern war" (kak u prežnich velikich gosudarej byvalo). Aleksej hatte sogar — nach anfänglichen Schwierigkeiten — kraft seiner außenpolitischen Erfolge die volle Anknüpfung an die Tradition erreicht. 1845 interpretierte Medovikov in seiner Monographie über die historische Bedeutung Aleksej Michajlovičs die falschen Thronprätendenten als Nachwirkungen der Smuta und den Sieg des Zaren über sie als Sieg des staatlichen Elements über die gesellschaftlichen Kräfte.[3]) Dem ist dreierlei hinzuzufügen und später zu erläutern: 1. Die gesellschaftlichen Kräfte äußerten sich in viel größerem Maßstab als nur in den samo-

---

[1]) PSZ, Bd. 1, Nr. 569; SGGD, Bd. 4, Nr. 91; Diplomatičeskoe priloženie, S. 261 ff.; Solov'ev, Istorija, Buch 6, S. 505 ff.

[2]) Diplomatičeskoe priloženie, S. 274. Vgl. auch Platonov, Moskva, S. 58.

[3]) Medovikov, S. 253.

zvancy. 2. Infolgedessen bröckelte die Sicherheit, die in der ersten Jahrhunderthälfte gewonnen wurde, in der zweiten wieder ab, wogegen
sich der Zar mit einigen auf Angstreaktion gegründeten Maßnahmen
zu schützen versuchte. 3. Es war die große Leistung der Kinder dieses
Zaren, Fedors, Sofijas und schließlich Peters, daß sie seit ungefähr 1680
die Autokratie durch Reformen retteten.

KAPITEL 2

DIE GEWÄHLTE LOKALVERWALTUNG

Im Jahre 1849 begann K.S. Aksakov ein unvollendet gebliebenes Manuskript mit dem Titel „Über die Grundprinzipien der russischen Geschichte" (Ob osnovnych načalach russkoj istorii), das in N.V. Kalačevs Sammelbänden veröffentlicht werden sollte. „Zwei Kräfte liegen ihr zugrunde," schrieb der Slavophile, „zwei Motoren und Bedingungen gibt es in der ganzen russischen Geschichte: Zemlja und Staat… Ganz Rußland stand unter zwei Kräften, der der Z e m l j a und der des S t a a t e s, teilte sich in zwei Abteilungen, in die Z e m l j a-Leute (zemskie ljudi) und in die D i e n s tleute."[1])

Ganz abgesehen davon, daß Aksakov, besessen von der Idee eines apolitischen russischen Volkes, das sich angeblich immer von seiner Regierung ferngehalten hat, in seinem Manuskript die staatliche Funktion der Zemlja-Bevölkerung übersah, ihren Anteil an der Herrschaft, wie er in dieser Arbeit nachgewiesen werden soll, enthielt der zitierte Gedanke, den Aksakov auch 1855 in seinem bekannten, für Alexander II. bestimmten Memorandum „Über Rußlands inneren Zustand" (O vnutrennem sostojanii Rossii) wiederholte,[2]) die falsche Gegenüberstellung von Zemlja-Leuten und Dienstleuten. Da die (steuerfreien) Dienstleute (služilye ljudi) üblicherweise den Steuerzahlern (tjaglye ljudi) gegenübergestellt wurden und werden, legt Aksakovs Einteilung die Identität von Steuerzahlern und Zemlja-Leuten nahe. Demgegenüber kennen die Quellen nur den Gegensatz von zemskie ljudi und ratnye ljudi, also von Zemlja und Kriegern, wobei die letzteren nur solche Dienstleute bezeichneten, die gerade aktiv an einem Feldzug oder seiner Vorbereitung teilnahmen.[3]) Das bedeutet, daß zu den Zemlja-Leuten auch die aus

---

[1]) Aksakov, Ob osnovnych načalach, SS. 4 u. 14.

[2]) Ders., O vnutrennem sostojanii.

[3]) Als Beleg vgl. den Reichsbeschluß (zemskij prigovor) vom 30. Juni 1611 (Chrestomatija, S. 328 ff.). Ratnye ljudi im engeren Sinne waren nur die Soldaten, die dann von den ratnye dvorjane („Kriegsadlige") unterschieden wurden. Im Gegenzatz zu den ratnye ljudi bezeichnete der Ausdruck voinskie ljudi die Truppen des Feindes. Neben den služilye ljudi gab es noch služivye ljudi, womit die in den Festungen dienenden Wächter und ähnliche niedere Dienstleute gemeint waren (Sorokoletov, S. 174 ff.).

irgendeinem Grunde nicht dienenden Dienstleute gerechnet werden
können, obwohl die Steuerzahler in der Regel tatsächlich den Hauptanteil
stellten. Schließlich muß Aksakov und erst recht den auf den Slavophilen
aufbauenden neoromantischen Historikern noch vorgehalten werden,
daß sie, verleitet durch die Grundbedeutung des Wortes zemlja (= Land),
dies kurzerhand mit „Volk" im Sinne einer großen Gemeinde gleichge-
setzt haben — Aksakov selbst ist für die Prägung des unglücklichen
Ausdrucks „zemskij sobor" verantwortlich (s. Kap. 4) —, während es
sich doch in Wirklichkeit um die dem militärischen und bürokratischen
Staat gegenüberstehende „Gesellschaft" handelte, für die hier im Sinne
dessen, was in der Einleitung darüber gesagt wurde, das Wort Zemlja
beibehalten werden soll.

Die Quellen unterstützen diese Annahme mit dem schon im Reichsbeschluß (zemskij prigovor) vom 30. Juni 1611 erwähnten Gegensatzpaar
„Angelegenheiten der Zemlja und des Heeres" (zemskie i ratnye dela)
und mit dem in der Wahlakte von 1613 auftauchenden Ausdruck
„Angelegenheiten der Dienstlistenführung und der Zemlja" (rozrjadnye
i zemskie dela).[1]) Wenig später beklagte der Pskover Chronist die
Vernachlässigung und Mißachtung der Stadt durch die Bojarenclique
um den jungen Zaren Michail Fedorovič; erst Filaret habe nach seiner
Rückkehr aus polnischer Gefangenschaft die „Angelegenheiten der
Zemlja" zu verwalten begonnen.[2]) Besonders an den beiden erstgenann-
ten Beispielen wird deutlich, daß es sich zunächst nur um eine Trennung
des militärischen vom zivilen Bereich handelte. Da aber das Militär
vom übrigen Dienst nicht getrennt war und dieser gesamte staatliche
Bereich ohnehin durch den Herrscher verkörpert wurde, ist es nicht
verwunderlich, daß das Gegensatzpaar bald nach 1613 in den Terminus
„Angelegenheiten des Herrschers und der Zemlja" (gosudarevy i zemskie
dela) mündete, der zu einer charakteristischen Formel des Moskauer
Rußlands wurde. Mit „Herrscherangelegenheiten" waren dabei nicht
etwa die persönlichen Belange des Zaren gemeint, für die das Wort
„gosudarskij" zur Verfügung stand, sondern eben die staatlichen Angelegenheiten des Dienstes, der Verwaltung und des Militärs, ähnlich
wie die aktiven Dienstleute oft als h e r r s c h e r l i c h e Dienstleute
(gosudarevy služilye ljudi) bezeichnet wurden.[3]) Als Beweis dafür kann

---

[1]) Chrestomatija, S. 328 ff.; SGGD, Bd. 1, Nr. 203.

[2]) PSRL, Bd. 5, S. 64 f.

[3]) Kabanov, Organizacija, S. 109. Kabanov vertrat die Auffassung, zemskie und
gosudarevy dela seien identisch gewesen, d.h. er betrachtete die Konjunktion „i"
als additiv. Vgl. demgegenüber Alekseev, Zemskie sobory, S. 53.

man die Formulierung in der Präambel des Uloženie von 1649 heranziehen, wo in diesem Zusammenhang zum erstenmal das Wort „staatlich" gebraucht wurde (gosudarstvennye i zemskie dela).[1]) An der gleichen Stelle findet sich eine feierliche Erweiterung der alten Formel zu „großer Reichsangelegenheit des Herrschers und der Zemlja" (gosudarevo i zemskoe velikoe carstvennoe delo). Ähnlich sprach die Reichsversammlung von 1651 im Hinblick auf außenpolitische Ereignisse von der „großen Reichsangelegenheit des Herrschers und der Zemlja und Litauens" (gosudarevo carstvennoe velikoe i zemskoe i litovskoe delo).[2])

Die zweite Komponente der Formel, die Zemlja, ist viel schwieriger zu bestimmen. Die Gruppe der Steuerzahler setzte sich, abgesehen von den steuerzahlenden niederen Dienstleuten, aus den „Kreisleuten" (uezdnye ljudi), d.h. den „ schwarzen" Bauern oder Staatsbauern, und den Stadtleuten (posadskie ljudi) zusammen. Die unteren Schichten dieser Stadtleute waren in den „schwarzen" Hundertschaften und „schwarzen" „Vorstädten" (černye sotni i slobody) organisiert. In Moskau gab es neben den 11 Hundertschaften noch 3 Fünfzigerschaften und 2 Fünfundzwanzigerschaften sowie 30 „Vorstädte", von denen 17 der zarischen Familie (kazennye) gehörten.[3]) Zu den oberen Schichten der Stadtleute gehörten die hauptstädtischen Großkaufleute (gosti) und die Hundertschaften der Groß- und Tuchkaufleute (gostinnye i sukonnye sotni), seit dem Ende des 16. Jahrhunderts bestehende gildeähnliche Gruppierungen, in die reiche Kaufleute aus der Provinz (wo sie dann fehlten!) aufgenommen wurden. Die Mitgliederzahlen beider Hundertschaften schwankten stark. Die Hundertschaft der Großkaufleute, zu der verwaltungsmäßig auch die wenigen gosti selbst gehörten, zählte 1630 185 Angehörige. In der unter ihr rangierenden Hundertschaft der Tuchkaufleute (wohl vom Smolensker Handel nach Moskau übertragen) gab es zu Beginn des Jahrhunderts 250, 1649 nur noch 116 bis 158 Mitglieder. Sie alle waren nach 1613 von den Steuerzahlungen weitgehend befreit, mußten dafür aber bestimmte Dienste leisten, von denen noch

---

[1]) PRP, Bd. 6, S. 19 f. Zum allererstenmal wurde der Ausdruck schon am 16. Juli 1648 gebraucht, als Zar, Geistlichkeit und Bojaren die Kodifizierung beschlossen (SGGD, Bd. 3, Nr. 129).

[2]) Latkin, Materialy, S. 81 ff. Vgl. auch Got'e, S. 66.

[3]) Die „schwarzen" oder staatlichen slobody waren seit der Mitte des 16. Jahrhunderts nicht mehr das, was ihr Name ursprünglich besagte, nämlich steuerfreie Plätze. In einigen dieser „Freistätten" wohnten übrigens die niederen Dienstleute (Strelitzen, Kanoniere usw.). Bekannt ist auch die nemeckaja sloboda („Deutsche Vorstadt") als Ausländerviertel.

die Rede sein wird. Diese Dienste wurden, sofern sie nicht dem Rotationsprinzip unterlagen, auf Versammlungen (mirskie sovety) aller dieser Gruppen verteilt; dort wurden auch die Ältesten (starosty) gewählt. Da gerade diese Wahlen zur Lokalverwaltung hier als das wesentliche Kriterium der Zemlja angesehen werden, muß auch die „weiße", d.h. nicht klösterliche Geistlichkeit hinzugezählt werden. Bei den nicht im Dienst befindlichen mittleren Dienstleuten, läßt sich diese Frage nicht kategorisch entscheiden. Rein formal wählten auch sie einige Lokalbeamte. Wieweit sie sich dabei jedoch nicht als „Beamte", sondern als indigene Adlige fühlten, muß anhand konkreter Fälle untersucht werden. Ganz eindeutig gehörten jedoch die Klostergeistlichen, die Knechte (cholopy), die Privatleibeigenen und die sogenannten „freien" oder „wandernden Leute" (vol'nye oder guljaščie ljudi) — in der Hauptsache ehemalige Knechte, aber auch Angehörige anderer sozialer Gruppen, die als Wandertagelöhner arbeiteten (guljat') und steuerfrei waren — *nicht* zur Zemlja. Die Leibeigenen nahmen allerdings offenbar an der Wahl der Gerichtsbezirksältesten (gubnye starosty) teil (s.u.). Wie sie befanden sich die Bewohner privater Freistätten, der „weißen Plätze" (belye mesta oder slobody), als „Verpfändete" (zakladčiki) in der Obhut geistlicher oder weltlicher Herren. Während die Leibeigenen aber mit dem Uloženie endgültig gebunden wurden, untersagte dieses Gesetz gerade das zakladničestvo, weil sich bis dahin viele Stadtleute sowohl der Steuern als auch der Dienstleistungen durch die Aneignung des Knechtestatus entzogen hatten. Auch die „Verpfändeten" gehörten also *nicht* zur Zemlja.[1]

Lokales Polizeigericht (guba) und lokale Verwaltung mit staatlichen Funktionen existierten im Moskauer Reich seit den späten 30er bzw. frühen 50er Jahren des 16. Jahrhunderts. Ivan IV. richtete beides im Zuge der Abschaffung des kormlenie-Systems und der Statthalter ein. Wieweit man dabei von einer Selbstverwaltung sprechen kann, ist freilich umstritten.[2] Beide, „guba" und „zemlja", basierten jedoch auf Wahlen und waren unabhängig von der Regierung, wenn auch ihre Funktionäre Staatsaufträge wahrnahmen. Im 17. Jahrhundert verwaltete die Zemlja jedenfalls nur noch zum Teil in dieser Weise, und zwar im äußersten Norden, im „Gebiet am Meer" (pomor'e), wo es keinen Adel gab, und in den Dörfern des Hofes. Diese „Selbstverwaltung" sei hier anhand der

---

[1] Über die zakladčiki mehr weiter unten und in den folgenden Kapiteln.

[2] Unlängst hat Keenan den Selbstverwaltungscharakter heftig bestritten, und zwar in seiner Rezension des Buches von Nosov (vgl. Bibliographie).

Forschungsergebnisse Bogoslovskijs, der die Quellen ausgeschöpft hat, kurz dargestellt,[1]) da ihre Kenntnis das Verständnis der Verhältnisse im größeren Gebiet des Reiches erleichtert. Eine neue Interpretation wäre notwendig, würde aber das Thema dieser Untersuchung sprengen.[2])

In den „Städten" des Nordens, die dem Novgoroder Viertel unterstanden (Archangel'sk, Olonec, Vjatka, Velikij Ustjug, Sol' Vyčegodsk, Kargopol', Jaransk, Kajgorodok, Tot'ma, Solikamsk, Perm', Kevrol', Pustoozero, Kola, Čaranda, die Gebiete Mezen' und Dvina), war die Sozialstruktur grundverschieden von der innerrussischen. Da der Adel fehlte, gab es auch keine Dienstbesitzungen, infolgedessen auch keine private Leibeigenschaft, und die Trennung von Stadt und Land ließ sich hier auch nach dem Uloženie nicht durchführen. Die fast ausschließlich agrarische Bevölkerung war weiterhin nach „schwarzem" Land (Eigentum des Zaren, das sich in erblichem Besitz von Stadtleuten und Bauern befand, die dafür Steuern zahlten und Frondienste leisteten) und Hofgütern (Eigentum des Zaren, das vom Hof direkt durch Verwalter (dvorcovye prikaščiki) wie Erbgüter verwaltet wurde) getrennt. Sie war in Bauerngemeinden (miry) zusammengefaßt, die eine öffentlichrechtliche Tätigkeit ausübten, indem sie allein Gerichts- und Finanzfunktionen und zum Teil sogar die militärische Verteidigung versahen. Allerdings lief die Zeit der größten Selbständigkeit dieser Selbstverwaltung auch im Norden um die Mitte des 17. Jahrhunderts aus, und die allgemeine Bürokratisierung machte sich auch hier bemerkbar: Selbstbewußte Voevoden begannen sich mehr und mehr einzumischen, wozu ihnen die immer höheren Steuerforderungen Anlaß genug boten. 1622 verlangten die Bauern der Ust'janskie volosti die Entfernung der Amts-

---

[1]) Bogoslovskij, Zemskoe samoupravlenie, Bd. 1, SS. IV u. 198; Bd. 2, SS. III u. 288 ff. Zur Kritik an Bogoslovskij, insbesondere an der Terminologie, vgl. die Rezension von D'jakonov, S. 42 ff.

[2]) Es sei nur darauf hingewiesen, daß eine Anwendung der Forschungsergebnisse Otto Hintzes auf die russische Geschichte aufschlußreiche Einsichten vermitteln könnte. Seine These, daß die Selbstverwaltung einer Stadtgemeinde dort schwach entwickelt war, wo es eine starke Selbstverwaltung im „Kommunalverband höherer Ordnung", d.h. im Kreis, gab und umgekehrt, will auf die Verhältnisse im Moskauer Reich nicht recht zutreffen, da hier beide, Stadt- und Kreisverwaltung, verglichen mit Westeuropa, relativ unselbständig waren. Die Gründe dafür liefert Hintze jedoch ebenfalls: Einerseits fehlte das Bürgertum und andererseits eine starke Grundbesitzer-„aristokratie" des niederen Adels als Träger der Selbstverwaltung. Daß es überhaupt eine landschaftliche Lokalverwaltung gab, kann nach Hintze auf die fehlenden Einwirkungen eines Lehenswesens zurückgeführt werden (Hintze, Staatenbildung und Kommunalverwaltung, SS. 207, 220 u. 213).

leute der Regierung (prikaznye ljudi), die auch vor der Smuta nicht bei ihnen gewesen seien und von denen sie nun ausgebeutet würden. Michail Fedorovič und Filaret stellten am 8. September die alten Wahlämter wieder her. Dies blieb freilich eine besondere Gnade, weil dem Zaren „die Bauernschaft leidtat" (žalujuči krest'janstvo). Das Privileg wurde am 9. April 1647 und am 16. Sept. 1676 von den nächsten beiden Zaren bestätigt.[1]) Andere Bezirke waren nicht so glücklich. Solov'ev führt zum Beispiel ein Zeugnis an, aus dem hervorgeht, warum die Bauern von Ustjug 1674 in den fernen Süden oder nach Sibirien flohen, sich betranken oder unter die Räuber gingen: „Die Bauern fliehen vor den hohen Steuern, vor den Bedrückungen und den Bestechungsgeldern der Voevoden und vor den Soldatenrekrutierungen..."[2]) Zwar erlaubte Aleksej Michajlovič diesem Bezirk im nächsten Jahr die Einrichtung eines Kreislandamtes (vseuezdnaja zemskaja izba) und eines Kreislandesältesten (vseuezdnyj zemskij starosta), also von Instanzen, die über die einzelnen Bezirke (im Norden: pogosty oder volosti) hinaus den Voevoden mit mehr Autorität gegenübertreten konnten und auch ein Gegengewicht zur Stadt darstellten, die nun auch hier die Belange der Bauern zu ignorieren begann, aber der Niedergang der Gemeindeselbstverwaltung war im ganzen schon deshalb nicht aufzuhalten, weil die Erhöhung der Steuern auch eine Verschärfung der sozialen Gegensätze mit sich brachte. Die ärmsten Bauern wurden am stärksten belastet, die obersten Schichten der Gemeinde zahlten fast nichts, und diese Situation allein gab den Amtsleuten bereits genügend Einmischungsmöglichkeiten. In Ustjug hatte beispielsweise das Verhältnis von Reichen zu Armen nach Schätzung des Moskauer Schreibers P. Davydov bereits in den 40er Jahren 200 zu 30 000 betragen.[3]) Bald fanden die gewählten Funktionäre, die Landrichter (zemskie sud'i oder sudejki) und die Steuerbeauftragten (celoval'niki) bei ihren Wählern kein Vertrauen mehr und wichen gegen Ende des Jahrhunderts der größeren Autorität der Regierungsbeamten. Bereits 1627 hatte Michail Fedorovič dem Voevoden von Ustjug die Bestrafung eines Richters mit Stockschlägen wegen angeblichen ungebührlichen Benehmens erlaubt.[4])

Dennoch blieb in den genannten Gegenden dieses Amt erhalten,

---

[1]) AAĖ, Bd. 3, Nr. 126. Vgl. auch Jakovlev, S. 157 ff., u. Čičerin, Oblastnyja učreždenija, S. 564.

[2]) Solov'ev, Istorija, Buch 7, S. 109 f.

[3]) Bogoslovskij, Zemskoe samoupravlenie, Bd. 2, S. 291 f.

[4]) Barsov, Iz rukopisej, 1883, S. 9. Dort auch das Protokoll der Wahl eines Landrichters (S. 5 ff.).

dem deswegen eine besondere Bedeutung zukommt, weil man in der selbständigen Gerichtshoheit ein Kriterium der Selbstverwaltung sehen kann. Eine gewisse Autorität als „Sprecher" der Wähler war dem Landrichter ebenfalls eigen. Er erscheint in älteren Urkunden noch unter der Bezeichnung „von der Gemeinde gewähltes Haupt" oder „von der Gemeinde gewählter Ältester" (izljublennyj golova oder starosta). Die Ersetzung des Epithetons durch „zemskij" darf wohl als weiteres Indiz dafür angeführt werden, wie sehr die Zemlja durch das Phänomen der Wahl bestimmt war. Nachdem das Amt vorübergehend in der aufkommenden Voevodenverwaltung untergegangen war, wurde es nach der Smuta wiederbelebt, und die Regierung hat das ganze Jahrhundert hindurch einzelnen Kreisen, Bezirken oder „Vorstädten" das Recht der Wahl von Landrichtern immer wieder verliehen.[1] Wahrscheinlich sah sie im Landrichteramt eine Art Analogie zum Voevodamt in den Städten, denn die Aufgaben beider Ämter waren identisch. Entsprechend arbeiteten Landrichter und Voevode (bzw. Verwalter auf Hofland) oft Hand in Hand, aber es gab natürlich auch Zusammenstöße. Die Zentrale entschied in solchen Fällen durchaus oft zugunsten der Landrichter. Diese übten die Gerichtshoheit manchmal auch mit den nur für Kriminalfälle zuständigen Gerichtsbezirksältesten (gubnye starosty) aus, da sie das Zivil- *und* das Strafgericht wahrnahmen.[2] Interessanterweise blieb ihnen die volle Gerichtsbarkeit auch dort erhalten, wo ihnen Aufgaben, die sie im Norden noch besaßen, entzogen worden waren: Landverteilung, Steuereintreibung, Alkohol- und Zollgebühreneinsammlung, Aufsicht über Maße und Gewichte. Für diese Fragen war woanders der Landälteste (zemskij starosta) zuständig.

Wieweit Landältester und Landrichter im Norden kollidierten, ist schwer zu sagen. Gelegentlich erscheinen die Landrichter als Vorgesetzte der Ältesten. 1627 entbrannte in Ustjužna-Železnopol'skaja ein Rechtsstreit, weil die Landältesten bzw. Steuerbeauftragten sich nicht der Rechtssprechung der Landrichter unterwerfen wollten. Die Regierung entschied zugunsten des Landrichters,[3] aber nicht grundsätzlich. Die Kompetenz der Landrichter war allerdings auf das Bauerngericht be-

---

[1] Čičerin, Oblastnyja učreždenija, S. 552 ff.; Ditjatin, Iz istorii, S. 449 ff. In Šuja gab es für kurze Zeit den seltenen Fall eines Landrichters in einer Stadt, Er war darauf zurückzuführen, daß 1614 eine ältere Urkunde einfach auf Michail Fedorovič umgeschrieben worden war. Noch im gleichen Jahr wurde der Irrtum bemerkt und die Gerichtsgewalt auf den Voevoden übertragen (Borisov, Nr. 2 f.).

[2] S. die Gerichtsurkunde für Ustjužna-Železnopol'skaja (AAÉ, Bd. 3, Nr. 36) vom 5. Juni 1614.

[3] Jakovlev, S. 173 ff.

schränkt. Angehörige anderer Bevölkerungsgruppen brauchten vor ihnen nicht auszusagen; ihre Prozesse wurden nach Moskau überwiesen. Diese Regelung, sosehr sie allgemein die Dienstleute und ihre Bauern, die Klosterleute u.a. benachteiligte und einer regionalen Instanz beraubte, rettete wohl andererseits überhaupt das Amt des Landrichters. Denn es blieb unbedeutend genug, um nicht von den Amtsleuten mehr oder weniger in die Regierungssphäre einbezogen zu werden, wie dies mit den anderen Wahlämtern geschah, die für die ganze Zemlja zuständig waren (s.u.). Zwar mußten die jeweils für ein Jahr gewählten Landrichter zur Vereidigung nach Moskau reisen, obwohl auch Bestätigungen durch Voevoden bekannt sind, aber im ganzen herrschte der indigene und elektive Charakter des Amtes so stark vor, daß die Regierung den Bauern zuweilen mit der Ernennung eines Zentralbeamten drohte, wenn sie ihren Verpflichtungen nicht nachkämen.[1] Nicht von ungefähr lebte der Landrichter im 18. Jahrhundert in Erinnerung an seine frühere Stellung wieder auf — dann allerdings als Chef der Kreisverwaltung unter anderen Vorzeichen.

Aufs Ganze gesehen, stellten die Landrichter, von denen es übrigens in manchen Bezirken zwei gab, die Ausnahme von der Regel dar, sofern man angesichts der verwirrenden Vielfalt der administrativen Formen im Moskauer Rußland, angesichts der Unterschiede von Kreis zu Kreis, ja, von Gemeinde zu Gemeinde, überhaupt von einer Regel sprechen kann. Immerhin läßt sich sagen, daß die Gemeinde außerhalb des skizzierten Gebietes unter der Ingerenz der Amtsleute und damit der Moskauer Zentralverwaltung stand. Die Gemeinden verkehrten mit den Zentralämtern auch nicht mehr selbständig, sondern unter Einschaltung des Voevoden. Bei der völligen Identität von Staats- und Gemeindeangelegenheiten ist die Entscheidung außerordentlich schwierig, ob der Staats- oder der Wahlverwaltungscharakter eines Amtes überwog. Alle Ämter waren austauschbar, wurden zum Teil auch ausgetauscht, und eine exakte Abgrenzung ist unmöglich. Insofern kann jene Mischform als typisch bezeichnet werden, bei der der Landrichter als Verkörperung der selbständigen Verwaltung fehlte und dafür die Wahlbeamten in staatlichem Auftrag arbeiteten. Ihre Betätigung lag auf den Gebieten der Steuer- und Frondienstverwaltung sowie des Strafgerichts

[1] So am 5. Juni 1642 in den Ust'janskie volosti (ebenda, S. 190 f.). Die hier geäußerte Meinung über die relative Unwichtigkeit dieses Amtes trifft wohl eher zu als die Vermutung Čičerins, daß Moskau das Amt nicht liquidiert habe, weil keine Einheitlichkeit in der Verwaltung angestrebt worden sei (Čičerin, Oblastnyja učreždenija, S. 551).

(mit Polizei), während das Zivilgericht ganz von den staatlichen Voevoden wahrgenommen wurde.[1]) Entsprechend dem altrussischen Rechtsdenken wurde die „Selbstverwaltung" Ivans IV. nie ausdrücklich abgeschafft. Allerdings wurden seine Privilegien und Verleihungsurkunden von den einzelnen Zaren nur teilweise bestätigt, so daß sich faktische Änderungen ergaben. Ein Kampf um eine echte Selbstverwaltung hat offenbar nirgends stattgefunden. Sicherlich fehlte dafür ein Bürgertum, das reich genug gewesen wäre, um in der eigenen unabhängigen Verwaltung seines Vermögens einen Nutzen zu sehen.[2]) Es ist aber auch zu berücksichtigen, daß das Wahlprinzip und damit einige Freiheit erhalten blieb. Wenn die Wahlen in Frage gestellt waren, kam es dagegen oft zu Protesten.[3]) Durch die Koexistenz von Amts- (prikaz) und Wahlprinzip (vybor) nahmen die Wähler Anteil an der Herrschaft, ohne sich freilich eines Rechtes bewußt zu sein. Eher wurde die schwere Verpflichtung empfunden, der Reihe nach alternierend (po očeredi) und in der Regel ohne Gehalt zu dienen. Auch unter diesen Bedingungen konnte kein Selbstverwaltungsgeist aufkommen.

In dem gekennzeichneten Mischtyp von Staats- und Wahlverwaltung standen die folgenden Ämter mit einiger Regelmäßigkeit zur Wahl: der Landälteste (zemskij starosta), eine Art Bürgermeister; der Gerichtsbezirksälteste (gubnoj starosta), zuständig für Kriminalfälle; der Zollverwalter (tamožennyj golova) und der Alkoholverwalter (kružečnyj oder kabackij golova), beide meist in einer Person vereinigt (kružečnyj i tamožennyj golova). Für diese wichtigsten Posten wurden noch eine Reihe von Gehilfen oder „Beauftragten" (celoval'niki) gewählt (für die Gerichtsbezirksältesten nur bis 1669), ferner Schreiber (d'jački), Gefängniswärter (tjuremnye celoval'niki), Mühlenbeauftragte und der Henker. Je nach Bedarf gab es außerdem noch Polizisten (zemskie pristava), Verwalter der Hegewälder und der Getreidemagazine und „Kämmerer" (zemskie kaznačei). In den Städten hießen die höheren Polizeibeamten Hundertschafts-, Fünfzigerschafts- und Zehnerschaftsführer und die niederen Polizei- und Feuerwehrleute „jaryžnye". In Moskau standen statt der Landältesten Gemeindeälteste (mirskie starosty) an der Spitze

---

[1]) Ebenda, S. 548 ff.

[2]) Die Existenz eines Bürgertums im westlichen Sinne behauptet außerhalb der Sowjethistoriographie (z.B. Volkov) neuerdings Kaufmann-Rochard, die das 17. Jahrhundert sogar als goldenes Zeitalter (!) des russischen Bürgertums bezeichnet, weil der Zar die Kaufleute für einige Entscheidungen konsultierte (Kaufmann-Rochard, S. 260). Zu diesen Konsultationen mehr in Kap. 3 u. 4 dieser Arbeit.

[3]) Darüber mehr weiter unten und in Kap. 4.

der „schwarzen" „Vorstädte". Der Provinzadel wurde außerhalb des
Militärdienstes von ebenfalls gewählten Heerbeauftragten (okladčiki)
zusammengehalten. Alle diese Ämter waren keineswegs gleichmäßig
auf alle Einwohner verteilt. Die Heerbeauftragten waren als „Standes-
funktionäre" natürlich nur Adlige, aber auch die Gerichtsbezirksältesten
kamen in der Regel aus der Gruppe der Bojarenkinder. Andere Gruppen
wurden von vornherein ausgeschlossen. So nannte das Uloženie die Privatleibeigenen nicht mehr bei der Aufzählung derjenigen, die Zoll- und
Alkoholverwaltungsämter wahrnehmen durften, wohl aber noch die
Bauern auf Hof- und Staatsland. (Kap. XVIII, § 23). Diese wurden 1681
mit der Bestimmung ausgeschlossen, daß nur noch Stadtleute die Zölle
einsammeln dürften, woran sich die Praxis allerdings nicht hielt.[1])
Damit hatte die seit der Jahrhundertmitte angestrebte rechtliche Trennung von Stadt und Land einen weiteren Ausdruck gefunden. Schon
früher waren die Steuerbeauftragten getrennt von Stadt und Land
gewählt worden, und die Bauern waren immer auf den Dienst in den
Dörfern beschränkt gewesen, während die Städter oft auch zugleich
den Dienst auf dem Lande versehen hatten, und zwar außer der Zoll-
und Alkoholverwaltung auch als Steuerbeauftragte den Getreidehandel
und den Verkauf zarischer Waren. Dies alles waren Angelegenheiten,
die die finanzielle Haftung für Verluste einschlossen und schon deshalb
den ärmeren Bevölkerungsschichten überhaupt nicht anvertraut werden
konnten. Zu Zoll- und Alkoholverwaltern sollten immer nur die „besten
Leute" (lučšie ljudi), d.h. die reichsten, gewählt werden.

Da die Wahl der „besten Leute" für die meisten Ämter vorgeschrieben
war, konnte das Rotationsprinzip für alle aus Mangel an gutsituierten
Mitgliedern einer Gemeinde durchaus nicht immer eingehalten werden.
Von den 116 Mitgliedern (1649) der Hundertschaft der Moskauer
Tuchhändler machten zum Beispiel nur 42 Dienst, weil die Mehrzahl
zu arm war. Da jedes Jahr achtzehn Wahlbeamte dieser Gruppe gebraucht
wurden, kam jeder relativ oft an die Reihe. Das gleiche galt für die
wenigen Großkaufleute, die seit Filarets Zeiten hauptsächlich auf
fünf Gebieten tätig waren: im Moskauer Großen Zollamt (bol'šaja
tamožnja), im Zolldienst der Stadt Archangel'sk und zeitweise auch
in Kazan' und Astrachan', im Sibirien-Amt (Sibirskij prikaz) zur Schät-

---

[1]) PRP, Bd. 6, S. 284; Čičerin, Oblastnyja učreždenija, S. 389 ff. Der Ausschluß
der Privatleibeigenen muß als eine erste Tendenz zur Angleichung der Bauern an die
Knechte — lange vor der Einführung der Kopfsteuer durch Peter den Großen — gesehen werden.

zung des Wertes von Zobelfellen, im Münzamt (denežnyj dvor) und in der Überwachung der Salzproduktion. Ämter in der Großen Kasse (bol'šaja kazna) und in der Provinz als Hauptverwalter der „schwarzen" Ländereien (als Nachfolger der volosteli) sowie seit dem 2. März 1675 im Seidenhandel mit Persien kamen weiter hinzu.[1]) Angesichts des Leutemangels in diesen obersten städtischen Schichten kann von einer Wahl im Sinne einer Auswahl schon nicht mehr die Rede sein, und der Dienst dieser Kaufleute trug vielmehr Pflichtcharakter wie derjenige der Dienstleute, mit denen sie ja die Steuerfreiheit gemein hatten. Aber auch bei den unteren Schichten führte das System dazu, daß jede Gruppe daran interessiert war, ihren Bestand an Mitgliedern möglichst zu halten, damit der einzelne nicht zu oft dienen mußte. Wie man sich wegen der kollektiven Steuerhaftung aus finanziellen Gründen gegen einen Abzug wehrte, so war auch aus diesem Grund der Abzug und sogar der Aufstieg in eine höhere soziale Gruppe verpönt. Auch der einzelne war an einem solchen Aufstieg nicht interessiert, weil in der höheren Gruppe größere Dienstleistungen von ihm gefordert wurden. Das System der Wahldienste tötete also jeden sozialen Ehrgeiz, ganz abgesehen davon, daß es den bürgerlichen Wunsch, reich zu werden, schon deshalb nicht aufkommen ließ, weil mit dem Reichtum das „Risiko", gewählt zu werden und finanziell zu haften, zunahm. Die Wahlpflicht der Zwangsdienstgesellschaft war zweifellos ein Grund für „the failure of capitalist development"[2]) in dieser Zeit. Aber auch den Bauern entstanden oft schwere Belastungen dadurch, daß etwa Klosterbauern infolge eines Klosterprivilegs vom Dienst freigestellt waren.[3]) Auf dem Lande gab es ohnehin Ungleichheiten von Gemeinde zu Gemeinde, weil manchmal auf der Grundlage der Steuereinheiten (socha oder kost'), manchmal ohne Rücksicht darauf, bald für eine Gemeinde allein, bald für den ganzen Kreis gewählt wurde. Um alle Ungerechtigkeiten zu beseitigen, setzte Fedor Alekseevič am 11. Dez. 1681 eine Kommission unter V.V. Golicyns Leitung ein, die vom 1. Jan. 1682 an parallel zur einer Heeresreform-Kommission (s. Kap. 4) tagte. Moskauer Kaufleute und gewählte Vertreter aus dem ganzen Reich sollten die Steuerbücher der letzten

---

[1]) Bogojavlenskij, Raspredělenie. Dort auch eine Arbeitseinteilung der Großkaufleute für sechs Jahre. Allgemein über die Verwaltungsarbeit dieser Gruppe vgl. Kaufmann-Rochard, S. 221 ff. Zur Auffüllung der Großkaufleute- und Tuchhändler-Hundertschaften s. DAI, Bd. 3, Nr. 47.

[2]) Vgl. zu diesem Thema den Aufsatz von Baron, The Weber Thesis.

[3]) Als Beispiel s. das Privileg von 1615 für das Novospasskij-Kloster (AI, Bd. 3, Nr. 60).

drei Jahre und die Dienstverzeichnisse überprüfen und für eine gerechtere
Verteilung der Lasten sorgen.[1]) Der Tod des Zaren beendete dieses
Unternehmen jedoch vorzeitig.

Aus den genannten Gründen tat sich die Zemlja gerade mit den zahlen-
mäßig häufigen unteren Ämtern oft schwer. Während am 6. März 1666
noch befohlen wurde, in den großen Moskauer Gefängnissen nur noch
gewählte Wärter anzustellen, und zwar jeweils acht, reduzierte die Strafgerichtsordnung von 1669 ihre Zahl allgemein auf je zwei und verfügte
im übrigen die Bewachung durch Strelitzen.[2]) Dienstleute, nämlich
entlassene Adlige, wurden auch herangezogen, als gemäß dem Erlaß
Fedor Alekseevičs vom 25. Juni 1678 Verwalter der Hegewälder gewählt
wurden. Sie sollten vermögend und nicht zu alt sein und auch nicht
zu weit von den Wäldern entfernt wohnen.[3]) Unter ihnen arbeiteten
ebenfalls gewählte nichtadlige Waldaufseher. Auch die Verwalter der
Getreidemagazine (žitnye golovy) waren Bojarenkinder, die manchmal
von der ganzen Bevölkerung gewählt wurden. Ihnen unterstanden Beauftragte aus der Gruppe der Stadtleute, weil es sich dabei ebenfalls um
ein finanziell risikoreiches Amt handelte.[4]) Es war freilich immer noch
einfacher, diese Posten zu besetzen, als in Moskau Polizei- und Feuerwehrleute zu finden. Als Michail Fedorovič am 22. April 1622 ihre Zahl auf
100 festsetzte, reichten die schwarzen Hundertschaften eine Bittschrift
ein, in der sie die Erhöhung von 30 auf 75 — die übrigen 25 Wahlbeamten
hatten die Hundertschaften der Groß- und Tuchkaufleute zu stellen —
für untragbar erklärten. Es seien ja doch zusätzlich noch Pferde, Kutscher
und Feuerlöschausrüstung aufzubringen. Die Regierung ging jedoch
von der Erhöhung nicht nur nicht ab, sondern verdoppelte die Zahl der
Polizei- und Feuerwehrleute noch einmal am 19. April 1629. Immerhin
ließ der Zar ihnen nun einen Unterhalt aus der Großen Kasse zahlen.
Die Stadtleute beschwerten sich dennoch nachdrücklich auf der Reichsversammlung von 1642, weil sie noch 145 Beauftragte für die verschiedenen Zentralämter zu stellen hatten.[5]) Um überhaupt Kandidaten zu

---

[1]) PSZ, Bd. 2, Nr. 899. Darüber mehr in Kap. 4.
[2]) Ebenda, Bd. 1, Nr. 384 u. 441.
[3]) Ebenda, Bd. 2, Nr. 728.
[4]) Novomborgskij, Očerki, Nr. 12, 85 u. 579. Darunter ist auch der Fall der beiden
Beauftragten in Kozlov, die im Herbst 1651 den Zaren um ihre Entlassung bitten
mußten, weil ihnen das Vermögen ausgegangen war.
[5]) PRP, Bd. 5, SS. 329 u. 344 f.; SGGD, Bd. 3, Nr. 113. Die nochmalige Erhöhung
kann auf den großen Brand in Moskau im Jahre 1626 zurückgehen. — Selbst eine
so kleine Stadt wie Šuja hatte, wie die Einwohner 1666 beklagten, über 50 Wahlämter

finden, mußten die Gemeinden in vielen Fällen den Gewählten Unterstützungen zahlen.[1]) Denn viel seltener als im Regierungsdienst konnte man aus den Wahlämtern lukrative Vorteile ziehen. Eine gewisse ethische Zurückhaltung bei der Verwaltung der „eigenen" Angelegenheiten und vor allem die Kontrolle der Wähler beim Amtswechsel standen einer unmäßigen Bereicherung im Wege. Wo sie möglich war, wie etwa beim Salzverkauf in Pskov, wurden solche Ämter gleich in bestimmten Familien erblich.[2])

Keine Schwierigkeiten gab es in solchen Fällen, in denen ausnahmsweise Regierungsämter von den Gemeinden besetzt werden mußten, weil die Regierung nicht über genügend Personal verfügte. Diesen Regierungswahlbeamten wurde nämlich ein reguläres Gehalt gezahlt. So wurde am 23. Aug. 1657 den Einwohnern von Perejaslavl' - Rjazanskij befohlen, drei Schreiber für den Herrscherdienst zu wählen und die Namen der Gewählten an das Dienstlistenamt zu schicken.[3]) Die Wähler bereiteten auch keine Schwierigkeiten, denn sie wurden natürlich von diesen Beamten besser behandelt als von eigentlichen Regierungsschreibern. So wird es verständlich, daß die Einwohner des Bezirks Vjatka, die von Aleksej Michajlovič ebenfalls das Recht erhalten hatten, sich ihre Schreiber selbst zu wählen, sich im Juni 1682 über die Nichtbeachtung dieser Regelung von seiten der Regierung beschwerten. Die Regierungsschreiber bedrückten sie, nähmen Bestechungsgelder und verschuldeten so die Verödung der Gegend.[4])

Eine ganz andere Form der Anstellung war die Miete von Leuten, die nicht zur Gemeinde gehörten. Dies kam häufiger beim Henkeramt vor, dessen Besetzung vielerorts nicht aus finanziellen, sondern in erster Linie aus moralischen Gründen scheiterte. Oft mußten Henker aus Nachbargemeinden ausgeborgt werden. Am 29. Okt. 1648 befahl der Zar dem Gerichtsbezirksältesten von Šuja, die Bauern mit Geldstrafen zu belegen, wenn sie sich weiterhin weigern sollten, einen neuen Henker zu wählen; der alte war spurlos verschwunden. Aber von 1672 ist ein

---

zu besetzen, wobei die geeignetsten Wahlbeamten obendrein den in die Stadt geschickten Untersuchungsbeamten zugeteilt wurden (Starinnye akty, Nr. 66).

[1]) Zum Beispiel wurde bei der Wahl eines Polizisten in der Tavrenskaja volost' am 28. Jan. 1654 beschlossen, daß ihm ein Laufgeld von den jeweils Betroffenen zustehe, wenn er einen Gerichtsbeschluß (vest') zweimal überbringen müsse oder wenn ihn jemand zum Zwecke einer Verleumdung ins Haus rufe (AJu, Nr. 283).

[2]) DAI, Bd. 5, Nr. 1, Dokument XV aus dem Jahre 1665.

[3]) PSZ, Bd. 1, Nr. 213.

[4]) Solov'ev, Istorija, Buch 7, S. 421.

Mietvertrag der Stadt mit einem Henker aus Kazan' überliefert.[1]) In Moskau wurden die Henker von vornherein gemietet und erhielten ein Gehalt von vier Rubeln (1680). Am 16. Mai 1681 wies die Duma die Voevoden an, freiwillige Henker zu ernennen. Dabei kam es zu einer bemerkenswerten gesetzlichen Aussage. Es wurde bestimmt, daß im Falle des Fehlens von Freiwilligen die Gemeinden jüngere Leuten oder Wandertagelöhner in dieses Amt zu wählen hätten.[2]) Diese Umkehrung des Wahlgedankens zeigt klar den Pflichtcharakter der Zemlja-Wahlen.

Recht und Pflicht liegen immer nahe beieinander und sind je nach den Umständen — im Falle der Wahlen nach den materiellen Auswirkungen auf die Gemeinde — austauschbar. Die Moskauer Regierung forderte jedenfalls die Pflicht der Wahl, verlieh die letztere aber als Recht. Nach der Eroberung von Polock schrieb Aleksej Michajlovič am 7. Sept. 1654 in der feierlichen Verleihungsurkunde: „Wir haben befohlen, daß sie in Polock im Rathaus (ratuša) selbst Gericht halten und diejenigen zu Richtərn wählen dürfen, die sich dafür zur Verfügung stellen." Nur strittige Fälle sollten vor den Voevoden und in letzter Instanz vor den Zaren gebracht werden. Auch die Wahl von Steuerbeauftragten wurde gewährt.[3]) Hier wurden entsprechend der litauischen Tradition sogar regionale Gerichte gestattet. Daß die Voevoden sich aus diesen Angelegenheiten herauszuhalten hatten, war jedoch eine allgemeine Erscheinung im Moskauer Reich. Jedenfalls fanden theoretisch alle lokalen Wahlen lediglich unter der Rechtsaufsicht des Voevoden statt, ohne daß er sich einmischen durfte. Er schickte das von den Wählern unterschriebene Wahlprotokoll (vybor za rukami) nach Moskau, und seine Aufsicht beschränkte sich auf die Überprüfung, ob „gute", d.h. reiche Leute gewählt worden waren, damit die Haftung gewährleistet war. Im übrigen sollten die Wahlen „nach dem Willen der Gemeinde" (na ich mirskuju volju) verlaufen, wie es in den Instruktionen für die Voevoden heißt.[4]) Wie noch zu zeigen sein wird, sah es in der Praxis freilich manchmal anders aus. Zunächst sollen jedoch die Ämter der drei wichtigsten Lokalverwaltungszweige — allgemeine Verwaltung, Zoll und Alkohol, Strafgericht — näher untersucht werden.

Von den bedeutenderen Wahlämtern hatte das des LANDÄLTESTEN am

---

[1]) Borisov, Nr. 41 u. 48.

[2]) PSZ, Bd. 2, Nr. 868; Čičerin, Oblastnyja učreždenija, S. 469. Zum Fehlen eines Henkers in Kašira (bei Kolomna) 1670 s. Arsen'ev, S. 95.

[3]) DRV, Bd. 3, S. 289 ff.

[4]) Wahlprotokolle in AJu, Nr. 278 ff. Vgl. auch Bogoslovskij, Zemskoe samoupravlenie, Bd. 2, S. 276.

ehesten den Charakter, wenn nicht einer Selbstverwaltung, so doch einer Vertretung der Zemlja bewahrt, deutet es doch schon im Namen auf die Zemlja hin. Es war nahe mit dem Amt des Landrichters verwandt, wohl auch aus ihm hervorgegangen und lediglich (in der Regel) der Gerichtsfunktionen entkleidet. Im weiteren Unterschied wurde der Landälteste nicht nur von den Bauern gewählt, sondern auch in den Städten. In Moskau hieß er, wie gesagt, Gemeindeältester, und in Novgorod und Pskov gab es als Sondererscheinungen die Fünftel- und die Stadtältesten (pjatikoneckie und vsegorodnye starosty). Wenn mehrere Landälteste in einem Bezirk (stan, volost') vorhanden waren, wurden sie von einem Oberlandältesten (zemskij golovnoj starosta) geführt. Den Landältesten unterstanden ein bis drei von Bauern und Städtern getrennt gewählte Beauftragte, denen manchmal ein „Steuereinnehmer" (larečnyj; eigentlich: Beschließer) vorstand. In Novgorod und Pskov entsprachen den Beauftragten die Straßenältesten (uličnye starosty). Während die Beauftragten die Finanz- und Steuergeschäfte wahrnahmen, unterstanden den Landältesten für den Bereich der Polizeiaufgaben die Hundertschaftsführer (sotskie), Fünfzigerschaftsführer (pjatidesjatskie) und Zehnerschaftsführer (desjatskie). Es gab freilich auch Gemeinden, die gar keine Landältesten, sondern nur Beauftragte oder Hundertschaftsführer hatten. Alle diese Funktionäre wurden im Gegensatz zu den übrigen Wahlbeamten immer gewählt und niemals von der Regierung ernannt. Darin drückte sich aus, daß es sich um reine Angelegenheiten der Zemlja handelte, wenn auch nur der Personenherkunft nach, denn dem Gegenstand nach trugen diese Ämter staatlich-fiskalischen Charakter. Dementsprechend standen auch die jährlichen Wahlen (außer auf den Hofgütern) nicht unter Staatsaufsicht, und der Eid wurde nicht vom Voevoden abgenommen, sondern vor den Wählern geleistet. Eine Ablösung vor Jahresfrist war nicht möglich. Der Landälteste mit seinen Beauftragten stand dem Voevoden mit seinen Amtsleuten ebenbürtig gegenüber. Selbst wenn der Voevode einmal die Schreiber der allgemeinen Zemlja-Verwaltung ernannte, erhoben sich sofort Klagen der Einwohner.[1]

---

[1] 1682 beschwerten sich in solch einem Fall die Einwohner von Vjatka. Die Zaren wiesen den dortigen Voevoden am 20. Juni entsprechend an (AI, Bd. 5, Nr. 88). Vgl. auch Solov'ev, Istorija, Buch 7, S. 81 ff.; Ditjatin, Iz istorii, S. 455 f.; Čičerin, Oblastnyja učreždenija, S. 504 ff. — Offenbar von Litauen beeinflußt waren die Verhältnisse in Toropec, wo vom August 1686 ein Wahlprotokoll und ein „Beschluß" (prigovor) über den für das folgende Jahr gewählten Ältesten und seine Helfer erhalten sind. Sie wurden von einer Versammlung (sujm) „auf unparteiische Amtsführung nach dem Uloženie und den übrigen Gesetzen und Statuten" des Zaren und im Geiste des

Der Sitz des Ältesten und seiner Verwaltung war die Landstube (zemskaja izba). Seine Aufgaben lassen sich in sechs Gruppen unterteilen: Verwaltung des Gemeindelandes, Einschreibungen in die Gruppe der Steuerzahler, Veranlagung und Einsammlung von Steuern, Überwachung der Frondienste, Durchführung der Zemlja-Wahlen, lokale Polizei. Was den Komplex der Landverwaltung anging, so wachte der Älteste erstens darüber, daß das Privatland nicht unrechtmäßig veräußert wurde. Er teilte seine Beobachtungen dem Voevoden mit, der entsprechend eingriff. Zweitens sollte der Landälteste das öffentliche Gemeindeland vor den Zugriffen mächtiger Privatpersonen bewahren. Diese Aufgabe scheiterte sehr oft an der Macht der betroffenen Herren, bis das Uloženie das Weideland im Zuge der Liquidierung privater Freistätten unter staatlichen Schutz stellte. Drittens gehörte in diesen Kreis gelegentlich die Verteilung des Brachlandes. Sie wurde allerdings meist von den Voevoden vorgenommen, die dieses Staatsland oft ungerecht an Außenstehende abgaben. Durch Erwerb solchen Landes oder durch Kauf von Steuerland konnte man in die Gruppe der Steuerzahler eintreten. Dann nahmen die Landältesten dem neuen Mitglied die Versicherung ab, daß er die Steuern immer zahlen und nicht fortziehen würde. Allerdings konnten auch hierbei die Voevoden Amtsleute mit der Abnahme einer solchen Versicherung beauftragen. Somit waren auch bei dem zweiten der genannten Aufgabenbereiche die Rechte der Zemlja beschränkt, denn es handelte sich schließlich um Staatsland und Staatssteuern. Dagegen war die Veranlagung zur Steuerzahlung eine ausschließliche Zemlja-Angelegenheit, die ursprünglich und als Ausnahme noch 1643 in Čerdyn'[1]) von der ganzen Gemeinde vorgenommen wurde. Der Landälteste unternahm die Einschätzung mit Hilfe der beauftragten Gehilfen (razrubnye celoval'niki oder, wie beim Adel, okladčiki). Letztere traten immer auf, wenn die Einwohner für die Zahlung der Sondersteuern im Kriegsfall, also des „Fünften", Zehnten, „Fünfzehnten" oder „Zwanzigsten", (s. Kap. 4) veranlagt wurden. Die Eintreibung der regulären

Evangeliums festgelegt. Dafür verpflichteten sich die Wähler bei Strafandrohung, allen ihren Anordnungen in Staats- und Gemeindeangelegenheiten Folge zu leisten und ihre Abgaben zu zahlen. Außerdem wollten sie die Wahlbeamten vor Verleumdungen schützen und für eventuelle Verluste aufkommen. Man sieht, daß die Wahlbeamten hier besser geschützt wurden als die Wähler, während sonst im Moskauer Reich die finanzielle Haftung der Gewählten eine schwere Bürde und dafür verantwortlich war, daß oft niemand ein Amt übernehmen wollte (Jakovlev, S. 192 f.). Ebenda, S. 194 f., ein weiteres Protokoll von 1690.

[1]) Vgl. das zarische Schreiben vom 31. März 1646 (AAÈ, Bd. 4, Nr. 6). Allgemein zu diesem Abschnitt Čičerin, Oblastnyja učreždenija, S. 513 ff.

Steuern wurde, anders als die Veranlagung, nur zum Teil von den Ältesten vorgenommen, da die Voevoden natürlich die Hauptverantwortung trugen. Ihre Amtsleute traten gewöhnlich dann in Aktion, wenn vorher keine Veranlagung nötig gewesen war. Wie die genannten Kriegssteuern von besonderen Steuerbeamten eingesammelt wurden, so wurden auch für Steuern, die auch von „weißen" Leuten gezahlt werden mußten (Strelitzengetreide (streleckij chleb) und -gelder (streleckie den'gi), Post- und Kriegsgefangenengelder (jamskie und polonjaničnye den'gi)), besondere Vereidete (vernye celoval'niki) gewählt. Die Macht der Wahlbeamten endete bei Steuerverweigerern, da nur die Voevoden die Mittel besaßen, Zahlungen zu erzwingen. Es gab allerdings auch Steuerkreise (okrugi) mit Privilegierungsurkunden, die den Voevoden jede Einmischung bei der Eintreibung verboten, und einige Kreise zahlten ihre Steuern sogar direkt nach Moskau, z. B. Šuja an das „Galič-Viertel" (Galickaja čet' oder četvert') genannte Zentralamt.[1]) Die Veranlagung der Frondienste (Festungs-, Brücken- und Wegebau, Fuhren, Erz-, Salpeter- und Salzgewinnung, Verfolgung von Verbrechern) erfolgte ebenfalls durch die Zemlja-Verwaltung, während die Amtsleute die Durchführung der Arbeiten betreuten. Nur der Transport von Getreide aus den nordöstlichen Gebieten nach Sibirien und in den meisten Gegenden auch der Postfrondienst standen auch unter der Leitung der Landältesten. Die Voevoden griffen in diesen Fällen nur auf zarische Anordnung ein, um Streit zu schlichten.[2]) Völlige Freiheit hatten die Ältesten jedoch als Leiter von Wahlen, nachdem der Voevode ihnen die zarische Anordnung mitgeteilt hatte. Sie leiteten die Wahlen der Alkohol- und Zollverwalter sowie anderer Leute, die die Voevoden zu verschiedenen Aufträgen brauchten, ebenso die Auswahl der Rekruten. Auch die im 17. Jahrhundert noch üblichen Priesterwahlen gehörten dazu, sofern es dafür nicht einen besonderen, auch für den Kirchenbau zuständigen Kirchengemeindeältesten (prichodskij oder cerkovnyj starosta) gab. Schließlich wurden zwar nicht die Ältesten, aber ihre Gehilfen für Polizeiaufgaben benötigt. Dazu gehörten die Weiterleitung von Klagen, die in der „Landstube" eingingen, an den Voevoden, Anzeigen von Straftaten, Aktionen gegen unerlaubtes Alkoholbrennen u.a.m. Im ganzen

---

[1]) Starinnye akty, Nr. 71. Ein Verbot der Einmischung für den Voevoden von Čerdyn' vom 17. Mai 1677 s. AI, Bd. 5, Nr. 16. Michail Fedorovič setzte am 15. Febr. 1617 drei Tage Gefängnis wegen eines tätlichen Angriffs auf den Landältesten von Ustjužna Železnopol'skaja fest. Die Steuereintreibung erwies sich dort allerdings auch in den folgenden Jahren als schwierig (Jakovlev, S. 166 ff.).

[2]) So am 10. Dez. 1624 in Pskov (AAÈ, Bd. 3, Nr. 158).

war der Repräsentant der Zemlja also in der Hauptsache mit Finanz-
und Wirtschaftsangelegenheiten befaßt. Das ist nicht verwunderlich,
denn die russische Gemeinde war eine Steuereinheit und nicht mehr.
Eine politische Führung konnte nur schwer entstehen.

Finanz- and Wirtschaftsangelegenheiten machten auch die Haupttätig-
keit einer anderen Gruppe von Wahlbeamten aus, die im Gegensatz zu
den Landältesten ausschließlich staatlich-fiskalischen Charakter trugen,
so daß Ditjatin sogar von „Wahlamtsleuten" sprach[1]), ein Ausdruck,
der jedoch eher auf die oben erwähnten gewählten Amtsschreiber
zutrifft. Es handelt sich um die „vereidigten Einsammler" (vernye
sborščiki) von Alkohol- und Zollgebühren sowie anderer indirekter
Steuern, mit den ALKOHOL- UND ZOLLVERWALTERN an der Spitze. Ihre
Existenz gründete in der Hauptsache auf dem staatlichen Alkohol-
monopol, das nur den „besten" Leuten erlaubte, an Festtagen eine
gewisse Menge Alkohol zu brennen, während die übrige Bevölkerung
nur Bier brauen durfte. Für beide Genüsse waren Gebühren im „Krughof" (kružečnyj dvor) zu entrichten, was allerdings oft nicht geschah
und die Nachforschungen der genannten Beamten nötig machte. Außerdem erzeugten die Alkoholverwalter selbst Branntwein und verkauften
ihn. Beides konnte auch verpachtet werden, wobei die Pacht (otkup)
für die Gemeinden den Vorteil brachte, daß sie die Zemlja vom beschwerlichen Dienst befreite. Für die Regierung ergaben sich höhere Einnahmen,
weil die Pächter mehr verkauften als die Wahlbeamten, die selbstverständlich nicht mehr ablieferten als den auf Grund der Einnahmen des Vorjahres festgesetzten Betrag (oklad), es sei denn, dieser Betrag war ausdrücklich erhöht worden. Meist wurde das Ziel freilich nicht erreicht,
und die Außenstände mußten bei den Verwaltern und sogar bei den
haftenden Wählern eingetrieben werden. Insofern erscheint auch dieser
Wahldienst als eine Art „Pflichtpacht"; die Grenzen waren fließend,
zumal andererseits die Pächter oft gegen ihren Willen eine Pacht weiter-
führen mußten, wenn sich, wie das Uloženie bestimmte (Kap. XVIII,
§ 27), kein Ersatz fand.[2]) In der ersten Hälfte des 17. Jahrhunderts
waren beide Verwaltungsformen nebeneinander üblich. Eine Entscheidung darüber, welcher der Vorzug zu geben sei, wurde — je nach den
örtlichen Gegebenheiten — jährlich dem Voevoden aus Moskau mitgeteilt. Es scheint, daß im Oktober 1651 für den frommen Zaren Aleksej
ein moralischer Gesichtspunkt eine Rolle spielte, als er die Alkoholpacht

---

[1]) Ditjatin, Iz istorii, S. 445.
[2]) PRP, Bd. 6, S. 285.

in kleinen Dörfern abschaffte: Da die Pächter mehr verkauften, war die Trunksucht unter den Bauern größer. Im folgenden Jahr wurde die Pacht am 9. September überhaupt nur noch in den Städten erlaubt, und am 30. April 1654 wurde sogar die Verpachtung der Maut-, Brücken- und Fährgebühren verboten, weil die Pächter sich als „Feinde Gottes und der Menschen" erwiesen hätten.[1]) Doch schon am 15. Juni 1663 mußte sie überall wieder gestattet werden, weil Geld für den Krieg mit Polen-Litauen gebraucht wurde. Danach verbot Fedor Alekseevič die Alkoholverkäufe im Dezember 1677 wieder in den kleinen Dörfern sowie die Pacht überall und schließlich noch einmal am 11., 18. und 20. Juli 1681 im ganzen Reich unter Berufung auf die Zoll- und Handels- statuten von 1654 und 1667.[2]) Als Begründung wurden finanzielle Überlegungen angeführt. Offenbar hatte sich die Überzeugung durchge- setzt, daß das Wahlbeamtensystem zwar unter Umständen weniger Einnahmen, dafür aber immerhin die Möglichkeit staatlicher Eintreibung und so letzten Endes vielleicht mehr Gewinn als das Pachtsystem mit sich brachte. Die Eintreibung war am 7. Aug. 1673 den Zemlja-Organen ausdrücklich verboten worden (sofern es sich nicht um Unterschlagungen der Wahlbeamten handelte) und wurde von Amtsleuten vorgenommen.[3]) Entsprechend sah das genannte Gesetz vom 20. Juli 1681 vor, daß nur ver- mögende Leute zu Verwaltern und Beauftragten gewählt werden sollten, für deren Mißwirtschaft die Gemeindeältesten (!) und alle Wähler (!) mit der doppelten Verlustsumme haften sollten. Die Regierung ließ sich auch von dem Argument der Moskauer Kaufleute, die Zeit reiche für die Wahlen so vieler plötzlich benötigter Leute bis zum 1. September des Jahres nicht mehr aus, keineswegs beeindrucken. Sie schrieb für das mit diesem Datum beginnende neue Jahr die Wahl von Beamten aus den oberen Schichten ohne Rücksicht auf die Reihenfolge der bisherigen Wahldienste (mit Ausnahme derer, die in den voraufgegangenen drei Jahren gedient hatten) vor. „Die Voevoden und Amtsleute sollen bei diesen Wahlen alle Hilfe leisten und auf keinen Fall irgend jemanden irgendwie bedrängen, jemandem Unrecht tun, jemanden stören oder begünstigen..." Wenn bereits weniger „gute" Leute gewählt worden waren, mußten sie, wie ein zarisches Schreiben vom 23. Juli nach Nov-

---

[1]) PSZ, Bd. 1, Nr. 72 u. 82; SGGD, Bd. 3, Nr. 340. Vgl. auch Solov'ev, Istorija, Buch 7, S. 89, u. DRV, Bd. 8, S. 102 ff.

[2]) PSZ, Bd. 1, Nr. 340; Bd. 2, Nr. 714 u. 880. Vgl. dazu auch das zarische Schreiben an den Voevoden von Novgorod vom 23. Juli 1681 (ebenda, Nr. 882) u. SGGD, Bd. 4, Nr. 126).

[3]) PSZ, Bd. 1, Nr. 555.

gorod klarstellte, wieder abgewählt werden. Čičerin hat festgestellt, daß allerdings auch nach 1681 noch Verpachtungen vorkamen.[1])

Die Alkohol- und Zollverwaltung war zu Beginn des Jahrhunderts sogar noch von den Voevoden wahrgenommen worden, und erst als ein erheblicher Mangel an Einnahmen offenbar wurde, begann überall der Vereidetendienst (služba na veru) der Zemlja, der in Novgorod und Pskov bereits unter Ivan IV. praktiziert worden war. Dieses System brachte den Vorzug der doppelten Sicherung für die Regierung mit sich, weil, wie gesagt, sowohl Gewählte wie Wähler finanziell hafteten. Da die Vereideten auf mancherlei Weise von den Amtsleuten bedrängt wurden (Erpressung und sogar Überfälle auf die Zoll- und Krughöfe), ist während des ganzen Jahrhunderts die Tendenz erkennbar, sie ganz und gar aus dem Machtbereich der Voevoden zu lösen. Daß dies tatsächlich bis hin zum direkten Verkehr der Vereideten mit Moskau verwirklicht wurde, zeigt, wie wenig Vertrauen die Regierung ihren eigenen Beamten entgegenbrachte.[2]) Nur noch die jährlichen Wahlen fanden unter der Aufsicht der Voevoden statt, und die Verwalter und manchmal auch die Beauftragten leisteten auch den Eid vor ihnen. Die jährlichen Rechenschaftsberichte gingen mit den Einnahme- und Ausgabebüchern zunächst über die Voevoden nach Moskau, aber seit den 60er Jahren wurden diese mehr und mehr übergangen, und am 17. Mai 1676 wurden die Finanzangelegenheiten des Zoll- und Alkoholwesens völlig aus der Voevodenverwaltung gelöst, „weil die Verwalter und Beauftragten auf den Zoll- und Krughöfen die Einnahmen des Großen Herrschers nach den Gemeindewahlen als Vereidete einsammeln". Dieses Vertrauen in die Zemlja äußerte sich darin, daß vom 28. Febr. 1677 an die Rechenschaftsberichte an die Landältesten gingen und die Ergebnisse der Revision in der Landstube öffentlich verkündet und von allen Gemeindemitgliedern unterschrieben wurden.[3]) Damit erkannte die Regierung folgerichtig an, daß Verantwortung und Kontrolle demjenigen zukam, der finanziell haftete. 1681 wurde das Verbot der Einmischung für die Voevoden wiederholt (s.u.). Eine weitere Vorsichtsmaßnahme auch gegenüber den Wahlbeamten selbst bestand darin, daß in den frühen

---

[1]) Čičerin, Oblastnyja učreždenija, S. 403 ff. Zum zarischen Schreiben nach Novgorod vgl. Anmerkung 2 auf S. 62.

[2]) Nur in Ausnahmefällen wurden Alkohol- und Zollverwalter von der Regierung ernannt, wie 1623 in Verchotur'e aus der Gruppe der Bojarenkinder von Tobol'sk (AI, Bd. 3, Nr. 122). Vgl. zu diesem Abschnitt auch Čičerin, Oblastnyja učreždenija, S. 407 ff.; Ditjatin, Iz istorii, S. 446; Solov'ev, Istorija, Buch 7, S. 90.

[3]) PSZ, Bd. 2, Nr. 642 u. 679.

20er Jahren befohlen wurde, die Vereideten möglichst nicht aus dem Kreise der Einheimischen, sondern aus anderen Städten zu wählen.¹) Diese Methode setzte sich nicht durch, weil sie die Wahlverwaltung ad absurdum führte: die Gemeinde konnte selbstverständlich nur für ihre eigenen Leute haften. Aber in Archangel'sk war es, wie erwähnt, üblich, daß die Moskauer Großkaufleute die bedeutenden Einnahmen verwalteten, und noch 1659 beschwerten sich die Einwohner von Šuja, daß vier von ihnen schon das fünfte Jahr im Kreis Suzdal' die Gebühren einsammeln mußten. Sie wurden daraufhin am 7. August davon befreit, zumal da in Moskau eine solche Anordnung überhaupt nicht bekannt war.²)

Trotz des Unterschiedes zwischen Regierungs- und Wahlbeamten, den die Regierung gerade auf dem Gebiet der Zoll- und Alkoholverwaltung offensichtlich mit Gewinn anerkannte, waren die „vereidigten Einsammler" beinahe Amtsleute, die lediglich von der Zemlja auf Grund einer Wahlpflicht gestellt wurden und ohne Gehalt arbeiteten. Sie entziehen sich einer klaren Zuordnung zum einen oder anderen Bereich, so daß man mit Čičerin sagen kann: „Es war eine seltsame Mischung aus Wahlprinzip, alternierenden Dienstverpflichtungen, Timokratie und Ernennung durch die Regierung."³) Zur echten Timokratie fehlten freilich die für einen Zensus nötigen juristischen Begriffe, denn die Einschätzung der „besten" Leute war viel zu ungefähr. Da der Regierungsdienstcharakter bei diesen Ämtern stärker hervortrat als bei denen der allgemeinen Zemlja-Verwaltung, ist es nicht verwunderlich, daß oft sogar Dienstleute gewählt wurden, zumal die reichen Kaufleute den risikoreichen Dienst gern zu umgehen suchten und die Stellen nicht mit Steuerzahlern besetzt werden konnten. Erst Sofija beschränkte am 9. Juli 1688 diese Sitte auf die Wahl von entlassenen oder sonst gerade nicht dienenden Dienstleuten, damit eine kontinuierliche Gebühreneintreibung gesichert war. Allerdings mußten bezeichnenderweise bereits am 17. August des gleichen Jahres wieder Ausnahmen zugelassen werden.⁴) Selbst die Beauftragten, die nicht das finanzielle Risiko der Verwalter trugen, waren so schwer zu finden, daß sie oft nicht gewählt werden konnten, sondern von den „besten" Leuten einfach ernannt wurden. Darüber beschwerten sich zum Beispiel 1665/66 die mittleren

---

¹) In Pskov zum Beispiel dienten Stadtleute aus Murom (AAÉ, Bd. 3, Nr. 143).
²) Starinnye akty, Nr. 87.
³) Čičerin, Oblastnyja učreždenija, S. 414.
⁴) PSZ, Bd. 2, Nr. 1305 u. 1311.

und kleinen Leute von Pskov.[1]) Zu den weiteren Beschwerlichkeiten dieser Ämter gehörte die fehlende klare Abgrenzung der Kompetenzen. Abgesehen davon, daß Zoll- u n d Alkoholverwaltung von leitenden Wahlbeamten verwaltet wurden (in Pskov gab es zwei und in Archangel'sk während der Messe drei, von denen einer die Oberleitung hatte), wurden diesen Funktionären auch viele andere Aufgaben aufgeladen, die mit einem finanziellen Risiko verbunden waren, denn die reichsten Leute saßen nun einmal bereits im Zoll- und Krughof. Sie sammelten das Strelitzengetreide und Gebühren wie diejenigen für das Stempeln von Pferden oder die Bade- und Brückensteuern ein. Auch die Eintreibung der Kriegssondersteuern gehörte gelegentlich dazu, ebenso die der Maut- und Fährgebühren, der Fischfangsteuer, der Salzsteuer von 1646, ferner der Tabakverkauf und die Aufsicht über Salz- und Salpetergewinnung, über die Metallproduktion und das Münzwesen, die Mühlen und die Getreidevorräte, die Pulverkasse und den Brücken- und Straßenbau, schließlich noch die Geldtransporte nach Moskau und sogar das Einfangen von Räubern. An der Dvina und in Ustjug stand ihnen sogar die Aufsicht über die Landältesten und ihre Beauftragten zu. Um dem Mangel an Freiwilligen zu begegnen, schlossen auch bei diesen Ämtern die Einwohner eines Zollbezirks gelegentlich mit einem der ihren einen Mietsvertrag (rjadnaja zapis') ab, und unterstützten ihn materiell. Der Staat stellte lediglich die Fuhren für den Alkoholtransport. Wenigstens eine verwaltungstechnische Vereinfachung ergab sich 1681, als das Zoll- und Alkoholwesen einem einzigen Zentralamt, der Großen Kasse, unterstellt wurde.[2])

Wenn die „vereidigten Einsammler" noch in der Mitte zwischen Staats- und Zemljadienst standen, so waren die GERICHTSBEZIRKSÄLTESTEN, obwohl auch Wahlbeamte, ganz in den Herrscherdienst eingegliedert. Ihr Dienst galt als „Herrscherangelegenheit" (gosudarevo delo), wie es in einem Wahlprotokoll aus Vologda am 30. Juli 1617 hieß.[3]) Doch gerade die Wählbarkeit unterschied diese Lokalbeamten von den ernannten Regierungsbeamten und rechtfertigt ihre Einbeziehung in dieses Kapitel. Als Stützen der Selbstverwaltung hatte Ivan IV. sie Ende der 30er Jahre des 16. Jahrhunderts auch geschaffen, weil der Staat nicht über genügend Mittel zur Verfolgung von Verbrechern, aber auch sogar zur Bearbeitung

---

[1]) DAI, Bd. 5, Nr. 1.

[2]) Solov'ev, Istorija, Buch 7, S. 90. Vgl. auch Čičerin, Oblastnyja učreždenija, S. 400 ff.

[3]) AJu, Nr. 279. Zur Entstehung und frühen Geschichte der Gerichtsbezirke vgl. Keep, Bandits.

von Landangelegenheiten verfügte. Guba und Zemlja unterschieden sich deshalb letzten Endes nur dadurch, daß zur ersteren Dienstleute herangezogen wurden, wie dies zum Teil bereits bei den „vereidigten Einsammlern" der Fall war. Eine interessante, später zu beantwortende Frage ergibt sich daraus, wieweit über die Lokalverwaltung eine solidarische Gesellschaft aller beteiligten Gruppen entstanden ist.

Staatlicherseits verkehrte das Kriminalamt, dem die Gerichtsbezirksältesten seit dem Uloženie (Kap. XXI, § 1) statt wie vorher den Regionalämtern unterstanden,[1]) mit diesen wie mit Amtsleuten. Čičerin hat sehr richtig darauf hingewiesen, daß eben diese Angleichung das Ältestenamt am Leben gehalten hat, während die Landrichter und die Gerichtsfunktionen der Landältesten vom Staat übernommen wurden.[2]) Dabei spielte sicherlich auch die Tatsache eine Rolle, daß die Gerichtsbezirksältesten von der gesamten Bevölkerung gewählt wurden und für die gesamte Bevölkerung zuständig waren. Auch die Amtsleute waren für alle tätig, und die „Verstaatlichung" des Amtes der Gerichtsbezirksältesten ermöglichte sehr oft eine Übernahme der Funktionen durch die Amtsleute, entweder durch den Voevoden oder durch besondere Untersuchungsbeamte (syščiki) aus der Zentrale. Es kam auch vor, daß die Ältesten zusammen mit den Voevoden oder Untersuchungsbeamten die Strafgerichtsbarkeit wahrnahmen,[3]) es gab auf diesem Gebiet überhaupt keine einheitliche Linie. Nach der Smuta versuchten die Voevoden zunächst, diese Aufgaben an sich zu ziehen. Michail Fedorovič ging auf Bitten der Einwohner jedoch bereits in diesen Jahren zur alten Praxis der Wahlbeamten zurück.[4]) Am 23. Jan. 1627 wurde dann grundsätzlich anläßlich der Wahl eines unbemittelten Mannes in Novotoržok befohlen, überall Gerichtsbezirksälteste aus der Gruppe der vermögenden und gebildeten Leute zu wählen, was in der Praxis der ersten Jahrhunderthälfte meist auf entlassene Bojarenkinder und Provinzadlige hinauslief, während im 16. Jahrhundert noch im Dienst befindliche Bojarenkinder gewählt worden waren. Die Wahl von armen Leuten galt als ungültig; in solch einem Fall sollten Regie-

---

[1]) PRP, Bd. 6, S. 383.

[2]) Čičerin, Oblastnyja učreždenija, S. 449 ff.

[3]) Sie wurden dann manchmal auch zusammen mit den Amstleuten korrupt. In Šuja klagten deswegen 1614 und 1618 die Einwohner (Borisov, Nr. 4 f.).

[4]) 1616 gestattete er zum Beispiel die Wahl in Ustjužna Železnopol'skaja, obwohl der dortige Voevode lügenhaft gemeldet hatte, es habe an diesem Ort früher keine Ältesten gegeben. Der Voevode wurde abgelöst (Jakovlev, S. 165 f.).

rungsbeamte eingesetzt werden. Normalerweise aber sollten Untersuchungsbeamte nicht mehr in die Provinz geschickt werden.[1])

Die Herauslösung des Kriminalgerichts aus dem Voevodenamt konnte jedoch nicht konsequent durchgeführt werden. In Uglič wurde beispielsweise noch am 18. März 1644 ausdrücklich die Wahl eines Ältesten befohlen, weil sich der Voevode eines Vergehens schuldig gemacht hatte. Es liegen auch Bittschriften von Städten vor, in denen ein Ältester anstelle des Voevoden gefordert wurde.[2]) Der Älteste übernahm dann alle Funktionen des Voevoden und bekam auch eine Instruktion, die derjenigen der Voevoden glich. Daß die Regierung solchen Bitten in der Regel entsprechen konnte, zeigt noch einmal, wie sehr die Ältesten in den Staatsdienst eingegliedert waren. In diesem Zusammenhang ist freilich auch der umgekehrte Fall interessant, daß nämlich die Bevölkerung einen Voevoden anstelle des Ältesten verlangte. Man kann nicht sagen, daß die Einwohner das Wahlprinzip zugunsten der Regierungsernennung aufgaben, denn dabei wurde fast immer eine bestimmte Person als Voevode angefordert oder beibehalten, so daß praktisch doch eine Wahl, wenn auch eines Ortsfremden, stattfand.[3]) Nur in Ustjug

---

[1]) AAÈ, Bd. 3, Nr. 171. Vgl. auch Solov'ev, Istorija, Buch 5, S. 288 f.

[2]) PRP, Bd. 5, S. 235. Zu den Bittschriften, in denen um einen Ältesten anstelle eines Voevoden gebeten wurde, gehört diejenige der Geistlichen, Adligen, Stadt- und Kreisleute, also aller sozialer Gruppen, von Dmitrov aus dem Jahre 1637/38. Nach dem Tode dieses ihnen gewährten Ältesten schickten sie im Oktober (?) 1639 eine neue Kollektivbittschrift (zum Terminus vgl. Kap. 3) mit 18 Unterschriften nach Moskau und erhielten von Michail Fedorovič am 1. November die Erlaubnis zur Wahl eines weiteren Ältesten (Bogoslovskij, Zemskija čelobitnyja, S. 231 f.). In Ustjužna Železnopol'skaja übernahm der Gerichtsbezirksälteste mit Genehmigung des Zaren vom 2. Juni 1641 auch die Zivilgerichtsbarkeit des bestechlichen Regierungsbeamten (nicht im Range eines Voevoden), nachdem die Einwohner darum gebeten hatten (Jakovlev, S. 178 f.). — Schon am 7. Sept. 1620 hatten sich die Einwohner von Šuja beschwert, daß ihr Voevode D. Zmeev sich unter Umgehung der beiden Gerichtsbezirksältesten „in die guba-Angelegenheiten einmischt" (v gubnja děla vstupaetca). Michail Fedorovič beauftragte daraufhin den Voevoden von Suzdal' mit der Untersuchung des Falles. Die Querelen mit Zmeev gingen in den folgenden Jahren weiter (Starinnye akty, Nr. 13, 104 u. 111).

[3]) So geschah es 1641 in Uglič, wo auf Grund einer Bittschrift mit 32 Unterschriften aller sozialen Gruppen ein vom Zaren ohne Wahlen eingesetzter Ältester, der den Einwohnern zu selbstherrlich gegenübergetreten war, durch einen Moskauer Voevoden ersetzt wurde (Solov'ev, Istorija, Buch 5, S. 288 f.). In Dmitrov (im Gegensatz zu früher, vgl. Anmerkung 2!) und in Kašin wurden 1644 auf Bitten der Einwohner Voevoden eingesetzt, ohne daß Älteste gewünscht worden waren (ebenda). 1668 baten auch die Einwohner von Šuja Aleksej Michajlovič um Verlängerung der Amtszeit ihres Voevoden auf ein drittes Jahr; sie lobten dabei ausdrücklich seine gerechte

geschah es 1637, daß die am 22. Mai wegen des Räuberunwesens von der Regierung verkündete Einführung des guba-Systems im ganzen Kreis nicht aus personalen Motiven, sondern ganz allgemein mit dem Hinweis abgelehnt wurde, daß keine reichen Leute für die Ämter zur Verfügung stünden. Die Regierung entsprach der Bitte und beließ die Geschäfte beim Voevoden.[1]) Da sowohl die Voevoden als auch die Ältesten in der Regel aus dem Adel stammten, bedeutet die Bevorzugung des einen oder anderen auch nicht etwa eine Entscheidung zugunsten einer sozialen Gruppe. Wenn die sowjetische Forschung auch auf dem Standpunkt steht, Sinn der guba-Institutionen sei die Unterdrückung klassenkämpferischer Bauern gewesen,[2]) so vermitteln die von Kunkin herausgegebenen Akten der Stadt Kašin ein anschauliches Beispiel für Schwankungen der Einwohner zwischen einem Voevoden und einem Ältesten, das eher die Interpretation zuläßt, daß die Ältesten mehr die Interessen der gesamten Wählerschaft als allein des Adels vertraten.[3])

In der zweiten Jahrhunderthälfte überließ die Regierung die Entscheidung für die eine oder andere Form des Polizeigerichts nicht mehr so häufig den Untertanen, sondern sie schwankte selbst. Das Uloženie bestimmte, daß die Voevoden die Strafgerichtsbarkeit nur dort wahrneh-

---

Rechtssprechung. Er war auch noch 1670 im Amt (Starinnye akty, Nr. 16 u. 19 f.). Ähnliches geschah in Kašin Ende 1675 (Kunkin, Nr. 65).

[1]) Bogoslovskij, Zemskija čelobitnyja, S. 231 f.

[2]) Zum Beispiel S.K. Bogojavlenskij und S.B. Veselovskij in Očerki istorii SSSR, XVII v., S. 384.

[3]) 1628 baten 15 Geistliche, 25 Adlige und 10 Stadtleute in einer gemeinsamen Bittschrift um die Abschaffung der neben den beiden Gerichtsbezirksältesten residierenden Voevoden, die nach der Smuta eingesetzt worden waren. Die Bedrückung durch die Amtsleute sei so stark gewesen, daß man solche nic mehr haben wolle. Michail Fedorovič setzte daher am 14. Mai den Voevoden ab. Wenig später verlangten die Kašiner Adligen freilich bereits wieder die Ersetzung eines Ältesten durch einen anderen, was der Zar ihnen am 2. September gewährte. Die Gründe für diesen Alleingang des Adels können aus einer weiteren Bittschrift von 23 Adligen vom 24. März 1629 geschlossen werden: Seit der Abschaffung des Voevoden habe es häufig Prügeleien und Morde gegeben, die mit langen Verschleppungen von Moskau aus hätten untersucht werden müssen. Dadurch seien dem Adel große Verluste entstanden. Die Petenten forderten nun die Wiederherstellung der stärkeren Lokalgewalt eines Voevoden, wobei sie wohlweislich verschwiegen, daß einige von ihnen seinerzeit auch für die Entfernung dieser Stelle eingetreten waren. Sie verschwiegen eine Beteiligung von Adligen an der ersten Bittschrift überhaupt und nannten nur ,,Klöster und Stadtleute". Der Zar gewährte am 23. April die Wiedereinführung des Voevodenamtes, nachdem auch der zweite Älteste beim Adel keinen Anklang gefunden hatte (Kunkin, Nr. 5 ff.).

men sollten, wo es keine Ältesten gab (Kap. XXI, § 3).[1] Gut zwölf
Jahre später mußten dann überall Älteste gewählt werden, die sogar alle
anderen Aufgaben der Voevoden übernahmen, denn am 25. Nov. 1661
wurden die Amtsleute der meisten Städte abgezogen, weil sie als Krieger
im fortdauernden Feldzug gegen Polen-Litauen gebraucht wurden.[2]
Man kann annehmen, daß diese Regelung bis zum Frieden von Andrusovo im Jahre 1667 dauerte. Als die Voevoden zurückkehrten, blieben
die Ältesten für ihre ursprünglichen Aufgaben im Gerichtsbezirk weiterhin tätig, denn die Strafgerichtsnovellen vom 22. Jan. 1669 bekräftigten
ausdrücklich: „…die Voevoden in den Städten sollen solche Aufgaben
nicht wahrnehmen" (§ 2).[3] Zwei Jahre vorher waren in das ganze
Reich die 1627 generell abgeschafften Untersuchungsbeamten geschickt
worden, die natürlich seitdem auch in besonderen Fällen eingegriffen
hatten, nun aber wegen der vermehrten Kriminalität wiedereingesetzt
wurden.[4] Offenbar hing das Ansteigen der Verbrechensrate mit der
Abwesenheit der Voevoden bzw. der dadurch bedingten Arbeitsüber-
lastung der Ältesten zusammen. Wahrscheinlich ist auch, daß sich die
Klagen der Bevölkerung wegen der Willkür der Ältesten gehäuft hatten,
denn letztere wurden den Untersuchungsbeamten 1669 untergeordnet:
Sie mußten den Eid vor ihnen leisten und ihnen gehorchen (§ 3).

Diese Entwicklung mutet recht merkwürdig an, wenn man bedenkt,
daß die Gerichtsbezirksältesten 130 Jahre zuvor gerade deswegen
eingerichtet worden waren, weil sich die Untersuchungsbeamten als
unzulänglich erwiesen hatten.[5] Sie zeigt aber, wie die Regierung in der
Sphäre der Lokalverwaltung experimentierte, zumal wenn man bedenkt,
daß Fedor Alekseevič am 27. Nov. 1679 plötzlich beide, Untersuchungsbeamte und Älteste, abschaffte und das Strafgericht ausschließlich den
Voevoden überließ, die es, wie erwähnt, zu Beginn des Jahrhunderts
bereits gern ihrem Amt einverleibt hätten. Bis zum 25. Dezember des
Jahres sollten die Voevoden die Geschäftsbücher der Ältesten zur Kontrolle in das Kriminalamt schicken.[6] Am 12. Mai 1683 wurden die

---

[1] PRP, Bd. 6, S. 383.

[2] PSZ, Bd. 1, Nr. 313.

[3] Ebenda, Nr. 441. Auch PRP, Bd. 7, S. 396.

[4] Dies geht aus dem zarischen Schreiben nach Bežeckij Verch vom 4. Okt. 1667
hervor (AAĖ, Bd. 4, Nr. 159). Auch bei Jakovlev, S. 92 ff.

[5] PRP, Bd. 4, S. 176 ff. Über die Untersuchungsbeamten vgl. Keep, Bandits,
S. 221.

[6] PSZ, Bd. 2, Nr. 779. Die Frist bis zum 25. Dezember geht aus einer Instruktion
für den Voevoden von Arzamas vom 13. Dez. 1679 hervor (AAĖ, Bd. 4, Nr. 237;
auch Jakovlev, S. 94 ff.).

Untersuchungsbeamten endgültig abgeschafft.[1]) Dabei kann entgegen sowjetischen Auffassungen von einer Liquidierung der „Selbstverwaltung" keine Rede sein. Vielmehr geschah dies laut Gesetz von 1679, „damit in Zukunft den Städtern und Bauern keine überflüssigen Beschwernisse aus dem Unterhalt (der vielen abgeschafften Beamten — H.-J. T.) erwachsen". Die Interpretation dieser Stelle hat von dem Wort Unterhalt (kormy) auszugehen, das darauf schließen läßt, daß das Gesetz nicht etwa eine Beseitigung der lokalen Wahlbeamten bewirken sollte, die solche Gaben kaum erhielten (s.u.), sondern auf die Regierungsamtsleute, insbesondere die Untersuchungsbeamten, abzielte. Das einzige ausdrücklich genannte Wahlamt, das des Gerichtsbezirksältesten, war ja ebenfalls quasi ein Regierungsamt. Sowjetische Historiker, z.B. A.I. Kopanev und A.G. Man'kov,[2] sehen in der Konzentration in erster Linie einen Schritt in Richtung auf eine Machterweiterung der Voevoden im Rahmen des fortschreitenden Absolutismus. Das Gesetz geht aber nur von einer Entlastung der Bevölkerung aus, und wenn die sowjetische These beinhalten soll, daß die Staatsverwaltung etwa zuungunsten der Wahlverwaltung erweitert worden sei, so muß man auf die zwischen 1679 und 1689 vorgenommene Entfernung des Voevoden aus der Zoll- und Alkoholaufsicht der Zemlja und auch darauf verweisen, daß schon am 18. Febr. 1684 die Gerichtsbezirksältesten wiederauferstanden, die sich übrigens bis zum 10. März 1702 hielten.[3]) Auch für Keeps Vermutung, daß das ganze System gescheitert sei, weil nach 1649 Adel (Älteste) und Bauern nichts mehr gemein gehabt hätten, zumal die Banden zum Teil von den Bauern gedeckt worden seien,[4]) gibt es keine Anhaltspunkte. Die Wiederbelebung des Amtes im Jahre 1684 zeigt eher, daß die Regierung lieber auf Altbewährtes zurückgriff, als — in einem Anflug von absolutistischem Denken — die Macht der die Bevölkerung drangsalierenden Voevoden zu erweitern. Ein ganz nüchterner Grund für die versuchte Abschaffung lag in dem Mangel an geeigneten Leuten, die die Forderungen des Gesetzes erfüllten: Sie mußten adlig, aber aus dem Dienst entlassen, und dazu reich und des Lesens und Schreibens kundig sein.[5]) Ein solcher unbezahlter und oben-

---

[1]) PSZ, Bd. 2, Nr. 1011.

[2]) PRP, Bd. 7, S. 383.

[3]) PSZ, Bd. 2, Nr. 1062. Vgl. auch Dela, SS. 32 ff. u. 49 ff. Die Abschaffung der Gerichtsbezirksältesten in PSZ, Bd. 3, Nr. 1900.

[4]) Keep, Bandits, S. 222.

[5]) So verlangte es die Strafgerichtsordnung von 1669 in § 3 (PSZ, Bd. 1, Nr. 441). Vgl. auch AAÈ, Bd. 1, Nr. 224, u. Anmerkung 2 auf S. 71 dieser Arbeit.

drein beschwerlicher „Dienst" konnte einfach nicht beliebt sein. Ab und zu mußte deshalb sogar die Wahl von Nichtadligen gestattet werden. Abgesehen von den genannten Voraussetzungen für das Amt, konnte es der Regierung im Grunde gleich sein, wer es verwaltete, da es nicht um finanzielle Mehr- oder Mindereinnahmen ging wie im Falle der Zoll- und Alkoholverwalter. Daß die Ältesten einwandfreier gearbeitet hätten als die Regierungsbeamten, läßt sich nicht nachweisen.

Daß das Amt des Gerichtsbezirksältesten stärker als die Ämter der (im 16. Jahrhundert) eigentlichen Zemlja in die Sphäre des Staatsdienstes eingegliedert war, zeigt sich auch bei Betrachtung der Wahlen. Sie fanden nicht jährlich statt, sondern nach Aufforderung durch die Regierung oder auf Bitten der Einwohner, so daß, wie bei den Voevoden, Amtszeiten von drei bis vierzehn Jahren bekannt sind. Gegen eine so lange Amtszeit ihres Ältesten Frol Kiškin, der seit 1622 amtierte, beschwerten sich zum Beispiel 1635 die Einwohner von Šuja. Sie forderten wegen seiner Mißbräuche die Hinzuziehung von Voevoden und Amtsleuten zu den Gerichtsbezirksgeschäften. Zwischen 1651 und 1665 hatten sie dann wiederum einen ununterbrochen tätigen Ältesten.[1] Eine weitere Besonderheit des Amtes bestand darin, daß Stadt- und Kreisleute zusammen wählten, während ja die Landältesten in der Regel nur auf den Dörfern (außer in Moskau, Novgorod und Pskov) und die „vereidigten Einsammler" nur von den Stadtleuten gewählt wurden. Wichtig ist dabei, daß, wie gesagt, — entgegen anders lautenden Behauptungen der sowjetischen Historiographie — alle Bevölkerungsgruppen wählten,[2] neben den Dienstleuten, auch unter Umständen höheren, und der Geistlichkeit auch offenbar die Privatleibeigenen, d.h. der Rahmen der für die eigentlichen Zemlja-Ämter üblichen Wahlen war hier gesprengt. Es kam zwar häufiger vor, daß Städter oder freie Bauern nicht wählten, aber damit mußte nicht unbedingt eine Minderung der Rechte dieser Gruppen verbunden gewesen sein, wie M.N. Pokrovskij vermutete. Wenn der Adel einen Gerichtsbezirksältesten allein bestimmte, lag das an dem Fehlen der genannten sozialen Gruppen in bestimmten Gegenden. Pokrovskij leitete zudem von dem einzigen bekannten Fall, daß die nichtadligen Leute von Toržok 1627 einen anderen Kandidaten wählten als die Adligen, einen Klassenkonflikt ab.[3] — Die Wahl der Beauftragten

---

[1]) Borisov, Nr. 12, 14, 16 u. 18; Starinnye akty, Nr. 35.

[2]) So bestimmte es das Uloženie in Kap. XXI, § 4 (PRP, Bd. 6, S. 383). Das Protokoll der Wahl eines Ältesten in AJu, Nr. 279.

[3]) Pokrovskij, Mestnoe samoupravlenie, SS. 265 u. 267. Vgl. auch das zarische Schreiben vom 1. Dez. 1627 an den Voevoden von Toržok (AI, Bd. 3, Nr. 150).

(celoval'niki), die im 17. Jahrhundert den Gerichtsbezirksältesten unterstanden, war wieder eine Angelegenheit der engeren Zemlja.

Im übrigen fanden die Wahlen unter Aufsicht der Voevoden statt, also nicht der Landältesten, und Einstimmigkeit war erforderlich, denn bei Meinungsverschiedenheit entschied die Regierung, z.B. im eben erwähnten Fall von Toržok. Die Gewählten leisteten — außer in dem Jahrzehnt zwischen 1669 und 1679 — den Eid im Kriminalamt, das auch Neuwahlen anordnete, wenn der Gewählte den Erfordernissen nicht entsprach. Daß die Vereidigung zehn Jahre lang von den Untersuchungsbeamten vorgenommen wurde, zeigt das Bestreben der Zentrale, die Hauptstadt von Besuchern aus der Provinz freizuhalten. Schon 1656 war den Ältesten verboten worden, zu Untersuchungen und Gegenüberstellungen mit Verbrechern nach Moskau zu kommen, denn die Diebe würden auch angesichts der Ältesten nichts zugeben.[1] Die Vereidigung der Beauftragten in Moskau hatte schon das Uloženie (Kap. XXI, § 4) untersagt.[2] Statt dessen wurde ihre Vereidigung durch die Voevoden vorgeschrieben, die vorher schon in Novgorod üblich gewesen war, während sonst die Ältesten den Eid ihrer Untergebenen abgenommen hatten.

Die Wahlen der Beauftragten fanden gewöhnlich jährlich statt, obwohl auch Amtszeiten von zehn Jahren bekannt sind. Gewählt wurde hier auf der Grundlage der bäuerlichen Steuereinheit (socha), die zu diesem Zweck in noch kleinere Einheiten (kosti) unterteilt wurde. Ein Gesetz vom 24. Nov. 1647 bestimmte, daß von 1648/49 an kosti mit weniger als 20 Höfen keinen eigenen Beauftragten wählen durften, sondern von denjenigen größerer Einheiten mitbetreut werden sollten. Dennoch scheinen die Bauern bestrebt gewesen zu sein, für jede noch so kleine Gruppe von Höfen einen eigenen Beauftragten zu wählen, denn noch 1671 wandte sich ein Gerichtsbezirksältester um Rat an das Kriminalamt, weil sogar Gruppen von 15, 10 und 6 Höfen mit den Begründung, es gebe keine größeren Steuereinheiten bei ihnen, getrennte Beauftragte wählen wollten.[3] In diesem Falle handelte es sich allerdings um die „Gefängnisbeauftragten" (tjuremnye celoval'niki), denn die normalen Gehilfen der Ältesten waren zwei Jahre vorher mit der Wiedereinführung

---

[1] PSZ, Bd. 1, Nr. 195; Gradovskij, Mai, S. 422. Zum ganzen Thema vgl. auch Čičerin, Oblastnyja učreždenija, S. 453 ff.

[2] PRP, Bd. 6, S. 383.

[3] PRP, Bd. 5, S. 237; Arsen'ev, S. 93. Protokolle der Wahlen von Beauftragten s. ebenda, S. 94, u. in Starinnye akty, Nr. 62. Zum ganzen Komplex Čičerin, Oblastnyja učreždenija, S. 462 ff.

der besonderen Untersuchungsbeamten abgeschafft worden. Beide Arten
von Beauftragten erhielten von ihren Wählern materielle Unterstützung
(podmogi) und konnten auch — ohne Wahl — im Mietsverhältnis stehen.
Der Vollständigkeit halber müssen auch die Sekretäre und Schreiber
des guba-Ressorts erwähnt werden, die in der ersten Jahrhunderthälfte
von der ganzen Bevölkerung, seit dem Uloženie aber ebenfalls nur nach
den Steuereinheiten gewählt wurden.[1]) Den Gerichtsbezirksältesten
unterstanden darüber hinaus auch die für einzelne Städte und Bezirke
(stany) gewählten Polizeibeamten, nämlich die Hundertschafts-,
Fünfzigerschafts- und Zehnerschaftsführer, die für hundert, fünfzig
oder zehn Höfe zuständig waren und unbefristet dienten, wodurch der
staatliche Charakter ihrer Ämter besonders deutlich hervortrat.[2])

Es wurde bereits einmal flüchtig erwähnt [3]), daß die Zaren gelegentlich
auch Gerichtsbezirksälteste ohne Wahlen einsetzten. Im Februar 1642
setzte Michail Fedorovič zum Beispiel den Ältesten von Kašin ab und
einen anderen an seine Stelle, wie er Voevoden absetzte und ernannte.[4])
In einem Fall verlieh Zar Aleksej Michajlovič das Ältestenamt sogar an
einen Petenten, und zwar am 28. Sept. 1646 an N.A. Maslov aus Bežec,
wobei gleichzeitig der in Ustjužna-Železnopol'skaja amtierende Älteste
abgesetzt wurde. Dagegen protestierte niemand. Erst ein Jahr später
baten die Stadtleute um Maslovs Ablösung wegen der Mißbräuche,
wobei sie aber gleichzeitig darauf hinwiesen, daß er ja im Gegensatz zu
früherer Übung nicht gewählt gewesen sei. Sie schlugen einen Novgoroder
als neuen Ältesten vor, der ihnen auch gewährt wurde.[5]) Auch aus diesem
Vorgehen der Regierung spricht die Bindung des Amtes an den Staat,
die nun noch im Zusammenhang mit den Aufgaben der Gerichtsbezirksältesten untersucht werden soll.

Im Gegensatz zu ihren Untergebenen waren die Ältesten für den
ganzen Gerichtsbezirk zuständig, der gewöhnlich mit dem Kreis zusam-
menfiel. Mehrere Älteste konnten in einem Bezirk tätig sein: in Šuja gab
es 1620 zwei.[6]) Neu war im 17. Jahrhundert die starke Erweiterung des

---

[1]) Vgl. den Auszug aus dem Erlaßbuch des Kriminalamtes vom 31. Aug. 1631
(AI, Bd. 3, Nr. 167, § 57).

[2]) AAÈ, Bd. 1, Nr. 192 (31. Aug. 1540).

[3]) S. Anmerkung 3 auf S. 67.

[4]) Kunkin, Nr. 18. Es mag sein, daß in diesem Fall der einheimische Adel seine
Hand im Spiel hatte, der ja schon vorher gegen die Ältesten aufgetreten war (s.
Anmerkung 3 auf S. 68).

[5]) Jakovlev, S. 183 ff.

[6]) Starinnye akty, Nr. 16. Vor 1571 hatte Ivan IV. die Strafgerichtsbarkeit noch
einzelnen Gemeinden verliehen, und auch im 17. Jahrhundert gab es noch einige Klö-

Aufgabenbereichs in der für Altrußland kennzeichnenden Mischung von Strafverfolgung, Untersuchung, Rechtsprechung (in den Fällen, deren Sanktion gesetzlich festgelegt war) und Strafvollzug, die wohl am besten mit dem Wort „Polizeigericht" wiedergegeben werden kann. Neben der ursprünglich ausschließlichen Bekämpfung des Bandenunwesens gehörten nun auch Diebstahl und Totschlag (dušegubstvo), früher von der Zentrale verfolgt, dazu. Das Uloženie (Kap. XXI) und die Strafgerichtsordnung von 1669 (§ 91 f.) luden dem Ältesten noch Brandstiftung, Glaubensabfall, Vergewaltigung, Kuppelei und Mißachtung der Eltern, also auch sittenpolizeiliche Aufgaben, auf.[1]) Damit aber nicht genug. Neben den Polizeifunktionen, zu denen auch der Einzug des Vermögens von Verbrechern und unter Umständen die Bewachung der Militärarsenale gehörten, fand sich auch die Einsammlung der Gerichtsgebühren unter seinen Aufgaben, was ihn in die Nähe der „vereidigten Einsammler" brachte. Wo es keinen Voevoden gab oder dieser nicht lesen und schreiben konnte, übernahm der Älteste auch Aufgaben der Zivilbehörden wie Einwohnerzählungen, Läuflingssuche, Steuereinsammlung, Durchführung von Wahlen, Einzug von Dienstgütern, ja eventuell die ganze Stadtverwaltung, wie das Beispiel der Stadt Kašin zeigt (s.o.). Die Zivilgerichtsbarkeit war ihm allerdings untersagt, wenn ein Voevode vorhanden war: Michail Fedorovič verbot sie dem Ältesten von Šuja 1622 auf Grund einer Klage der Einwohner.[2]) Ansonsten wurde der Älteste kraft besonderer zarischer Anordnungen für den zivilen Bereich zum Untergebenen des Voevoden. Im Strafgerichtsbereich sollte der Älteste von ihm unabhängig sein, was die Praxis freilich dadurch verhinderte, daß der Voevode über die größeren Mittel verfügte. Der Älteste mußte ihn um Dienstleute bitten, wenn er solche zu einem bestimmten Unternehmen brauchte. Andererseits wurde die Untersuchung von Vergehen der Voevoden jedoch oft den Gerichtsbezirksältesten anvertraut, zum Beispiel am 2. Sept. 1650, als die Voevoden angeblich nicht scharf genug gegen Dienstflüchtige vorgegangen waren und die Postpferdesteuer (progonnye den'gi) nicht nach Moskau geschickt hatten: Alle Ältesten mußten sie mit 50 Rubeln bestrafen.[3]) Arsen'ev hat interessante Einzelheiten aus der Verwaltungspraxis von Kašira veröffentlicht, aus denen

---

ster oder Bauernbezirke (volosti), die das Privileg der eigenen Gerichtsbarkeit besaßen. Vgl. Čičerin, Oblastnyja učreždenija, SS. 452 ff. u. 478 ff.

[1]) PRP, Bd. 6, S. 383 ff.; Bd. 7, S. 426. Vgl. auch PSZ, Bd. 1, Nr. 441.
[2]) Borisov, Nr. 11.
[3]) PSZ, Bd. 1, Nr. 51. Vgl. auch Ditjatin, Iz istorii, S. 449.

hervorgeht, wie Moskau Voevoden und Älteste gegeneinander einsetzte, also zur gegenseitigen Kontrolle benutzte. Die Beziehungen waren hier so schlecht, daß jeder der beiden Beamten ein eigenes Gefängnis leitete.[1]) Die gegenseitige Kontrolle von Regierungs- und Wahlbeamten, auch über den engen Bezirk des Polizeigerichts hinaus, war für die Regierung sicher ein Grund (unter vielen anderen), die Wahlverwaltung trotz wachsender Bürokratisierung bestehen zu lassen.

Im ganzen bestätigt der Blick auf die Aufgaben der Gerichtsbezirksältesten nur, daß diese zu quasi-Amtsleuten geworden waren. In einem Dokument aus der Stadt Šuja ist einmal bezeichnenderweise von den Ältesten und den „anderen (!) Amtsleuten" die Rede.[2]) Die Ältesten durften im 17. Jahrhundert nichts ohne Wissen der Zentrale unternehmen. Als 1675 ein Gutsbesitzer aus Kašira seinen Ältesten denunzierte, weil dieser einen Gefangenen freigelassen hatte, schickte das Kriminalamt dem Wahlbeamten die folgende Rüge: „Schreib uns sofort, gemäß welchem herrscherlichen Befehl du diesen Dieb befreit hast und warum du, deinen Kopf vergessend, das ohne Nachforschung ungehorsam getan hast."[3]) Seit 1653 mußten sich die Ältesten in Moskau beinahe ständig wegen Beschuldigungen verantworten. Die aus späteren Jahrhunderten so gut bekannten Erscheinungen der detaillierten Vorschriften und der Verantwortungsscheu hatten hier ihre Wurzel. Eine solche Entwicklung war freilich nur natürlich, denn mit der Bindung der Steuerzahler (und der Dienstpflicht der Dienstleute) war die alte Selbstverwaltung ein Anachronismus geworden, den Peter der Große mit der völligen Abschaffung konsequent beseitigte. Entsprechend verwandelte sich das einstige Wahlrecht der Bevölkerung in einen Frondienst, ganz abgesehen von den sonstigen Belastungen, die gerade im Gerichtswesen noch zu tragen waren: dem Bau der Kriminalgerichtsstube (gubnaja izba) als Amtssitz der Ältesten und der Gefängnisse sowie beider Unterhalt, ferner Fuhren und Sporteln. Als am 27. Nov. 1679 die Gerichtsbezirksältesten vorübergehend abgeschafft wurden (s.o.), wurden die Stadt- und Kreisleute am gleichen Tag auch von den Ausgaben für den Gefängnisbau und für den Unterhalt der Kriminalgerichtsstube befreit, weil zu befürchten stand, daß nun die Voevoden ihnen in dieser Beziehung zuviel zumuten würden.[4]) Es scheint, daß hierin ein starker Grund

[1]) Arsen'ev, SS. 92 u. bes. 100 f.
[2]) Borisov, Nr. 12.
[3]) Arsen'ev, S. 101.
[4]) PSZ, Bd. 2, Nr. 780.

für die erwähnte Wiederbelebung der Ältesten fünf Jahre später zu suchen
ist: Der Regierung fehlten die Mittel. Die lokale Wahlverwaltung wurde
nicht zuletzt deswegen geduldet, weil sie die Staatskasse nichts kostete.

Ein Versuch einer Schematisierung des „Normalfalls" der Verwal-
tungsstruktur außerhalb Moskaus einschließlich des Regierungsdienstes
(Voevode) ergibt etwa folgendes Bild:

	allgemeine Verwaltung	Polizeige-richt	Zoll und Alkohol	allgemeine Verwaltung	Zivilgericht im Norden
Amt	Voevode	Gerichts-bezirks-ältester	vereidigte Einsammler	Landältester	Landrichter
Form der Anstellung	Ernennung	Wahl	Wahl	Wahl	Wahl
Amtscha-rakter	Regierung	Regierung	Zemlja/ Regierung	Zemlja	Zemlja
Interessen	Herrscher	Herrscher	Herrscher	Zemlja/ Herrscher	Zemlja

Die Tabelle zeigt noch einmal, daß die Wahlverwaltung hauptsächlich
staatliche Interessen vertrat und daß auch ihre Ämter zum Teil staatlichen
Charakter trugen. Angesichts dieses Sachverhalts bleibt es erstaunlich,
wie sehr sich in den Wahlämtern ein relatives Selbstbewußtsein erhielt.
Vielleicht war dies nur möglich, weil sich die Instruktionen der Voevoden
über die Beziehungen der Amtsleute zur Zemlja ausschwiegen, vielleicht
auch nur, weil, wie gesagt, die Regierung in der Wahlverwaltung eine
der wirksamsten Kontrollen der Voevodenverwaltung sah. Insbesondere
die Landältesten übernahmen bei einer Aktion gegen einen Voevoden
oft die Führung.[1] Aber auch den Gerichtsbezirksältesten kam eine Kon-
trollfunktion zu, wenn sie sich im Kriminalamt über die Voevoden
beklagten (während umgekehrt die Voevoden im Dienstlistenamt gegen

---

[1] Unter Führung ihres Landältesten beschwerten sich die Einwohner von Šuja,
um nur ein Beispiel zu nennen, 1614 bei Michail Fedorovič darüber, daß ihr Voevode
I.D. Gundorov ihre Gerichtsimmunität verletzte (Borisov, Nr. 3). Vgl. auch Anmerkung 2 auf S. 77.

die Ältesten klagten).[1]) Der Landälteste konnte allerdings mit einem gewissen, auf der Tradition und dem Wahlgedanken basierenden ethischen Anspruch auftreten, ähnlich demjenigen des Adelsmarschalls im späten 18. und im 19. Jahrhundert gegenüber dem Gouverneur. Es gibt zahlreiche Beispiele dafür, daß sich die Einwohner unter seiner Führung nicht von den Amtsleuten einschüchtern ließen, sondern sich beim Zaren beschwerten.[2]) Nicht selten verliehen die Zaren dann Privilegien gegen die Übergriffe der Bürokratie.[3]) Es kam auch vor, daß einem Voevoden befohlen wurde, sich in einer Angelegenheit mit der Zemlja zu beraten, so 1677/78 in Orel über den Bau einer Festung.[4]) Andererseits ereignete sich unter Führung des Landältesten im Herbst 1635 ein Aufstand wegen der übermäßigen Forderungen des Voevoden von Chlynov (Vjatka). Im allgemeinen wurde die materielle Unterstützung der Regierungsbeamten durch die Bevölkerung, sofern sich die „Geschenke" (pominki) in den üblichen Grenzen hielten, als Fortsetzung des freilich schon 1555/56 offiziell abgeschafften kormlenie („Fütterung") akzeptiert. Hier aber hatte der Voevode, unterstützt von einigen reichen Stadtleuten, 500 Rubel allein als Anreisegabe (v-ezžij korm) gefordert und schließlich mit Gewalt einzutreiben versucht. Die Ältesten der Stadt verlangten daraufhin auch von dem noch nicht abgereisten alten Voevoden die ihm seinerzeit übergebenen 400 Rubel Anreisegeschenk zurück. Er übergab ihnen freiwillig 200 Rubel, die andere Hälfte holten sie sich von einem Schreiber. Seinen Höhepunkt erreichte der Aufruhr am 20.

---

[1]) Solov'ev, Istorija, Buch 5, S. 289, berichtet von einem solchen Streit aus Šuja, wo 1621 der Voevode die Ältesten der widerrechtlichen Gefangenenbefreiung beschuldigte, während daraufhin die Ältesten ihn der Einmischung in ihre Angelegenheiten bezichtigten. Daß dabei der Voevode auch noch fälschlich angeklagt wurde, er habe einen Ältesten knuten lassen, zeigt, wie leicht die Grenze zur Verleumdung überschritten werden konnte. Trotzdem blieb der Älteste, der die falsche Aussage gemacht hatte, auf seinem Posten!

[2]) Vgl. Anmerkung 1 auf S. 76. Anfang Oktober 1663 beschwerten sich die Rostover bei ihrem Metropoliten, als ihr Voevode willkürlich Neuwahlen angeordnet hatte (AI, Bd. 4, Nr. 174). Zwei Jahre später beklagten sich die Einwohner von Šuja über die Willkürherrschaft ihres Voevoden, der sogar einen Wahlbeamten erschlagen hatte (Borisov, Nr. 39). Erfolgreich war auch die Klage der Kursker gegen ihren Voevoden S.S. Rochmaninov in den 50er Jahren gewesen, weil er die Beauftragten willkürlich ausgewählt hatte, statt wählen zu lassen — sofern sie sich nicht durch Bestechungsgelder von seinen Forderungen freikaufen konnten (Novombergskij, Očerki, Nr. 62).

[3]) Als Beispiel s. das zarische Schreiben vom 17. Mai 1677 an den Voevoden von Čerdyn' (AI, Bd. 5, Nr. 16).

[4]) Der Voevode meldete in diesem Fall zurück, die Beratung „mit den Stadt- und Kreisorganen" habe ergeben, daß die Mittel dafür fehlten (Ditjatin, Iz istorii, S. 464).

Dezember, als die Bauern ihren Zorn an denjenigen ausließen, die auf der Seite des neuen Voevoden G.I. Volynskij standen.[1])

Die relative Macht der Zemlja ließ keineswegs mit fortschreitendem Jahrhundert und fortschreitender Bürokratisierung nach. Es erscheint auf den ersten Blick paradox, daß gerade die straffenden Finanzreformen Fedor Alekseevičs der Wahlverwaltung sogar zu einem neuen Aufschwung verhalfen. Die neue, für die Stadtbewohner, auch die Hofstädte und die „schwarzen" „Vorstädte", sowie für das nördliche Meeresgebiet und den Kreis Olonec gültige Strelitzen-Steuer von 1679, die eine ganze Reihe früherer Steuern ablöste (Fuhrleute-, Gefangenen-, Gewehr-, Strelitzen-, Viertel- und Zinsgelder sowie verschiedene Subsidien), wurde seit 1681 allein von den Landältesten und ihren Beauftragten eingesammelt, und zur Veranlagung für die neue Steuer wurden besondere Leute gewählt.[2]) Auch den Transport des Geldes nach Moskau übernahm allein die Zemlja; den Voevoden, die dazu Dienstleute zu stellen hatten, war jede Einmischung verboten. Ausnahmen, die die Regierung von diesen Regeln zuließ, führten gleich zu solchen Mißbräuchen, daß von 1689 an die völlige Trennung der Voevoden von diesen Angelegenheiten erfolgte.[3]) Ebenfalls schon 1681 war den Voevoden auch die Aufsicht über die Zoll- und Alkoholgeschäfte noch einmal verboten worden,[4]) was darauf schließen läßt, daß sie sich nicht an das schon mindestens seit 1676 bestehende Verbot (s.o.) gehalten hatten. Man kann diese Maßnahmen — wegen des Ausschlusses der Voevoden — als Stärkung der Zentralgewalt ansehen, denn die Steuern mußten nun direkt nach Moskau abgeführt werden. Man kann sie aber auch als Stärkung der gewählten Lokalverwaltung betrachten, und sie dienten ohne Zweifel als wichtige Vorstufe des Versuches Peters des Großen, 1699 eine neue Selbstverwaltung einzuführen. Selbstverständlich waren die genannten Rechte wie auch sonst in Wirklichkeit Pflichten von des Zaren Gnaden. Aber während die Regierung nur das Ziel verfolgte, die Geschäfte demjenigen zu überlassen, der sie am besten und billigsten erledigen konnte,

---

[1]) Im Herbst 1636 fand die Untersuchung des Aufstandes unter Leitung von I.A. Daškov statt, die höchstwahrscheinlich mit der Verbannung der Anführer endete (Ogloblin, Narodnaja smuta). — Zum ganzen Thema dieses Absatzes vgl. auch Čičerin, Oblastnyja učreždenija, S. 398 f.).

[2]) AAĖ, Bd. 4, Nr. 250; AI, Bd. 5, Nr. 77.

[3]) Zuerst in Ustjug Velikij, dann in anderen Gegenden, wie aus dem zarischen Zirkular vom 2. Mai 1698 nach Kungur hervorgeht (ebenda, Nr. 274). Vgl. zu diesem Komplex auch Čičerin, Oblastnyja učreždenija, S. 564 ff.).

[4]) Ebenda, S. 566.

stellten diese Aufgaben für die Zemlja doch die Möglichkeit einer Anteil-
nahme an der Herrschaft und einer Einflußnahme dar: materiell durch
personelle Entscheidungen und die korrekte und unkorrekte Ablieferung
der Gelder und ideell durch die Aufrechterhaltung des Wahlgedankens.[1]
Zu korporativen Zusammenschlüssen, die die seit alters bestehende
Gemeindeinstitution hätten stärken können, kam es nicht, aber das
Gemeindeleben verschwand auch nicht, und die Regierung rechnete
mit ihm. Die Wahlverwaltung der russischen Provinz stellte das Arbeits-
feld einer „staatsbedingten" Gesellschaft dar.

Der Vertrauensschwund, dem die Voevodenverwaltung gegen Ende
des 17. Jahrhunderts offensichtlich unterlag, berechtigt nicht zu der
Annahme, daß die Wahlbeamten mustergültig arbeiteten. Sie versprachen
nur verhältnismäßig effektivere Ergebnisse. Ihre Mißbräuche waren ebenfalls zahlreich, wenn auch, vom Standpunkt der Bereicherung aus gesehen, weit weniger lukrativ als im Regierungsdienst. Die Wahlbeamten
kosteten die Regierung nichts, und sie kannten die einheimische Bevölkerung gut, was für die Steuereintreibung sehr wichtig war. Freilich,
Freundschaften und Kooperation zwischen Funktionären und Wählern
hatten auch Nachteile, die ein nur auf ortsfremden Regierungsbeamten
aufgebautes System nicht mit sich brachte. Die Einwohner wählten
manchmal nur unter der Bedingung, daß nicht mehr als der festgesetzte
Steuerbetrag eingesammelt würde, den man obendrein noch in den
Büchern senkte, um den Rest unter den Gemeindemitgliedern auf-
zuteilen.[2] Mißbräuche aufzudecken war schwierig, da ja die Wähler
die Haftung hatten und schon aus diesem Grunde jede Aufdeckung von
Unregelmäßigkeiten zu verhindern suchten. Es liegen allerdings genug
Zeugnisse über Mißbräuche vor, und auch aus den Anordnungen,
Verboten und Sanktionen der Regierung läßt sich auf das Betragen der
Wahlbeamten schließen. So enthielt die Strafgerichtsordnung von 1669
die Klausel, daß im Falle einer Klage gegen einen Gerichtsbezirksältesten
ein besonderer Untersuchungsbeamter aus Moskau einen Ältesten aus
einem Nachbarort mit der Führung des Prozesses zu beauftragen habe
(§ 5 f.).[3] Anschauliche Beispiele für Zusammenstöße zwischen Gerichtsbezirksältesten und Wählern enthalten die Akten der Stadt Šuja, deren

---

[1] Weil die Regierung es mit den Wahlämtern nicht so genau nahm und gelegentlich
jemanden entließ, kommt Keep zu der überspitzten Behauptung, die Wahlen seien
jeden Wahlelements bar gewesen (Keep, Bandits, S. 216).

[2] S. das zarische Schreiben an den Zollverwalter von Šuja vom 19. Juni 1660
(DAI, Bd. 4, Nr. 149).

[3] PSZ, Bd. 1, Nr. 441; PRP, Bd. 7, S. 435 ff.

Einwohner sich schon 1614 beklagten, daß ihr Ältester Verleumdungen glaube, ihnen ständig befehle, Geschenke zu bringen, „Getreide, Fleisch, Fisch, Honig, Alkohol", und daß er ihr Vieh auf seinen Hof treiben lasse, so daß sie selbst verarmten. Vier Jahre später befreite ein anderer Ältester sogar zusammen mit einem Untersuchungsbeamten gegen Bestechungsgelder angeblich Gefangene, so daß die Verbrechen weitergehen konnten. Noch einmal vier Jahre später verbot Michail Fedorovič dem Ältesten von Šuja, bei Totschlag aus Irrtum, Tod durch Trunksucht, Brand und Ertrinken amtlich tätig zu werden, weil in solchen Fällen die Bereicherungsmöglichkeiten zu groß waren. Und 1635 beklagten sich die Leute von Šuja, daß ihnen ihr Gerichtsbezirksältester keine Gegenüberstellung mit Räubern gewähre und daß er diese gegen Bestechungsgelder nicht foltere. Sie baten deshalb um die Beteiligung des Voevoden an den Untersuchungen.[1])

Wenn freilich der Voevode und der Landälteste, der normalerweise solche Beschwerden leitete, korrumpierten und zusammenhielten, wie es 1615 ebenfalls in Šuja passierte,[2]) halfen allein die zufällige Aufdeckung und die Einsicht des Zaren. Auch die Landältesten waren nicht alle gegen Mißbräuche gefeit. Da sie, wie das Gesetz es verlangte, immer reich und mächtig waren, hatten oft die ärmsten Einwohner unter ihnen zu leiden. Eine Klage der Pskover von 1665 gibt darüber Auskunft.[3]) Die Rechenschaftsberichte, die entweder nach Moskau geschickt oder der Gemeinde vorgelegt wurden, stellten nur eine ungenügende Kontrolle dar. Von allen Zemlja-Beamten schöpften jedoch die Zoll- und Alkoholverwalter naturgemäß am meisten ab. Verschwieg die Gemeinde ihre Unterschlagungen, so bestimmte es ein Erlaß vom 7. Aug. 1673, so wurden die in der Untersuchung Befragten mit dem Verlust ihres Vermögens und der „ewigen" Verbannung bestraft. Die bestechlichen Verwalter selbst erwartete die Todesstrafe.[4]) Eine solche Drohung hatte allerdings, wie auch die anderen Strafen, keine abschreckende Wirkung. Fürs erste scheinen jedoch die Behörden den Erlaß ernst genommen zu haben, denn am 28. Febr. 1677 mußte beschwichtigend bestimmt werden, daß Verwalter, deren Unschuld offenbar war, in Moskau nicht schikaniert werden dürften und abreisen könnten. Gleichzeitig wurde aber den Voevoden aufgegeben, ihre Aufsicht besser aus-

---

1) Solov'ev, Istorija, Buch 5, S. 289 f.; Starinnye akty, Nr. 154; Čičerin, Oblastnyja učreždenija, S. 442 ff. Vgl. auch Anmerkung 1 auf S. 77
2) Borisov, Nr. 18 u. 38.
3) DAI, Bd. 5, Nr. 1, S. 23 ff.
4) PSZ, Bd. 1, Nr. 555.

zuüben und sich nicht selbst bestechen zu lassen. Gleiches sollte für die Wähler und die Landältesten gelten. Der Erlaß forderte schließlich noch die öffentliche Revision der Bücher (s.o.).[1]) Das alles verfehlte freilich letzten Endes doch seinen Eindruck, denn 1679 schlug der Patriarch vor, die „vereidigten Einsammler" nicht zu vereidigen, sondern nur den weltlichen Strafen zu unterwerfen, da die Gefahr des Meineides bei ihnen zu groß sei. Die Vergehen hatten also angehalten. Der Eid wurde tatsächlich abgeschafft, jedoch schon zwei Jahre später am 25. Jan. 1681, wiederhergestellt, woraufhin das im November 1681 tagende Konzil die darin enthaltenen Kirchenstrafen durch weltliche ersetzte.[2]) Die bereits erwähnte Abschaffung vieler Wahlämter am 27. Nov. 1679 war eine kleine Erleichterung für die Bevölkerung,[3]) aber das Problem der Korruption löste auf die Dauer doch keine Maßnahme. Der Regierungsdienst war ein unrühmliches Beispiel, und im Wahldienst konnte es nicht anders sein, solange er als Pflicht widerwillig geleistet wurde. Der Zoll- und Alkoholverwalter von Čerdyn' wurde am 10. Febr. 1637 wegen Unregelmäßigkeiten nicht etwa entlassen, sondern dazu verurteilt, sein Amt ein weiteres Jahr auszuüben![4])

Daß die Mißbräuche der russischen Wahlverwaltung aus ihrem Pflichtcharakter herrührten und daß diese Unselbständigkeit unter anderem auch auf das Fehlen eines wirtschaftlich gesunden Mittelstandes zurückging, dies erkannte ein russischer Staatsmann, der über die Grenzen des Moskauer Reiches nach Polen-Litauen blickte: A.L. Ordin-Naščokin. Nachdem er am 22. März 1665 Voevode seiner Heimatstadt Pskov geworden war, versuchte er in einem Verwaltungsexperiment etwas von den Gegebenheiten der Nachbarländer zu verwirklichen. Schon während seiner Voevodschaft in Carevičev-Dmitriev (1656-1661), wo er die Bedeutung Livlands als Agrarbasis erkannte und für den Durchbruch zur Ostsee eintrat, hatte er auch die Selbstverwaltung der Ostseegemeinden kennengelernt, die er selbst ausdehnte, weil er die Grenzländer im Hinblick auf die Auseinandersetzung mit Polen und Schweden stärken wollte.[5])

Anlaß zu der Pskover Reform war nunmehr eine erhebliche Verminderung der staatlichen Einnahmen in der Stadt, die die Fünftel-Kriegssteuer nicht mehr aufbringen konnte, auch bei den regulären Steuern Außen-

[1]) Ebenda, Bd. 2, Nr. 679.
[2]) Ebenda, Nr. 859; AI, Bd. 5, Nr. 75, Punkt 5.
[3]) PSZ, Bd. 2, Nr. 779.
[4]) AI, Bd. 3, Nr. 196.
[5]) O'Brien, Russia and Eastern Europe.

stände aufwies und aus der seit den 30er Jahren laufend Klagen der ärmeren Einwohner eingingen, weil hier die Gegensätze zwischen arm und reich besonders kraß waren. Mit dem unmißverständlichen Hinweis auf den Aufstand der Stadt im Jahre 1650, den er aus nächster Nähe miterlebt hatte (s. Kap. 5), machte Ordin-Naščokin dem Zaren die Bedrohlichkeit der sozialen Spannungen klar. Bereits zwei Tage nach seiner Ankunft schickte der Voevode das erste von drei Memoranden in die Landstube zur Begutachtung durch die Wahlbeamten, die dem vollständigen Projekt im August zustimmten. Es wurde noch durch eine (unveröffentlichte) Bittschrift der ärmeren Teile der Einwohnerschaft modifiziert. So kamen — in Zusammenarbeit mit der Zemlja — die 17 „Artikel über die Stadtstruktur" (stat'i o gradskom ustroenii) zustande, die auch für die Pskover Beistädte gelten sollten. Sie sahen im wesentlichen folgendes vor: Da die Kaufleute von Pskov gegenüber den zollfrei handelnden Schweden benachteiligt waren, sollten sie das Recht bekommen, jedes Jahr auf den Messen vom 6. Januar und vom 9. Mai zwei Wochen lang mit Ausländern zollfrei zu handeln. Dem Schutz der Pskover sollten auch fixe Preise und Zusammenschlüsse der Kaufleute zu Vereinigungen dienen, die ihren ärmeren Mitgliedern, wie es bisher ebenfalls nur Ausländer tun durften, Kredite zur Verfügung stellen konnten. Ordin-Naščokin ging es bei dieser ersten russischen „Bank" allerdings nicht nur um die Lage der Armen, sondern, wie er an Aleksej Michajlovič schrieb, auch darum, daß diese „den besten Leuten nicht die Preise der Waren verderben". Sowjetische Historiker wie Ju.V. Kurskov und E.V. Čistjakova sprechen angesichts dieser Stelle von seiner Klassengebundenheit, wobei noch umstritten ist, ob er nun eine mehr „bürgerliche" oder mehr „adlige" Politik getrieben habe.[1] Man wird ihn freilich auch dahingehend interpretieren müssen, daß er das gesamtwirtschaftliche Gefüge im Auge hatte und zudem dem Zaren die Reform schmackhaft machen mußte. Das Projekt sah weiterhin die Abschaffung der Alkoholhöfe und den freien Verkauf des Alkohols vor, wobei der Staatskasse eine Umsatzsteuer zugestanden wurde. Ferner sollten alle drei Jahre 12 (15) Älteste von der Stadtversammlung gewählt werden: von denen je 4 (5) ein Jahr lang die Verwaltung zu leiten hatten, wobei sie sich in bedeutenden Angelegenheiten auch mit den übrigen 8 (10) bzw. sogar mit allen „besten" Leuten der Stadt beraten sollten. Die Gerichtskompetenzen dieses Ältesten umfaßten alle Zivilsachen und

---

[1] Kurskov, SS. 172 u. 178 ff.; Čistjakova, Social'no-ėkonomičeskie vzgljady, SS. 12, 17 f. u. 33.

(zusammen mit den Gerichtsbezirksältesten) Diebstahl, während Verrat, Raub und Mord dem Voevoden unterstanden. Bei Prozessen zwischen Adligen und Stadtleuten sollte ein gemischtes Gericht unter Vorsitz eines Adligen urteilen. Alle Gerichtsgebühren waren der Gemeindekasse zugedacht. Schließlich sollte die Bevölkerung noch vor Einquartierungen und Übergriffen des Heeres geschützt sein.[1])

Das Projekt wurde von den ärmeren Teilen der Einwohnerschaft sofort begrüßt, während die reichen Kaufleute (z.B. S. Pogankin und N. Ievlev) zunächst einigen Widerstand leisteten. Dennoch billigte Aleksej Michajlovič das Statut — vielleicht auch (drei Jahre nach dem „Kupfergeld-Aufstand"!) in Erinnerung an die Ereignisse von 1650 (s. Kap. 5). Er setzte sich dabei sogar über den Protest Schwedens hinweg, das durch seinen Sonderbotschafter A. Ebers mitteilen ließ, die neue Ordnung verstoße gegen den Frieden von Kardis (1661). Ähnlich hatte bereits am 23. Sept. 1665 der Rigaer Generalgouverneur an Ordin-Naščokin geschrieben.[2]) Von Gegnern des Statuts ließen sich daher leicht auch außenpolitische Gesichtspunkte ins Feld führen. Als ein solcher Gegner erwies sich Ordin-Naščokins Voevodengenosse I. A. Chovanskij, der die Pskover Geschäfte führte, als sein Chef noch im gleichen Jahr zu den Friedensverhandlungen mit Polen-Litauen delegiert wurde. Chovanskij konnte einer Ordnung nicht zustimmen, die das Voevodenamt eines erheblichen Teils seiner Macht entkleidete und auf Zusammenarbeit mit der Bevölkerung ausgerichtet war. Auf Grund seiner Berichte über angebliche ständige Trunkenheit, Demütigungen der Adligen durch die Stadtleute, völlige Machtlosigkeit des Voevoden usw. wurde bereits im November 1665 die alte Ordnung wiederhergestellt. Nur in Smolensk, wo die Wirtschaftsreform allein durchgeführt worden war, blieb es zunächst dabei. Erst drei Jahre später, als Chovanskij bereits abgelöst war und die traditionelle Alkoholverpachtung nur die Hälfte des veranschlagten Betrages eingebracht hatte, reichte der Landälteste St. Kotjatnikov im Namen von fünfzig Pskovern ein Gesuch um Wiederbelebung der Reform ein. Ordin-Naščokin, dem als damaligem Leiter des Außenamtes auch Pskov unterstand, mag an dieser Initiative nicht ganz unschuldig gewesen sein. Auf Befragen des Zaren wies er nun darauf hin. daß er vom Beispiel des benachbarten Auslands ausgegangen sei und daß sowohl die Staatskasse als auch die Pskover Gemeindekasse davon

---

[1]) Vgl. dazu außer den in der vorigen Anmerkung genannten Titeln Čičerin, Oblastnyja učreždenija, S. 558 ff.; Solov'ev, Istorija, Buch 7, S. 95 ff.; Ključevskij, Kurs, Bd. 3, S. 346 ff.

[2]) Čistjakova, Social'no-ėkonomičeskie vzgljady, S. 37 f.

profitiert hätten. Seine zahlreichen Gegner in Moskau führten dagegen ins Feld, daß die „besten" Leute in Pskov gegen die Reform seien — daran wird noch einmal deutlich, wie psychologisch richtig Ordin-Naščokins oben erwähnter Hinweis auf den Gewinn auch für die reichen Kaufleute war — und daß Zwang angewandt worden sei. Der Zwang lag freilich eher bei der anderen Seite, denn inzwischen waren die Reformanhänger verhaftet worden, weil der Voevode einen Aufruhr fürchtete. Eine von der Regierung durchgeführte Befragung aller Einwohner ergab schließlich, daß die Geistlichkeit gegen den Alkohol überhaupt war, die Provinzadligen und Bojarenkinder sich der Stimme enthielten, die Stadtleute für die Reform waren, die kleinen Dienstleute und die meisten Bauern nichts davon wußten, während einige Bauern auch für Ordin-Naščokin stimmten. Wie immer die Ergebnisse dieser Befragung zustande gekommen sind — der Alkohol wurde danach wie früher verpachtet bzw. „vereidigten Einsammlern" anvertraut. Die Reduzierung des Problems auf die Frage des Alkoholvertriebs zeigt, daß es der Regierung nur kurzsichtig um den Zustand der Staatseinnahmen ging und nicht um eine langfristige Planung wirtschaftlicher und administrativer Verbesserungen.

Es ist müßig zu spekulieren, ob die gescheiterte Reform ein Heilmittel für die russische Zemlja in dem Sinne gewesen wäre, daß sie eine echte Selbstverwaltung hervorgebracht hätte. Beabsichtigt war das sicherlich, denn das Wort „zemskij" tauchte in Ordin-Naščokins „Artikeln" bezeichnenderweise nicht auf. Etwas Neues wäre auf die Dauer jedoch wohl nur in den relativ reichen Städten im Westen des Moskauer Reiches entstanden, wo Ordin-Naščokin es aus militärischen Überlegungen heraus, wie gesagt, für besonders wichtig hielt: „In allen Staaten garantieren die Grenzorte, das (alles) in guter Hut ist."[1]) Er gab allerdings auch der Hoffnung Ausdruck, daß andere Städte dem Beispiel Pskovs folgen würden. Collins überlieferte Gerüchte, wonach sogar Pläne für eine allgemeine Dezentralisierung und eine Stärkung der Lokalgewalten vorhanden gewesen seien.[2]) Von all dem konnte Ordin-Naščokin nur seine merkantilistisch gefärbten wirtschaftlichen Ideen durchsetzen, denn Teile seiner Reformpläne, z.B. die Handelsgerichtsbarkeit in der Hand der Kaufleute von Archangel'sk, gingen in das „Neue Handelsstatut" vom 22. April 1667 ein, an dem er selbst mitarbeitete. Da der Schutz der Kaufleute ihm am Herzen lag, ist seine Hand überall in diesem

---

[1]) Kurskov, S. 172 f.
[2]) Collins, S. 107.

Gesetz zu spüren; insbesondere ähneln Teile der Präambel den Pskover „Artikeln".[1]) Solange freilich aus solchen reformerischen Anfängen noch kein starker Mittelstand hervorgegangen war, mußten die Selbstverwaltungspläne nicht nur am Übergewicht des Staates, sondern vor allem auch am Desinteresse der Bevölkerung scheitern, der es in erster Linie um die Wahrung steuerlicher und wirtschaftlicher Vorteile ging. Als Aleksej Michajlovič nach 1654 den Städten der eroberten westrussischen Gebiete ihre Privilegien bestätigte, war darunter auch das Recht der eigenen Gerichtsbarkeit und der Wahl unabhängiger Richter, z.T. auf der Grundlage des Magdeburger Rechts. Merkwürdig ist daran, daß diese Verleihungen nur in den zarischen Urkunden auftauchen, nicht aber in den voraufgegangenen Bittschriften der Städte.[2]) Es scheint, daß diese Gemeinden unter Moskauer Oberhoheit sogleich ihre rechtlichen Traditionen vergaßen, um nur ihre fiskalischen Pflichten erfüllen zu können.

Die Selbstverwaltung mußte auch an einem anderen Problem der Bevölkerungsstruktur scheitern, nämlich an dem schwachen oder ganz fehlenden Bündnis zwischen Stadt- und Dienstleuten, wie es in Ordin-Naščokins gemischtem Gericht vorgesehen war. Die Interessen von Städtern und Adligen stießen nach dem Uloženie in der Bauernfrage zusammen (s. Kap. 6), und auch vorher war es nur in seltenen Fällen, z.B. 1648 (s. Kap. 5), zu einer äußerlich gemeinsamen Haltung gegen die Regierung gekommen. Die Integration der Dienstleute in die Zemlja war auch nur schwach entwickelt. Wie oben gezeigt wurde, wählten alle Gruppen gemeinsam nur die Gerichtsbezirksältesten, die, streng genommen, fast Regierungsbeamte waren. Andererseits konnten Nichtadlige nur in Ausnahmefällen Gerichtsbezirksälteste werden. Gelegentlich wurde das Amt des Zoll- und Alkoholverwalters von einem Adligen wahrgenommen. Ansonsten fungierten nur in Novgorod und Pskov traditionsgemäß gewählte Adlige als „Bürgermeister" (posadniki). Was I.D. Beljaev 1862 in einer kurzen Schrift über die „Situation der russischen Gesellschaft in der Regierungszeit Michail Fedorovičs" als strahlendes Beispiel hervorhob, war leider nur ein Einzelfall: 1640 gingen alle Einwohner von Enisejsk, auch die Dienstleute und die Bauern, geschlossen ins Gefängnis, weil der Voevode die „besten"Leute und die Bauernältesten

---

[1]) PSZ, Bd. 1, Nr. 408; SGGD, Bd. 4, Nr. 55; PRP, Bd. 7, S. 347.

[2]) S. die Bittschrift der Einwohner von Šklov und das Privileg für die Stadt vom September 1654 sowie das Privileg für Polock vom 7. September (Russko-Belorusskie svjazi, Nr. 290 f. u. 282).

widerrechtlich eingesperrt hatte. Sie beriefen sich darauf, daß er sich etwas angemaßt habe, wozu nur „Gott und der Herrscher" berechtigt seien, und sie verweigerten die geforderten Fuhren.[1]) Im allgemeinen blieb die lokale Wahlverwaltung obendrein auf diejenigen Provinzadligen und Bojarenkinder angewiesen, die aus Altersgründen oder Invalidität aus dem Dienst entlassen waren. Die Heeresorganisation und der Zwangsdienst ließen dem russischen Adel bis 1762 keine Möglichkeit zur Bildung von Standesorganisationen. Noch einmal einhundert Jahre länger dauerte es, bis die russische Bürokratie so weit war, sich durch Gewährung einer echten Selbstverwaltung (der „zemstva" von 1864) selbst zu beschränken, wie es Ordin-Naščokin mit der Entmachtung der Voevoden in seiner Pskover Reform und auch in anderen Projekten, z.B. in seinem zwischen 1658 und 1680 entstandenen Entwurf einer Militärreform, bereits forderte.

Der weitgehende Ausschluß der Dienstleute aus der Zemlja ist besonders im Hinblick auf die niederen Dienstleute, die „Dienstleute auf Grund von Ernennung" (služilye ljudi po priboru) — im Gegensatz zu den „Dienstleuten auf Grund der Herkunft" (služilye ljudi po otečestvu) — beklagenswert, weil sie ihrer wirtschaftlichen Lage nach den Bauern ähnelten, aber nicht wie diese eine alle Gruppen vereinende Wahlverwaltung besaßen. Sie wurden höchstens ausnahmsweise zum Wahldienst hinzugezogen, wie es in Kursk auf Grund einer Bittschaft der Stadtleute von Aleksej Michajlovič am 6./10. Sept. 1651 im Einklang mit früherem Brauch genehmigt wurde.[2]) Die Strelitzen, Kosaken, Kanoniere usw. zählten vielleicht auch deshalb zu den unruhigsten Elementen im Reich. Ihre Isolierung mag aber andererseits auch gerade der Grund für einige interessante Solidarisierungserscheinungen gewesen sein. Nachdem Smirnov an zahllosen Beispielen für die erste Hälfte des 17. Jahrhunderts gezeigt hat, daß trotz der relativ schwachen Zentralregierung Michail Fedorovičs in den Gemeinden Selbsthilfe und gemeinsames Handeln fast unbekannt waren,[3]) haben neuere Archivdurchsichten für die unruhige Jahrhundertmitte und die Zeit des Razinschen Aufstandes einige Initiativen der im Süden lebenden Dienstleute, auch von Bojarenkindern, die ja teilweise auf den Status der niederen Dienstleute abgesunken waren, ans Licht befördert. Es handelt sich dabei um die von E.V. Čistjakova entdeckten „Eidesbeschlüsse" (prigovornye

---

[1]) Běljaev, Položenie, S. 253. Die Bittschrift der Einwohner vom 23. Mai 1640 in DAI, Bd. 2, Nr. 71. Vgl. auch Běljaev, Sud'by, S. 106 f.

[2]) Novombergskij, Očerki, Nr. 82.

[3]) Zum Beispiel Smirnov, Posadskie ljudi, Bd. 1, S. 200 f.

izljublennye zapisi). Am 28. Nov. 1646 wählten die Bojarenkinder und
Dienstkosaken von Elec 27 Bojarenkinder für „Herrscher- und Provinz-
angelegenheiten" (gosudarevo i gorodovoe delo), d.h. für Fragen des
Dienstes und der städtischen Selbstverwaltung, deren Unabhängigkeit
von der Zemlja-Verwaltung auch wieder in der Vermeidung des Wortes
„zemskij" zum Ausdruck kam. Das heißt aber auch, daß eine Freiheit
von der Voevodeningerenz beabsichtigt war. Eines der Hauptanliegen
der 403 Unterzeichner scheint es gewesen zu sein, den Gewählten die
Überbringung von Bittschriften an den Zaren, die Voevoden und andere
Instanzen anzuvertrauen, wofür ihnen materielle Unterstützung zugesagt
wurde. Wer letzteres verweigern, den Anordnungen der Gewählten
nicht folgen oder sie beleidigen und bei den Behörden anschwärzen
würde, mußte mit der immensen Strafe von 100 Rubeln rechnen.[1]
Während des Aufstandes von 1648 gab es eine ganze Reihe solcher
Beschlüsse in Bolchov, Kursk, Voronež, Bobrik und anderen Orten.
Die Regierung bezeichnete sie als „Aufruhrbeschlüsse" (zavodnye
oder vorovskie zapisi). Jedoch wandten sich demgegenüber die niederen
Dienstleute von Gremjačij gerade gegen die Aufständischen, aber freilich
auch gegen die Bedrückung von seiten der Amtsleute. Gegen beide such-
ten sie traditionsgemäß den Schutz des Zaren, und sie erreichten mit
ihrem Beschluß von 4. Mai 1651 eine Untersuchung über den Voevoden
D. Raevskij und andere, auf Grund derer der Voevode immerhin mit
Stockschlägen bestraft wurde.

Interessanterweise hat sich herausgestellt, daß einzelne Formulierungen
der „Eidesbeschlüsse" wörtlich mit den „Solidaritätsverpflichtungen"
((za)odinačnye zapisi) übereinstimmen, die im nördlichen Küstengebiet
zur gemeinschaftlichen Verteidigung eines Rechts wahrscheinlich aus
privatrechtlichen Dokumenten des 16. Jahrhunderts entwickelt wurden.
Daß ein direkter Einfluß der Bauern des Nordens auf die bauernähnlich
lebenden kleinen Dienstleute des Südens bestand, ist allerdings unwahrscheinlich. Möglich ist aber der gemeinsame Ursprung der Termini

---

[1] Zum Vergleich: 100 Rubel kostete nach dem Uloženie (Kap. X, § 94) die Beleidigung der Stroganovs (PRP, Bd. 6, S. 90). — Der Eidesbeschluß war von Čistjakova
zunächst entgegen einer eindeutigen Datumsangabe im Text auf das Jahr 1648 datiert
und mit den Aufständen dieses Jahres in Verbindung gebracht worden. Richtig ist
vielmehr, daß der Beschluß von 1646 zwei Jahre später wieder aktuell wurde, weil der
Voevode A. Chruščov und andere Amtsleute von Elec, statt eine Wahl zu veranstalten,
ihre eigenen Kreaturen zur Reichsversammlung nach Moskau schicken wollten (s.
Kap. 4). Vgl. den Text in Chrestomatija, S. 441 ff. Dazu und zum folgenden: Čistjakova,
Sostav, S. 96 f., u. dies., Prigovornye zapisi.

„stojati nam za odin" (wie ein Mann zusammenstehen) und „drug druga ne podati ni v čem" (einander in allem helfen) sowie der Sitte überhaupt aus der schon im 14. Jahrhundert nachweisbaren „Solidarität" (odinačestvo) von Städten untereinander oder (in diplomatischen Schriftstücken) mit dem Ausland. Im 17. Jahrhundert handelte es sich nur noch um Verpflichtungen von Leuten oder auch ganzer Gemeinden mit gemeinsamen Interessen etwa hinsichtlich der Landbearbeitung oder der Geldbeschaffung für die Entsendung von Bittschriften nach Moskau. Trotz des Mißtrauens einzelner Voevoden nahm die Regierung daran selten Anstoß. Allerdings müssen weitere Forschungsergebnisse, auch über die „Eidesbeschlüsse", abgewartet werden.[1]

---

[1] Vorläufig s. Vvedenskij.

KAPITEL 3

DIE KOLLEKTIVBITTSCHRIFTEN

Ähnlich schwach entwickelt wie in der lokalen Wahlverwaltung
war die Zusammenarbeit zwischen Dienstleuten und Steuerzahlern auf
dem Gebiet der Bittschriften an die Provinzobrigkeit oder die Zentralregierung. Nur in wenigen Fällen kam es zu einer solidarischen gesellschaftlichen Aktivität. Allerdings bewirkte der Umstand, daß die Krieger
vom Petitionsrecht genauso häufig Gebrauch machten wie die Zemlja,
daß also auch die Dienstpflichtigen mehr in Erscheinung traten als in
der gewählten Lokalverwaltung, für die Regierung letztlich den Eindruck
einer gefährlichen Entwicklung. Denn auch wenn jede Gruppe nur ihre
eigenen Interessen verfolgte, ergab sich in Krisenzeiten eine Summierung
von Forderungen. Auch der unfreie Teil der Bevölkerung war vom
Bittschriftenwesen nicht ausgeschlossen, aber die Leibeigenen beschwerten sich aus begreiflichen Gründen kaum gegen ihre Herren. Dagegen
kamen in der ersten Jahrhunderthälfte noch Klagen von Bauern gegen
Gutsbesitzer vor.[1]) Sie haben ebenso wie die meisten Eingaben der
Geistlichkeit oder die individuellen Privatbittschriften keine politische
Bedeutung. Es gibt jedoch einige Klagen von Bauern zu Übergriffen der
Verwaltung, vor allem aus dem nördlichen Küstengebiet.[2])

Den genauen Ursprung der Bittschrift (čelobit'e oder čelobitnaja;
eigentlich: Stirnschlagen) festzustellen ist unmöglich, da es sich um
eine sehr alte Einrichtung handelt. Das gleiche Wort bedeutet auch
„gerichtliche Klage", und es ist anzunehmen, daß die Institution der
Beschwerde schon bestand, bevor die Sitte, die Hand an die Stirn zu schlagen, wahrscheinlich von den Mongolen übernommen wurde. Auch
Klagen konnten über private Interessen hinaus einen öffentlichen Charakter annehmen, wie z.B. in der Beschwerde der Dienstleute des Novgoroder

---

[1]) Zum Beispiel 1624/25 gegen Fürst Šejdjakov im Kreis Jaroslavl' (Solov'ev,
Istorija, Buch 5, S. 309 f.).

[2]) Ein seltenes Beispiel aus dem Zentralgebiet ist die Bittschrift der Bauern P.V.
Šeremetevs aus dem Kreis Suzdal', die sich 1683 bei den Zaren gegen eine vom Voevoden S. T. Šiškin und vom Zoll- und Alkoholverwalter I. Vasil'ev gemeinsam in
ihrem Dorf durchgeführte militärische Steuereintreibungsaktion beschwerten (Starinnye akty, Nr. 159).

Heeresbezirks gegen ihren Kommandeur, S.I. Urusov, und seinen Gehilfen Ju. Barjatinskij. Sie warfen ihnen Anfang 1656 nach Kampfhandlungen bei Kowno und Brest unter anderem vor: ungerechte Behandlung, Ausnutzung, Züchtigung, Mißachtung zarischer Befehle, Bereicherung, unnötiges Blutvergießen im Kampf, Verstoß gegen die Fastenregeln. Am 6. März wurden die Angeschuldigten von A.I. Trubeckoj und dem Dumasekretär S. Zaborovskij verhört, wobei sie alles abstritten.[1]) Es hatte also ein Prozeß begonnen; sein Ausgang ist übrigens nicht bekannt. Eben durch die Anstrengung eines Prozesses unterschied sich die Bittschrift-Klage von einer harmloseren Form der Beschwerde, die unter dem Namen javka („Benachrichtigung") bekannt ist. Letztere hatte vor dem 17. Jahrhundert noch mit den Worten begonnen: „auf daß dir bekannt werde" (čtoby tebe bylo vedomo), während danach der Anfang wie bei der Bittschrift lautete: „es bittet und teilt mit" (b'et čelom i javljaet). Im Unterschied zur Bittschrift bat der Kläger in der javka aber nicht um eine zarische Entscheidung (ukaz), d.h. um einen Prozeß, sondern nur um die Aufzeichnung seiner Beschwerde, die auch mündlich vorgebracht werden konnte, in, wie Čičerin vermutete, besonderen Büchern.[2]) Offenbar wollte sich der Kläger damit das Recht für einen späteren Prozeß sichern. Daneben gab es die Anzeige (izvet) über einen Vorgang, mit dem der Unterzeichner persönlich überhaupt nichts zu tun hatte. Beide, javka und izvet, vermischten sich in der Praxis mit der Bittschrift (die Anzeige z.B. im „izvetnoe čelobit'e"), so daß diese als Oberbegriff angesehen werden muß.

Die Regierung tolerierte in den Bittschriften nicht etwa nur das Gewohnheitsrecht, sondern unterstützte sie sogar, um etwas über den Zustand der Provinz zu erfahren. So mußten die sibirischen Voevoden im 17. Jahrhundert sofort nach Amtsantritt die Dienstleute und übrigen Einwohner bzw. getrennt von ihnen die Kaufleute und Gewerbetreibenden versammeln und sie auffordern, ihre Nöte und Bitten in Form von Bittschriften vorzubringen. Solche Petitionen wurden dem Voevoden übergeben, waren aber an den Zaren gerichtet. Wer der lokalen Obrigkeit nicht traute, durfte sich jederzeit an den Zaren selbst, d.h. in Wirklichkeit an das zuständige Zentralamt, wenden. Diese Möglichkeit wurde tatsächlich auch für die trivialsten Anliegen genutzt, wobei die größte und oft vergebliche Mühe nur darin bestand, die Bittschrift sicher nach Moskau zu bringen. Auch die Voevoden schickten die Eingaben oft an

---

[1]) Zapiski, S. 659 ff.
[2]) Čičerin, Oblastnyja učreždenija, S. 278 f.

die Zentrale, wenn sie sich überfordert fühlten.[1]) Dadurch entstanden große Verschleppungen, die berüchtigte volokita, auch „Moskovskaja volokita" (Moskauer Verschleppung) genannt, das zweite Übel der Moskauer Verwaltung nach der Korruption. Um die Instanzen zu umgehen, benutzte man im 17. Jahrhundert oft die Reichsversammlungen zur Überreichung von Bittschriften direkt an den Zaren, der dann manchmal die aufgeworfenen Probleme der Versammlung zur Beratung vorlegte (s. Kap. 4). Andererseits steht das Aufblühen der Bittschriften von gesellschaftlicher Relevanz seit den 20er Jahren gerade in reziprokem Zusammenhang mit der Einschränkung der Reichsversammlungen durch Filaret. Wie im nächsten Kapitel über die Reichsversammlungen zu zeigen sein wird, förderte er die direkte Wendung an die Herrscher, ebenso wie er die Untersuchungskommissionen einführte, um mehr über den Zustand des Landes zu erfahren. Später konnte der direkte Kontakt mit dem Zaren auch mit einem Aufstand einhergehen, wie es 1648 und 1662 der Fall war. Die auffälligste Neuerung im Bittschriftenwesen des 17. Jahrhunderts stellten jedoch die Kollektivbittschriften dar, die Eingaben ganzer sozialer Gruppen auf überregionaler Basis oder mehrerer Gruppen einer Region. Sie insonderheit rechtfertigen die Behandlung der Bittschrift im Rahmen der Erforschung eines „gesellschaftlichen" Bewußtseins. Dabei geht es nicht in erster Linie um solche Kollektivbittschriften wie diejenige aller Einwohner von Voronež (Geistliche, Dienstleute, Stadtleute und Bauern), in der am 2. März 1645 Steuererleichterung wegen der Tatareneinfälle gefordert wurde, oder diejenige aller 545 mittleren und unteren Dienstleute von Bolchov, die im September 1649 wegen der Mißernte eine Gehaltszulage forderten,[2]) nicht um mehr oder weniger private Anliegen, sondern um gesellschaftliche, d.h. um Bittschriften zugunsten politischer Rechte. Als solche dürfen zum Beispiel die im vorigen Kapitel erwähnten Bittschriften über die Wahlen von Gerichtsbezirksältesten gelten.

Besonders viele Kollektivbittschriften ohne allgemein gesellschaftlich-staatliche Anliegen sind aus dem nördlichen Küstengebiet erhalten, wo ja auch die alte Selbstverwaltung weitgehend überdauert hatte (Kap.

---

[1]) Als Beispiel dafür s. das zarische Schreiben vom 16. Dez. 1629 an den Voevoden von Čerdyn' (AI, Bd. 3, Nr. 159). — Zum ganzen Thema s. Čičerin, Oblastnyja učreždenija, S. 97 f., u. Kločkov, S. 59.

[2]) Novombergskij, Očerki, Nr. 27 u. 57. Vgl. auch ebenda, Nr. 166. In diese Gruppe gehört auch die im vorigen Kapitel zitierte Bittschrift der Moskauer Hundertschaften vom 13. April 1622, in der über die Erhöhung des Kontingents an Feuerwehrleuten geklagt wurde.

2). Sie sollen nur ihrer großen Zahl wegen hier nicht übergangen werden, doch kann sich die Erwähnung auf ein Beispiel beschränken, da M.M. Bogoslovskij neben der Selbstverwaltung auch die Kreis-, Bezirks- oder Gemeindebittschriften ausführlich untersucht hat.[1]) Eine der komplexesten Petitionen war diejenige der Einwohner (Geistlichkeit, Stadtleute und Bauern) des Kreises Ustjug aus dem Jahre 1638. Sie enthielt zuvörderst eine Beschwerde über die Mißbräuche der seit 1620/21 aus Moskau geschickten Zoll- und Alkoholverwalter, sodann eine Klage wegen der zu hohen Steuerveranlagung der Stadt und gegen die Steuer- beamten der letzten Aufnahme in den Jahren 1623 bis 1626. In beiden Fällen wurde der ungeheure Anstieg der Belastung mit Zahlen gut belegt. Raub, Mißernte und Uferauswaschung hätten zu der Not beige- tragen, die im übrigen bereits früher geschildert worden sei, doch hätten die bisherigen Bittschriften den Zaren offenbar nicht erreicht. Die Eingabe schloß mit einer Schilderung der Not des Kreises. Obwohl die Regierung Steuererleichterungen gewährte, reichten die Einwohner im nächsten Jahr eine ähnlich lautende Bittschrift ein, auf Grund derer Michail Fedorovič dann eine Inspektion des Kreises durch den Voevoden anord- nete. Andere typische Wünsche der Gemeinden umfaßten die meist nach einem Thronwechsel fälligen Erneuerungen von Privilegien, den Ersatz von Auslagen für staatliche Aufgaben, die Führung von Straßen, das Alkoholverkaufssystem und natürlich die Klagen gegen einzelne Regierungs- oder Wahlbeamte, aber auch Privatpersonen, nämlich Reiche oder Verleumder. Die Regierung wurde auch um Vermittler- tätigkeit bei Konflikten zwischen Stadt und Dörfern, zwischen einzelnen Dörfern und gar bei Konflikten mit Gutsbesitzern aus benachbarten Kreisen gebeten, wobei es meist um Land- oder Steuerfragen ging. Im Falle solcher Interessenkonflikte, die, wie gesagt, die öffentliche Sphäre kaum berührten, wurden nach Bogoslovskijs Berechnungen ungefähr 3 % der Bittschriften abschlägig, aber 76 % positiv entschieden; der Rest wurde offengelassen.

Im nördlichen Küstengebiet imponiert die Zahl der Eingaben eher als ihr Inhalt. Bogoslovskijs Hinweis ist richtig, daß hier die Initiative für irgendwelche Maßnahmen bei der Bevölkerung lag, im zentralen und südlichen Gebiet dagegen bei der Regierung. P.P. Smirnov konnte deshalb in seinen Arbeiten über die Bittschriften der ersten Hälfte des 17. Jahrhunderts [2]) Kollektiveingaben (mit politischem Inhalt) erst

---

[1]) Bogoslovskij, Zemskija čelobitnyja, SS. 215 ff. u. 685 ff.
[2]) Smirnov, Novoe čelobit'e; ders., Čelobitnyja, S. 3 ff.

für die Zeit seit dem Ende der 20er Jahre feststellen. Allerdings schrieb Fletcher schon von Klagen der russischen Kaufleute gegen ihre ausländischen Konkurrenten unter dem Jahre 1589,[1]) und auch im ersten Viertel des neuen Jahrhunderts gab es andere Kollektivbittschriften der Zemlja (s.u.). Höchstwahrscheinlich hat der Archivbrand von 1626 diese Dokumente vernichtet. Erhalten sind Bittschriften, die von den Kaufleuten zum Teil auf Reichsversammlungen vorgebracht wurden, aus den Jahren 1627, 1635, 1637, 1639 (zwei), 1642, 1646, 1648/49, 1651, 1652 (oder 1653) und 1667.

Die erhaltenen Kollektivbittschriften der Dienstleute beginnen noch später. Vielleicht wurde allerdings schon die Forderung des Dienstadels nach Hof- und Staatsland am 30. Juli 1611 [2]) in einer solchen Form vorgetragen, möglicherweise aber auch nur mündlich auf einem Reichsrat (zemskij sovet). Ansonsten liegen Kollektivbittschriften von 1637, 1641, 1645 und 1648 vor sowie einige spätere ohne eindeutig politischen Charakter. Sie wurden nicht in erster Linie auf Reichsversammlungen eingereicht, weil die Dienstleute ohnehin immer in ausreichender Zahl auf ihren „Zusammenkünften" (s-ezdy) in Moskau versammelt waren. Alljährlich im Mai kamen zwischen 20 000 und 30 000 Provinzadlige und Bojarenkinder des Zentralgebiets in die Hauptstadt, um gesammelt nach Tula zur Verteidigung der südlichen Grenze expediert zu werden.[3]) Die Moskauer Adligen waren ohnehin anwesend, und manchmal, so 1647 und 1648, befand sich auch die zweite Hälfte der Armee zur gleichen Zeit in der Hauptstadt.[4]) Nach Beendigung eines Feldzuges wurde das Heer in Moskau auch aufgelöst. Einen anderen Grund für die Anwesenheit von Dienstleuten in der Stadt stellten die Gerichtstermine dar. Da Bojaren, geistliche Würdenträger und Klöster auf Grund von Immunitätsurkunden in Zivilsachen mit Streitwert über einer bestimmten Summe nicht der Gerichtsbarkeit der Voevoden und in größeren Strafsachen nicht derjenigen der Gerichtsbezirksältesten unterstanden, mußten die mittleren und niederen Dienstleute wie auch die Bojaren selbst, wenn sie in Prozesse mit den genannten Gruppen verwickelt waren, zu Neujahr, d.h. am 1. September (Simonstag), zu Weihnachten

---

[1]) Fletcher, S. 68.

[2]) Sie ging in den unter diesem Datum ausgegebenen Reichsbeschluß (Punkt 2) ein (Chrestomatija, S. 328 f.). Vgl. auch Očerki istorii SSSR, XVII v., S. 338.

[3]) Diese Ansammlung ist zum erstenmal in einer Liste aus der Zeit von 1610 bis 1613 belegt, die für Władysław oder Zygmunt von Polen angefertigt wurde (AI, Bd. 2, Nr. 355). Vgl. auch Zapisnyja knigi, SS. 245 u. 263.

[4]) Über die Auswirkungen s. weiter unter und Kap. 5.

oder zu Pfingsten nach Moskau kommen. Die Dienstleute aus dem
Gebiet „jenseits von Moskau" konnten freilich weder den Frühjahrs-
noch den Herbsttermin wahrnehmen, weil sie gerade im Sommerhalbjahr
dienen mußten. Die ukrainischen Dienstleute dienten zwar entweder
in der ersten oder in der zweiten Jahreshälfte (Wechsel am 1. Juli),
d.h. sie waren entweder Pfingsten oder zum 1. September frei, aber gerade
diese Gerichtstermine wurden wegen eines Feldzuges oft aufgehoben.
Deshalb konzentrierten sich alle Recht suchenden Adligen, sofern sie
die materiell beschwerliche Reise machen konnten, um Weihnachten
in der Hauptstadt. Ganz von selbst entwickelten sich bei diesen Ansamm-
lungen Kollektivbittschriften, wenn man etwa gemeinschaftlich um
Verschiebung von Terminen und Strafen oder um Urlaub aus Moskau
bat. Doch erst ab 1637 wurden solche privaten Anliegen von gesellschaftlichen Forderungen abgelöst, wobei, genau wie bei den Kaufleuten,
nicht gewährte Bitten von Mal zu Mal wiederholt wurden, so daß traditionelle Formeln entstanden.

Die Bittschriften der Zemlja in Angelegenheiten der Lokalverwaltung
wurden entweder von den Wahlbeamten, meist dem Landältesten, oder
von besonders dafür gewählten Personen unterschrieben und oft von
beieinanderliegenden Gemeinden gemeinsam eingereicht. Auch die Aufstellung der Bittschriften scheint gelegentlich gewählten Vertretern anvertraut worden zu sein. Ein bis zwei, bei wichtigen Petitionen auch mehr
Wahlbeamte (čelobitčiki oder posyl'ščiki) brachten die Bittschriften
offenbar auch von einer Gemeinde zur anderen und auf jeden Fall nach
Moskau in das Bittschriftenamt, wofür sie von ihren Wählern eine finanzielle Unterstützung, auch für die Bestechungsgelder, erhielten.[1]) Es
kam vor, daß diese Leute selbst unehrlich waren, in der Regel aber trafen
sie in den Zentralämtern, wo die Voevoden ihre Freunde hatten, auf
Unehrlichkeit, vor allem aber auf die Verschleppung, die sie zwang,
viele Monate in der Hauptstadt zu bleiben und Gesuch um Gesuch
einzureichen. Das Mißtrauen gegen die Bürokratie brachte es daher mit
sich, daß die Überbringer lieber warteten, bis der Zar den Kreml' verließ,
so daß sie ihm die Bittschrift unterwegs mehr oder weniger direkt überreichen konnten. Bis zur Mitte des Jahrhunderts befanden sich aus diesem
Grunde in der zarischen Suite immer ein Bojar und ein Sekretär des
Bittschriftenamts. Der schwedische Resident Pommerening (Pomere-

---

[1]) Nähere Angaben darüber finden sich in dem zarischen Schreiben vom 14.
Febr. 1615 nach Bežeckij Verch (AAÉ, Bd. 3, Nr. 65). — Zum ganzen Komplex vgl.
Ditjatin, Rol', S. 278 ff.

nink, Pomerinich) berichtete 1648, daß Aleksej Michajlovič nun täglich
eine Stunde lang persönlich Bittsteller anhöre. Bogoslovskijs Auswertung
der Bittschriften aus dem nördlichen Küstengebiet ergab, daß eine große
Menge von Michail Fedorovič selbst entschieden wurde; [1]) bei Aleksej
wird das nicht anders gewesen sein. Die Erfahrungen des Aufstandes
von 1648, der durch eine solche Bittschriftenübergabe ausgelöst wurde,
führten allerdings dazu, daß das Uloženie (Kap. X, § 20) die Übergabe
von Bittschriften direkt an den Zaren unter Androhung von Stockschlägen bzw., für hochgestellte Personen, einer Woche Gefängnis verbot.
Erst wenn das zuständige Zentralamt nichts unternehme, könne man sich
an den Zaren wenden.[2])

Im Normalfall schickte das Bittschriftenamt einen Bericht (dokladnaja
zapiska) über den Inhalt der Eingabe mit der Bitte um Stellungnahme
an die Duma, wenn das betroffene Zentralamt selbst keinen Entscheid
herbeiführen konnte. Bei mehreren gleichartigen oder zusammengehöri-
gen Fällen wurde eine nach Artikeln (po stat'jam) geordnete Liste
(statejnyj spisok) geschickt, wobei die Duma dann zu jedem einzelnen
Punkt Stellung nahm. Die zarische Entscheidung wurde direkt auf die
Bittschrift geschrieben und von den Schreibern des Bittschriftenamtes
öffentlich verlesen, bevor die Überbringer ihre Eingabe zurückerhielten.
Mit der Entscheidung des Zaren und der Gegenzeichnung eines Sekretärs
(pometa) wurde die Bittschrift zu einer „unterschriebenen" (podpisnoe
čelobit'e) und damit Gesetz. Am 3. Okt. 1684 mußte unter Androhung
der Todesstrafe verboten werden, solche als Erlasse gekennzeichneten
Bittschriften noch einmal als Gesuche einzureichen [3]) — offenbar hatte
es viele unbefriedigte Antragsteller oder Kläger gegeben. Auch Betrüger
sind denkbar, die ein Privileg oder eine materielle Verbesserung gleich
zweimal nach Hause tragen wollten.

Die beschriebene Prozedur der Bittschriftenabgabe zeigt wohl, daß
die Regierung die Wünsche der Bevölkerung sehr ernst nahm. Sie

---

[1]) Smirnov, Pravitel'stvo, S. 12; Bogoslovskij, Zemskija čelobitnyja, SS. 139 ff.
u. 694.

[2]) PRP, Bd. 6, S. 147. Veselovskij vertrat die Meinung, diese Bestimmung habe
lediglich bezweckt, den Antragstellern die Kosten zu ersparen, die mit der Überreichung direkt an den Zaren verbunden gewesen seien: langer Aufenthalt in Moskau,
Warten auf einen geeigneten Zeitpunkt, Bestechungsgelder für einflußreiche Personen
usw. (Veselovskij, Prikaznoj stroj, S. 169). Aus den Umständen des Aufstandes selbst
(s. Kap. 5) geht jedoch der Zusammmenhang mit dem Gesetz eindeutig hervor —
ganz abgesehen davon, daß die Überreichung von Bittschriften in den Ämtern ebenfalls
lange dauerte.

[3]) PSZ, Bd. 2, Nr. 1092.

brauchte die Steuern und hatte schon deshalb ein Interesse daran, den Einwohnern zu helfen. Von Aleksej Michajlovič wird berichtet, er habe eine Säule mit einem Kasten aufstellen lassen, in den jeder seine Beschwerden habe hineinwerfen können.[1]) Auf jeden Fall ist die Mehrzahl der erhaltenen Bittschriften — über den Rahmen der Kollektiveingaben hinaus — positiv beschieden worden, so daß die Vermutung aufkommen könnte, die Verwaltung habe es allen recht machen wollen, um sich Unannehmlichkeiten fernzuhalten. In Wirklichkeit liegt der Grund, abgesehen von dem eben erwähnten Bestreben, tatsächlich zu helfen, darin, daß Bittschriften ohne Aussicht auf Erfolg gar nicht erst verfaßt wurden. Wer mit einem Anliegen nach Moskau kam, besprach es nach entsprechender Bestechung mit einem Beamten des zuständigen Zentralamtes und ersparte sich im Falle der Aussichtslosigkeit die Kosten für die Aufsetzung der Petition an Ort und Stelle.[2]) Für fertig nach Moskau gebrachte Kollektivbittschriften konnte dieses Verfahren natürlich nicht gelten. Sie fanden in Moskau offene Ohren, weil sie in der Regel nichts gegen den Willen der Regierung durchsetzen wollten, sondern mit den Zielen der Autokratie konform gingen, selbst 1648. Auf diese Weise sind eine ganze Reihe von wichtigen Gesetzen auf Grund von Bittschriften entstanden, so daß man durchaus von einer Gesetzesinitiative des Volkes sprechen könnte. Dazu gehörten schon im 16. Jahrhundert die Urkunden über die Strafgerichtsbarkeit (gubnye gramoty), die Ivan IV. im Anschluß an Beschwerden über das Räuberunwesen gewährte, das ganze Dienstgütersystem und schließlich auch die Leibeigenschaft, deren endgültige Ausbildung im 17. Jahrhundert auf die Gesuche der Dienstleute über Fristjahre (uročnye leta) und Rückführung der Läuflinge zurückging. Der Anstoß zum Uloženie und einige seiner bedeutendsten Artikel (s. Kap. 4) müssen in diesem Zusammenhang genannt werden. Vom Klosteramt wird zum Beispiel im Uloženie selbst gesagt, daß es im Anschluß an Bittschriften geschaffen worden sei (Kap. XIII, § 1).[3]) Auch das „Neue Handelsstatut" von 1667, mit dem die russischen Kaufleute endgültig vor der ausländischen Konkurrenz geschützt wurden, war die Antwort des Zaren auf eine „tränenreiche Bittschrift des ganzen Volkes".[4]) Gerade in dieser Frage der seit 1555

---

[1]) Golikov, Bd. 13, S. 101.

[2]) Veselovskij, Prikaznoj stroj, S. 170. Vgl. auch Ditjatin, Rol', S. 284 ff., zum gesamten Thema.

[3]) PRP, Bd. 6, S. 185. 8,5% der Artikel beruhen laut Zagoskin auf Bittschriften (Hellie, Readings, S. 207). Vgl. auch Anm. 5 auf S. 122 sowie S. 196.

[4]) PRP, Bd. 7, S. 303.

vergebenen Privilegien hatte sich vorher immer wieder einer der wenigen Konflikte zwischen einer Interessengruppe und der Regierung ergeben (s.u.). Ansonsten konnte es die Regierung einfach nicht überhören, daß, wie Ključevskij es ausdrückte, „sich seit der Krönung der neuen Dynastie alle gesellschaftlichen Stände im Verlaufe des ganzen 17. Jahrhunderts laut über ihr Unglück beklagten, über ihre Verarmung, ihren Ruin, über die Mißbräuche der Behörden, über das gleiche, worunter sie auch früher gelitten hatten, worüber sie vorher aber geduldig geschwiegen hatten".[1] Bogoslovskij bezeichnete die Bittschriften denn auch treffend als „eine unaufhörliche (Reichs)versammlung".[2]

Wie bereits erwähnt, stammten die Vorwürfe der russischen Kaufleute gegen ihre ausländischen Konkurrenten aus dem 16. Jahrhundert. Auch als der Engländer John Merrick (in russischen Quellen: Ivan Ul'janov) im Juli 1620 zum wiederholten Male nach Moskau kam, um für seine Landsleute den Wolga-Weg nach Persien und andere Privilegien zu erhandeln, brachten die Großkaufleute in einer Kommission — wie schon 1617 — ihre Bedenken vor (s. Kap. 4), die später in den Bittschriften, beginnend 1627, wiederholt wurden. Die Petition von 1627 mit 31 Unterschriften (3 Großkaufleute, 6 Kaufleute der Hundertschaften der Groß- und Tuchhändler, 22 Kaufleute aus der Provinz) beklagte die Zusammenarbeit der Ausländer, von denen die Engländer hier ausgenommen wurden, untereinander, ihre Organisation der Preis- und Marktinformation und sogar ihre Instruktionen von Hause. Die Russen waren dagegen, daß die Ausländer, auch die Perser und Bucharer, Einzelhandel innerhalb des Reiches bis nach Sibirien hinein trieben, daß sie, ohne Steuern zu zahlen, schon in Archangel'sk untereinander handelten, unter Umgehung der Zölle heimlich Waren über das Weiße Meer ausführten und sogar im Meer fischen dürften, während die russischen Küstenbewohner Hunger litten. Die Petenten nannten 23 Ausländer namentlich, bekannten aber, daß sie die Namen von weiteren nicht wüßten, denn „diese Westeuropäer haben sich in Rußland vermehrt".[3] Die Regierung stellte nach Erhalt der Bittschrift umfangreiche Nachforschungen an, was den früheren Zustand und die Verbesserungs-

---

[1] Ključevskij, Kurs, Bd. 3, S. 89.

[2] Bogoslovskij, Zemskija čelobitnyja, S. 694. — Diejenigen der hier besprochenen Bittschriften, die direkt mit Reichsversammlungen oder Aufständen verbunden waren, werden an entsprechender Stelle in den Kapiteln 4 und 5 noch einmal unter auderen Gesichtspunkten behandelt.

[3] Den Text der Bittschrift s. bei Smirnov, Novoe čelobit'e, S. 97 ff. Zur Interpretation vgl. ebenda, S. 8 ff.

vorschläge der Kaufleute anging. Tatsächlich wurden der Einzelhandel
und der Handel untereinander für Ausländer verboten, aber der innere
Markt wurde ihnen gelassen, weil der Friedensvertrag von Stolbovo
(1617) derartiges zuließ und einzelnen holländischen Kaufleuten der
freie Handel sogar schon im Juni und Dezember 1613 erlaubt worden
war. Ohne den Ausländerhandel und insbesondere ohne die westlichen
Luxuswaren für die Oberschicht mochte man in Moskau nicht mehr
leben. Platonov vermutete mit Recht, daß in der Praxis wohl auch die
genannten Verbote ignoriert bzw. durch Bestechungsgelder umgangen
wurden, denn die späteren Bittschriften der russischen Kaufleute enthielten die gleichen Forderungen wie 1627. Das geht zum Beispiel auch
aus ihren Aussagen auf der Reichsversammlung von 1642 hervor.[1]

Schon vorher wurden in der Bittschrift von Ende 1635, die in Form
eines Berichts für Michail Fedorovič erhalten ist, die Anliegen von 1627
wiederaufgenommen. Zum Teil hatten die gleichen Männer unterschrie-
ben. Wieder befragte die Regierung (am 28. Dezember) die Kaufleute
und danach die Ausländer. Ein Ergebnis ist nicht bekannt.[2] Eine weitere
Bittschrift zum gleichen Thema wurde Ende 1637 im Anschluß an die
Reichsversammlung abgegeben und am 7. Jan. 1638 vom Zaren angehört.
Sie wandte sich gegen alle Ausländer, brachte aber nichts prinzipiell
Neues. Besonders bemerkenswert ist sie jedoch wegen der Fülle von
Unterschriften von Kaufleuten aus der Provinz, aus Jaroslavl',Vologda,
Kostroma, Cholmogory und Kargopol'. 1639 folgten zwei kurze Bitten
um eine Entscheidung, doch beließ es die Regierung bis zur Mitte der
40er Jahre bei allgemeinen Ermahnungen der Ausländer. Die Russen
glaubten üblicherweise nicht an Nachlässigkeit oder Unaufrichtigkeit des
Zaren. Sie bildeten sich ein, wie es dann in der großen Bittschrift von
1646 (mit 166 Unterschriften) hieß, Merrick habe den Dumasekretär
P. Tret'jakov bestochen und auf diese Weise die Urkunde aus dem
Außenamt erhalten, die 23 Ausländern den Binnenhandel gestattete.
Sie selbst seien damals nach der Smuta zu arm gewesen, um mit den
Ausländern finanziell um die Gunst des Beamten konkurrieren zu können.
Inzwischen seien 60 bis 70 Engländer da. Die neue Regierung verstand
sich am 1. Juli 1646 nur zum Verbot des zollfreien Handels für Eng-
länder.[3]

---

[1] Platonov, Moskva, S. 102 ff.; SGGD, Bd. 3, Nr. 113. Zur wirtschaftlichen Seite
des Ausländerhandels im Moskauer Reich s. Bazilevič, Kollektivnye čelobit'ja.

[2] Smirnov, Novoe čelobit'e, S. 23 f.

[3] AAĖ, Bd. 4, Nr. 13. Vgl. auch Solov'ev, Istorija, Buch 5, S. 474 ff.

Nach den Worten des schwedischen Botschafters Karl Pommerening vom 13. Jan. 1649 beschwerten sich die russischen Kaufleute „gewöhnlich jedes Jahr".[1]) Die erhaltenen Dokumente bestätigen das nicht; Pommerenings Eindruck mag darauf zurückzuführen sein, daß die Kaufleute im Verein mit anderen sozialen Gruppen die Schwäche der Regierung während der Jahre 1648 und 1649 auch für ihre Forderung nutzten. Ihre Eingabe vom 10. Juni 1648 ist nicht erhalten (s.u.). Ihr Gesuch von 1649, erhalten in Form eines Berichts der Regierung über den ganzen Vorgang, ging aus der Reichsversammlung hervor und enthält in seinen 164 Unterschriften nicht nur die Namen gewählter Vertreter verschiedener Städte, sondern auch diejenigen von Provinzadligen (gorodovye dvorjane) und Bojarenkindern (deti bojarskie), während die höherrangigen hauptstädtischen Adligen, die Truchsesse (stol'niki), Haushofmeister (strjapčie) und Moskauer Adligen (Moskovskie dvorjane), im Text als Petenten zwar erwähnt werden, aber nicht unterschrieben. Trotz ihrer Beteiligungen an den Unterschriften schrieben die Adligen ein getrenntes Gesuch (s.u.). Dennoch liegt eine bemerkenswerte Solidarität vor, auf die noch mehrmals zurückzukommen sein wird. Die Hauptforderung lief in der Bittschrift wieder darauf hinaus, den Ausländerhandel auf Archangel'sk zu beschränken. Den Engländern, Holländern und Deutschen wurde vorgeworfen, daß sie schlechte Waren zu erhöhten Preisen verkauften, und das oft heimlich, um den Zoll zu umgehen, und daß sie allerlei unredliche Manipulationen betrieben, z.B. auch ihre zarischen Urkunden zu Hause austauschten, um unter falschem Namen einreisen zu können. Um der Klage Gewicht zu verleihen, wurde der Vorwurf der Spionage erhoben.[2]) Schon am 20. Dez. 1648 hatte die Regierung die Präzedenzfälle seit 1563/64 im Außenamt heraussuchen und von der unter Odoevskij tagenden Kodifizierungskommission, in der die Kaufleute ihre Wünsche zunächst vorgetragen hatten, prüfen lassen. Während aber Ende 1648 die Regierung den Kaufleuten noch mit folgenden Bedenken widersprach: eine Ausweisung der Ausländer aus Moskau könne die Feindschaft der ausländischen Staaten heraufbeschwören; die Ausgewiesenen würden ihre den Russen gewährten Kredite zurückverlangen und ihre verlassenen Häuser könnten ihnen nicht abgekauft werden — wandelte sich die Stimmung im nächsten Jahr im Anschluß

---

[1]) Jakubov, S. 435.
[2]) Chilkov, Nr. 82; SGGD, Bd. 3, Nr. 138. Die gewichtige Beteiligung der Dienstleute an den Unterschriften kann man daran ermessen, daß nur 79 bis 94 Stadtleute an der Reichsversammlung teilnahmen (s. Kap. 4).

an die Bittschrift. Am 1. Juni wurde den Engländern unter dem Vorwand des Mordes an Charles I. („Wegen solch einer bösen Tat ziemt es euch nicht, im Moskauer Staat zu sein") der Binnenhandel verboten. Dieser Vorwurf war an das Gesetz quasi angehängt. Als eigentliche Gründe wurden genannt: Bereicherung, heimliche Einfuhr von Tabak und anderen verbotenen Waren, desgleichen verbotene Ausfuhr (Seide). Die Engländer wurden auf Archangel'sk beschränkt und durften nicht einmal ohne Waren nach Moskau.[1]) Natürlich hatten die Kaufleute vorher versprechen müssen, ihre Schulden zu bezahlen und die Häuser der Engländer aufzukaufen. Diese forderten nach der Ausweisung 26 857 Rubel, erhielten aber nur 8509 Rubel. Der Rest, den man in Moskau auf nur 13 190 Rubel bezifferte, wurde ihnen mit der Begründung verweigert, die Schuldner seien gestorben.[2])

Obwohl der englische Königsmord Aleksej Michajlovič ohne Zweifel empörte, wie es seinem moralisierenden Wesen entsprach, kann darin der wahre Anlaß zu seinem Sinneswandel allein nicht liegen. Vielmehr kommt dem Umstand große Bedeutung zu, daß die Bittschrift im Namen von Steuerzahlern u n d Dienstleuten eingereicht wurde. Im nächsten Kapitel soll diese Annahme dadurch erhärtet werden, daß die Solidarisierung der Jahre 1648/49 noch andere Konsequenzen hatte. In bezug auf den Ausländerhandel war der Königsmord nur der willkommene Vorwand zunächst nur mit den Engländern zu brechen und die Privilegien der übrigen Ausländer vielleicht zu erhalten. Doch die russischen Händler gaben sich mit diesem Kompromiß nicht zufrieden.

1651 sprachen sich die Stadtleute von Vologda, die sich zwei Jahre zuvor darüber beklagt hatten, daß die Großkaufleute sie zur Abfassung der Bittschrift nicht angehört hatten, in einer Eingabe ebenfalls gegen den unmittelbaren Handel der Ausländer mit den Bauern aus.[3]) 1652 mußten die Ausländer mit wenigen Ausnahmen das Moskauer Stadtgebiet verlassen und in die neugegründete „Neue Deutsche Vorstadt" (novaja nemeckaja sloboda; eigentlich: neue Vorstadt für Nordwesteuropäer) ziehen. Sie erhielten am 4. Oktober den Befehl, ihre Häuser

---

[1]) PSZ, Bd. 1, Nr. 9.
[2]) Hellie, Readings, S. 90.
[3]) Bazilevič, Kollektivnye čelobit'ja, S. 102. Der Vorwurf gegenüber den Großkaufleuten war berechtigt, denn die Bittschriften wurden tatsächlich sonst nur von ihnen vertreten: Kirill Bosov und Vasilij Šorin unterschrieben 1637, 1646 und 1652/53; Levka Podoševnikov und Andrej Spiridonov 1627 und 1637; Grigorij Nikitinov unterzeichnete 1637 und 1646; Nadej Svetešnikov 1627 und 1646 (ebenda, S. 122).

innerhalb von vier Wochen zu verkaufen und umzuziehen. Wenn diese
Maßnahme auch das Ergebnis einer seit 1648 von der Kirche betriebenen
Kampagne gegen die „ungetauften" Ausländer, insbesondere die
Offiziere, darstellte, so fügte sie sich doch auch in die Beschwerden
über die ausländischen Kaufleute ein.[1] Denn von 1652 oder 1653
stammt eine weitere Bittschrift mit 29 Unterschriften gegen Holländer
und Hamburger.[2] Tatsächlich wurden sie im nächsten Jahr in das Verbot
des Binnenhandels einbezogen. Endgültig geschah dies allerdings erst
am 22. April 1667, als auf Grund einer Bittschrift von Großkaufleuten
und Kaufleuten das schon mehrfach erwähnte „Neue Handelsstatut"
erlassen wurde. Die Russen hatten die Qualität der ausländischen
Waren diskreditiert und auf die dadurch für sie selbst und den Staat
entstehenden Verluste hingewiesen. Bei der Formulierung des Statuts
griff die Regierung interessanterweise auf die Bittschrift von 1646
zurück, die im Außenamt herausgesucht wurde.[3] Das Verbot benachteiligte übrigens eine Anzahl kleinerer russischer Kaufleute, die als Agenten
der Ausländer gearbeitet hatten; die Regierung erhörte ihre Klagen
nicht.

Mit Hilfe von Kollektivbittschriften hatten die Kaufleute eine hoch-
politische Forderung schließlich durchgesetzt. Andere soziale Gruppen
hatten ihnen dabei geholfen. Das Statut von 1667 versprach ihnen
neben anderen Vorteilen auch die Realisierung einer Bitte, die schon
in der Bittschrift der Pskover von 1665 aufgetaucht war. Ordin-Naščokin
konnte sie als Voevode von Pskov allein nicht verwirklichen (s. Kap. 2);
er nahm deshalb nun die Einrichtung eines Zentralamts für die Angelegenheiten der Kaufleute (prikaz kupeckich del) in das Statut auf. Die
Paragraphen 88 und 89 sprachen davon, daß ein solches Amt den Kaufleuten viele Verschleppungen ersparen würde, was sich schließlich auch
auf die allgemeinen Staatseinnahmen günstig auswirken würde. In
diesem Fall blieb es allerdings bei dem Versprechen, das erst durch die

---

[1] PSZ, Bd. 1, Nr. 85. Vgl. auch Baron, The Origins, S. 9 ff.

[2] Bazilevič, Kollektivnye čelobit'ja, S. 110 ff. Wahrscheinlich spielte der schwedische Handelskommissar Johann de Rodes (Rhodes) auf diese Bittschrift an, als er
1653 berichtete, die Kaufleute hätten sich wieder beklagt (Rodes, S. 189). Vielleicht
meinte er aber auch eine andere Bittschrift der Kaufleute von 1653, die mit der Reichsversammlung in Verbindung stehen könnte und die zum „Handelsstatut" vom 25.
Okt. d. J. führte, mit dem Zölle und Maße vereinheitlicht wurden (SGGD, Bd. 3,
Nr. 158).

[3] Smirnov, Novoe čelobit'e, S. 24. Das dort genannte Datum (1662) muß 1667
lauten. Das Statut s. PSZ, Bd. 1, Nr. 408. Vgl. auch PRP, Bd. 7, SS. 320 u. 353.

Einrichtung der ratuša („Rathaus") im Jahre 1699 durch Peter den Großen eingelöst wurde. Wenn von anderen sozialen Gruppen die Rede ist, so sind damit die Dienstleute gemeint, deren eigene Ausländeraversion sich mit derjenigen der Kaufleute verband: Im November 1649 verweigerten zum Beispiel 2000 Provinzadlige, so berichtete Pommerening nach Schweden, ihren Offizieren den Gehorsam.[1]) Von den anderen Stadtbewohnern wurden die Kaufleute, abgesehen von dem einen Fall Vologda, offenbar nicht unterstützt. Sie hatten ihre eigenen Probleme, zu denen oft gerade die Bedrückung durch die reichen Kaufleute gehörte. 1680 beschwerten sich beispielsweise in Pskov die „mittleren" und „jungen" Leute, d.h. die ärmeren, gegen die „besten" wegen einer Verschärfung der Steuerumlage.[2]) Am häufigsten setzten die Stadtbewohner jedoch Bittschriften wegen der „weißen Plätze" und übermäßiger Einquartierungen auf.

Als „weiße Plätze" bezeichnete man den Privatbesitz reicher weltlicher oder geistlicher Herren. Wen sie auf ihrem Besitz in ihre Dienste zogen, der war für die Stadt als Steuerzahler verloren, weil in den „Freistätten" (slobody) ein Teil der Steuern (dan' und obroki) nicht gezahlt zu werden brauchte. Die öffentlichen oder „schwarzen" Steuerzahler mußten infolge des Systems der Steuerhaftpflicht sogar für die Ausgeschiedenen weiterhin finanziell aufkommen, so daß die Steuerumlage den einzelnen Zurückgebliebenen um so härter traf. Allein der Patriarch besaß in Moskau rund tausend Häuser, d.h. nur etwas weniger, als das ganze „schwarze" Stadtgebiet zusammen ausmachte. Bereits 1620 und 1621 wandten sich die Hundertschaftsführer der „schwarzen" Hundertschaften und die Ältesten der „schwarzen" „Vorstädte" mit Bittschriften an die Regierung. Das daraus resultierende Gesetz ist nicht erhalten, verbot aber offenbar nur den Verkauf und die Verpfändung von „weißem" Gebiet, nicht aber den Kauf oder die Pfändung, so daß die Herren nicht nur weiterhin straffrei Gebiet erwerben, sondern sogar auch gegen die „schwarzen" Bewohner klagen konnten, wenn diese ihren Verpflichtungen aus früheren Verträgen nicht nachkamen. Letzteres wurde ausdrücklich in der erhaltenen Bittschrift vom 19. Juli 1627 beklagt, die im Namen aller Steuerzahler geschrieben wurde. Michail Fedorovič erließ daraufhin auf der Grundlage des früheren Gesetzes am 9. Dezember ein erneutes Verbot,[3]) aber solange Filaret mitherrschte und die Interessen von Bojarentum und

---

[1]) Jakubov, S. 459.
[2]) Solov'ev, Istorija, Buch 7, S. 94.
[3]) PRP, Bd. 5, SS. 338 ff. u. 397 ff.

Kirche noch eine gewichtige Rolle in der zarischen Politik spielten, dachte die Regierung gar nicht an eine finale Lösung des Problems. Zugunsten der „weißen Plätze" hat Keep hervorgehoben, daß wenigstens die Freizügigkeit unter diesen Bedingungen noch einige Zeit erhalten blieb.[1]) Damit war es nämlich vorbei, als das Uloženie in Erfüllung von Forderungen der Stadtbewohner (Bittschrift vom 30. Okt. 1648) den Austritt aus der Steuerhaftpflichtgemeinde verbot und die Rückführung aller Freistätten (nicht aber der ebenfalls „slobody" genannten zarischen „Vorstädte") ins tjaglo, die Besteuerung, anordnete (Kap. XIX, § 1).[2]) Damit war das Problem von Staats wegen gelöst, nachdem die Städter mehrmals, z.B. 1636, zur Selbsthilfe gegriffen und ihre Leute zu Hunderten aus den „weißen Plätzen" entführt hatten.[3]) Das Gesetz von 1627 diente übrigens seit den am 22. Jan. 1686 erlassenen „Artikeln über die Häuser der ‚schwarzen' ‚Vorstädte' und der ‚weißen Plätze' als Termin: Wer vorher „weißes" Gebiet erworben hatte, durfte es behalten; die „schwarzen" Steuerzahler wurden dafür mit anderen Grundstücken entschädigt.[4])

Zum Problem der Einquartierungen von Dienstleuten aller Ränge, vom Truchseß bis zum Kanonier, aber auch von Ausländern in den Häusern der Moskauer Steuerzahler (mit Ausnahme der Groß- und Tuchkaufleute) sind zwei Bittschriften vom 24. Juli 1629 und vom 1. Juli 1648 (Aufstand!) erhalten. Die Regierung griff den Vorschlag der ersten Petition auf, die Einquartierungen lieber in den „Vorstädten" des Hofes und anderen „Vorstädten" vorzunehmen, doch hielt diese Regelung offenbar nicht lange an. Der Schluß der zweiten Bittschrift und damit die darauf notierte zarische Entscheidung sind leider nicht erhalten.[5]) Man darf aber annehmen, daß das Problem später nicht mehr so drückend war wie 1648/49, als besonders viele Dienstleute in der Stadt waren (s.o.).

Auch die Dienstleute, über die sich die Stadtleute beschwerten, hatten ihre Probleme. Ihre überregionalen Bittschriften kreisten in erster Linie um die Bauernfrage, mit der die privaten Interessen der Gutsbesitzer auf die Stufe eines Politikums gehoben wurden. Andere, weniger gewichtige Themen wurden besonders von den immer unzufriedenen Strelitzen

---

[1]) Keep, The Régime, S. 357.

[2]) PRP, Bd. 6, S. 306; AAĖ, Bd. 4, Nr. 32, Punkt I.

[3]) Am 9. Mai 1637 hatten sie sogar eine gerichtliche Untersuchung gegen Fürst I.A. Golicyn und den Sekretär T. Adeev erreicht (Smirnov, Čelobitnyja, S. 9).

[4]) PSZ, Bd. 2, Nr. 1157.

[5]) PRP, Bd. 5, SS. 348 f. u. 391 f.

vorgetragen. So beschwerten sich zum Beispiel die Strelitzen aller Regimenter, auch derjenigen aus der Provinz, am 19. Dez. 1623 erfolgreich darüber, daß ihnen entgegen einer Anordnung Vasilij Šujskijs von 1608/09 bei Prozessen Gerichtsgebühren abverlangt würden. Anfang Juni 1640 beklagten sich 193 Moskauer Strelitzen, die zu landwirtschaftlichen Arbeiten nach Userd abkommandiert worden waren, erfolgreich über diese ungewohnte Tätigkeit.[1] Aber in einen Entscheidungskonflikt wurde die Regierung nur durch die 1637 beginnenden bzw. seit 1637 erhaltenen Bittschriften über die Läuflinge gebracht. Daß sie die Fristjahre trotz des Drängens der Dienstleute nur zögernd erweiterte bzw. aufhob, mag zu einem kleinen Teil noch auf die Rücksicht gegenüber den bojarischen Großgrundbesitzern zurückzuführen sein, die die entflohenen oder entführten Leibeigenen der mittleren Dienstleute bei sich zurückhielten. Viel eher fürchtete die Regierung jedoch einen neuen Bauernaufstand, wie er 1606/07 unter der Führung I.I. Bolotnikovs stattgefunden hatte. Die seit 1597 verordneten fünf Fristjahre, innerhalb derer die Läuflinge von ihren früheren Besitzern zurückgefordert werden durften, sollten deshalb wohl als Ventil möglichst lange bestehen bleiben. Erst seit 1637 gab Michail Fedorovič dem Drängen der Dienstadligen nach, als das Azov-Problem eine gewisse Zwangslage für ihn geschaffen hatte, die auch auf einer Reichsversammlung besprochen werden mußte (s. Kap. 4). Die allgemeine Stimmung unter den Dienstleuten war so bedenklich, daß ihnen bereits am 29. Jan. 1637 die Hälfte (!) der Dienstpflichten erlassen wurde.[2] Um ihren sozialen Anliegen Nachdruck zu verleihen, gaben sie sie oft als Probleme des ganzen Staates aus, d.h. sie sprachen im Namen des ganzen Volkes und schlossen Forderungen der Zemlja mit ein. Die Kontakte zwischen Armee und Hauptstadtbevölkerung, die 1648/49 stattfanden, wurden auf diese Weise vorbereitet.

Die Bittschrift von 1637, die Staševskij auf Grund von Funden in den Akten des Dienstlistenamts auf den 3. Februar datiert hat,[3] ist wahrscheinlich aus einer Reichsversammlung hervorgegangen, zumal als Petenten ausdrücklich die Dienstleute der Ukraine und der Städte „jenseits von Moskau" genannt werden. Da frühere Bittschriften nicht erwähnt sind, muß man annehmen, daß es sich um die erste oder zumindest um die erste nach langer Zeit handelte. Allerdings läßt sich aus

---

[1] Ebenda, S. 333 f.; Novombergskij, Očerki, Nr. 13.
[2] Zapisnya knigi, S. 62. Vgl. auch Smirnov, Čelobitnyja, S. 10.
[3] Staševskij, Očerki, S. 322; ders., K. istorii, S. 101.

der Antwort der Regierung schließen, daß mehrere, mindestens zwei Bittschriften gleichzeitig abgegeben wurden, von denen eine oder mehrere nicht erhaltene noch nicht die völlige Abschaffung der Fristjahre, sondern nur ihre Ausdehnung forderten. In der überkommenen Eingabe verlangten die Dienstleute die völlige Aufhebung, und sie verbanden die Bauernfrage mit der Forderung nach besserer Justiz. Entweder, so hieß es, würden die Läuflinge (beglye) überhaupt nicht gefunden, so daß die fünf Fristjahre verstrichen, oder man könne gegen die reichen (sil'nye) Leute, die die verschwundenen Bauern aufgenommen oder gar geraubt hätten, nicht klagen. Den Frühjahrs- und Herbstgerichtstermin könne man nämlich wegen des Dienstes nicht wahrnehmen (s.o.), und Armut und schlechte Wege verböten es oft, zu Weihnachten in das weit entfernte Moskau zu kommen. Würden die Reichen trotz ihrer vielen Manipulationen in den Behörden jedoch einmal vor Gericht gestellt, wo die Verschleppung ohnehin „zehn und mehr Jahre" dauere, verzögerten sie oft die Herausgabe der Läuflinge so lange, bis die fünf Jahre endlich verstrichen seien.

Im Anschluß an die Schilderung seines Ruins stellte der Adel seine beiden Forderungen: Aufhebung der Fristjahre (mit Rückgabe der bisher geflohenen Bauern) und Dezentralisierung des Gerichtswesens, wobei die Provinzialgerichte nicht von den Voevoden (!) wahrgenommen werden, sondern aus gewählten Vertretern der Dienstleute und der Zemlja (!) bestehen und nicht nur zu bestimmten Terminen arbeiten sollten.[1] Bei dieser zweiten Frage ist das Mißtrauen gegen die Voevoden, die sich von den reichen Leuten gern bestechen ließen, leicht erklärbar. Die Interpretation der gewählten Gerichte ist schwieriger. Der Meinung der älteren Historiographie, etwa Smirnovs, aber auch der sowjetischen Historiker, z.B. Tichomirovs, der Adel habe sich über seinen Standesegoismus erhoben und für gemischte Gerichte mit Stadtleuten oder gar Bauern (!) plädiert,[2] kann man sich nur schwer anschließen. „Und befiehl, Herrscher, daß in den Städten aus den Adligen und aus den Zemlja-Leuten

---

[1] Ebenda, S. 119 ff. Ehe Staševskij die Bittschrift 1915 veröffentlichte, war sie (auch Smirnov!) nur indirekt bekannt: aus der Antwort der Regierung vom 20. Febr. 1637 (s.u.), aus einer Bittschrift von Ausländern und der Regierungsantwort darauf vom 27. Jan. 1639 (AMG, Bd. 2, Nr. 160), mit der die neun Fristjahre auch den in Moskau dienenden Ausländern zugesprochen wurden, ferner aus einer Instruktion für Landvermesser im Kreis Moskau vom Februar 1646 (AAÈ, Bd. 4, Nr. 14) und aus den Mitteilungen des Patriarchen-Dienstlistenamts (s.u.) vom 11. Okt. 1638 über die Fristjahre im Troice-Sergiev-Kloster (AMG, Bd. 2, Nr. 143). Eine englische Übersetzung der Bittschrift (wie auch der folgenden) s. bei Hellie, Readings, S. 167 ff.

[2] Smirnov, Čelobitnyja, S. 7 ff.; Tichomirov, Pskovskoe vosstanie, S. 71.

gewählt werde…" bedeutet keineswegs, daß die Gewählten beider Gruppen g e m e i n s a m richten sollten, wie es Ordin-Naščokin erst 1665 für
bestimmte Fälle in Pskov vorsah. In der Fortsetzung des Satzes ist dann
auch nur noch von den Dienstleuten die Rede: „… und befiehl, Herrscher,
daß wir, deine Knechte, nach deinem Gesetz… gerichtet werden". Daß
das Wort vmeste (gemeinsam) fehlt, störte Smirnov nicht, der u.a. auf
diese Stelle seine ganze These vom „Bund der Städter mit dem Adel"
stützte, die gut in die sowjetische Periode seiner Arbeit hineinpaßte. Es
läßt sich in der Tat nicht leugnen, daß beide soziale Gruppen in den Bojaren und geistlichen Herren den gleichen Gegner besaßen, und nur ein
Vierteljahr nach dieser Bittschrift des Dienstadels, am 9. Mai, verlangten
die Moskauer Stadtleute in einer eigenen Bittschrift die Rückkehr von
448 „Verpfändeten" aus den „weißen Plätzen".[1]) Eben aus der gemeinsamen Interessenlage heraus plädierten die Dienstleute auch für Provinzgerichte der Zemlja, weil ihnen offenbar eine Ausdehnung der guba, des
Strafgerichtswesens, auf den Zivilsektor vorschwebte. Gemischte Gerichte
aber setzen doch wohl einen Grad von Zusammenarbeit voraus, der im
Moskauer Reich noch nicht einmal durch den Aufstand von 1648
erreicht wurde.

Im übrigen gewährte Michail Fedorovič in Beantwortung der Bittschrift
am 20. Febr. 1637, um die Dienste des Adels zu würdigen, eine Verlängerung der Rückholfrist für Läuflinge auf neun Jahre, wie sie bislang
schon im Troice-Sergiev-Kloster praktiziert worden war.[2]) Zur Dezentralisierung des Gerichtswesens verstand sich die Regierung jedoch nicht.
Ein Jahr nach der Bittschrift wurde am 3. Febr. 1638 lediglich bestimmt,
daß einige Städte aus der Kompetenz des Vladimirer und des Moskauer
Gerichtsamtes (sudnyj vladimirskij und moskovskij prikaz) herausgenom-
men und hinsichtlich der Gerichtshoheit anderen Ämtern unterstellt
werden sollten, und zwar Kostroma, Galič und Arzamas dem Bittschriftenamt (čelobitnyj prikaz), Rjazan' mit Beistädten, Rjažsk und Kašira
dem Postamt (jamskoj prikaz) sowie Tula und Mcensk dem Truchseß

---

[1]) Die Rückholfrist für „Verpfändete" wurde daraufhin auf 25 Jahre verlängert,
nachdem sie vorher 10 Jahre betragen hatte (Smirnov, Posadskie ljudi, Bd. 1, S. 427 f. —
Smirnovs Meinung, die Bittschrift habe auch schon das Uloženie gefordert (Čelobitnyja, S. 9), kann man sich ebenfalls nicht anschließen. Mit der „ulaženaja sudebnaja
kniga", nach der gerichtet werden sollte, war ganz offensichtlich der Sudebnik von
1550 gemeint. Dies geht auch deutlich aus der folgenden Bittschrift von 1641 hervor
(s.u.).

[2]) Dieser Beschluß von Zar und Duma ist indirekt in einem Aktenauszug erhalten,
in dem übrigens fälschlicherweise zehn statt neun Jahre genannt wurden (AAÉ, Bd. 3,
Nr. 350).

A.F. Litvinov-Mosal'skij. Da den Provinzadligen und Bojarenkindern dadurch Verschleppungen erspart werden sollten,[1] kann man den Erlaß als eine späte und schwache Reaktion auf die Bittschrift ansehen. Warum aber wurde der Wunsch der Dienstleute nicht in vollem Umfang erfüllt? Nach Smirnovs Ansicht hat er dem allgemeinen Trend zur Zentralisierung widersprochen. Eine solche hat jedoch, wie im voraufgegangenen Kapitel in bezug auf die Abschaffung bestimmter Wahlämter 1679 angedeutet wurde, im 17. Jahrhundert nur sehr begrenzt und erst unter Fedor Alekseevič stattgefunden. Gerade das Jahr 1627, auf das sich Smirnov berief, zeigt ja doch den Willen der Regierung überall wieder Gerichtsbezirksälteste wählen zu lassen. Es ist daher viel wahrscheinlicher, daß der Zar hinsichtlich des Zivilgerichts aus praktischen Gesichtspunkten nichts unternahm: weil das Reservoir an nicht dienenden Adelswahlbeamten in der Provinz erschöpft war und weil es wohl auch sicherer war, die Gerichtsgebühren direkt in Moskau einzunehmen, als aus den Städten in die Hauptstadt transportieren zu lassen. Im übrigen ist festzuhalten, daß die Regierung zu diesem Zeitpunkt keinen der beiden Wünsche der Dienstleute erfüllte, denn auch die völlige Aufhebung der Fristjahre wurde nicht gewährt. Selbst die Ausdehnung auf neun Jahre wurde am 20. Februar nicht ausdrücklich genannt, sondern man überließ es den Dienstleuten selbst herauszufinden, welche Bedingungen für das Troice-Sergiev-Kloster galten. Bis das Patriarchen-Dienstlistenamt am 11. Okt. 1638 entsprechende Anfragen der anderen Ämter, z.B. des Ustjuger Viertels, beantwortete, vergingen anderthalb Jahre.[2]

Insofern blieben beide Punkte, vor allem das Problem der Gerichtstermine, sozusagen auf der Tagesordnung der Dienstleute. Eigentlich hätte auch die Regierung eine schnelle Lösung anstreben müssen, denn die bekannte Erscheinung der Dienstflucht wurde dadurch gefördert, daß viele Adlige glaubten, nur im Frühjahr oder Herbst in Moskau Recht finden zu können, und deshalb den Dienst verließen. Zudem machten die zu Weihnachten 1638 in die Hauptstadt gereisten Dienstleute der Regierung die Schwierigkeiten bereits wiederum deutlich. Wegen des Todes des Zarensohnes Ivan Michajlovič im Januar 1639 wurden alle Prozesse ausgesetzt. Die Kläger mußten deshalb um Aufschub bis Weihnachten 1639 bitten, da der Frühjahrs- und der Herbsttermin sowieso aufgehoben wurden. Michail gewährte dies am 15. Febr. 1639.[3] Ver-

---

[1] Zapisnyja knigi, S. 157. Litvinov-Mosal'skij (Masal'skij) leitete das Artillerieamt.

[2] S. Anmerkung 1 auf S. 105.

[3] S. das Memoire an S.V. Prozorovskij vom 17. Febr. 1639 (Zapisnyja knigi, S. 158 ff.

schärft wurde die dadurch angestaute Spannung durch das Azov-Problem, dessentwegen im Sommer 1641 eine türkische Intervention drohte. Die Moskauer Stadtbevölkerung wurde ob der bevorstehenden Sondersteuern unruhig, und die Dienstleute nutzten gerade diesen Augenblick, um eine weitere Kollektivbittschrift einzureichen. Einer der Unterzeichner, der Bojarensohn, P.G. Kolbeckij, schrieb am 15. Juli über die Situation seinem Vater nach Nižnij Novgorod, daß „die Zemlja aufgegestanden" und „große Unruhe entstanden" seien und daß die Bojaren von der Zemlja „geschlagen" worden seien. Seiner Frau klagte er in einem anderen Brief, infolge der türkischen Belagerung sei der Dienst endlos geworden. Ende Dezember mußte er in einem Verhör gestehen, daß er „städtischen Gerüchten" aufgesessen sei.[1]) Was immer an diesen Gerüchten auf Wahrheit beruhte — sie machen verständlich, warum die Dienstleute ihre Bittschrift wieder im Namen „des ganzen Landes" schrieben.[2])

Die Bittschrift von 1641 ist ebenfalls nur indirekt erhalten, und zwar hauptsächlich in einem Memoire des Vladimirer Gerichtsamtes vom November des gleichen Jahres, das aber wohl dem Original sehr nahekommt. Sie stellt inhaltlich eine Zusammenfassung und Ergänzung der Petition von 1637 dar und dürfte kurz vor dem 23. Juli abgegeben worden sein, weil Michail Fedorovič an diesem Tage seine Antwort in Form eines „Gesetzbuches" (s.u.) erließ.[3]) Im Mittelpunkt der zehn erkennbaren Punkte stand wiederum die Frage der Läuflinge, an die sich das Problem eines gerechten Gerichts von selbst anschloß. Die Rückholfrist von neun Jahren wurde als noch unzureichend betrachtet; man erinnerte an die Zeit, als es überhaupt noch keine Fristjahre gab. Um ihre Situation zu unterstreichen, schilderten die Dienstleute ausführlich, wie die reichen Leute die gestohlenen Bauern in abgelegenen Gegenden versteckten, bis die Frist verstrichen sei. Neben weltlichen und geistlichen Großgrundbesitzern wurden offenbar auch Adlige aus den eigenen Reihen angeklagt. In diesem Zusammenhang erwähnten die Klagenden auch die „verpfändeten" Leute in den „weißen Plätzen" der Städte, allerdings nicht aus direkt ausgesprochener Solidarität mit den Stadtleuten, sondern vielmehr wegen des unverschämten Benehmens der „Verpfändeten" gegen-

---

[1]) Zercalov, Akty, S. 13 ff.

[2]) „Land" (zemlja) bedeutet hier nicht Zemlja, sondern „Dienstleute aus dem ganzen Land", wofür in der Bittschrift von 1645 (s.u.) „aller Städte" steht.

[3]) Smirnov, Čelobitnyja, S. 12 ff.; Staševskij, Očerki, S. 75. Über die Bittschrift wurde auch in der Instruktion für Landvermesser vom Februar 1646 (s. Anmerkung 1 auf S. 105) berichtet. Vgl. auch Staševskij, K istorii, SS. 102 u. 105.

über der Dienerschaft der Dienstleute in den Städten. Freilich, aus welchen Motiven auch immer — ein praktisches Zusammengehen gegenüber der Staatsmacht lag letzten Endes doch vor. Was die Gerichte angeht, so findet sich neben der alten Klage, daß die Prozesse nicht in der Provinz stattfinden könnten, zwar nicht mehr die Forderung nach einem gewählten Regionalgericht — etwas Ähnliches tauchte 1642 nur noch einmal bei den Kaufleuten auf der Reichsversammlung auf (s. Kap. 4) —, wohl aber die Erinnerung an das bis 1619/20 bestehende „Bojarengericht" (bojare v polate), das Prozesse ohne Verzug erledigt habe, während es jetzt in den Zentralämtern nur zu Verschleppungen komme. Die Dienstleute verlangten seine Wiederherstellung sowie Prozesse auf der Grundlage des Sudebnik (Kodex) von 1550. Das zeigt, wie wenig es ihnen bei ihrer Forderung von 1637 um regionalistische Wünsche gegangen war; ein Zentralgericht konnte vielleicht seinen Zweck auch erfüllen, wenn es nur zügig arbeitete. Allerdings sollten Klagen auch in den Städten möglich sein (wo?), und auch an eine Appellationsmöglichkeit (vor dem Bojarengericht?) war gedacht. Die Gerichtstermine sollten ganz aufgehoben werden, und der Zar sollte Maßnahmen gegen die Bestechlichkeit der Richter ergreifen. Prozesse gegen die Geistlichkeit müsse man zu jeder Zeit führen dürfen, wobei die Geistlichen zu vereidigen seien, statt, wie bisher, in Übereinstimmung mit dem kanonischen Recht das Los entscheiden zu lassen. Zum Schluß forderte der Adel noch einmal die Aufhebung der Fristjahre und die Rückgabe der entlaufenen Bauern und Knechte auf der Grundlage der Grund- und Eigentumsbücher sowie der Leibeigenschaftsdokumente (kreposti).

Die Antwort, die Zar und Duma am 23. Juli 1641 als „Gesetzbuch über Angelegenheiten der Suche und der Rückführung von Bauern" (Uloženie po delam o syske i vyvoze krest'jan) erteilten bzw. noch einmal am 9. März 1642 in einem Memoire des Dienstlistenamtes an das Moskauer Landesamt (zemskij prikaz) zusammenfaßten, stellte Dinge in den Vordergrund, die in der Bittschrift zweitrangig gewesen waren und umgekehrt. Ausführlich bestätigte die Regierung die Vorschriften über Wege- und Brückenzölle, deren Verletzung durch die „Verpfändeten" die Dienstleute nur in einem Nebensatz erwähnt hatten. Immerhin erhielten die letzteren dabei das Privileg der gebührenfreien Passage, wenn sie in staatlichem Auftrag unterwegs waren. Daß verarmte Bojarenkinder sich hinkünftig nicht mehr durch „Verknechtung" dem Dienst entziehen durften, war auch keine neue Bestimmung, sondern nur eine in einer ganzen Reihe von ähnlichen Gesetzen. Die Fristjahre jedoch wurden nicht aufgehoben, sondern nur um ein Jahr auf zehn ausgedehnt bzw. für entführte Bauern sogar auf fünfzehn. (Gegen Ende des 16. Jahrhunderts war die Priorität übrigens genau umgekehrt gewesen.) Wenn bei einer Entführung gemordet worden war, sollten diese Fälle immerhin bis zum Jahr 1612/13 zurückverfolgt werden. Doch andererseits wurde für einen entführten Bauern pro Jahr unrechtmäßigen Bezitzes nur die lächerliche Strafe von fünf Rubeln angedroht — die Hälfte der Summe, die dafür bereits 1607 eingezogen worden war. Ganz singulär in der Moskauer Gesetzgebung erscheint die Bestimmung, daß die Bauern nur zwischen dem 1. Oktober und dem 1. April, also in der landwirtschaftlichen Ruhezeit, vor Gericht gestellt werden durften, abgesehen von Raub und Mord (§ 8). In bezug auf die allgemeine Gerichtsbarkeit wurden die Dienstleute daran erinnert, daß natürlich nach wie vor die Appellationsmöglichkeit mit der Duma als zweiter und dem Zaren als dritter Instanz bestand. Die Leute des Patriarchen wurden aber weiterhin seinem Gericht überlassen, diejenigen der Metropoliten, Erzbischöfe und Klöster jedoch den weltlichen Gerichten unterstellt. Dies war ein bedeutender Schritt in Richtung auf die Säkularisierung, doch das Hauptanliegen der Adligen auf diesem Gebiet — der Eid für die Geistlichkeit — wurde nicht berücksichtigt. Nur die weltlichen Leute der Metropoliten, Erzbischöfe und Klöster wurden dem Eid unterworfen. Schließlich wurde ein weiteres Mal die Korruption der Gerichtsbeamten unter die zarische Acht gestellt.[1]

Angesichts der wenigen Zugeständnisse der Regierung nutzten die Dienstleute den Thronwechsel von 1645 zu einer weiteren Bittschrift über die gleichen Themen. Die vielen Gerüchte, die im Sommer des Jahres Moskau beherrschten, etwa über falsche Prätendenten (s. Kap. 1) oder die Gewährung des freien Abzugs für die Bauern als erste Maßnahme des neuen Zaren, führten zu großer Unruhe auch unter der Armee, in der Eidesverweigerungen vorkamen. Aleksej Michajlovič entließ sie daher vorsichtshalber nach Hause. Erst die im Spätsommer und Herbst in der Hauptstadt versammelten Adligen reichten eine Bittschrift ein. Sie ist wieder nur indirekt im fragmentarischen Entwurf der Instruktion vom Februar 1646 für S.I. Vjazemskij und den Schreiber L. Nesterov erhalten, die als Volkszähler (perepisčiki) in Tot'ma dienten. Sie muß zwischen August und dem 19. Okt. 1645, vielleicht zur Krönung Aleksejs am 23. September, abgegeben worden sein. Daß Vjazemskij und andere Volkszähler im ganzen Land die Bauern und ihre Häuser (für den Übergang

---

[1] PRP, Bd. 5, SS. 362 ff. u. 409 ff. Das Memoire vom 9. März 1642 findet sich im Erlaßbuch des Moskauer Landesamtes (AI, Bd. 3, Nr. 92, Punkt XXXIII).

zur Höfesteuer) zählen sollten, ist direkt auf die Bittschrift zurückzuführen.[1]) Denn die Dienstleute hatten auf ihre Dienste für die früheren
Zaren hingewiesen und erklärt, die Rückholfrist von zehn Jahren reiche
einfach nicht aus, um bei den starken Dienstverpflichtungen auch noch
die Läuflinge zu suchen. Die Rückgabe aller augenblicklichen Läuflinge
und die völlige Aufhebung der Fristjahre seien die einzigen Möglichkeiten, den Adel vor dem Ruin zu retten. Daraufhin forderte das
Moskauer Gerichtsamt vom Dienstlistenamt Auszüge aus der früheren Gesetzgebung an, wobei interessanterweise ein sonst nie wieder
auftauchender Kodex aus dem Jahre 1538/39 erwähnt wurde. Auf Grund
der Präzedenzfälle kamen Zar und Duma, so geht ebenfalls aus der
Instruktion hervor, am 19. Okt. 1645 zu dem Schluß, daß die Fristjahre
nicht aufgehoben werden könnten, weil sie ja schon verdoppelt worden
seien (!). Offensichtlich stand der junge Zar dabei unter dem Einfluß der
Mächtigen im Lande, aber auch das Risiko eines Bauernaufstandes
wollte er im ersten Jahr seiner Regierung sicher nicht eingehen. Doch
merkwürdigerweise heißt es am Schluß der Instruktion unvermittelt, daß
nach Abschluß der Zählung „die Bauern, landlosen Bauern (bobyli)
sowie ihre Kinder, Brüder und Neffen auf Grund der Zensusbücher ohne
(!) Fristjahre gebunden sein sollen". Dies war zum erstenmal eine Absichts-
erklärung zur völligen Aufhebung der Fristjahre nach Ablauf einer
absehbaren Zeit. Da der Unterschied zur festen Haltung Aleksej Michajlovičs im Herbst ganz evident ist, könnte vielleicht eine zwischen Oktober
1645 und Februar 1646 abgegebene, nicht erhaltene weitere Bittschrift
(Weihnachtsgerichtstermin?) den entscheidenden Wandel herbeigeführt
haben. Doch vorläufig blieb es bei der prinzipiellen Bereitschaft, die
volle Leibeigenschaft herbeizuführen. In der Praxis bestätigte der Zar
die Verlängerung der Fristjahre auf fünfzehn bei Entführung.[2])

Es ist unwahrscheinlich, daß die Bittschrift von 1645 nur die ökono-
misch-rechtlichen Forderungen hinsichtlich der Läuflinge enthalten hat,
die in der Instruktion an die Volkszähler wiedergegeben wurden. Sehr
wahrscheinlich haben die Dienstleute auch die Mängel im Gerichtswesen,
also die eigentlich politischen Forderungen, wiedervorgebracht. Zu dieser
Vermutung gibt nicht nur der Umstand Anlaß, daß die alten Wünsche
nach einem besseren Gericht in der nächsten erhaltenen Bittschrift der

---

[1]) AAÈ, Bd. 4, Nr. 14 (s. auch Anmerkung 1 auf S. 105); Smirnov, Čelobitnyja,
SS. 20 ff. u. 47 ff.

[2]) S. die Anweisung an den Untersuchungsbeamten K. Kajsarov vom 18. Okt. 1647,
der den Novgoroder geistlichen und anderen Herren die unrechtmäßig erworbenen
Bauern abnehmen sollte (DAI, Bd. 3, Nr. 32).

Dienstleute vom 10. Juni 1648 wiederauftauchen, sondern auch die Tatsache, daß in eben dieser Petition von einer Kommission unter Morozov die Rede ist, die Anschuldigungen gegen die Verwaltung untersucht habe. Nach Smirnovs richtigen Überlegungen konnte dies nur 1645/46 geschehen sein, denn im folgenden Jahr 1646/47 nahm Morozov — offenbar auf Grund der Untersuchungsergebnisse — bereits eine radikale Säuberung der höheren und unteren Verwaltung vor.[1]) Man kann hinzufügen, daß die Kommission noch von Michail Fedorovič, also 1645, eingesetzt worden sein muß, denn in der Bittschrift wird davon gesprochen, daß dieser Zar „und nach seinem Tode du", d.h. Aleksej, die Probleme zu untersuchen befohlen hätten.[2]) Daß dabei nur Beamte ausgetauscht wurden, während sich an den Zuständen im Grunde nichts änderte, trug mit zu den Unruhen des Frühsommers 1648 bei. Zu der wegen der Mißbräuche der Verwaltung und der Steuerpolitik aufgebrachten Stadtbevölkerung gesellte sich die Reserve des Heeres, die wegen der Bedrohung durch die Tataren den ganzen Mai über in Moskau versammelt war.[3])

Ein Augenzeuge des Aufstandes, P. Judin, der eine Bittschrift in einer privaten Angelegenheit abgeben wollte, berichtete in einem Verhör Anfang 1649, daß er und andere Bittsteller vom Dumasekretär I.M. Vološeninov im Dienstlistenamt angeschrien und daß ihre Eingaben nicht angenommen worden seien.[4]) Kein Wunder, daß die Bevölkerung ihre Bittschriften, besonders die Kollektivbittschriften, nur noch dem Zaren persönlich überreichen wollte. Smirnov hat vermutet, daß eine solche Aktion am 2. Juni den Aufstand unmittelbar auslöste, worüber im 5. Kapitel mehr zu sagen sein wird. Hier interessiert nur, daß am 10. Juni offenbar zwei Bittschriften überreicht wurden, die zwar beide von den „Moskauer Adligen, den Provinzdienstleuten, Großkaufleuten und Moskauer Kaufleuten" unterzeichnet, aber inhaltlich getrennt nach den Interessen der beiden sozialen Gruppen der Dienst- und Handelsleute geschrieben waren. Beide Petitionen sind im Original nicht erhalten. Von der vermutlichen Version der Dienstleute existiert eine schwedische Übersetzung, die Pommerening am 6. Juli 1648 an Königin Kristine schickte. Von dieser Übersetzung gibt es wiederum eine (unvollständige) deutsche Übersetzung in der sogenannten Leidener Broschüre („Wahrhaftige historische Erzählung vom schrecklichen Aufstand"), wo übrigens von „Bittschriften" gesprochen wird. Und in der Tat erwähnen Olearius,

---

[1]) Smirnov, Čelobitnyja, S. 22 ff.
[2]) Ebenda, S. 61.
[3]) AMG, Bd. 2, Nr. 326, 328 u. 302.
[4]) Smirnov, Čelobitnyja, S. 66.

die Pskover Chronik, die Fortsetzung des „Neuen Chronisten" und die
von Platonov veröffentlichte Erzählung über den Aufstand eine Bittschrift vom gleichen Tage,[1]) deren Inhalt nicht mit Pommerenings Übersetzung übereinstimmt, wohl aber eindeutig die Anliegen der Kaufleute
ausdrückt (s.o.), besonders was die Angriffe gegen L.S. Pleščeev angeht,
der als Leiter des Moskauer Landesamtes die Verwaltung der Handelsleute innehatte. Die Version der Dienstleute enthält dagegen, abgesehen
von den allgemeinen Klagen über Korruption und Gerichte, keine
Forderungen der Kaufleute. Immerhin handelten beide Gruppen wieder
einmal gemeinsam, und diesmal um so wirkungsvoller, als sie noch eine
weitere und sogar gemeinsam vertretene Bittschrift vom gleichen Tage
vorlegten (s.u.). Sie fanden im Verlaufe des Aufstandes zueinander.
Tichomirov hat gegenüber Smirnov darauf hingewiesen, daß die Datierung schon deshalb nicht auf den 2. Juni lauten kann, weil in der Bittschrift bereits von dem Aufruhr (šatost') und dem „großen Sturm" in
Moskau und anderen (!) Städten die Rede ist.[2])

Im Unterschied zu den früheren Bittschriften der Dienstleute enthält
„dett gemene mans i Ryssland supplication"[3]) keine Forderungen hinsichtlich der Läuflinge mehr, da die Bauernfrage mit der Bereitschaft
des Zaren, die Fristjahre abzuschaffen, gelöst war. Dagegen standen
nun neben den Klagen über die Verzögerung von Gehaltszahlungen die
politischen Wünsche im Vordergrund: Maßnahmen gegen die Korruption und für die Verbesserung der Verwaltungs- und Gerichtsstruktur.
Die Bittsteller, die wieder im Namen des ganzen Landes sprachen, beriefen sich zur gewohnheitsrechtlichen Rechtfertigung auf die früheren
Eingaben an Michail Fedorovič, der — genau wie der gegenwärtige
Zar — ihnen zu helfen versprochen habe. Beide hätten die Morozovsche
Kommission eingesetzt, an der auch I.B. Čerkasskij und F.I. Šeremetev
mitgearbeitet hätten. Der Untersuchungsbericht habe jedoch keine Folgen
gezeigt, weil die genannten Beamten letzten Endes selbst für die Unterschlagungen und die Ausbeutung verantwortlich seien. So würden Staatskasse wie Untertanen weiterhin geschädigt, und wenn die letzteren einmal
nicht unrechtmäßig ausgenommen würden, geschehe dies immer noch
durch die übermäßige Besteuerung. Früher hätten sich die Amtsleute
nicht so teure Häuser bauen können! Was schlimmer sei — sie möchten

---

[1]) Zu den Quellen vgl. im einzelnen in Kap. 5.
[2]) Tichomirov, Sobornoe Uloženie, S. 178 f.
[3]) „Die Bittschrift des gemeinen Volkes in Rußland". Die Quelle s. Smirnov,
Čelobitnyja, SS. 30 ff. u. 61 ff.

verhindern, daß diese „rättmätigh klagan"[1]) (vielleicht: prjamaja čelobitnaja) den Zaren überhaupt erreiche. Ohne Zweifel spielten die Dienstleute damit sowohl auf frühere Vorfälle als auch auf die Haltung Volo-
šeninovs (s.o.) und die Ereignisse vom 2. Juni (s. Kap. 5) an, und die
Bittschrift ließ auch keinen Zweifel daran, daß der „uppstånd...
uthi din Zarische hufvudstadh Muskou och på månge flere orter i städer
och på landet"[2]) auf unnötige zarische Milde gegenüber den Übeltätern
zurückzuführen sei. Allerdings habe Gott den 1613 wie 1645 (!) gewählten
Zaren auch die Bestrafung des Übels aufgetragen. Und wenn schon
Michail Fedorovič dies nicht beherzigt habe, möge sich wenigstens der
jetzige Zar nach dem Psalm Davids richten, in dem für die Gerechtigkeit
Salomos gebetet werde.[3]) Nicht nur mit dieser Beschwörung des Ideal-
bildes eines christlichen Zaren, sondern auch im kirchenslavischen
Pathos der Sprache drückt sich aus, daß die Dienstleute offenbar einen
Geistlichen für die Abfassung ihrer Forderungen gewonnen hatten.
Allerdings klangen an dieser Stelle auch durchaus revolutionäre Töne
hindurch, wenn sie mit der Strafe Gottes drohten, der die Rechtlosigkeit
und Unruhen der Smuta noch einmal über das Reich hereinbrechen
lassen könne. Noch ein anderes traditionelles Idealbild wurde demgegenüber bemüht: Justinian, der durch sein gerechtes Corpus Juris Gottes
Zorn von Griechenland abgewendet habe. Mit der Aufforderung an
Aleksej Michajlovič, ein Gleiches zu tun, war indirekt die bald noch
deutlicher artikulierte Forderung nach dem Uloženie verbunden.

    Damit gingen die Dienstleute zu ihren eigenen Reformvorschlägen
über, auf die sie — wieder unter Drohungen — eine unverzügliche Antwort verlangten. Zuerst möge der Zar seinen Beamten diese Bittschrift
und Anklage vorlesen lassen, da jene doch die Gehälter der Dienstleute
teilweise einbehielten, das Volk ruinierten und Voevoden- und Kanzlei-
posten nur nach Bestechung vergäben. Er möge sie nach den Ursachen
und den Schuldigen fragen — seines Eides eingedenk („att du din giorde
edh och lyffte ihngkomma [sic!] ville")[4])! Sodann möge er die ungerechten
und unwissenden Amtsleute durch solche ersetzen, die Gott und ihm
verantwortlich seien. Wenn er solche nicht finde, solle er das Volk selbst
die Beamten und Richter wählen lassen („att din Tz. M:t då ville låta
den gemene man sielfve alle tiänster och dommare af sine egne medel

---

[1]) „Rechtmäßige Klage".
[2]) „Aufstand...in deiner zarischen Hauptstadt Moskau und an vielen Orten in den
Städten und auf dem Lande".
[3]) Psalm 72 (Psalm 71 der slavischen Bibel).
[4]) „Auf daß du dich deines irdischen Eides und Gelübdes erinnern mögest".

besättia och dee personer där till uhhvällia") ¹). Dann hätten Zar und
Bojaren mit solchen „öffentlichen" (publicis) und nichtigen Angelegenheiten weniger Belastung. Die letztere und letzte Forderung der Bittschrift war eine logische Folgerung der vorangegangenen: Wenn der
Zar oberster Richter über Gut und Böse sein sollte, mußte er vom täg-
lichen Verwaltungskram befreit werden. Wahlbeamte hätten dann freilich
die Dezentralisation des Gerichtswesens bedeutet, womit die alte Forderung wieder ins Spiel kam. Sicher geht Smirnovs Interpretation zu weit,
wenn er sagt, der Dienstadel habe damit — wie im 16. Jahrhundert die
Bojaren — dem Zaren die Macht nehmen wollen und das 18. Jahrhundert
eingeleitet. Offenbar wurde nur die frühere Forderung nach einer Erleichterung im Instanzenweg wiederholt. Eine letzte Gewißheit kann freilich
die schwedische Übersetzung nicht bieten. Dazu wäre die Klärung nötig,
ob dem „gemene man" das Wort „zemlja" und den „publicis" die „zemskie dela" zugrunde gelegen haben. Dennoch scheint wenigstens sicher,
daß die Bittschrift wenig an die Formulierungen früherer Petitionen
anknüpfte, sondern vielmehr in der Hauptsache neu konzipiert wurde.
Das ist dem vermutlich geistlichen Redakteur und der Krisensituation
zuzuschreiben. Im Zusammenhang der vorliegenden Arbeit muß die
uneingeschränkte Betonung des Wahlgedankens besonders hervorgehoben
werden.

Die besprochene Bittschrift ist zwar inhaltlich die wichtigste der Jahre
1648/49, wäre aber, für sich genommen, weniger wirkungsvoll geblieben
ohne die nachfolgenden Ereignisse und ohne eine andere Eingabe der
Armee und der Stadtbevölkerung („Moskauer Adlige, Residenzadlige,
Provinzdienstleute der verschiedenen Städte, Ausländer, Großkaufleute,
Kaufleute der verschiedenen Hundertschaften") vom gleichen Tage, die
die Einberufung einer Reichsversammlung ultimativ forderte.²) Beide
Gruppen gaben schließlich noch einmal am 30. Okt. 1648 gleiche, wenn
auch nicht gleichlautende Bittschriften ab, in denen für die Dienstleute
das Kirchenland und für die Stadtleute die „weißen Plätze" gefordert

---

¹) „Auf daß deine Zarische Majestät das gemeine Volk selbst alle Ämter und
Richter(stellen) aus eigenen Mitteln besetzen und die Personen dazu auswählen
lassen möge".

²) Die Bittschrift, mit der für Platonov das gesellschaftliche Leben in Rußland be-
gann (Platonov, Moskva, S. 113), wurde in der Literatur gemäß Pommerenings Nach-
richt ebenfalls oft auf den 2. Juli datiert. Aus ihrer indirekten Wiedergabe in einem
Memoire vom 16. Juli an das Novgoroder Viertel geht jedoch das Datum des 10.
Juni 1648 eindeutig hervor (Smirnov, Neskol'ko dokumentov, S. 5 f.). Der von M.V.
Šachmatov 1934 angeblich veröffentlichte Originaltext war dem Verf. nicht zugänglich.

wurden.[1]) Die Dienstleute unterstützten dabei die Belange der Städter
so nachdrücklich, daß ihre Bittschrift als Höhepunkt der Solidarität
zwischen beiden Gruppen bezeichnet werden kann. Wie oben erwähnt,
unterschrieb der Adel auch die Forderungen der Kaufleute von 1649.
Alle diese Manifestationen zusammen zeitigten schließlich als Ergebnis
das Uloženie, das nicht nur die oben genannten Wünsche der Stadtleute
befriedigte, sondern den Dienstadligen auch die volle Leibeigenschaft
ihrer Bauern brachte und einige Forderungen hinsichtlich der Kirche
erfüllte. Die Bauernbindung war noch einmal in einer vor dem 1. Sept.
1648 eingereichten Bittschrift besonders gefordert worden.[2]) Freilich,
wie die Regierung das Problem der Ausweisung bzw. Beschränkung ausländischer Kaufleute zunächst nur zögernd anging, so erfüllte sie auch den
Dienstleuten nur die Wünsche, die in ihr eigenes Konzept paßten. Die
erzielten Erfolge, die Beeinflussung der Gesetzgebung durch Bittschriften,
beschränkten sich letzten Endes auf Fragen, aus denen die Autokratie
gestärkt hervorging. Die Wahl aller Amtsleute und die Dezentralisierung
des Zivilgerichtswesens blieb den Dienstleuten so versagt. Den Wunsch
nach Beschränkung des Régimes sollte man ihnen ohnehin nicht unter-
stellen; sie hätte sich aber faktisch eines Tages daraus entwickeln können,
wenn noch andere Faktoren hinzugekommen wären.

Mit der Vollendung der Schollenbindung hörte die Bauernflucht keineswegs auf; sie verstärkte sich eher noch. Deswegen blieben auch nach der
Jahrhundertmitte genügend Gründe für Kollektivbittschriften erhalten.
Bereits im November oder Dezember 1657 beklagte man sich, daß die
Bauern zu Tausenden u.a. in die Städte gingen und dort städtische Berufe
aufnähmen. Der Adel forderte deshalb ein besonderes, über das Uloženie
hinausgehendes Leibeigenschaftsstatut (krepostnoj ustav) und die Fixie-
rung der „vier Stände".[3]) Hatten früher die Großgrundbesitzer die
Läuflinge aufgenommen, taten dies nun also die Städte, die über einen
Zufluß von Steuerzahlern froh waren. Unter diesen Umständen gab es
für die frühere gelegentliche Solidarität von Dienstleuten und Städtern
keine Basis mehr. Es ging den Adligen jetzt auch nicht mehr um grund-

---

[1]) Indirekt wiedergegeben in den Auszügen aus einem „Verzeichnis der Untersuchungen" (perepisnaja kniga sysknych del), die Ju. A. Dolgorukov zwischen 1648 und
1654 vornahm (AAĖ, Bd. 4, Nr. 32, Punkt I). Vgl. auch Smirnov, Posadskie ljudi,
Bd. 2, S. 220 ff. Interessanterweise unterschlugen die Adligen die Vorwürfe der Stadtleute gegen die „Dienstleute a l l e r Ränge", die sie also selbst betrafen.

[2]) Smirnov, O načale, S. 51; A1, Bd. 4, Nr. 30.

[3]) Storožev, Dva čelobit'ja, S. 8 ff. Zu den „vier Ständen" vgl. das Schlußkapitel
dieser Arbeit.

sätzliche Fragen, sondern nur um eine effektivere Organisierung der Läuflingssuche. Die Zaren konnten darauf leicht eingehen. Den Bitten der Adligen von Galič, der Ukraine und anderer Städte um besondere Untersuchungsbeamte anstelle der untätigen Zentral- und Provinzverwaltungen entsprach die Regierung mit dem (nicht erhaltenen) Gesetz vom Januar 1658. Wenn man den Antragstellern glauben darf, hatten sie bereits früher, sogar unter Michail Fedorovič, „jährlich" diesbezügliche Bittschriften eingereicht. Die jetzige machte außerordentlich detaillierte Vorschläge, wie gegenüber dem Läuflingsproblem vorzugehen sei.[1]

Allein für die Jahre 1682 bis 1686 hat Novosel'skij mehr als fünfzehn solcher Petitionen gefunden, ganz zu schweigen von denen einzelner Personen.[2] Das Anschwellen erklärt sich daraus, daß eine von der neuen Regierung Fedors seit 1679 versprochene Landvermessungs- und Aufnahmeordnung, die Voraussetzung für geordnete Besitzverhältnisse auch hinsichtlich der Bauern, nach Beratungen in einer Dienstleute-Versammlung (s. Kap. 4) endlich am 7. und 15. März 1682 die Duma passierte. Nachdem bereits am 1. Sept. 1680 einige Vermesser ihre Arbeit aufgenommen hatten, wurde der im April 1682 erlassene endgültige Befehl über die Aussendung der Vermesser wegen des Strelitzen-Aufstandes nicht ausgeführt. Die Folge waren mehrere Kollektivbittschriften: vom 23. März, von Anfang Juli, Anfang August (mit mehr als 400 Unterschriften!), nochmals vom August und vom 18. Nov. 1682. In der letztgenannten baten die Truchsesse, Haushofmeister, Moskauer Adligen, Provinzadligen und Bojarenkinder verschiedener Städte wiederum um die Einsetzung von Untersuchungsbeamten, weil viele ihrer Bauern geflohen seien. Unter Hinweis darauf, daß Aleksej Michajlovič solche Beamte schon einmal 1674/75 eingesetzt habe, stimmten die Zaren Ivan und Peter zu. Allerdings war es dem Adel, wie er in den beiden August-Bittschriften dargelegt hatte und in einer weiteren Eingabe vom 1. Dez. 1682 wiederholte, nicht recht, daß die Regierung, die ärmeren, nicht prozessierfähigen Dienstleute vernachlässigend, zunächst nur die strittigen Fälle vermessen und zählen lassen wollte, statt eine Generalaufnahme vorzunehmen, und daß nur Vermesser des Dienstgüteramts geschickt wurden. Sie hätten so viel zu tun, daß die Bauern sogar während der Untersuchung wegliefen. Es sei daher notwendig, auch Voevoden zu schicken. Wieder stimmten die Zaren sowohl in der Land- als auch in der Bauernfrage zu und erließen am 2. März 1683 die zweite Instruktion.[3]

---

[1]) Ebenda.

[2]) Novosel'skij, Kollektivnye dvorjanskie čelobit'ja, S. 103 ff.

[3]) PSZ, Bd. 2, Nr. 998; PRP, Bd. 7, S. 225 f.

In der Praxis wurden Generalvermesser allerdings jetzt ebensowenig
ausgesandt wie ein Jahr später, obwohl sie den Anfang Januar 1684 aus
Anlaß der Verhandlungen mit Polen in der Hauptstadt versammelten
Dienstleuten (s. Kap. 4) für das Frühjahr erneut versprochen wurden.
Gerade zu dieser Zeit machte die am 21. März 1684 vorgenommene
endgültige Angleichung der Dienstgüter an die Erbgüter die Landvermessung noch dringender, weil viele neue Ansprüche gestellt wurden.
Deshalb wiederholten die Dienstleute Anfang Juni 1684 ihre Forderungen, diesmal mit dem Angebot, auch gewählte Beauftragte einzuschalten.
Letzteres verweigerten die Zaren bzw. Sofija am 9. Juni, aber die Generalvermesser waren 1685 und 1686 endlich tatsächlich tätig, bis der erste
Krim-Feldzug dazwischenkam, und die Voevoden wurden am 25. Mai
1688 tatsächlich beauftragt, das Land minderbemittelter Adliger selbst
zu vermessen.[1]

Die Forderung nach Einschaltung von Wahlbeauftragten und sogar
von Voevoden läßt außer auf die finanzielle Ersparnis auf das gleiche
Mißtrauen gegenüber der Zentrale schließen, daß die Dienstleute vor
1648 gewählte Provinzgerichte verlangen ließ. Auch hier wird man als
Motiv einfach die horrenden Mißbräuche und Unregelmäßigkeiten der
Landvermesser annehmen müssen.[2] Die Annahme tiefergehender Bestrebungen wäre eine Unterstellung. Aber es bleibt wieder festzuhalten,
daß erstens der Wahlgedanke lebendig war, und zweitens die Dienstleute
ihre Wünsche schließlich durchsetzten, wenn auch nicht hinsichtlich
der Wahlbeauftragten. Man darf annehmen, daß solche Beauftragte in
der Zeit polnischen Einflusses und nach dem Versuch der Bojaren, 1681
über das Projekt einer Rangtabelle einen weitgehenden Regionalismus
durchzusetzen, [3] der Regierung nun allerdings doch zu riskant erschienen
und nicht mehr nur aus praktischen Erwägungen zurückgewiesen wurden
wie 1637/38 die Wahlrichter. Direkte Indizien gibt es dafür zwar nicht,
aber im Kontext der vorliegenden Arbeit kann diese Vermutung im
Schlußkapitel noch erhärtet werden.

---

[1] PSZ, Bd. 2, Nr. 1070 u. 1297.

[2] Keep behauptet im Anschluß an Man'kov, die Dienstleute des Südens hätten
im Gegensatz zu denen des Zentralgebiets die untergeordneten Landvermesser
gewollt (Keep, The Muscovite Élite, S. 225). Doch weder ist ein solcher Wunsch noch
überhaupt ein solcher Gegensatz aus den Bittschriften erkennbar.

[3] Den Text dieses Projekts s. bei Obolenskij und deutsch bei Ostrogorsky, S. 94 ff.
Eine historiographische Übersicht zu dieser Frage bei Nikol'skij, „Bojarskaja popytka",
S. 58 ff. Zum polnischen Einfluß s. Markevič, Istorija, S. 591 f., u. Keep, The Muscovite
Élite, S. 229 f.

KAPITEL 4

DIE MOSKAUER VERSAMMLUNGEN

Zu den teils ungelösten, teils umstrittenen Themen der russischen Geschichte gehört der unter den Namen Landes- oder Reichsversammlung oder auch „Reichstag" bekannte zemskij sobor. Nicht nur gehen die Ansichten der marxistischen und nichtmarxistischen Geschichtswissenschaft darüber weit auseinander, die Erforschung dieses Gegenstandes war auch vor 1917 immer kontrovers, und sie unterlag sogar quantitativ politischen Gegenwartsströmungen. So entstanden in der parlamentarischen Atmosphäre der Jahre 1905/06 zahlreiche populärwissenschaftliche Broschüren, unter deren Autoren auch der angesehene Platonov war,[1]) sowie eine Anzahl von tiefergehenden Werken. Ebenso hatte zuvor das Loris-Melikovsche Projekt von 1880/81 einen Aufschwung in der Beschäftigung mit den Reichsversammlungen herbeigeführt. Schließlich geht die „Entdeckung" der Reichsversammlung überhaupt auf das politisch zu verstehende Bestreben der Slavophilen zurück, eine altrussisch-eigenständige, reichstags*un*ähnliche Zusammenarbeit von Herrscher und Volk nachzuweisen.

Wie zu Beginn des 2. Kapitels bereits erwähnt, erfand der Slavophile K.S. Aksakov den Ausdruck „zemskij sobor", während die Quellen nur von „Versammlung" (sobor) oder einfach vom „ganzen Land" (vsja zemlja), einem der konkreten Institution entsprechenden Abstraktum, sprechen. Für die Zeit der Smuta ist auch der Ausdruck „Duma des ganzen Landes" (duma vseja zemli) belegt,[2]) den N.M. Karamzin im zehnten Band seiner „Geschichte des russischen Staates" (1824) analog zu dem übrigens ebenfalls nicht authentischen Terminus „Bojarenduma" in „Landesduma" (zemskaja duma) verwandelte.[3]) Dieses Kunstwort

---

[1]) Platonov, K istorii moskovskich Zemskich soborov, zuerst veröffentlicht im „Žurnal dlja vsěch" (Journal für alle), 1905.

[2]) S. die Władysław vorgelegte Kapitulation vom 17. (27.) Aug. 1610 (SGGD, Bd. 2, Nr. 200).

[3]) Karamzin, S. 136. Soweit ersichtlich, ist dies die einzige Stelle. Karamzin sprach sonst nur von „Versammlung" oder „großer Versammlung" und einmal von „Staatsversammlung" (gosudarstvennyj sobor) (S. 135 f.). — Vor Karamzin hatte Müller 1777 das Ereignis von 1598 „eine allgemeine Versammlung der Stände" genannt (Müller, Sammlung, S. 60).

griff dann Aksakov in einem Aufsatz auf, den er 1846 aus Anlaß der Siebenhundertjahrfeier der Stadt Moskau schrieb.[1] Er plante Anfang der 50er Jahre wohl auch eine „Geschichte der Landesdumen". Während „duma" als Gegenstück zum Bojarenrat benutzt wurde, beinhaltete das Wort „zemskij" für Aksakov und andere Slavophile den „rein moralischen, menschlichen Charakter" der Versammlungen, weil im Moskauer Reich, anders als im staatlichen Prinzip des „faulen Westens", das gesellschaftliche Element vorgeherrscht habe.[2] In der Fortsetzung des im 2. Kapitel dieser Arbeit erwähnten unvollendeten Manuskripts „Über die Grundprinzipien der russischen Geschichte" sprach Aksakov 1850 dann zum erstenmal von „zemskaja duma oder zemskij sobor".[3] Im folgenden Jahr gebrauchte er in seiner Auseinandersetzung mit dem ersten Band von S.M. Solov'evs „Geschichte Rußlands seit den ältesten Zeiten" (1851) in einem Manuskript nur noch das Wort „zemskij sobor".[4] Als er später (1859) für die Zeitung „Parus" doch noch eine Geschichte dieser Institution zu schreiben begann, von der übrigens nur die Einleitung fertig wurde, gab er als Begründung für die Namenswahl an, die Versammlung habe zwar manchmal auch „zemskaja duma" geheißen; „zemskij sobor" sei aber vorzuziehen, weil es öfter vorkomme.[5] In Wahrheit ist weder der eine noch der andere Ausdruck in dieser Form belegt. Darüber hinaus führt das Attribut „zemskij" in die Irre, wie weiter unten noch erläutert werden soll. Für Aksakov schien es gerechtfertigt, weil sich nach seiner Meinung die Zemlja-Leute (zemskie ljudi) unter den Teilnehmern an den Versammlungen im Übergewicht befanden, obwohl auch er eingestand, daß auch andere soziale Gruppen anwesend waren.

Der Ausdruck „zemskij sobor" ging wohl deshalb in die Wissenschaftssprache ein, weil Solov'ev ihn für die erste Hälfte des 17. Jahrhunderts übernahm, und zwar im achten Band seiner „Geschichte" (1858) zum erstenmal anläßlich der Wahl Boris Godunovs, nachdem Aksakov ihm 1856 in einem Artikel in der „Russkaja Beseda" noch vorgeworfen hatte, dieses Thema für die Regierungszeit Ivans IV. ignoriert zu haben.[6] Die Innenpolitik Ivans behandelte Solov'ev allerdings erst im siebenten

---

[1] Aksakov, Semisotlětie, S. 599.

[2] Ders., Kratkij istoričeskij očerk, S. 304.

[3] Ders., Ob osnovnych načalach, S. 11.

[4] Das Manuskript „Einige Worte über die russische Geschichte, hervorgerufen durch die ‚Geschichte' des Herrn Solov'ev. Aus Anlaß des ersten Bandes" wurde erst 1861 gedruckt (ders., Několiko slov, S. 48).

[5] Ders., Kratkij istoričeskij očerk, SS. 297 u. 304.

[6] Solov'ev, Istorija, Buch 4, S. 348; Aksakov, Po povodu, S. 149.

Band, aber auch dort erwähnte er die zemskie sobory nicht, und er verteidigte sich mit dem Aufsatz „Schlözer und die antihistorische Richtung" (1857), in dem er Aksakov zwar ausführlich zitierte, aber nicht beim Namen nannte.[1]) Dieser antwortete im selben Jahr mit seinen „Bemerkungen zu dem Artikel des Herrn Solov'ev ‚Schlözer und die antihistorische Richtung' ".[2]) So stand am Anfang der wissenschaftlichen Beschäftigung mit den Reichsversammlungen eine Polemik, und dieser Umstand scheint eine nachhaltige Wirkung auf die nachfolgenden Forschergenerationen gehabt zu haben. Dabei lassen sich die Grundgedanken der idealisierenden Auffassung Aksakovs und der „skeptischen" Richtung Solov'evs, vermehrt um eine mittlere Position, bis heute nachweisen. Für Aksakov stellte der Bund des Fürsten mit dem Volk eine Fortsetzung bzw. Wiederaufnahme der frührussischen Volksversammlung (veče) dar, und zwingend schien ihm der Gedanke, daß der erste Zar die erste Reichsversammlung einberufen habe.[3]) Solov'ev, der für die Zeit Ivans IV. nur zarische Ratsversammlungen gelten lassen wollte, warf seinem Kontrahenten antihistorisches Denken und Mystizismus vor. Für die Smuta erkannte er zwar die Beteiligung des Volkes an der Herrschaft an, er wies aber als erster auf die abnehmende Zahl der Reichsversammlungen im 17. Jahrhundert hin.[4]) Insbesondere 1682 habe keine Reichsversammlung mehr stattgefunden. Demgegenüber betonte Aksakov, wichtiger als die Zahl sei die Bedeutung der einzelnen Versammlungen, und auch diejenige von 1682 verdiene das Attribut „zemskij".

Die Kontroverse wurde geführt, ohne daß zu diesem Zeitpunkt die Fragen der inneren Organisation und der Funktion der Reichsversammlungen untersucht waren. Diese Probleme wurden erst in der Folgezeit u.a. von P.V. Pavlov,[5]) A.P. Ščapov und I.D. Beljaev, die die Partei Aksakovs ergriffen, und von B.N. Čičerin und N.I. Kostomarov, die Solov'evs Meinung unterstützten, in Angriff genommen. Die mittlere Position und eine ruhigere Betrachtungsweise nahmen V.I. Sergeevič, N.P. Zagoskin, V.N. Latkin und V.O. Ključevskij ein.[6]) Während Aksakov in der Beschränkung der Reichsversammlungen auf Beratung, im Fehlen rechtlicher Normen und anderen Unterschieden zu den westlichen Ständeversammlungen noch einen typisch russisch-slavischen

---

[1]) Solov'ev, Šlëcer, S. 442 ff.
[2]) Aksakov, Zaměčanija.
[3]) Ebenda, S. 203 ff.; ders., Po povodu, S. 150.
[4]) Solov'ev, Šlëcer, S. 448 ff.
[5]) O někotorych zemskich soborach XVI i XVII vv., in: Otečestvennye Zapiski, 1859.
[6]) Vgl. die Übersicht bei Avaliani, Zemskie sobory, S. 5 ff.

Vorzug sah, konnte Ščapov bereits 1862 immerhin nachweisen, daß die Versammlung von 1648/49 einen erheblichen Anteil an der Kodifizierung hatte, und zwar aus eigener Initiative. [1]) Vier Jahre später bestritt allerdings Čičerin, der am schärfsten mit Aksakov ins Gericht ging, jede Bedeutung der Versammlungen. Er verfiel dabei in den verbreiteten Fehler der „Westler", die Maßstäbe der westlichen politischen Vertretungen anzulegen, so daß er den der Obrigkeit untergeordneten Reichsversammlungen nur bei einigen Zarenwahlen eine Rolle zugestand.[2]) Zu jener Zeit lagen die später von Latkin, I.I. Ditjatin und A.N. Zercalov herausgegebenen Materialien noch nicht vor, aber schon 1875 wies Sergeevič auf die Ähnlichkeiten zwischen westlichen Ständevertretungen und russischen Reichsversammlungen hin. Sich auf das Vergleichbare beschränkend, stellte er keine grundsätzlichen Unterschiede fest, so daß sein abschließendes Urteil darauf hinauslief, die Reichsversammlungen hätten, wenn auch nicht gesetzlich fixiert, mehr als nur beratende Funktion besessen.[3]) Diese weitgehenden Ergebnisse widerlegte M.F. Vladimirskij-Budanov im gleichen Jahr in einer ausführlichen Rezension zu Sergeevičs Buch: Es habe in Moskau weder Stände noch auf den Versammlungen zwei Kammern, sondern lediglich „Gruppen" (stat'i) gegeben. Überhaupt riet der Rezensent zur Vorsicht bei der Behandlung des Themas.[4]) Demgegenüber vertrat Zagoskin in einem Vortrag, den er am 5. Nov. 1879 vor der Universität von Kazan' hielt und der im gleichen Jahr gedruckt wurde, wieder den Stände-Gedanken. Zwei Jahre zuvor hatte er in seiner „Rechtsgeschichte des Moskauer Staates" noch widersprüchlich zwar die Aktivität der gewählten Vertreter bei den gesetzlichen Entscheidungen von 1619, 1648 und 1653 anerkannt, ihnen aber dennoch nur das Attribut „beratend" zugestanden. Nun ließ er diese Einschränkung fallen und wies im einzelnen nach, welche Artikel des Uloženie direkt auf Bittschriften zurückgingen. Auch Instruktionen seien den Gewählten von den Wählern mitgegeben worden.[5])

---

[1]) Ščapov, S. 12.

[2]) „Wir sehen auf ihnen weder Instruktionen, die den Vertretern von ihren Wählern mitgegeben worden wären, noch jene umfangreiche Darlegung der sozialen Nöte noch jene gesetzgeberische Tätigkeit, durch welche sich sogar die französischen Generalstaaten auszeichnen" (Čičerin, O narodnom predstavitel'stve, S. 363 f. u. allgemein, S. 355 ff.). Mit diesem Urteil ignorierte Čičerin Ščapovs Forschungen in bezug auf 1648/49.

[3]) Sergeevič, Zemskie sobory, S. 193 ff.

[4]) Vladimirskij-Budanov.

[5]) Zagoskin, Uloženie; ders., Istorija, S. 278 ff. Der Titel des Vortrages lautete: „Das Uloženie Aleksej Michajlovičs und die Reichsversammlung von 1648". Zagos-

Eine Reihe von Materialveröffentlichungen in den 80er Jahren des vorigen Jahrhunderts brachte die Forschung erheblich weiter. Ditjatin, der bereits 1880 auf den Zusammenhang von Bittschriften und Reichsversammlungen hingewiesen hatte, schrieb drei Jahre später einen Artikel, in dem er neue Dokumente, insbesondere zur Versammlung von 1651, auswertete. 47 Briefe von Voevoden an die Zentrale gaben Aufschluß über die Wahlen der Vertreter durch die Bevölkerung, und der Eindruck des Ungeordneten, Zufälligen konnte seitdem nicht mehr vorherrschen.[1] Gleichzeitig schrieb auch Platonov seine „Bemerkungen zur Geschichte der Moskauer Reichsversammlungen", eine Bestandsaufnahme der bis dahin vorliegenden Forschung.[2] Sehr gefördert wurde die Kenntnis des Problems dann durch Latkin, der 1884 nicht nur einen Materialband mit Ditjatins Dokumenten zu 1651 und selbst gefundenen zu 1619/20 und 1648/49 veröffentlichte, sondern ein Jahr später auch das klassische Werk zu diesem Gegenstand schrieb. Durch die „Materialien" wurden die Wahlen weiter durchleuchtet, während in Latkins Monographie vor allem die These über die Entwicklung der Versammlungen aus den Kirchenkonzilien und die Auswertung der Dokumente zu 1648/49 — trotz der Übertreibung der Bedeutung des Aufstandes für das Uloženie — Beachtung verdienen.[3] Nachdem der alte Streit über den Ursprung im veče damit entschieden schien, blieb die Frage der Analogie mit westlichen Institutionen offen, denn Latkin ging darin nicht über Sergeevič hinaus. Die zeitgenössischen Rezensenten (N. Kareev, Sergeevič) warfen ihm zudem zu Recht vor, nur nebeneinandergestellt und nicht wirklich verglichen zu haben. Ein anderer Rezensent, M.A. Lipinskij, bemängelte, daß die Reichsversammlungen außerhalb jedes Zusammenhanges mit der Heeresorganisation, dem Finanzsystem und der Selbstverwaltung gesehen wurden [4] — ein Vorwurf, der im großen und ganzen auch noch für den heutigen Forschungsstand gilt (s. die Themenstellung dieser Arbeit). Weitere Quellen zu 1648/49 wurden 1887 von Zercalov und 1900 von V.P. Alekseev publiziert.[5]

---

kins Ergebnisse wurden 1880 von Mejčik korrigiert und ergänzt (Po povodu sočinenija N.P. Zagoskina „Uloženie Alekseja Michajloviča i Zemskij sobor 1648-49 gg.", in: Sbornik Archeologičeskago Instituta, 1880, 4, S. 31-42). Zur Frage des Ursprungs einzelner Uloženie-Artikel in Bittschriften vgl. auch Kap. 3 dieser Arbeit.

[1] Ditjatin, K voprosu.
[2] Platonov, Zamětki.
[3] Latkin, Materialy; ders., Zemskie sobory.
[4] Kareev; Sergeevič, Otčet; Lipinskij.
[5] Zercalov, Novyja dannyja; Aleksěev, Novyj dokument.

Die Annahme einer Kongruenz altrussischer und altwesteuropäischer Entwicklung wurde durch Ključevskijs fundierte Arbeit über die Zusammensetzung der Versammlungen des 16. Jahrhunderts weiter erschüttert (1890-1892). Er sah in ihnen noch stärker als sein Lehrer Solov'ev reine Beratungsgremien der zarischen Dienstleute, die als Vertreter der lokalen Verwaltungen sozusagen die Endstufe der Gemeindezwangshaftung bildeten. Die Versammlungen seien deshalb mit der Einführung der Selbstverwaltung durch Ivan IV. notwendig geworden. Erst im 17. Jahrhundert (mit Übergangsformen 1598 und 1610/11) seien gewählte Vertreter herangezogen worden.[1]) Mit dieser Auffassung war der Smuta eine so große Bedeutung zugemessen worden, daß die historisch-philologische Fakultät der Neurussischen Universität in Odessa 1903 einen Wettbewerb über „Die Rolle der Reichsversammlungen in der Epoche des Interregnums" ausschrieb. Der wichtigste, erst 1910 in Buchform gedruckte Beitrag dazu stammte von S.A. Avaliani, der im Gegensatz zu Ključevskij bei den Versammlungsteilnehmern auch des 16. Jahrhunderts eine echte Vertretung zu erkennen meinte. Blieb diese These zweifelhaft, so hatte doch andererseits der auch von weiteren Teilnehmern des Wettbewerbs vorgetragene Vorwurf gegenüber Ključevskij viel für sich, daß die Dienstleute gar nicht haftpflichtige Delegierte für ihre Heimatgemeinden sein konnten, da sie mit ihnen wegen des Dienstes meist nur lose verbunden waren.[2]) Diese Feststellung durfte auch auf die Versammlungen des 17. Jahrhunderts angewandt werden. An der Versammlung von 1642 nahmen zum Beispiel nur die zufällig gerade in Moskau anwesenden Dienstleute teil. Zu diesem Ergebnis kam S.V. Roždestvenskij, der 1907 das Protokoll dieser Reichsversammlung untersuchte.[3]) Andererseits konnte Gautier (Got'e) in seiner umfangreichen Materialsammlung von 1909 für viele andere Versammlungen Wahlen nachweisen. Im Gegensatz zu Ditjatin stellte er obendrein ein eindeutiges Interesse der Bevölkerung an den Wahlen fest.[4]) Schließlich veröffentlichte P. P. Smirnov 1913 Dokumente zu 1648/49 und revidierte in einem begleitenden Aufsatz im einzelnen den Verlauf der Ereignisse, die zum Uloženie führten.[5]) — Andere Forscher konzentrierten sich auf die Frage der Wahl Michail Fedorovičs und seiner eventuellen Beschränkung durch die Wahlversammlung. A.I. Markevič hatte diese Diskussion 1891 ausgelöst, als er die angebliche

---

[1]) Ključevskij, Sostav.
[2]) Avaliani, Zemskie sobory, S. 86.
[3]) Roždestvenskij.
[4]) Got'e.
[5]) Smirnov, Neskol'ko dokumentov; ders., O načalě.

Wahlkapitulation auf eine vielleicht vorhanden gewesene Bittschrift von seiten der Versammelten reduzierte und auch den Einfluß der nachfolgenden Reichsversammlungen vom guten Willen des Zaren abhängig machte.[1]) Nachdem S.A. Belokurov 1904 und 1906 das Wahlprotokoll von 1613 herausgegeben hatte,[2]) schloß Platonov 1906 die Möglichkeit einer noch so geringen Beschränkung der Zarengewalt ganz aus, während Alekseev die These von der Beschränkung 1909 verteidigte.[3])

Diese ungelöste Detailfrage verband sich in der Zeit vor dem Ersten Weltkrieg mit einem von N.P. Pavlov-Sil'vanskij wiederbelebten größeren Problem. Er schrieb 1907 sein bekanntes Werk „Der Feudalismus in Altrußland", worin er, über Sergeevič und Latkin hinausgehend, die völlige Identität der Reichsversammlungen mit den westlichen Ständevertretungen zu beweisen suchte (§ 40 f.). Im Gegensatz zu den beiden Genannten stimmten für ihn nicht nur die Institutionen, sondern auch die Sozialstrukturen überein, d.h. auch in Rußland schloß sich angeblich eine ständisch-beschränkte Monarchie logisch an einen Feudalismus an. Auch die Versammlungen des Westens hätten nicht immer fixierte Rechte, den Herrscher bindende Beschlüsse oder konstitutionelle Garantien erkämpfen können.[4]) Avaliani stimmte Pavlov-Sil'vanskij 1910 in seinem bereits erwähnten Buch zu, in dem er sich besonders mit dem Jahr 1613 beschäftigte. Seine Untersuchung der Unterschriften unter dem Wahlprotokoll bestärkte ihn in der Überzeugung, daß die hier in der Mehrheit befindlichen Dienstleute als echte Vertreter ihrer Provinzheimat angesehen werden müßten. Zum gleichen Schluß kam im gleichen Jahr auch A.K. Kabanov in seiner Arbeit über die Organisation der Wahlen,[5]) während A.I. Zaozerskij 1909 grundsätzlich von einer Versammlung von Regierungsbeamten ausgegangen war, der sich im 17. Jahrhundert das Vertretungsprinzip aufgedrängt habe, um 1648/49 sogar das Übergewicht zu erlangen. Trotz vieler Gegenstimmen blieb Zaozerskij auch in seinem Beitrag für Kallašs Sammelband „Drei Jahrhunderte" (1913) bei seiner Auffassung, die man als eine Weiterentwicklung der Thesen Ključevskijs ansehen könnte: Das im 17. Jahrhundert quasi zufällig hinzugekommene Wahlelement verbindet sich mit den „Beamten" zu einem einheitlichen Ganzen, so daß die Reichsversammlungen geschlossen der Regierung

---

[1]) Markevič, Izbranie.
[2]) Bělokurov, Utverždennaja Gramota.
[3]) Platonov, Moskovskoe pravitel'stvo; Aleksěev, Vopros.
[4]) Pavlov-Sil'vanskij, Feodalizm, S. 131 ff.
[5]) Kabanov, Organizacija. Über Avalianis Buch vgl. Anmerking 2 auf S. 124.

(in Gestalt der Bojaren) gegenübertreten können.[1]) Die Künstlichkeit
dieser Überlegungen wurde sehr schnell durch P.G. Ljubomirovs hervorragende Untersuchung des Nižnij Novgoroder Aufgebots bloßge-
stellt, die 1913/14 zuerst im „Journal des Ministeriums für Volksauf-
klärung" und dann in erweiterter Form noch einmal 1939 erschien. Er
wies im übrigen nicht nur das Interesse der Bevölkerung an der Wahl
von 1613 nach, sondern auch lediglich ein in der Praxis allerdings nicht
wirksames Versprechen Michail Fedorovičs, also das Fehlen einer Kapitulation.[2]) Diese Frage schien damit rechtzeitig zur Dreihundertjahrfeier
der Dynastie gelöst. Nicht gelöst war noch das Problem des Absterbens
der Versammlungen, dem Alekseev ebenfalls 1913 mit einer Lobeshymne
auf die Romanovs beizukommen suchte: Die Regierung habe Gesetz und
Ordnung (law and oder) im Sinne der starina wiederherstellen müssen
und deswegen den Versammlungen ein Ende bereitet.[3])

Am Ende der vorrevolutionären Periode hatte sich die Historiographie
im Grunde immer noch an der Frage festgelaufen, was unter einer Reichsversammlung zu verstehen sei. Wenn Zaozerskijs Definition galt, daß
neben der hohen Geistlichkeit (d.h. der „allerheiligsten Synode": Patriarch, Bischöfe, Archimandriten und Äbte der großen Klöster sowie
einige bei Hofe angesehene Älteste [starcy]), die natürlich nicht die
Interessen der Geistlichen als „Stand", sondern die der Kirche im Staat
vertrat, und der Bojarenduma, beide zusammen die „obere Kammer"
bildend, unbedingt gewählte Vertreter der Dienstklasse („untere Kammer") anwesend sein mußten, so konnten überhaupt nur drei oder vier
Versammlungen als „zemskie" sobory angesehen werden. Platonov
bestand daher auf Hinzurechnung der Stadtleute, der eigentlichen zemskie ljudi.[4]) Die Sowjethistoriographie ging in der Definition noch weiter
und bezieht heute alle Versammlungen ein. L.V. Čerepnin unterscheidet
nur zwischen „vollständigen" und „unvollständigen" Reichsversammlungen. Entsprechend bezeichnet zum Beispiel M.N. Tichomirov die
Versammlungen von 1550 und 1682, um nur die erste und die letzte zu
nennen, als „unvollständig",[5]) während die westliche Forschung die
Beratung der Regierung mit Vertretern nur e i n e r sozialen Gruppe
meist „Kommissionen" nennt. In der Tat ist die Unterscheidung zwischen
„vollständigen" und „unvollständigen" Versammlungen insofern auf

---

[1]) Zaozerskij, K voprosu, S. 328; ders., Zemskie sobory.
[2]) Ljubomirov.
[3]) Alexeyev, S. 49 f.
[4]) Hellie, Muscovite Law, S. 39 f. Platonovs Meinung in: K istorii, SS. 283 f. u. 311.
[5]) Čerepnin, Zemskie sobory, S. 93; Tichomirov, Istočnikovedenie, S. 214.

Sand gebaut, als Vollständigkeit im Sinne einer Beteiligung aller denk-
barer sozialer Gruppen oder gar im Sinne ihrer gleichmäßigen Reprä-
sentanz nicht angestrebt wurde. Die Frage der Definition ist daher seit
1917 in der Sowjetunion nicht gelöst worden.

Darüber hinaus ist das Thema der Reichsversammlungen von den
sowjetischen Historikern auch allgemein bis ungefähr 1950 arg vernachlässigt worden, wenn man von den zum Teil in ergänzter Form publi-
zierten Werken solcher Forscher wie Smirnov und Ljubomirov absieht,
die bereits vor 1917 darüber geschrieben hatten. Wenn die Reichsversammlungen von anderen Autoren im Rahmen größerer Thematiken
erwähnt wurden, geschah dies auf der Linie Pavlov-Sil'vanskijs oder
auch, wenn später nicht so sehr die Parallelen mit dem Westen als vielmehr die Eigenständigkeit der russischen Entwicklung betont wurden,
auf derjenigen Ključevskijs. Stökls Erklärung für die Vernachlässigung,
die Reichsversammlung habe weder in das abstrakte Klassenkampfschema noch in die Thematiken des Personenkults gepaßt,[1]) kann freilich
nur für den Personenkult stimmen. Denn das Klassenkampfschema
lag ja dem historischen Materialismus auch noch (und zwar bis heute!)
zugrunde, als S.V. Juškov sich 1950 (genauer: schon seit 1946) den Reichsversammlungen zuwandte und auf Latkin und Pavlov-Sil'vanskij zurückgriff.[2]) Bereits 1947/48 hatte Smirnov in seiner Studie über die Stadtleute
betont, daß die Reichsversammlungen keineswegs so autokratiehörig
gewesen seien, wie man gemeinhin annehme.[3]) Repräsentativcharakter
oder Instrument des Herrschers — das war für die sowjetischen Historiker
die Frage bei der Einordnung der Versammlungen zwischen frühfeu-
daler und absoluter Monarchie (vgl. Schlußkapitel). Juškovs These von
einer durch die Versammlungen beschränkten „ständisch-repräsentativen
Monarchie" bildete dabei für lange Zeit den Glaubenssatz in der belebten
Diskussion der folgenden Jahre, in deren Verlauf Tichomirov 1958 in
seiner Dokumentensammlung zu 1650 seinen Kollegen immer noch
Vernachlässigung des Themas bescheinigte.[4]) Daß das Moskauer Reich
in der ersten Hälfte des 17. Jahrhunderts eine ständisch-repräsentative
Monarchie gewesen sei, hatte K.V. Bazilevič 1940 schon einmal bestritten.[5]) Jetzt wagte in den 1960er Jahren nur A.M. Sacharov gegen Juškov
und Čerepnin Stellung zu beziehen: Die Autokratie sei niemals beschränkt

---

[1]) Stökl, Der Moskauer Zemskij Sobor, S. 154.
[2]) Juškov, K voprosu; ders., Razvitie.
[3]) Smirnov, Posadskie ljudi, passim.
[4]) Tichomirov, Dokumenty Pskovskogo vosstanija, S. 234.
[5]) Bazılevič, Elementy.

worden, und die Reichsversammlungen hätten außer einer ordnenden
Funktion in den ersten Regierungsjahren Michail Romanovs keine
bestimmten Aufgaben oder rechtlichen Normen gehabt.[1]) Wie unsicher
das sowjetische Urteil noch heute in dieser Frage ist, zeigen die jüngsten
Äußerungen Čerepnins.[2]) Immerhin wird anerkannt, daß die Existenz
der Reichsversammlungen nicht gesichert war, wie etwa diejenige ähn-
licher Institutionen in England und Frankreich, und daß andererseits
nirgends im Westen ein eigenständiges Organ wie die Duma einen inte-
gralen Bestandteil der Versammlungen bildete. Was den Inhalt der Arbeit
der Versammlungen angeht, so schwankt Čerepnin zwischen dem Stolz
auf die Existenz solcher „Ständevertretungen" und der Einsicht, daß sie
an der Festigung der Leibeigenschaft zumindest beteiligt waren. Der
Forschungsstand der Sowjethistoriographie läßt sich dahingehend zusam-
menfassen, daß die Kenntnis von den Reichsversammlungen differen-
zierter geworden ist, ihre Beurteilung jedoch fraglich bleibt. Das ist
sicher zu einem Teil auf die Quellensituation zurückzuführen. Trotz
weiterer Materialveröffentlichungen (außer der obengenannten Tichomirovs) von A.A. Zimin (zu 1612/13) und G.A. Zamjatin (zu 1616)
fehlen nämlich entscheidende und typische Dokumente, insbesondere zur
Entstehung und zum Absterben der Versammlungen.[3])

Unter diesem Mangel leidet natürlich auch die neuere westliche Forschung, die noch zögernder als die sowjetische an das Problem herange-
gangen ist. Ein älteres und unbrauchbares Buch von F. de Rocca (1899)
ist überhaupt die einzige Monographie geblieben.[4]) Der 7. Internationale
Historikerkongreß in Warschau schlug 1933 die vergleichende Erforschung der Repräsentativversammlungen der verschiedenen Länder vor.
Tatsächlich wurde daraufhin drei Jahre später die „Commission Internationale pour l'histoire des Assemblées d'états" gegründet und 1950
unter dem Titel „The Commission for the History of Representative and
Parliamentary Institutions" wiederbelebt. Doch der Ertrag blieb insbesondere für Rußland mager. Lediglich G. Stökl wies 1955 in einem Vergleich der osteuropäischen Länder die These zurück, der byzantinische

---

[1]) Sacharov, Buch 5, S. 703; Čerepnin, Zemskie sobory, S. 132.

[2]) „Die gegenseitigen Bemühungen von Autokratie und Reichsversammlungen
lassen sich schwer mit einer einheitlichen Formel ausdrücken. Die Reichsversammlung
war kein die Macht des Zaren kontitutionell beschränkendes Organ. Aber die Regierung, die die ständisch-repräsentativen Institutionen im Interesse der Stärkung der
Autokratie ausnutzte, mußte doch gleichzeitig mit ihren Interpellationen (zaprosy)
rechnen" (Čerepnin, K voprosu, S. 36).

[3]) Zimin, Akty; Zamjatin, Dva dokumenta.

[4]) Rocca.

Einfluß könne am Fehlen echter Vertretungsversammlungen schuld sein.[1]) Ihm wurde von J. Keep vorgeworfen, daß in der Arbeit der Kommission die römisch-katholische von der griechisch-orthodoxen religiös-kulturellen Sphäre getrennt worden war. Keep sah darin ein Wiederaufleben der slavophilen Position, die überhaupt keine Ähnlichkeit mit dem Westen gelten lassen wollte. Demgegenüber überwögen die Gemeinsamkeiten; die russische Entwicklung sei lediglich auf einer früheren unausgereiften Stufe stehengeblieben, weil der Staat vor den „Ständen" dagewesen sei. Keeps Aufsatz von 1957 über den „Verfall" der Reichsversammlungen gab entgegen seinem Titel einen Überblick über ihre ganze Geschichte und nannte als Grund für ihr Absterben das Mißtrauen auf seiten der Regierung.[2]) Ähnlich hatte auch Stökl, der die Frage der Entstehung der Versammlungen aus den Kirchenkonzilien oder dem veče zwar offengelassen, aber doch der ersteren, „byzantinischen" Erklärung den Vorzug gegeben hatte, geschrieben, der konsolidierte Staatsapparat habe sich nicht kontrollieren lassen wollen. Allerdings müsse auch das Fehlen korporierter Stände als Grund genannt werden. Das repräsentative Element im 17. Jahrhundert führte er auf die eigene russische Tradition, aber auch zum Teil auf das polnisch-litauische Vorbild zurück. „Dieses traditionelle und im Faktischen gewiß zutreffende Schema," so forderte Stökl 1960 in einer Forschungsübersicht über den Gegenstand, „bedarf zweifellos der Ergänzung und der Interpretation".[3])

Diesem Aufruf soll an dieser Stelle mit einigen Überlegungen nachgekommen werden, wobei auch Lipinskijs oben wiedergegebener Wunsch aus dem Jahre 1886 nach einer Einordnung des Problems in den Zusammenhang mit der Heeresorganisation und der Lokalverwaltung — sowie darüber hinaus in eine Verbindung mit dem Bittschriftenwesen und den Aufständen — besonders berücksichtigt wird. Die bisherige Forschung hat diesen Zusammenhang höchstens bruchstückhaft hergestellt. Sie ist lieber von der Grundlage westlicher Ständevertretungen ausgegangen — auch die sowjetische Forschung, die um jeden Preis auf einer identischen Entwicklung von West- und Osteuropa bestand. Aber sowohl die Sozialstruktur als auch die oft vernachlässigte Staatenbildung, nach Hintze die beiden unerläßlichen Faktoren für jeden Verfassungstyp, lassen im Moskauer Reich eine ständische Verfassung, d.h. einen Reichstag gewählter Vertreter, nicht zu, weil einerseits der Feudalismus als ausgebildetes

---

[1]) Cam/Marongiu, S. 90 ff.
[2]) Keep, The Decline, S. 101 f.
[3]) Stökl, Der Moskauer Zemskij Sobor, S. 170.

System sowie daran anschließend die Landstände und andererseits der Dualismus von geistlicher und weltlicher Gewalt und daraus resultierend der Territorialstaat, jeweils von Ansätzen abgesehen, fehlten. Hintze preßte aus diesem Grunde die russische Regierungsform als „eine Art des orientalischen Despotismus" (d.h. ohne Stände und Territorium) in sein Schema,[1]) doch eine solche Simplifizierung wird wiederum den offenkundigen gesellschaftlichen Erscheinungen im Sinne der hier gebrauchten Definition nicht gerecht. Denn immerhin hat Hoetzsch darauf hingewiesen, daß Lehensverfassung und russisches Dienstgutsystem zumindest in der Absicht übereinstimmten, einen großen politischen Raum zu organisieren.[2]) Und die erwähnte internationale Kommission hat in bezug auf die westlichen Versammlungen Einigkeit in der Forschung darüber festgestellt, daß das Bittschriftenwesen eine Rolle bei der Ausbildung dieser Versammlungen spielte und daß das Fehlen einer starken Zentralgewalt sich vorteilhaft auswirkte. Das Bittschriftenwesen nahm aber im Moskauer Reich einen wichtigen Platz ein (s. Kap. 3), und die Zentralgewalt war nach 1598 eine Zeitlang stark geschwächt — diese beiden Voraussetzungen lagen vor. Als weiteres, auch in Rußland anzutreffendes Phänomen findet in den Arbeiten der Kommission der Umstand Rückhalt, daß auch im Westen nicht immer alle drei Stände vertreten sein mußten; ein Stand allein habe sogar das ganze Land vertreten können.

Freilich, die Kommission stellte auch fest, daß überall die Lokalversammlungen wichtiger als die Reichsversammlungen (Generalstände, Reichstag) waren, die nur selten zusammengerufen wurden.[3]) Eben diese Grundlage fehlte in Moskau. Nur in der Sowjetunion wird behauptet, der Provinzadel habe geschlossene territoriale Korporationen gebildet, die die Wahl der Kommandeure, die Diensternennungen, die Abgabe der Kollektivbittschriften und die Wahl der Vertreter für die Reichsversammlungen vorgenommen hätten.[4]) In Wirklichkeit wurden die Kommandeure von der Zentrale ernannt und Diensternennungen ebenfalls von den Ämtern vorgenommen bzw. zum Teil von den Voevoden verfügt. Kollektivbittschriften des Adels wurden meist in der Hauptstadt verfaßt, also nicht auf der Basis eines starken Indigenats, und sie erfolgten ebenso

---

[1]) Hintze, Staatenbildung und Verfassungsentwicklung, SS. 26, 31 u. 33.

[2]) Hoetzsch, Staatenbildung, SS. 6 u. 21. Hoetzsch behauptete gegenüber Hintze, auch in Rußland habe es den Dualismus zwischen Kirche und Staat ebenso wie eine Gruppe rivalisierender Staaten (!) gegeben (ebenda, S. 19).

[3]) Cam/Marongiu, SS. 8 f., 13 u. 15.

[4]) So neuerdings Ju.A. Tichonov in: Istorija, Bd. 2, S. 305.

sporadisch wie die Wahlen zu Reichsversammlungen, die ebenfalls meist in Moskau selbst vorgenommen wurden (s.u.). Wenn Wahlen in der Provinz stattfanden, etwa für bestimmte Ämter (Heerbeauftragter, Gerichtsbezirksältester usw.), wurden, soweit ersichtlich, andere politische Fragen nicht besprochen, ganz abgesehen davon, daß die Beteiligung der Dienstleute mehr als zu wünschen übrigließ. Diesen Eindruck vermitteln jedenfalls die noch zu besprechenden Wahlberichte von Reichsversammlungswahlen. Abgesehen von den Versammlungen der Einwohner mehrerer Städte während der Smuta, verdient eigentlich nur eine Lokalversammlung im Vergleich mit Provinziallandtagen genannt zu werden. 1621 wurde dem Voevoden von Novgorod befohlen, eine Beratung mit der dortigen Geistlichkeit und den übrigen sozialen Gruppen wegen des drohenden Krieges mit Polen-Litauen abzuhalten.[1] Auch wenn solch ein wiederbelebtes „veče" vielleicht gleichzeitig noch in anderen Städten stattgefunden hat, blieb es doch für eine spezielle Frage von oben angeordnet und vor allem ein einmaliger Fall.

Daß die jahrzehntelange Beschäftigung mit der Reichsversammlung keine befriedigenden Ergebnisse gezeitigt hat, liegt also wohl an der Sinnlosigkeit eines Vergleichs ihrer äußeren Formen mit denen anderer Länder, selbst des Vergleichs der inneren Organisation und der Aufgaben. Entscheidend kann allein das Kräfteverhältnis zwischen sozialen Gruppen (im Westen: Ständen) und dem Herrscher sein. So wurde oft darauf hingewiesen, daß auch die Ständevertretungen von den Fürsten einberufen wurden. Doch was besagt, abgesehen davon, daß die Stände das *Recht* zur Selbstversammlung hatten, diese Übereinstimmung mit Moskau angesichts des Kampfes der geeinten Stände gegen die Fürsten, der für die anderen Länder charakteristisch ist?[2] Für einen solchen Kampf lassen sich im Moskauer Reich nur 1648/49 schwach vergleichbare Spuren feststellen. Dies war, abgesehen von der Smuta, zugleich auch der einzige Fall, wo eine Versammlung auf Grund einer Initiative der Bevölkerung einberufen wurde. Ansonsten lag immer das Bedürfnis der Zaren vor, für schwerwiegende Entscheidungen Informanten und Berater über den Kreis von Bojarenduma und Synode hinaus zu konsultieren. Die Versammlungen nahmen diese Gelegenheiten wahr — wie hier gezeigt werden soll —, dann allerdings auch ihre eigenen Interessen und Bedürfnisse vorzutragen und zum Teil durchzusetzen, aber für ihren Geist ist nicht die Ebenbürtigkeit mit dem Herrscher, sondern die Unterordnung

---

[1] Knigi razrjadnyja, Bd. 1, S. 837.
[2] Ditjatin, Rol', S. 295.

bezeichnend. Rußland ist trotz seiner angeblich „demokratischen" veče-Tradition und trotz der Erfahrung einer angeblich alten Selbstverwaltung und eines tatsächlich alten Bittschriftenrechts einen anderen Weg gegangen als das übrige Europa, weil die Autokratie im Nordosten des Landes von Anfang an ein großes Übergewicht über andere Elemente besaß und weil — ähnlich wie in Friesland und anderen Gebieten Norddeutschlands — eine politische Oberschicht, eine Aristokratie fehlte, die die Führung der Kräfte gegen den Herrscher hätte übernehmen können.[1]

Für die Zeit vor der Smuta kann von irgendwelchem Eigenleben der Versammlungen ohnehin keine Rede sein. Ključevskijs Annahme, es habe sich im 16. Jahrhundert lediglich um Versammlungen zarischer Agenten und nicht gewählter Vertreter gehandelt, ist trotz sowjetischer Bemühungen noch nicht widerlegt worden.[2] Auch wenn in den Quellen die „Gewählten aus der Provinz" (vybornye iz gorodov) als Teilnehmer genannt werden, sind damit doch nicht gewählte Vertreter gemeint, sondern die unter der Bezeichnung „auserwählte" oder auch „beste Leute" bekannten führenden Dienstleute, aus denen sich im 17. Jahrhundert die Gruppe der zeitweise in Moskau dienenden „ausgewählten Adligen" (vybornye dvorjane) oder die „Auswahl" (vybor) entwickelte. Insofern besteht kein Grund, die Versammlungen erst mit 1547 oder 1549 beginnen zu lassen. Man kann durchaus diejenige vom Frühjahr 1471 hinzurechnen, als Ivan III. vor dem Feldzug gegen Novgorod mit den weltlichen und geistlichen Würdenträgern und allen seinen Kriegern, wie es in der Chronik heißt, „nicht wenig nachdachte".[3] Das Kriterium kann ja nicht sein, ob die in Moskau anwesenden Dienstleute aus der Provinz s t a m m t e n — das war ohnehin meist der Fall —, sondern ob sie in ihrer Eigenschaft als Krieger in Moskau waren und mitberieten oder ob sie in ihrer Eigenschaft als Dienstgutsbesitzer in den Städten speziell für eine Versammlung gewählt wurden, wie es im 17. Jahrhundert machmal geschah. Die ersten Wahlen fanden erst 1598 statt, obwohl schon 1566 offenbar auch Handelsleute teilnahmen. Von den 512 Teilnehmern der Zarenwahl im Jahre 1598 waren allerdings nur 34 gewählt, so daß auch hier die meisten Städte durch ohnehin in Moskau anwesende Dienstleute „vertreten" waren.[4] Weil der beispiellose Vorgang einer Zarenwahl „Vollständigkeit" verlangte, wurde das aus der Lokalverwaltung vertraute Wahlprinzip auf die Reichsebene übertragen, ohne bereits

---

[1]) Latkin, Zemskie sobory, S. 402 ff.
[2]) Ključevskij, Kurs, Bd. 3, S. 84; Čerepnin, Zemskie sobory, S. 96 ff.
[3]) PSRL, Bd. 25, S. 286.
[4]) Ključevskij, Sostav, S. 60 ff.

hervorragende Bedeutung zu erlangen. Erst in der nachfolgenden Zeit der „Wirren", als die Zentralregierung teils unglaubwürdig, teils schwach oder gar nicht existent war, wurden die Wahlen zum beherrschenden Element im politischen Leben der Hauptstadt. Der literarisch tätige Sekretär im Amt der „Großen Einnahme" (bol'šoj prichod), Ivan Timofeev, sprach Vasilij Šujskij sogar das Zarenmandat ab, weil dieser „ohne den allgemeinen Volksrat der Städte ganz Rußlands" (bez obščago vsea Rusii gradov ljudckago sověta) regiere.[1]

Das heißt nicht, daß zu den verschiedenen, sich während der Interregnen konstituierenden Versammlungen aus dem ganzen Land gewählte Vertreter entsandt wurden. Die wilden Zeitläufte widersetzten sich einer solchen makellosen Ordnung. Aber das Wahlprinzip wurde Teil der Reichsverfassung, 1. indem verschiedene Zaren gewählt wurden, 2. weil die während der Interregnen regierenden Führungsgruppen wiederholt versuchten, Abgeordnete aus der Provinz nach Moskau kommen zu lassen, und 3. durch die Teilnahme auch des nicht delegierten „Volkes" an diversen Entscheidungen, zum Beispiel der an eine Wahlverfassung gewöhnten Kosaken. Die so zustande gekommenen Versammlungen der Smuta tragen in den Quellen neben der allgemeinen, Anspruch und Ansporn zugleich ausdrückenden Bezeichnung „das ganze Land" (vsja zemlja), die seit Anfang 1611 üblich wurde, unterschiedliche Namen: „Rat des (ganzen) Landes" (sovet (vseja) zemli), „Rat des ganzen Staates" (sovet vsego gosudarstva) (seit Mitte 1611), „Allgemeiner Landes- bzw. Reichsrat" (obščij zemskij sovet) oder auch nur „Rat" oder „Reichsrat", „Rat aller Gemeinden" (vsemirnyj sovet), „Versammlung des ganzen Volkes" (vsenarodnoe sobranie).[2] Timofeev forderte eine „Versammlung vieler Menschen" (mnogoljudnoe sobranie lik) gegen die herrschende Bojarengruppe.[3] Und wie schon erwähnt, taucht in der Władysław von Polen vorgelegten Wahlkapitulation vom 17. (27.) Aug. 1610 auch einmal der Ausdruck „Duma des ganzen Landes" auf, jedoch nur in Verbindung mit der Bojarenduma.[4] Am häufigsten war jedoch die umfängliche Aufzählung aller beteiligten Gruppen anstelle der Nennung einer Gesamt-

---

[1] Timofeev, S. 100. Dies stimmte nicht ganz, denn Šujskij wandte sich 1608 an das ganze Land um Hilfe gegen die Tušincy. Für Platonov stellte daher dieses Jahr den Beginn einer Beteiligung der Gesellschaft an den Regierungsgeschäften dar. Die Verwirklichung des Planes scheiterte vorerst nur an der politischen Lage (Platonov, „Vsja zemlja", S. 221 ff.).

[2] SGGD, Bd. 2, Nr. 200 u. 228; AI, Bd. 2, Nr. 329.

[3] Timofeev, S. 161.

[4] SGGD, Bd. 2, Nr. 200.

bezeichnung der Versammlung. Das mag Ausdruck eines Mangels an abstrakter Diktion gewesen sein, ist wohl hauptsächlich aber dem Wunsch nach einer möglichst breiten sichtbaren Legitimierung der Versammlungen zuzuschreiben. So heißt es etwa in dem eben genannten Dokument: „Nach dem Segen und Ratsschluß des allerheiligsten Hermogenes, des Patriarchen von Moskau und ganz Rußland, und der Metropoliten, Erzbischöfe, Bischöfe, Archimandriten, Äbte sowie der ganzen heiligen Synode und nach Beschluß der Bojaren, Bojaren minderen Ranges (okol'ničie; eigentlich: die den Zaren Umgebenden), Dumaadligen und Dumasekretäre, Truchsesse, (Moskauer) Adligen, Haushofmeister, Residenzadligen, Provinzadligen, Strelitzen-Hauptleute, aller Amtsleute, Bojarenkinder, Großkaufleute, Handelsleute, Strelitzen, Kosaken, Kanoniere sowie aller Gruppen der Dienstleute und der Einwohner (žileckie ljudi) des großen Moskauer Staates…" Solche Aufzählungen waren auch in späterer Zeit in etwas verkürzter Form immer üblich, ebenso der Ausdruck „das ganze Land", der schon in früherer Zeit in den Chroniken gebraucht wurde, wenn auch nur als territoriale, nicht schon als personale Vereinigung. In der unruhigen Zeit von 1610 bis 1613, als es nicht möglich war, Delegierte aus jedem Winkel des Reiches nach Moskau zu bekommen, mußten solche rhetorischen Hilfskonstruktionen besonders populär sein. Will man aus den übrigen Termini einen allgemeingültigeren feststellen, so fällt das Wort „Rat" (sovet) ins Auge, wohingegen das vor und nach der Smuta gebräuchliche Wort für Versammlung, nämlich sobor, nicht vorkommt. In der Tat handelte es sich ja nicht um die nur Informationen gebenden (s.u.), von einem Zaren einberufenen Reichsversammlungen, sondern sozusagen um Versammlungen höherer Qualität, um „konstituierende" Versammlungen, die in der herrscherlosen Zeit als Exekutivorgane der Aufgebote und der Kosaken selbst die oberste Regierungsgewalt ausübten.

Bei dieser Unterscheidung des Reichsrats (zemskij sovet) vom sogenannten zemskij sobor stellt die Bedeutung bzw. Übersetzung des Begriffes „zemskij" ein besonderes Problem dar. Zu Beginn des 2. Kapitels wurde bereits mitgeteilt, daß aus den Quellen der Jahre 1611 bis 1613 der Übergang des Ausdrucks „zemskie i ratnye dela" zu „gosudarevy i zemskie dela" herauszulesen ist und daß ebenso die „ratnye" bzw. „gosudarevy služilye ljudi" den „zemskie ljudi" gegenüberstehen. Damit war einmal der Übergang vom herrscherlosen Zustand zum zarischen Regiment (gosudarev) angezeigt und zum andern der gesellschaftliche Bereich vom staatlichen bzw. militärdienstlichen (und zunehmend auch zivildienstlichen) abgegrenzt. Entsprechend wurden in den Ausführungen über die Lokalverwaltung gosudar' und Zemlja gegenüber-gestellt. Wenn aber in der Smuta von „vsja zemlja" die Rede ist, so war damit offenbar nicht nur die in den Gemeinden tätige „Gesellschaft" gemeint, sondern auch das an der politischen Willensbildung wesentlich beteiligte Heer. Nach Platonov bestand der Reichsrat von 1611 unter Ljapunov sogar ausschließlich aus Dienstleuten, die sich „vsja zemlja" nannten, weil sie eben für das ganze Land handelten.[1]) Das Wort „zem-lja" besitzt also wie das deutsche „Land" mehrere Bedeutungen. Im Deutschen kann u.a. das ganze Reich oder Volk damit gemeint sein, aber auch die ständische Landschaft (cf. Landrat, Landgericht). Der letzteren Bedeutung würde in Moskau das hier gebrauchte Begriffsfeld der Zemlja entsprechen (cf. zemskij starosta), ohne daß damit gesagt werden soll, die Zemlja sei mit dem germanischen „Land", d.h. einem Gerichtsgebiet mit Landesgemeinde und Landrecht,[2]) identisch gewesen. Dagegen soll der Begriff „zemlja", der während des Interregnums an die Stelle des Herr-schers trat und der, den ganzen Staat bezeichnend, zum erstenmal im Jahre 945 im Freundschaftsvertrag mit den Griechen auftauchte,[3]) zur besseren Unterscheidung in Zusammensetzungen mit „Reich" übersetzt werden. Der zemskij sovet ist daher ein „Reichsrat"; er faßte „Reichs-beschlüsse" (zemskie prigovory), zum Beispiel das politische Programm des sogenannten ersten Aufgebots vom 22. Juli 1611.[4]) Konsequenter-weise dienten die Adligen und Bojarenkinder während der Smuta im „Reichsdienst" (zemskaja služba) (§ 13 des genannten Reichsbeschlusses) statt wie sonst im Herrscherdienst (gosudareva služba). Dieser Dienst war natürlich keineswegs mit dem Dienst in der Lokalverwaltung, etwa als Landältester, identisch. Ende 1612, um noch ein Beispiel zu nennen, luden Požarskij und das sogenannte zweite Aufgebot die Bevölkerung brieflich zum „großen Reichsrat" (velikij zemskij sovet), damit ein neuer Zar gewählt werden könne.[5])

---

[1]) Platonov, „Vsja zemlja", S. 227 f.

[2]) Brunner, S. 440.

[3]) PSRL, Bd. 1, Sp. 47.

[4]) Chrestomatija, S. 328 ff. Auch die Ausländer faßten es so auf: Jören Brynno, der livländische Adlige in schwedischen Diensten, berichtete seinem Heerführer De la Gardie am 14. Febr. 1613 vom „Ryckzdagh eller samquemdh" (Reichstag oder Zusammenkunft) oder auch vom „Herredagh" (Herrentag) in Moskau (Zamjatin, K istorii, SS. 71 u. 73).

[5]) Zimin, Akty, S. 187 ff.; auch Chrestomatija, S. 350 ff. Die vor der Zarenwahl abgefaßte Bittschrift eines Bauern an den Reichsrat, in der um eine gerichtliche Ent-scheidung im Streitfall mit anderen Bauern aus dem Kreis Uglič gebeten wurde, ist terminologisch höchst aufschlußreich. Er wandte sich an die „Bojaren, Voevoden

Wenn immer das Attribut „zemskij" in den Quellen vorkommt, gilt es daher sorgfältig festzustellen, zu welcher Sphäre der damit verbundene Begriff gehört: zur lokalen (gesellschaftlichen) oder zur gesamtstaatlichen. Die Übersetzung „Reichsrat" gilt natürlich entsprechend für das Kunstwort „zemskij sobor", also Reichsversammlung. Es ist des Nachdenkens wert, warum es zwar das Wort „zemskij sovet" gab, nicht aber den „zemskij sobor". Am 21. Febr. 1613 wurde Michail Fedorovič Romanov vom Reichsrat endgültig zum Zaren gewählt (s.u.). Am 27. Februar schickten die Wähler die Nachricht an den Voevoden von Bolchov und das Dienstlistenamt ein Memoire an das Vladimirer Viertel; in beiden Dokumenten ist bereits von „sobor", Versammlung, die Rede.[1] Der „Reichsrat" verschwand aus den Quellen, weil seine höhere Qualität mit der Existenz eines Herrschers unvereinbar war; die Wortfamilie „raten" blieb, wie vor der Sumta, wieder ausschließlich den Beziehungen von Synode und Zar vorbehalten.[2] Mit dem Wort „Reichsrat" verschwanden aber auch die „vsja zemlja" und ihre Wortzusammensetzungen. Das Attribut „zemskij" blieb in Zukunft allein auf die lokale Sphäre beschränkt, auf die Tätigkeit der Zemlja-Leute. Bei Otto Brunner kann man nachlesen, daß die deutschen Stände in der Frühzeit nicht das Land repräsentierten, sondern sich als das Land, die Landschaft, betrachteten und erst später vom Fürsten das Recht der Vertretung erreichten.[3] Im Moskauer Rußland ist die Zemlja nie in dieses zweite Stadium gelangt. Ihre Abgeordneten vertraten, wie noch zu zeigen sein wird, auf den Versammlungen im allgemeinen nur ihre eigenen Interessen, so wie die Krieger und Amtsleute oder die Geistlichkeit jeweils die ihrigen vertraten. Nur 1648/49 kam es nach rund einem Jahrzehnt der Vorbereitung zu der erstaunlichen gegenseitigen Hilfe, aber niemals trat natürlich „das ganze Land" wieder als Souverän auf. Von daher wird klar, warum

---

und das ganze Reich", die er zusammen mit „Herrscher" (gosudari) anredete, und verlangte ihr „herrscherliches Reichsgericht" (gosudarev zemskoj sud) (PRP, Bd. 5, S. 139). Alte und neue oberste Gewalt wurden hier vermischt.

[1] Veselovskij, Akty, Nr. 106 f. Einen anderen Hinweis auf die niedere Qualität von sobor gegenüber sovet enthält das Schreiben des Reichsrats vom 25. Febr. 1613 an die Städte, worin die vollzogene Wahl mit dem Kommentar gemeldet wurde, es habe „viele ‚sobory' gegeben", um den Zaren zu wählen, also etwa: Zusammenkünfte (SGGD, Bd. 3, Nr. 4).

[2] In dem mehrere Wochen n a c h der Wahl verfaßten Protokoll der Versammlung (Utverždennaja gramota) (s.u.) ist teils von sovet und teils von sobor die Rede. Diese terminologische Ungenauigkeit ist darauf zurückzuführen, daß zum großen Teil aus dem Protokoll von 1598 abgeschrieben wurde.

[3] Brunner, S. 423.

der von Aksakov erfundene Terminus „zemskij sobor" nicht der tatsächlichen rechtlichen Qualität der Versammlungen entspricht. Er hat außerdem insofern Verwirrung angerichtet, als er den Schluß nahelegt, die Teilnehmer hätten sich aus Synode, Duma und „zemskie ljudi", den Zemlja-Leuten, zusammengesetzt. In den meisten Fällen waren aber nicht die Zemlja-Vertreter, sondern die ohnehin in Moskau anwesenden Krieger und Beamten beteiligt, d.h. das staatliche überwog gegenüber dem gesellschaftlichen Element bei weitem. Dieser Irrtum hat zu einer Überschätzung der „ständischen" Kraft der Versammlungen geführt, während doch die Beratungen immer „Angelegenheiten des Herrschers und der Zemlja" genannt wurden, so daß als Kunstwort höchstens „gosudarev i zemskij sobor" angebracht wäre. Zumindest haben die Forscher, die die Anwesenheit der staatlichen Agenten objektiv schilderten, diese den Zemlja-Leuten zugerechnet. Platonov spricht zum Beispiel von „gewählten Zemlja-Vertretern des Dienst- und Steuerstandes".[1]) Doch kann eine solche Formulierung nur für die Smuta gelten. wobei „zemlja" dann das ganze Reich meint. Mit der Wahl des neuen Zaren traten die Dienstleute wieder in die staatliche Sphäre zurück. Sie waren, wie mehrfach gesagt, auf Grund ihrer Dienststellung bereits in der Hauptstadt und wählten am ersten Tag einer Versammlung dort ihre Vertreter, weil meist nicht alle Krieger an den Beratungen teilnehmen konnten.

Wenn trotz dieser Einwände das Wort „Reichsversammlung" hier beibehalten wird, dann nur, weil es sich als „zemskij sobor" in der Wissenschaft eingebürgert hat. Obwohl „Landesversammlung" aus den erwähnten Gründen abzulehnen ist,[2]) ist freilich auch „Reichsversamm-

---

[1]) Platonov, „Vsja zemlja", S. 229. Auch Kločkov sah alle Teilnehmer außer der Geistlichkeit und der Duma als Zemlja-Leute an (Kločkov, S. 6). Vgl. auch Platonov, K istorii, S. 315, u. Zaozerskij, K voprosu, S. 333 f.

[2]) Eine willkürliche Stichprobe zur Übersetzung von zemskij sobor in der deutschen Forschung ergibt folgendes Bild: Landtag (Th. H. Pantenius, Geschichte Rußlands von der Entstehung des russischen Reiches bis zur Zeit vor dem Weltkriege, Leipzig 1917); Ständerat (H.-J. Mette, Russische Geschichte vornehmlich des 19. und 20. Jahrhunderts, Bonn 1949); Landessobor (O. Hoetzsch, Grundzüge der Geschichte Rußlands, Stuttgart 1949); Landesversammlung (I. (Neander, Grundzüge der russischen Geschichte, Darmstadt 1958, und G. Stökl, Russische Geschichte von den Anfängen bis zur Gegenwart, 1. Aufl., Stuttgart 1962, sowie M. Braun, Der Aufstieg Rußlands vom Wikingerstaat zur europäischen Großmacht, Leipzig 1940); Reichsversammlung (H. Fleischhacker, Staats- und völkerrechtliche Grundlagen der moskauischen Außenpolitik, Breslau 1938, und C. Goehrke in „Rußland" = Fischer-Weltgeschichte, Band 31, Frankfurt 1972, sowie in der Form „national assembly" bei W. Philipp in „The New Cambridge Modern History", Band 5, Cambridge 1961).

lung" keine ideale Übersetzung, denn dem Begriff „Reich" entspricht in
den Quellen eher das Wort „carstvo" (Zartum). Am besten wäre, dem
zeitgenössischen Gebrauch entsprechend, der Ausdruck „Versammlungen" oder, um sie in der Hauptstadt zu lokalisieren, „Moskauer Versammlungen". Mit diesem Begriff wurde dieses Kapitel auch noch aus
einem anderen Grunde überschrieben. Nur aus unserer Sicht, nicht aber
grundsätzlich und nach Meinung der Zeitgenossen bestand ein Unterschied zwischen den Reichsversammlungen mit Beteiligung mehrerer
sozialer Gruppen und den Befragungen einer einzigen Gruppe durch die
Regierung, die gemeinhin als „Kommissionen" bezeichnet werden (s.o.).
Beide heißen in den Quellen „sobor", beide dienten dem gleichen Zweck,
die Regierung zu informieren. Für die Einschätzung der Bedeutung der
Versammlungen ist der in der Literatur geführte Streit darüber, was
als Kommission oder was als Reichsversammlung bzw. als unvollständige
oder vollständige Versammlung zu gelten habe, durchaus nutzlos gewessen.

Überblickt man die Entwicklung der Reichsversammlungen, so läßt
sich mit Platonov feststellen, daß auf die erste Phase der „Beamten"-
beratungen des 16. Jahrhunderts während und nach der Smuta das
Stadium der gesellschaftlichen Mitbestimmung folgte und schließlich
1648/49 sogar oppositionelle Regungen vorkamen. Stimmt es aber, daß
„die Moskauer Staatsordnung, aus der das neue Rußland seine Grundlage herleitet, nach der Schrecken erregenden Smuta vom Anfang des
17. Jahrhunderts vor allem (!) durch die Autorität der Reichsversammlung geschaffen und gefestigt wurde"?[1]) Die Versammlungen wären doch
wohl kaum so ruhmlos untergegangen, wenn den gesellschaftlichen
Kräften vor Peter dem Großen mehr Gewicht als der Autokratie zugekommen wäre. Zur Klärung dieser Frage sollen nun nacheinander die
Wahlen, ein eventuelles Mandat und die Organisation der Versammlungen und schließlich chronologisch die einzelnen Versammlungen selbst
untersucht werden. Eine Einteilung nach sachlichen Gesichtspunkten ist
nur mit Überschneidungen denkbar: Auf allen Versammlungen außer
1618, 1648 und 1650 wurden Finanzfragen behandelt; 1613, 1645 und
1682 fanden Zarenwahlen oder -akklamationen statt; 1618, 1621, 1632,
1634, 1637, 1639, 1642, 1648 und 1651 bis 1653 standen außenpolitische
Entscheidungen zur Debatte; 1648/49 wurde über das neue Gesetzbuch
beraten, und andere innenpolitische Themen beherrschten die Versammlungen von 1616, 1632/33 und 1650. Einer anderen Art der Einteilung

---

[1]) Platonov, K istorii, S. 337 f.

kann man die WAHLEN zugrunde legen, soweit sie uns bekannt geworden sind. Dabei ergibt sich, daß die Versammlungen von 1618, 1619, 1632, 1634, 1639 und 1642 ohne Wahlen einberufen wurden, ebenso wohl auch die meisten Beratungen der Regierung mit einer einzigen sozialen Gruppe. In diesen letztgenannten Fällen spielte jedoch das Wahlelement insofern eine Rolle, als von den Gemeinden — meist den Moskauer Bezirken — die ohnehin gewählten Funktionäre der Lokalverwaltung entsandt wurden.

Anläßlich der Dreihundertjahrfeier der Angliederung der Ukraine an das Moskauer Reich erklärte das ZK der KPdSU 1954: „Die Entscheidung der Reichsversammlung war der Ausdruck des Willens und des Wunsches des ganzen russischen Volkes ..."[1] Daß tatsächlich „das ganze Volk" 1653 oder auf einer anderen Reichsversammlung durch Abgeordnete vertreten worden sei, behaupten demgegenüber die sowjetischen Historiker nicht. In der Wirklichkeit des 17. Jahrhunderts fehlte der unfreie Teil der Bevölkerung sowieso, und Bauern waren offiziell überhaupt nur 1613 und 1682 anwesend. Darüber hinaus konnten oft wegen der großen Eile nicht einmal alle Städte eingeladen werden, und bei weitem nicht alle eingeladenen Städte schickten auch Vertreter. Die sibirischen Städte wurden zum Beispiel nur 1613 eingeladen, ließen aber nichts von sich hören. Der Ausweg, daß eine Vertretung delegiert wurde, daß also eine soziale Gruppe sich durch eine andere mitvertreten ließ, war offenbar nur für die als „Kreisleute" bekannten „schwarzen" Bauern gegeben, die von den Städtern ihres Kreises vertreten wurden oder sogar als Abgeordnete der Stadtleute an den Versammlungen (z.B. 1648/49) teilnahmen.[2] Es wurde also immer nur relative Vollständigkeit erreicht, die, wie oben ausgeführt, den Zeitgenossen allerdings genügte. Zwar forderte die Regierung einerseits stärker besiedelte Orte auf, mehr Abgeordnete zu schicken als kleinere Ortschaften, aber andererseits glaubte sie an die Vertretung des ganzen Landes durch eine einzelne Gruppe oder einen Ort. Deshalb sprach oft die Moskauer Bevölkerung für die Gesamtbevölkerung, und nachdem Michail Fedorovič 1617 dem englischen Kaufmann Merrick mitgeteilt hatte, eine so wichtige Frage wie der Ausländerhandel (s. Kap. 3) könne „nicht ohne Ratschlag von seiten des ganzen Reiches entschieden werden", wurden doch nur die Handelsleute zur Beratung eingeladen. Auch die Dienstleute sprachen in ihren Kollektivbittschriften oft im Namen des ganzen Landes (s.

---

[1]) Tezisy, S. 10.

[2]) Vgl. dazu die Bittschrift eines Bauern aus Cholmogory (Got'e, Nr. 18).

ebenfalls Kap. 3).[1]) Von der rhetorischen Figur dieses Ausdrucks einmal abgesehen, beruhte die dahinterstehende Fiktion insbesondere bei der Regierung offenbar vor allem darauf, daß eine bestimmte Bevölkerungsgruppe überall im Lande unter den gleichen Bedingungen lebte, also auch für alle sprechen konnte. So mangelhaft war die Kenntnis der Provinz im 17. Jahrhundert (und übrigens auch noch sehr viel später) in Rußland.

Daß einige Gruppen nicht oder nur selten eingeladen wurden — die weiße Geistlichkeit nahm zum Beispiel nur 1619 teil —, hängt mit den Beratungsgegenständen zusammen. Sie betrafen in der Regel nur die engeren Interessen des Dienstes und des Steuerwesens. Da Synode und Duma ex officio vertreten und die mittleren Dienstleute zum Teil bereits in Moskau anwesend waren, beschränkten sich die Wahlen in der Provinz auf einen Teil der mittleren und die unteren Dienstleute sowie auf die Steuerzahler, also auf jene Bevölkerungsteile, die zum Teil in der Lokalverwaltung ohnehin Wahlen durchführten. Es ist klar, daß die Zemlja dabei das entscheidende Element in der Beurteilung der Versammlungen darstellt, denn ohne ihre Beteiligung hätte es sich nur um Fortsetzungen der „Beamtenberatungen" des 16. Jahrhunderts gehandelt. Ključevskij, der diese letztgenannten Versammlungen in ihrer Beschränkung richtig charakterisierte, sah andererseits die Versammlungen des 17. Jahrhunderts überschwenglich als Volksvertretungen an. Bei dieser Prämisse erschien es ihm dann als ein Widerspruch, daß sie gerade zu der Zeit Bedeutung gewannen, als die Selbstverwaltung Ivans IV. unterging und als 85 % der Landbevölkerung mehr und mehr an Freiheit verloren.[2]) In der Tat können staatlich dirigierte Wähler keine freien Abgeordneten delegieren, aber dieser Anspruch ist für das Moskauer Reich viel zu hoch gegriffen. Der Widerspruch löst sich auf, wenn man seine Maßstäbe heruntersetzt: In der Provinz hielt sich nicht die mehr oder weniger selbständige Selbstverwaltung, wohl aber das Wahlprinzip, und die Reichsversammlungen waren keine Volksvertretungen, sondern Meinungsforen zum Zwecke der Erleichterung der Regierungsarbeit durch Beteiligung der Gesellschaft.

Die überkommenen Quellen zu den Wahlen sind sehr lückenhaft,

---

[1]) Zusätzlich zu den in Kapitel 3 erwähnten Beispielen sei noch auf die Kollektivbittschrift verwiesen, die die an der Uloženie-Versammlung teilnehmenden Dienstleute am 13. Jan. 1649 zu Fragen der Wehrpflicht einreichten und in der sie sich „gewählte Adlige des ganzen Landes" nannten (Nikol'skij, Zemskij sobor, S. 49 f.). Vgl. zum ganzen Thema auch Avaliani, Zemskie sobory, S. 29 f., u. Latkin, Zemskie sobory, S. 258 ff.

[2]) Ključevskij, Kurs, Bd. 3, S. 202 f.

vermitteln aber wenigstens einen allgemeinen Eindruck. Zunächst schickte das Dienstlistenamt im Namen des Zaren das Einberufungsschreiben (prizyvnaja gramota) an die Voevoden oder andere führende Provinzbeamte. Nicht immer bildete eine Stadt mit ihrem dazugehörigen Kreis (uezd) einen Wahlkreis. Moskau, Novgorod und Perejaslavl'-Rjazanskij zerfielen in kleinere Wahleinheiten — Novgorod zum Beispiel in die Fünftel. In Moskau wählten die einzelnen Ränge, also die Truchsesse, Moskauer Adligen, Residenzadligen usw., getrennt. In Jaroslavl' und Murom wählten die Dienstleute in zwei Hälften. Ebenso zerfiel der Kreis Putivl' hinsichtlich der Dienstleute in zwei und zeitweise in drei Wahlbezirke, während 1653 wiederum alle gemeinsam zwei Abgeordnete wählten. Ähnlich unbestimmt waren die Verhältnisse in Kaluga und anderswo. Es gibt keine Anzeichen, daß das Dienstlistenamt in der zweiten Jahrhunderthälfte in bezug auf die Adligen eine Vereinheitlichung angestrebt hätte.[1] Ansonsten wählten nie zwei verschiedene Bevölkerungsgruppen oder gar eine ganze Gemeinde gemeinsam. Ein solches Vorgehen hätte dem Wesen einer Interessenvertretung widersprochen. Die Regierung differenzierte nach Dienstleuten, Stadtleuten und eventuell anderen Gruppen, wobei wiederum festgestellt werden muß, daß sie vom Zustand der Provinz schlecht unterrichtet war. Sie wußte weder, mit wieviel Vertretern aus einer bestimmten Gegend zu rechnen war, noch manchmal sogar, ob überhaupt genügend Angehörige dieser oder jener Gruppe dort wohnten. Allerdings kam nur in einer Minderzahl der Fälle eine ausreichende Vertretung aus quantitativen Gründen oder wegen zu kurzfristiger Einladung nicht zustande, — meist stand die Lustlosigkeit der Bevölkerung im Hintergrund. Der Voevode machte den Aufruf an Markttagen mehrmals öffentlich bekannt und war gehalten, die Einzelheiten des Wahlvorgangs darüber hinaus in der Hauptkirche, in seinem Verwaltungsgebäude oder bei irgendwelchen Versammlungsgelegenheiten zu erklären. Schließlich wurden die Voevoden sogar aufgefordert, jeden Wähler einzeln zu benachrichtigen, was sich in den Städten leicht bewerkstelligen ließ, aber gerade bei den verstreut lebenden Adligen schwierig war. In einzelnen Fällen sind offenbar die Wähler mit Waffengewalt zur Wahl beordert worden. Die von Zimin, Gautier, Latkin und Avaliani veröffentlichten Dokumente sprechen eine beredte Sprache.[2]

Daß die Einladungen zur Zarenwahl von 1613 von der Bevölkerung

---

[1] Nikol'skij, Zemskij sobor, S. 22 f. Zum Thema der Wahlen vgl. auch Latkin, Zemskie sobory, S. 269, u. vor allem Kabanov, Organizacija, SS. 93 f. u. 105 f.

[2] Zimin, Akty; Got'e; Latkin, Materialy; Avaliani, O predstavitel'stvě.

zum Teil nicht ernst genug genommen wurden, läßt sich leicht damit erklären, daß hinter ihnen eben kein zarischer Befehl stand, sondern eher eine Bitte, und daß die diesbezügliche Traditon fehlte. Obwohl die Vorbereitungen für die ursprünglich auf den 6. Dez. 1612 angesetzte Wahl bereits seit Anfang November liefen, beklagten sich Trubeckoj und Požarskij noch in ihrem Schreiben vom 31. Dezember an den Voevoden N.M. Puškin von der Dvina bitter, daß die früheren Aufforderungen, Abgeordnete zu schicken, bisher nicht befolgt worden seien. Wenn nun weiterhin niemand geschickt werde, „dann scheint es uns allen, daß ihr einen Moskauer Staat und einen Herrscher in diesem Moskauer Staat nicht braucht".[1]) Doch waren dieser und die anderen Voevoden sicherlich an der Verzögerung nicht schuld; sie hatten selbst früher immer wieder die Herrscherwahl gefordert. Wohl aber zeigte die Zemlja (im Norden gab es keine Dienstleute) nicht den Eifer (raden'e) gegenüber den Kriegern, den Trubeckoj und Požarskij zum Beispiel in einem anderen Brief vom 11. November nach Sol' Vyčegodsk gefordert hatten. Noch nach vollzogener Wahl beschwerte sich die Versammlung in einem Schreiben vom 25. Febr. 1613, daß aus Pošechon'e und Archangel'sk niemand gekommen war.[2]) Aber diese Wahlversammlung ist als Mischung aus Reichsrat und Reichsversammlung, wie gesagt, nicht typisch. Viel bezeichnender ist, daß auch Michail Fedorovič am 12. Jan. 1616 den Voevoden von Perm' Velikaja mahnen mußte, weil die geforderten drei Stadtleute noch nicht in der Hauptstadt erschienen waren.[3])

Sehr aufschlußreich für die Wahlabläufe sind die Antwortschreiben (otpiski) der Voevoden, die diese zusammen mit dem Wahlprotokoll (vybor) nach Moskau schickten. Ein solcher Brief ist von Ende 1636 aus Galič erhalten. Am 3. Dezember hatte das Dienstlistenamt den dortigen Voevoden aufgefordert, die Adligen durch Kanoniere (puškari) und Festungsschützen (zatinščiki) zur Wahl von sechs Vertretern am 15. des Monats in die Stadt zu laden. Der Voevode schrieb, es seien nur wenige, nur zwanzig gekommen. Die Gewählten würden fristgerecht zu Weihnachten in Moskau sein. Dazu muß man wissen, daß es 1635 im ganzen Kreis 454 Dienstleute gab, d.h. nur 4,4% nahmen an der Wahl teil.[4]) Natürlich waren die Verhältnisse in verschiedenen Gegenden unterschiedlich, wie die erhaltenen Quellen zu 1648/49 zeigen. 1648 kam es vor, daß aus einigen Städten mehr Abgeordnete geschickt wurden, als gefordert

---

[1]) Zimin, Akty, S. 187 ff.
[2]) Ljubomirov, SS. 237 ff. u. 305 f.
[3]) AAÈ, Bd. 3, Nr. 77.
[4]) Got'e, Nr. 10 f.

worden waren. Doch solcher Eifer blieb die Ausnahme. In Perejaslavl'-Rjazanskij folgten der Aufforderung vom 9. August am 20. des Monats nur elf Dienstleute, die die Wahl mit der Begründung verweigerten, daß sie zu wenige seien. Nach einer Woche kamen noch zehn und im September noch weitere, so daß am 25. September endlich 25 von 1627 dort ansässigen Dienstleuten, also 1,5%, ihre sieben Vertreter wählen konnten. Mindestens acht waren gefordert worden, und die Reichsversammlung hatte am 1. September längst begonnen.[1]) Aus Jaroslavl' meldeten die Voevoden dagegen im August die Wahl von vier Adligen und einem Städter ohne Schwierigkeiten.[2]) Ebenso berichtete der Voevode von Elec über die mit Schreiben vom 13. August angeordnete Wahl von zwei Dienstleuten und einem Städter.[3]) Die Bojarenkinder und Dienstkosaken dieses Ortes richteten jedoch im September eine Klage gegen ihn sowie seinen Strelitzenhauptmann und seinen Schreiber, denen sie Wahlmanipulation und bei dieser Gelegenheit gleich noch andere Vergehen vorwarfen: Der Voevode habe einfach selbst die beiden Kandidaten ausgewählt, die ihnen jedoch gar nicht genehm seien. Dabei fällt auf, daß nicht gegen die selbstherrliche „Wahl" als solche, sondern nur gegen die falschen Abgeordneten Stellung genommen wurde. Diese Gleichgültigkeit gegenüber dem Problem Wahl oder Ernennung ist bereits ebenso aus der Sphäre der Lokalverwaltung bekannt wie die Unlust, ein Amt zu übernehmen. Die Bittschrift der Dienstleute von Elec wurde zudem erst geschrieben, nachdem eine „Verschwörerschrift" unter ihnen kursiert war und der Voevode daraufhin zwei der Anführer hatte ins Gefängnis werfen lassen. Am 13. Oktober kam deshalb aus Moskau zunächst einmal die Anweisung, die Gefangenen freizulassen und die Schrift einzusenden. Es handelte sich dabei um den im 2. Kapitel erwähnten „Eidesbeschluß" von 1646. Der Voevode wurde übrigens nicht abgelöst und mußte — was Wunder! — im Dezember 1648 neue Schwierigkeiten mit den Bojarenkindern melden.[4]) In bezug auf die Wahlen hatte die Klage also über-

---

[1]) Šmelev, S. 492 ff. Zur Wahl der Novgoroder Stadtleute s. Smirnov, O načalě, S. 62 ff.

[2]) Got'e, Nr. 13.

[3]) Ebenda, Nr. 14.

[4]) Ebenda, Nr. 15; Čistjakova, Volnenija, S. 261 ff. Vgl. auch D'jakonov, S. 424. — Übrigens wurden zur Reichsversammlung vom 1. September nicht mehr so viele Vertreter gewählt, weil offenbar die Teilnehmer derjenigen vom 16. Juli 1648 gleich in sie übergingen (s.u.). Smirnov irrte freilich, wenn er meinte, die Übernahme der Teilnehmer der früheren Versammlung in die spätere gehe aus der folgenden Stelle eines Memoires der Odoevskij-Kommission an das Novgoroder Viertel hervor: „Diejenigen Adligen und Bojarenkinder aus den Städten außerhalb Moskaus, die

haupt keine Wirkung gehabt. Das war jedoch nicht immer so. Der Voevode von Krapivna erhielt, nachdem er schon am 31. Jan. 1651 wegen
Verzögerung gemahnt worden war, einen Verweis, weil er die drei (!)
dort vorhandenen Stadtleute nicht ihre zwei Vertreter wählen ließ. Sie
seien, so teilte er mit, Landstreicher und untauglich, und er habe statt
dessen einen Bojarensohn und einen Kanonier „gewählt" — obwohl
natürlich die Dienstleute schon ihre eigenen beiden Vertreter gewählt
hatten.[1]) Freilich, die Regierung griff hier vielleicht nur deswegen ein,
weil das Prinzip der nach Bevölkerungsgruppen getrennten Wahlen
verletzt worden war, nicht das Wahlprinzip schlechthin.

Die Wahlen von 1651 bieten ein nahezu lückenloses Bild von den
Verhältnissen in der Provinz, weil die in der obigen historiographischen
Übersicht erwähnten 47 Antwortschreiben von Voevoden erhalten geblieben sind.[2]) Die Voevoden von Arzamas, Aleksin, Borovsk, Murom,
Ryl'sk, Vladimir und, wie eben erwähnt, Krapivna schrieben ungeniert,
sie hätten die Vertreter selbst ausgewählt (in Murom nur die Stadtleute,
während die Dienstleute selbst wählen durften). Viele Voevoden konnten
Gründe dafür anführen, daß sie die Gewählten oder Ernannten nicht
fristgerecht zum ersten Fastensonntag (19. Februar) nach Moskau schik-
ken konnten oder daß überhaupt niemand gewählt oder ernannt werden
konnte. So hieß es aus Arzamas, der zarische Brief sei zu spät angekommen, und aus Aleksin mußte sich das Dienstlistenamt sagen lassen,
daß es dort seit 1650 gar keine Stadtleute mehr gab. Auch in Kozel'sk
und Livny fehlten die Städter ganz. Das konnte das Dienstlistenamt,
das sonst nur für die Dienstleute zuständig war, freilich ebensowenig
wissen wie den Umstand, daß in Zvenigorod und in Ryl'sk die „besten"
Stadtleute als Beauftragte staatliche Frondienste versahen und deshalb
nicht gewählt werden konnten. Aber selbst die Dienstleute konnte man
nicht besser in den Griff bekommen. In Vladimir fehlte eine Namensliste
von ihnen, und in Karačev kamen nur wenige zur Wahl — die übrigen
seien beim zweiten Besuch der Boten nicht zu Hause angetroffen worden.
Aus Perejaslavl'-Rjazanskij kam zunächst die Nachricht, daß kein ein-

---

jetzt zum Dienst in Moskau sind, sollen auf Befehl des Herrschers Vertreter in Moskau
wählen." (Smirnov, Neskol'ko dokumentov, S. 2 f.) Hier ist nur von den Provinzadligen die Rede, die ihren regulären Militärdienst ableisteten.

[1]) Latkin, Materialy, SS. 91 u. 103. Eine Eingabe eines gewissen Roman Satin,
der 1653 Nachfolger des Voevoden wurde, schwärzte zudem im Namen der Bevölkerung den 1651 willkürlich eingesetzten Bojarensohn an (Kabanov, Organizacija,
S. 100 f.).

[2]) Latkin, Materialy, S. 92 ff.

ziger Adliger zur Wahl erschienen sei und acht sich ohnehin im Militärdienst befänden. In einem zweiten Brief teilte der Voevode dann mit,
daß doch noch einige Dienstleute gekommen seien, aber so wenige, daß
keine Wahl habe stattfinden können. Sie hätten aber die Namen derjenigen
mitgebracht, die gern an der Versammlung in Moskau teilnehmen wollten. Das letztere kann nur bedeuten, daß auf der Liste nicht mehr Namen
standen als Vertreter angefordert worden waren und die Wahl sich deshalb erübrigte.

A.K. Kabanov hat die 47 Briefe der 44 Voevoden statistisch ausge-
wertet. Aus seiner Tabelle geht hervor, daß statt der 139 eingeladenen
Abgeordneten nur 130 nach Moskau geschickt wurden, und zwar bei
den Stadtleuten statt 57 nur 44, bei den Bojarenkindern statt 21 nur 18,
dagegen bei den Provinzadligen statt 61 sogar vier mehr, also 65. (Ferner
kamen zwei nicht eingeladene Kanoniere und ein landloser Bauer.)[1])
Dieses Ergebnis ist im ganzen nicht schlecht; es zeigt auch, daß Provinzadlige und Bojarenkinder austauschbar waren. Bei den Stadtleuten
allein sieht das Bild schon anders aus. Bei ihnen konnte nicht beliebig
jeder gewählt werden, weil viele mit Aufgaben der Lokalverwaltung
beschäftigt waren und die Abgeordneten vor allem bestimmte Eigenschaften besitzen mußten. In der Lokalverwaltung hatten die „besten" Leute
in erster Linie nur finanzkräftig zu sein, um der Haftpflicht zu genügen
(s. Kap. 2). Für die Reichsversammlung forderte Michail Fedorovič am
12. Jan. 1616 aus Perm' Velikaja drei „gute, kluge und standhafte"
Stadtleute,[2]) wobei die letztere Eigenschaft terminologisch offenbar noch
auf ein von Požarskij in der Smuta gebrauchtes Attribut zurückging.
1619 verlangte der Zar von den Abgeordneten, die mit Filaret über Besitz-
und Steuerreformen beraten sollten, die Fähigkeit, „großes Unrecht,
Gewalttätigkeiten und Ruin erzählen zu können", wie es in einem
Schreiben nach Ustjužna vom 9. September hieß. Und die Novgoroder
Vertreter sollten, so schrieb Michail am 5. Juli, über alle Einnahmen,
Rückstände und Verluste der Stadt Bescheid wissen.[3]) Das bedeutet,
daß die Gewählten in der Lokalverwaltung erfahren sein und lesen und
schreiben können mußten. Tatsächlich wurde beides ausdrücklich 1648
von den Abgeordneten von Jaroslavl' gefordert.[4]) Auf Grund der Unterschriftenliste hielt Kabanov 141 der 192 gewählten Vertreter der Versammlung von 1648/49, also nicht ganz die Hälfte, für Analphabeten.

---

1) Kabanov, Organizacija, S. 97 ff.
2) Got'e, Nr. 4.
3) Latkin, Materialy, S. 5; SGGD, Bd. 3, Nr. 47.
4) Got'e, Nr. 13.

Dieses außerordentlich gute Ergebnis sah er allerdings noch für zu klein an.[1]) Dabei ist eher noch zu bezweifeln, daß die Unterschriftenliste des Versammlungsprotokolls überhaupt so weitreichende Aussagen zuläßt. Wie dem auch sei, die Forderungen der Regierung zeigen, wie schwierig es sein mußte, geeignete Vertreter unter den Stadtleuten zu finden.

Wenn die Gewählten den gewünschten Merkmalen mehr oder weniger entsprachen, war es immer noch zweifelhaft, ob sie auch tatsächlich fristgerecht in Moskau ankamen und sich im Dienstlistenamt oder im Außenamt (!) meldeten. In einer anderen Tabelle hat Kabanov festgestellt, daß zwei Jahre später, 1653, aus acht von 73 Wahlkreisen überhaupt niemand erschien, bis zum Ende der Reichsversammlung am 25. Mai zwischen 25 und 37 Abgeordnete und danach bis zum 5. Juni 85 Abgeordnete ankamen. Dabei liegen für 12 Kreise allerdings keine und für 23 weitere nur partielle Angaben vor.[2]) Auch später blieb die Teilnahme von gewählten Vertretern selbst zu Versammlungen nur einer sozialen Gruppe ein Problem, z.B. bei der Dienstleute-Versammlung vom 5. Jan. 1684. Nikol'skij hat errechnet, daß von den am 18. Dez. 1683 angeschriebenen Wahlkreisen 17,8% keine Vertreter entsandten. Die Gründe dafür sind in dem Umstand zu suchen, daß die aktiven Dienstleute meist nicht zu Hause waren und die Invaliden und Greise den beschwerlichen Weg nicht unternehmen konnten. Aus Serpuchov wurde beispielsweise am 28. Dezember mitgeteilt, die beiden einzigen Ruheständler seien gerade krank. Vielerorts haben deshalb und wegen der geringen Zahl der Wähler sicherlich überhaupt keine Wahlen stattgefunden, obwohl andererseits viele der niederen Dienstleute wählten und gewählt wurden, ohne dazu berechtigt zu sein. In einigen Orten, zum Beispiel in Lichvin, konnten sich die Adligen nicht einigen. Schließlich ist aus dem von Nikol'skij edierten Material ersichtlich, daß sich die meisten Abgeordneten zum Teil bis in den Februar hinein verspäteten, weil die Einladungen zu spät abgeschickt worden waren.[3])

Wenn sich im ganzen der Eindruck aufdrängt, daß es der Regierung nicht gelang, die Beteiligung der Bevölkerung an den Reichsversammlun-

---

[1]) Kabanov, Organizacija, S. 108.

[2]) Ebenda, S. 125 ff. Zarische Mahnschreiben nach Bolchov und Voronež wurden ebenfalls von Kabanov publiziert.

[3]) Nikol'skij, Zemskij sobor, S. 53. ff. — Umgekehrt trat 1619 einmal der Fall ein, daß die Regierung von sich aus eine Versammlung verschob, als die Einberufung vom 1. Oktober auf den 6. Dezember verlegt wurde, weil der Zar nicht rechtzeitig von einer Wallfahrt zurückkam (Latkin, Materialy, SS. 3 u. 5).

gen ordentlich zu organisieren, so ist das bei der Größe des Reiches und den unzureichenden Verkehrsverhältnissen nicht weiter verwunderlich. Nach der üblichen Methode wurde bald beratend, bald drohend gemahnt, dem Voevoden die Schuld gegeben — und keine Lehre aus der Lage gezogen, so daß sich bei der nächsten Wahl die gleiche Situation wiederholte. Die Bevölkerung brachte ihrerseits in der Regel kein überwältigendes Interesse auf. Die Abgeordnetentätigkeit wurde als Dienst oder Frondienst wie die anderen Pflichten angesehen. Das geht aus vielen Indizien hervor. Die Stadtleute wiesen auf ihre Dienste in der Lokalverwaltung hin, wenn sie ihre Wahl vermeiden wollten; die Dienstleute wählten gewöhnlich einen Abwesenden, der ohnehin zum Dienst in Moskau, etwa in der „Auswahl", anstand. Vor allem aber zeigte sich in den Gehaltsforderungen der Abgeordneten, daß der Dienstcharakter vorherrschte. Die darüber aus den Jahren 1648/49 erhaltenen Urkunden zeigen eine im Grunde einheitliche Auffassung bei Städtern und Adligen, nur daß es den Stadtleuten, die ja in den Ämtern der Lokalverwaltung kein Gehalt bezogen, statt dessen um Privilegien als Entschädigung für ihre Teilnahme an den Versammlungen ging. Am 14. Febr. 1649 gewährte Aleksej Michajlovič dem Vertreter der Stadt Romanov in einem Schreiben an den dortigen Voevoden das Recht, Bier zu brauen und Alkohol zu brennen, entsprach aber nicht der Forderung nach Freiheit von den städtischen Abgaben. Dagegen „haben wir befohlen, ihm diesen gegenwärtigen Dienst als gewählter Vertreter als Dienst anzurechnen", d.h. als Zemlja-Dienst. Am 16. April gewährte der Zar dem Abgeordneten von Ustjug ebenfalls das Alkoholbrennen, ferner den Seifensud und Freiheit von Einquartierungen.[1] In seinem Gesuch hatte sich der Ustjuger Vertreter in typisch altrussischer Denkweise auf bereits vier Präzedenzfälle gestützt, und es sind tatsächlich auch noch andere Fälle bekannt.

Analog dachten aber auch die Dienstleute, die ihre Teilnahme an der Versammlung als Herrscherdienst betrachteten. Tatsächlich mußten sie, genau wie auf Feldzügen, für Reisekosten und Versorgung selbst aufkommen, und erhaltene Bittschriften aus dem Jahre 1684 beweisen auch, daß sie in Moskau zunächst um eine Wohnung nachsuchen mußten.[2] Die ärmeren Dienstleute waren daher auf eine Unterstützung angewiesen, die sie als Zulage zu ihrem regulären Gehalt ansahen. In vielen Fällen wurden sogar Rangerhöhungen ausgesprochen, die sich materiell über

---

[1] Got'e, Nr. 17.
[2] Nikol'skij, Zemskij sobor, S. 63 f.

eine einmalige Zulage hinaus durch ein höheres Dauergehalt auswirkten.[1]) Es scheint, daß sich der Gedanke, die Teilnahme an der Reichsversammlung von 1648/49, genauer gesagt: an der Uloženie-Kommission Odoevskijs, zu entlohnen, erst allmählich bis Anfang 1649 entwickelte. Zwar gehen die erhaltenen Bitten um Unterhalt bis zum 14. Juni (!) 1648 zurück, zwar erwähnen die Antragsteller Gehaltszahlungen an andere, aber diese Zahlungen waren offenbar — den Bittstellern nicht ersichtlich — für frühere Dienste erfolgt.[2]) Am 11. September 1648 jedoch ließ die Regierung — wohl infolge der Flut der Gesuche — eine Liste der Dienstleute anfertigen, in der ihr Heimatort, ihr Ankunftstag in Moskau, ihre Dienste und ihre Gehaltsgruppe verzeichnet waren. Die Liste führte 31 Städte auf, deren ein oder zwei in der Kommission sitzende Vertreter nun generell 14 Rubel zugesprochen bekamen. Das bedeutet, daß seit dem 16. September ausdrücklich auch für die Teilnahme an der Versammlung ohne Rücksicht auf frühere Dienste gezahlt wurde, z.B. am 29. September und am 9. Oktober an die beiden Adligen aus Kazan'.[3]) Im November betonten zwar einige Antragsteller noch ihren Dienst in Smolensk mehr als ihre Abgeordnetentätigkeit, und die Regierung entlohnte in diesen Wochen auf Grund beider Dienste, aber seit dem 17.

---

[1]) Ein gewisser Chvostov wollte Haushofmeister werden, weil sein Vater neben anderen Diensten auch das Verdienst gehabt hatte, 1648 das Uloženie mitverfaßt zu haben (Avaliani, Zemskie sobory, S. 81). Der Vertreter von Bežeckij Verch erhielt die Würde eines Dumasekretärs. Ein gewisser B.A. Marakušev bat im März 1650 um Aufnahme in eine Gruppe der Adligen in Moskau und wies bei dieser Gelegenheit darauf hin, daß seine Kollegen, die als gewählte Vertreter an der Abfassung des Uloženie teilgenommen hätten, dafür Voevoden, Amtsleiter oder Moskauer Adlige geworden seien. Ein anderer Adelsvertreter, G.M. Levšin aus Vereja, bat Anfang Dezember 1648 bereits um Aufnahme in die „Auswahl", weil seine Verwandten schon viel höher stünden als er. Der Wunsch wurde ihm am 31. Dezember erfüllt. Er hatte in seiner Bittschrift nicht nur auf seinen früheren Dienst beim Festungsbau und darauf hingewiesen, daß seine Kollegen bereits Güter- und Geldzulagen dafür bekommen hätten, sondern auch darauf, daß er für das jetzige „Dienstchen" in der Reichsversammlung noch nichts erhalten habe. Für den Festungsbau hatte er allerdings auf Grund einer früheren Petition am 18. November schon 14 Rubel bekommen. Diese Beispiele in: Got'e, S. 62 ff.; Latkin, Zemskie sobory, S. 228 f.; ders., Materialy, SS. 65 ff.

[2]) Kabanov, Organizacija, S. 121 f. So erhielten am 19. September zwölf Dienstleute aus sechs Städten auf Grund ihrer Kollektivbittschrift Gehalts z u l a g e n, weil sie darauf hinweisen konnten, daß Kollegen aus den nicht einmal durch Litauer und Heuschrecken ruinierten innerrussischen Gebieten bereits ein erhöhtes Geldgehalt bekommen hatten. Ebenso erhielten andere Bittsteller auf Grund von Präzedenzfällen am 3. und 7. Oktober Gehälter (Latkin, Materialy, S. 49 ff.).

[3]) Ebenda, S. 54 ff.

Jan. 1659 wurde dann auf Grund eines Gesuchs der Vertreter aus Odoev endgültig die Teilnahme an der Versammlung honoriert. Einige Dienstleute erhielten jetzt noch einmal 5 Rubel und 100 Viertel (četverti) Land, was im großen Stil am 31. Januar den Abgeordneten aus 24 Städten zugesprochen wurde.[1]) In den Erlassen ist zwar immer nur von einer Zahlung an die Mitglieder der Uloženie-Kommission die Rede, aber aus den Einladungsschreiben kann man schließen, daß diese aus der Reichsversammlung hervorging. Nur wer zu spät nach Moskau kam, erhielt zur Strafe nichts. Andererseits konnten nachträgliche Anträge gestellt werden: Noch am 31. Aug. 1649 gewährte Aleksej Michajlovič dem Ausländer I.P. Markov die seinerzeit nicht gezahlte Diät.[2]) Für den Dienstcharakter der Teilnahme an der Reichsversammlung gibt es noch andere Anhaltspunkte, etwa die aus dem Jahre 1648 erhaltenen Bitten um Urlaub wegen eines Todesfalles oder wegen Bauernflucht.[3]) Ein andersartiges Beispiel ist die Anweisung des Zaren an M.M. Saltykov vom 13. Jan. 1649, auf einige ihm ursprünglich für bestimmte Aufgaben in Jaroslavl' und Kostroma zugeteilte Provinzadlige und Bojarenkinder zu verzichten, weil sie in die Versammlung gewählt worden waren. Ihr Gehalt würden sie deshalb auch in Moskau bekommen.[4])

Obwohl sich die zitierten Quellen meist nur auf die Versammlung von 1648/49 beziehen, muß man annehmen, daß sich ihre Aussagen zumindest auch auf spätere Versammlungen anwenden lassen. Man darf also vermuten, daß die gewählten Teilnehmer einer Reichsversammlung ihre Tätigkeit, sofern sie Dienstleute waren, als Fortsetzung des Herrscherdienstes und, sofern sie Stadtleute waren, als Fortsetzung des Zemlja-Dienstes ansahen. Bei den Dienstleuten kam nur die Wahl als neues Element hinzu, das allerdings die Berücksichtigung dieser Gruppe in einer Untersuchung „gesellschaftlicher" Bestrebungen der Reichsversammlungen rechtfertigt. Echte Unabhängigkeit schloß der Dienstcharakter freilich sowohl bei der einen als auch bei der anderen Gruppe aus. Sie hätte auch eine Verantwortlichkeit gegenüber den Wählern vorausgesetzt, die angesichts des Fehlens von Instruktionen nicht angenommen werden kann.

Bis zu Latkin herrschte in der Forschung kein Zweifel, daß die Abgeordneten keine INSTRUKTIONEN mitbekamen. Er sprach sich dagegen für

---

[1]) Kabanov, Organizacija, SS. 115 ff. u. 124 f.; Latkin, Materialy, S. 69 ff.
[2]) Kabanov, a.a.O., S. 123.
[3]) Latkin, a.a.O., S. 72 ff.
[4]) Ebenda, S. 72.

deren Existenz aus, konnte jedoch nur Zitate aus der Smuta anführen.[1]) In der Tat steht noch in dem Brief, mit dem die Gesandtschaft der Wahlversammlung von 1613 Michail Romanov seine am 21. Februar erfolgte Wahl mitteilte, daß „man sich in den Städten heftig (d.h. mit Streit — H.-J.T.) abgesprochen und bei allen Leuten über die Wahl des Herrschers vollständige Abmachungen getroffen" habe (dogovoresja v goroděch nakrěpko i vzjav u vsjakich ljudej o Gosudarskom izbiran'i polnye dogovory).[2]) Für eine Zarenwahl erscheinen solche Verpflichtungen der Abgeordneten nur selbstverständlich.

Was die folgenden Versammlungen angeht, so hat lediglich Alekseev behauptet, einen Beleg für eine Instruktion gefunden zu haben. Anfang März 1649 ersuchte der Vertreter der Kursker Bojarenkinder, G.I. Malyšev, den Zaren um einen Schutzbrief für seine Rückkehr nach Kursk. Er könne sich zu Hause nicht ohne weiteres blicken lassen, weil das eben verfaßte Uloženie in einigen Punkten nicht der „Bittschrift der Zemlja-Leute" entspreche. Daß mit dieser Bittschrift eine den Abgeordneten bindende Petition seiner Wähler gemeint war, bleibt jedoch eine unbegründete Vermutung, zumal seine Wähler ja Dienstleute waren. Wahrscheinlicher ist, daß er auf die von den städtischen Versammlungsteilnehmern selbst eingereichten Bittschriften anspielte, vielleicht auf die zusammen mit den Dienstleuten vorgetragenen Forderungen der Kaufleute hinsichtlich des Ausländerhandels, die die Regierung zu diesem Zeitpunkt noch nicht erfüllen wollte (s. Kap. 3). Dies würde allerdings Malyševs Angst vor den Kurskern und insbesondere vor zwei persönlichen Feinden noch nicht erklären, obwohl auch in dieser Stadt im Juli 1648 ein Aufstand stattgefunden hatte (s. Kap. 5) und die Situation sicher noch gespannt war. Das Rätsel löst sich durch eine ebenfalls von Alekseev veröffentlichte weitere Bittschrift Malyševs, eine „Anzeige" (izvetnoe čelobit'e): Er hatte den Zaren von sich aus darauf hingewiesen, daß in den südlichen Städten nicht entsprechend dem im Uloženie ausgesprochenen Heiligungsgebot des Sonntags gelebt werde. Statt Kirchenbesuch seien Hurerei, Lieder und Tänze, Prügeleien, Beschimpfung der Popen und „allerlei satanische Aufführungen" an den Feiertagen gang und gäbe. Der fromme Aleksej Michajlovič hatte daraufhin am 4. Nov. 1648 einen zornigen Brief aus dem Dienstlistenamt an die betroffenen Städte schreiben lassen. Die Reaktion der Bevölkerung kann man sich leicht vorstellen. Malyšev war aus diesem Grunde in Kursk nicht mehr gern

---

[1]) Latkin, Zemskie sobory, S. 267 f.
[2]) SGGD, Bd. 3, Nr. 2.

gesehen; offenbar begründete er die Notwendigkeit eines Schutzbriefes gegenüber dem Zaren nur mit dem Vorwand der nicht erfüllten Zemlja-Bittschrift, weil er den wahren Grund nicht nennen wollte. Er erhielt den Brief am 14. März 1649, und Aleksej sprach darin noch einmal verächtlich von den „verschiedenen Begierden" (prichoti) der Kursker.[1]) Übrigens erhielten auch andere Abgeordnete, die ja bereits mit Auszügen aus dem Uloženie (vor seinem offiziellen Druck) zurückreisten, zarische Schutzbriefe. Wie Kabanov deshalb schon richtig zum Fall Malyšev bemerkt hat, kann also höchstens von einer „gewissen" Verantwortlichkeit der Gewählten vor den Wählern die Rede sein,[2]) d.h. die Wähler hielten sich natürlich an einen Sündenbock, wenn liebgewordene Bräuche verboten wurden. Genauer und quasi paradox ausgedrückt, bestand keine Verantwortlichkeit, aber es wurde Rechenschaft gefordert.

Auch aus dem VERLAUF der Reichsversammlungen selbst ist nicht erkennbar, daß die gewählten Teilnehmer sich an irgendwelche Instruktionen gebunden gefühlt hätten. Sie konnten schon deshalb nicht auf eine bestimmte Meinung verpflichtet werden, weil sie in den meisten Fällen während der Wahl überhaupt noch nicht wußten, worum es in Moskau gehen würde. Wenn die Versammlung im Facettenpalast oder im Speisesaal des Kreml' zusammentrat — die Wahlversammlung von 1613 tagte wegen ihrer Größe im Uspenskij sobor (Entschlafungskathedrale) —, erfuhren die Abgeordneten die Beratungsthemen offiziell erst durch die Eröffnungsrede des Zaren, die im 17. Jahrhundert von einem Dumasekretär verlesen oder manchmal nur schriftlich verteilt wurde. Danach vollzog sich die Meinungsbildung in den Beratungen einzelner Gruppen untereinander. Diese „Gruppen" (stat'i) stellen einen Schlüsselbegriff für das Verständnis der Reichsversammlungen dar. 1642 wurden zum Beispiel folgende stat'i aufgeführt: die hohe Geistlichkeit (vlasti), die Truchsesse, die Moskauer Adligen, Željabužskij und Beklemišev (zwei Moskauer Adlige), die Hauptleute und Hundertschaftsführer der Moskauer Strelitzen, die in Moskau befindlichen Adligen und Bojarenkinder aus Vladimir, die in Moskau befindlichen Adligen und Bojarenkinder aus Nižnij Novgorod, Murom und Luki, Adlige und Bojarenkinder von 16 Städten, Adlige und Bojarenkinder von 23 Städten, die Großkaufleute und Handelsleute der Hundertschaften, die Hundertschaftsführer, Ältesten und „alle" Steuerzahler der „schwarzen" Hundert-

---

[1]) Alekséev, Novyj dokument, S. 82 ff. Ključevskij, der Alekseevs Quelle noch nicht kannte, kam zu einer völligen Fehlbeurteilung des Schutzbriefes (Kurs, Bd. 3, S. 139).

[2]) Kabanov, Organizacija, S. 119.

schaften und „Vorstädte".[1]) (Die Provinzstadtleute fehlten hier, weil sie in der Eile nicht mehr einberufen werden konnten und die Versammlung nur fünf Tage dauerte.) Während von ausländischen Zeitgenossen und von der späteren Forschung sehr oft die Übersetzung „Stände" oder „Kurien" gebraucht wurde, zeigt diese Aufzählung wohl, daß es sich bei diesen elf Gruppen, die sogar Virilstimmen enthalten, nicht um korporative Einheiten, sondern allerhöchstens um geographisch und rangmäßig aufgeteilte Bänke handelte.

Interessant ist, daß die Regierung 1642 den gewählten Dienstleuten (nur ihnen!) drei Sekretäre zur Redaktion der Voten von drei zusammen-gefaßten Gruppen (Truchsesse; Moskauer Adlige, Strelitzenhauptleute und Residenzadlige; Provinzadlige) zuteilte, daß sich aber die Dienst-leute nicht an diese Einteilung hielten. Die elf Voten (skazki; eigentlich: Aussagen; auch reči [Reden], mysli [Gedanken] und pamjati [Memoires] genannt) stimmen zum Teil wörtlich überein, was einerseits auf einen Gedankenaustausch der Gruppen untereinander, andererseits auch darauf zurückgeführt werden kann, daß die Geistlichkeit ihre Meinung zuerst sagte und so die übrigen Stellungnahmen beeinflussen konnte. Als weitere Form des Votums war schon 1621 die Bittschrift aufgetaucht, die offenbar eine entschiedenere Form der Stellungnahme darstellte (s.u.). Ključevskij hat herausgearbeitet, daß die für 1642 genannten elf Gruppen, von der nicht gewählten Geistlichkeit einmal abgesehen, auf vier ver-schiedenartige Wahleinheiten reduziert werden können: Ränge (Hochadel und Kaufmannschaft der Hauptstadt), „Standeskorporationen" eines Kreises („Auswahl", Provinzadlige, Bojarenkinder), Heereseinheiten (untere Dienstleute der Hauptstadt [Strelitzen]) und Gemeinden (in Moskau die Gewerbeeinheiten der Fleischer, Schmiede usw., in der Provinz die unteren Dienstleute der „Vorstädte" und als territoriale Ein-heiten die Steuerzahler).[2]) 1648 waren auch die Ausländer als weitere Kategorie anwesend, wie aus der oben angeführten Bitte I.P. Markovs um Gehaltszahlung hervorgeht. Eine eigene Kategorie stellen auch die 1613 und 1619 anwesenden (weißen) Provinzgeistlichen dar. Die 1613 ebenfalls beteiligten zwei „Kreisleute" aus Kolomna und Tula müssen noch freie Privatbauern gewesen sein, weil es dort schon Ende des 16. Jahrhunderts keine Staatsbauern mehr gab. Die übrigen neun oder zehn anwesenden „Kreisleute" waren nach Platonov niedere Dienst-leute, die Land außerhalb der Städte besaßen.[3])

---

[1]) SGGD, Bd. 3, Nr. 113.
[2]) Ključevskij, Kurs, Bd. 3, S. 191.
[3]) Platonov, K istorii, S. 316.

Die Beratungen der Reichsversammlungen und 1613 auch die Eidesleistung für Michail Fedorovič fanden also nicht nach Ständen oder
Kurien, sondern nach sozialen und bei entsprechender Größe auch geo-
graphischen Gruppen getrennt statt. Die Duma war nur bei der Eröff-
nungssitzung dabei, und deshalb ist es schon formal unsinnig, von einem
Zwei-Kammer-System zu sprechen, auch wenn man diesen Ausdruck,
wie Latkin,[1]) auf die Versammlungen von 1648 und 1682 beschränkt,
als die zarische Eingangsrede getrennt von Duma und Synode einerseits
und den gewählten Vertretern andererseits gehört wurde. Die Duma
fungierte eher als Regierung, die abschließend mit dem Zaren die Ergebnisse der Voten beriet. Es gab nämlich, abgesehen von einem eventuellen
Mittagessen beim Zaren, nicht einmal eine Abschlußsitzung für die
Beschlußfassung, wie auch natürlich eine Abstimmung, geschweige denn
das Mehrheitsprinzip, unbekannt waren.[2]) Dagegen wurden abweichende
Meinungen, wie gerade die Versammlung von 1642 zeigt (s.u.), zugelassen. Der Beschluß (prigovor) aber wurde allein von Zar und Duma
gefaßt, und so stand es in der Regel auch im endgültigen Gesetz. Lediglich
im ersten Jahrzehnt der Regierung Michail Fedorovičs wurde die Mitwirkung der Reichsversammlung in einigen zarischen Erlassen erwähnt,
weil man sich davon offenbar bessere Ergebnisse bei der Einsammlung
von Sondersteuern versprach, und auch der Gesetzeskodex von 1649
weist mit seiner offiziellen Bezeichnung als „sobornoe uloženie" („Versammlungskodex") darauf hin. Wie die Erlasse, so wurden auch die
Versammlungsprotokolle von den Regierungssekretären geschrieben. Zar,
Patriarch und die oberen Ränge besiegelten, die niederen Gruppen beschworen das Protokoll; alle unterschrieben es oder ließen sich unter-
schriftlich vertreten.

Die Ergebnisse der Versammlungen — Protokoll und Gesetz — waren
also Regierungsarbeit, so daß es nicht immer einfach ist, den Anteil der
gewählten Abgeordneten oder der ex officio mitberatenden Teilnehmer
zu bestimmen. Der Versuch soll trotzdem anhand einer ÜBERSICHT über
die einzelnen Versammlungen unternommen werden.

In bezug auf die Wahlversammlung von 1613 versteht sich das große
Gewicht der gewählten Vertreter von selbst. Eine andere Frage ist, wie

---

[1]) Latkin, Zemskie sobory, S. 277 ff.

[2]) Das Mehrheitsprinzip taucht in altrussischen Rechtsdenkmälern zum erstenmal
in den Strafrechtsnovellen von 1669 auf: § 34 bestimmte, daß ein Angeklagter je nach
der Meinung der Mehrheit (der „größeren Hälfte") der Einwohner eines Ortes verurteilt oder freigelassen werden sollte (PRP, Bd. 7, S. 410).

es mit ihrem Einfluß auf die Entscheidung stand, d.h. wie die Willensbildung zustande kam. Seit P.V. Dolgorukov 1843 unter dem Pseudonym
eines Grafen d'Almagro in seiner in Paris gedruckten „Notice sur les
principales familles de la Russie" die Wahl des ersten Romanov-Zaren
zuerst untersuchte[1]) (wofür er prompt aus Rußland verbannt wurde),
hat dieses Problem viele Forscher beschäftigt. Doch der Gang der
Ereignisse ist keineswegs völlig geklärt, denn die vorhandenen Quellen
sind unzureichend.

Nicht einmal die Teilnehmerzahl dieser vollständigsten aller Versammlungen läßt sich genau ermitteln. Die Dokumente vermitteln in erster
Linie den Eindruck einer großen Menge und Vertretung wirklich des
„ganzen Landes". Schon als Novgorod die Vereinigung Rußlands unter
dem schwedischen Prinzen anbot, erhielt es am 15. Nov. 1612 vom Aufgebot zur Antwort, diese Frage könne nicht ohne Beteiligung aller
Städte entschieden werden.[2]) Michail Romanov und seine Mutter wurden
von der Gesandtschaft des Reichsrats im Ipat'ev-Kloster zu Kostroma
mit dem Argument zur Annahme der Wahl bewegt, neben Gott hätten
alle sozialen Gruppen des Staates Michail erwählt, während Šujskij
seinerzeit nur von wenigen gewählt worden und Godunov gar aus eigenem Antrieb Zar geworden sei.[3]) Und noch im Juni 1613 wurde dem
Gesandten S.M. Ušakov, der sich auf den Weg zu Kaiser Matthias
machte, eingeschärft, wenn er gefragt werde (aber nur dann!), warum
der Kaiser nicht zum Zaren gewählt worden sei, solle er antworten, das
sei Sache der Reichsversammlung und nicht der Regierung Požarskij
gewesen.[4]) Die Wahlversammlung galt also bis zur Wahl Michail Fedorovičs als Ausdruck des Willens des ganzen Volkes, aber nirgends wurde
die genaue Zahl ihrer Teilnehmer festgehalten. In den ersten Einberufungsschreiben hieß es, jede Stadt solle zehn Vertreter schicken, später war
nur noch von „so vielen wie nützlich" die Rede, und so steht es auch
im Versammlungsprotokoll.[5]) Diese Formulierung ist in der Forschung
oft übersehen worden, so daß Platonov und andere bei fünfzig eingeladenen Städten — Ljubomirov rekonstruierte später 47 — einen ungefähren
Bestand von 500 Teilnehmern angenommen haben, wobei Synode und

---

[1]) Almagro.
[2]) DAI, Bd. 1, Nr. 166.
[3]) SGGD, Bd. 1, Nr. 203.
[4]) Ebenda, Bd. 3, Nr. 15.
[5]) S. Anmerkung 3.

konnte freilich auch mehr als zehn bedeuten, und tatsächlich sandte
Nižnij Novgorod zum Beispiel mehr als 20 Vertreter. Andererseits ist
es im Hinblick darauf, was oben über die Schwierigkeiten der Einberufung
gesagt wurde, sehr unwahrscheinlich, daß a l l e Städte — außer den ohnehin fehlenden Pošechon'e (s.o.) und Pskov, das besetzt war — überhaupt
zehn oder auch weniger Abgeordnete delegieren konnten. Nachdem aber
Cvetaev 1913 schon auf 600 und Ljubomirov 1917 auf über 800 Teilnehmer getippt hatten, neigt auch die sowjetische Forschung dazu, rund
700 anzunehmen.[2]) Doch alle diese Zahlen müssen Spekulationen
bleiben, weil unglücklicherweise die Unterschriftenliste des Protokolls
keine Rückschlüsse zuläßt. Dort werden 277 (278) Namen von 57
Geistlichen, 136 Bojaren und Dienstleuten und 84 anderen Vertretern
genannt. Aus diesen Namen konnten auch nur 238 Unterschriften in der
Handschrift der Rüstkammer (in einer anderen Handschrift sogar nur
235) in dem defekten Text restauriert werden.

Wenn man sich auf die Unterschriftenliste allein verließe, ergäbe
sich das Bild eines Übergewichts der oberen Dienstklasse, der Teilnahme
nur sehr weniger Kosaken und des Fehlens der Großkaufleute, von denen
wegen der vorangegangenen unruhigen Ereignisse sicher tatsächlich nicht
viele in der Hauptstadt waren. Interessant ist, daß die niederen Geistlichen im Gegensatz zu den 35 Mitgliedern der Synode nicht auf Grund
ihrer Stellung teilnahmen, sondern als Vertreter der Städte, was aus den
Unterschriften „gewählter Pope", „gewählter Abt" usw. hervorgeht.
67 Unterschriften stehen ohne Berufsbezeichnungen. Einzelne Unterzeichner unterschrieben für andere Teilnehmer mit, sogar für ganze
Gruppen und Nachbarstädte. Bei diesen stellvertretend Unterzeichneten
handelte es sich entweder um Analphabeten oder um bereits Abgereiste.
In der Tat zeigt der Text des Protokolls, daß es nicht unmittelbar nach
der endgültigen Zarenwahl am 21. Februar, sondern erst im Mai (!)
verfaßt wurde: Es werden Ereignisse erwähnt, die zwischen diesen beiden
Zeitpunkten liegen, und andererseits fehlt ein Hinweis auf die Krönung
am 11. Juni. Diese zeitliche Verschiebung erklärt schließlich auch, warum
nur ein Teil, vielleicht ungefähr die Hälfte, der Teilnehmer überhaupt
unterschrieben hat.
Duma mit circa 50 Mitgliedern enthalten sind.[1]) „So viele wie nützlich"

---

[1]) Platonov, Zamětki, S. 14 ff.
[2]) Ljubomirov, S. 242 ff. Zur sowjetischen Historiographie s. den Beitrag E.V.
Čistjakovas in: Očerki istorii SSSR, konec XV v. — načalo XVII v., S. 594, u. Čerepnin,
Zemskie sobory, S. 112.

Die Unterschriftenliste gibt darüber hinaus aber noch andere Rätsel auf. Daß in ihr Namen von Leuten aus berühmten Familien auftauchen, die sonst im Laufe der Geschehnisse gar nicht genannt werden; daß nur fünf Erzbischöfe und Bischöfe unterschrieben haben, aber sieben Siegel vorhanden sind; daß einige Teilnehmer mit Rängen unterzeichneten, die sie erst lange nach dem Mai 1613 erhielten — alle diese Fragen veranlaßten P.G. Ljubomirov 1939 in einem wenig beachteten Exkurs zur zweiten Auflage seines Buches über das Nižnij Novgoroder Aufgebot zu einer eingehenderen Untersuchung der Unterschriften. Er wies die zuerst von Dolgorukov verbreitete These zurück, daß Filaret nach seiner Rückkehr aus polnischer Gefangenschaft das Protokoll habe umschreiben lassen, weil in der ursprünglichen Fassung eine Wahlkapitulation enthalten gewesen sei. Denn die Unterschriften sind nicht von einer Hand geschrieben, vor allem aber hätten bei einer erneuten Unterschriftenaktion unverständlicherweise nur einige Unterzeichner mit ihren inzwischen erhaltenen neuen Rängen, die meisten jedoch mit ihren alten Rängen von 1613 unterschrieben. Da auch die These einer Unterschriftenfälschung nicht bewiesen werden kann, andererseits aber tatsächlich G.P. Romodanovskij, I.B. Čerkasskij, D.M. Požarskij, I.A. Chovanskij, A.Ju. Sickij, B. M.Saltykov und I.N. Odoevskij d.J. als Bojaren zeichneten, obwohl sie dies im Mai 1613 noch nicht waren, zog Ljubomirov den Schluß, daß ein Teil der Unterschriften noch bis 1617 (der letzten Ernennung eines der Genannten) eingesammelt wurde und daß man sich dabei nachträglich auch der Zustimmung durch Persönlichkeiten vergewisserte, die aus bestimmten Gründen (s.u.) nicht an der Wahl teilgenommen hatten.[1] Aus einer von Crummey jüngst veröffentlichten Tabelle geht hervor, daß G.P. Romodanovskij als letzter in diesem Kreis jedoch bereits am 25. Dez. 1615 Bojar wurde,[2] so daß die Unterschriftenaktion nur bis Ende 1615 gegangen zu sein braucht.

Wie Platonov und Belokurov nachgewiesen haben,[3] geht der Text des Versammlungsprotokolls von 1613 auf die Instruktion zurück, mit der der Reichsrat die Gesandtschaft an den sich in Kostroma aufhaltenden Michail Romanov ausstattete. Diese Instruktion vom 2. März 1613 stimmt wiederum weitgehend mit dem Protokoll der Versammlung

---

[1] Ljubomirov, S. 270. Die Unterschriften s. in Belokurovs Edition des Wahlprotokolls (Belokurov, Utverždennaja Gramota, S. 75 ff.).

[2] Crummey, S. 212. Die Ernennung der anderen Genannten erfolgte demnach am 11. Juni 1613 (Požarskij u. Čerkasskij), am 6. Dez. 1613 (Saltykov u. Odoevskij)‘ am 14. März 1615 (Chovanskij) und am 25. März 1615 (Sickij).

[3] Platonov, Zamětki, S. 11; Belokurov, Utverždennaja Gramota, S. 1 ff.

von 1598 überein. Und die Erzählung der Ereignisse nach 1598, also der Smuta, wurde einem Brief entlehnt, den die Bojaren am 13. März 1613 (nach der Wahl!) an Zygmunt von Polen schrieben.[1]) Insofern ist die „Bestätigungsurkunde" (Utverždennaja gramota), wie das Protokoll von 1613 auch genannt wird, als Primärquelle von geringer Relevanz, während Ljubomirovs darüber angestellte Überlegung um so größere Beachtung verdient. Sie bestätigt die schon von Platonov gemachte Beobachtung, daß gewisse Bojaren in der Wahlversammlung eine untergeordnete Rolle gespielt haben, weil sie wegen ihrer Zusammenarbeit mit den Polen nicht in die Duma hineingelassen wurden.[2]) Die Versammlung schickte sogar besondere Beauftragte, „zuverlässige und gottesfürchtige Leute", in die nicht zu weit entfernten Städte mit der Anfrage, ob die Bojaren zugelassen werden sollten. Über das Ergebnis dieser Befragung vermutete man früher, daß nur F.I. Šeremetev an der Wahl teilnehmen durfte, weil er während der Belagerung im Kreml' ausgehalten hatte, vielleicht außer ihm noch G.P. Romodanovskij, während der den Polen ebenfalls feindlich gesinnte I.V. Golicyn sich in ihrer Gefangenschaft befand. Ljubomirov vermutete dagegen, daß immerhin noch V.T. Dolgorukov, V.P. Morozov, V.T. Bachtejarov-Rostovskij, S.V. Golovin, D.I. Mezeckij, D.T. Trubeckoj und der Dumasekretär S. Vasil'ev dabei waren, im ganzen wahrscheinlich sogar zehn bis zwölf Dumamitglieder. Nach der ersten Wahl am 7. Februar kamen offenbar noch einige verbannt gewesene Bojaren hinzu, die in der Befragungsaktion gut beurteilt worden waren, z.B. F.I. Mstislavskij, der gleich wieder eine führende Rolle spielte.[3]) An der Bestätigung der Wahl am 21. Februar können also 15 bis 16 Bojaren beteiligt gewesen sein.

Wenn diese Überlegungen stimmen, war das Bojarenelement stärker vertreten, als früher angenommen wurde. Der Gedanke hat viel für sich, daß die Versammlung die Amnestie deshalb aussprach, weil sie ja die Wahl unter Beteiligung des g a n z e n Landes vollziehen wollte. Trotzdem ist die sowjetische Behauptung, daß die Wahlen von feudalen Kreisen manipuliert worden seien,[4]) sicher nicht voll gerechtfertigt. Denn die auch nur relative zahlenmäßige Stärke der Bojaren sagt angesichts der Tatsache, daß sie sich während der nationalen Befreiung gründlich diskreditiert hatten, noch nichts über ihren tatsächlichen Einfluß aus. Allen-

---

[1]) SGGD, Bd. 3, Nr. 6. Das Protokoll von 1598 s. in AAĖ, Bd. 2, Nr. 7. Vgl. auch Čerepnin, „Smuta", S. 87.

[2]) Platonov, K istorii, S. 314.

[3]) Ljubomirov, S. 193 ff. Vgl. auch D'jakonov, S. 378 f.

[4]) So E.V. Čistjakova in: Očerki istorii SSSR, konec XV v. - načalo XVII v., S. 594 f.

falls Šeremetev verstand es, sich als Verwandter der Romanovs unter Einsatz erheblicher Geldmittel für Michail Fedorovič stark zu machen. Die Mehrzahl der Bojaren hätte im Gegenteil lieber einen Ausländer auf dem Thron gesehen (s.u.); daß sie sich nicht durchsetzte, zeigt eben ihre Einflußlosigkeit. Die Entscheidung kam eindeutig von den unteren Bevölkerungsteilen, da sich auch die Zahl der übrigen in Moskau anwesenden höheren Ränge (Truchsesse, Haushofmeister und Moskauer Adlige), die natürlich nicht alle an der Versammlung teilnahmen, nach Ljubomirovs Schätzung auf höchstens 250 belief. Eine andere Frage ist, daß, sobald der Zar gewählt war, das Bojarentum im Zuge der Restauration wieder die politische Führung übernahm.

Gegenüber der schwachen Oberschicht führten die übrigen Bevölkerungsteile nicht nur ein gewaltiges zahlenmäßiges Übergewicht, sondern vor allem auch die aus der nationalen Befreiung stammende moralisch stärkere Position ins Feld. Die Zahl der mittleren Dienstleute muß sehr groß gewesen sein. 3000 waren bereits im November 1612 da, und gewöhnlich kamen ja um Weihnachten sehr viele in die Hauptstadt (s. Kap. 3). Auch die Menge der Stadtleute, sogar der in den Quellen als Pöbel (čern') bezeichneten niederen Stadtleute, spielte eine Rolle, da sie nach der Wahl zum Zwecke der Akklamation befragt wurde. Dagegen ist die Rolle der Kosaken sehr oft überbewertet worden. Obwohl im Januar noch 6000 vor Moskau lagen, hatten die meisten die Gegend nach Ausgabe von Proviant und Kleidung verlassen, und von den übrigen kann nur ein Drittel als Anhänger der Romanovs eingestuft werden, während ein weiteres Drittel für den Sohn der Maryna und der Rest für Trubeckoj oder Golicyn waren.[1]) Daraus geht schon hervor, daß die Stimmung der Massen bei der Wahl zwar den Ausschlag gab, daß die unteren Schichten aber keineswegs von Anfang an nur den einen Kandidaten hatten.

Leider ist der Verlauf der Versammlung ebenso wie ihre Zusammensetzung zum Teil ungeklärt. Man weiß zum Beispiel nichts über ihren genauen Beginn. Anfang Januar 1613 muß bereits getagt worden sein, denn es gibt eine von der Versammlung ausgestellte Verleihungsurkunde für Trubeckoj aus dieser Zeit.[2]) Zu den ersten Verordnungen gehörte neben dem Beschluß über eine dreitägige Fastenzeit für das ganze Reich auch die Verpflichtung, keinen Ausländer und nicht den Sohn der Maryna zu wählen. Während letzteres sich eben gegen einige Kosakengruppen

---

[1]) Ljubomirov, S. 205 ff.
[2]) DRV, Bd. 15, S. 201.

richtete, sollte das Verbot, einen Ausländer zu berufen, die Duma treffen, die ebenso wie Teile des Aufgebotes aus Jaroslavl' zunächst gern den schwedischen Prinzen Karl Philipp auf dem Thron gesehen hätte. Nach dem Bericht der „Pskover Erzählung" (Pskovskoe skazanie) hatten die „Bojaren und Fürsten" inzwischen den ausländischen (nemeckij = nordwesteuropäischen) Voevoden von Novgorod beauftragt, eine diesbezügliche Gesandtschaft nach Schweden zu schicken. Der König habe gezögert, weil Rußland noch nicht völlig von den Litauern befreit gewesen sei. Deshalb sei der Novgoroder Metropolit mit einer weiteren Gesandtschaft beauftragt worden, die schließlich mit dem Bruder des Königs zurückgekehrt sei — zu spät, denn Michail Fedorovič sei bereits gewählt gewesen. Andere Bojaren erwogen augenscheinlich die Unterstellung Moskaus unter England.[1]) Die „Pskover Erzählung" betont ausdrücklich und nicht ganz der Wahrheit entsprechend, daß nur die „Führer" (načalnicy) einen Ausländer gewollt hätten, nicht aber die Krieger und das Volk. Doch offenbar herrschte auch in diesen Schichten keineswegs Einmütigkeit über die Ablehnung eines Ausländers: G.A. Zamjatin hat Berichte gefunden, wonach sogar ein förmlicher Beschluß der Versammlung zugunsten der Wahl eines Ausländers gefaßt wurde.[2])

Das offizielle Protokoll möchte die Nachwelt verständlicherweise auch glauben machen, daß die Wahl Michail Romanovs selbst einmütig verlaufen sei. Nur aus der Formulierung, die Teilnehmer hätten „viele Tage" „mit großem Lärm und Schluchzen" geredet, kann man auf Uneinigkeit schließen.[3]) Der offiziöse „Neue Chronist" berichtet immerhin schon von einer „großen Erregung" der Versammlung.[4]) Auch in der Erzählung Palicyns, der den Romanovs sehr gewogen war, läßt nur der Hinweis etwas vermuten, viele Adlige und Bojarenkinder, Großkaufleute und Kosaken hätten ihn um Rat gefragt.[5]) Dagegen teilt Katyrev-Rostovskij sogar mit, daß man sich lange nicht habe einigen können; schließlich habe man sich geschworen, nicht eher auseinanderzugehen, bis ein neuer Zar gewählt sei.[6]) Man darf zusammenfassend also wohl

[1]) PSRL, Bd. 5, S. 62 f.; Konovalov, Thomas Chamberlayne's Description, S. 107 ff.

[2]) In erster Linie die Aussagen Jören Brynnos, der die Beratungen bis zum 24. oder 26. Januar selbst verfolgte (Zamjatın, K istorii, S. 24 ff.). A.a.O. auch die Namen anderer russischer Kandidaten.

[3]) SGGD, Bd. 1, Nr. 203.

[4]) PSRL, Bd. 14,1, S. 129.

[5]) Palicyn, S. 232. Über Palicyn vgl. Kap. 1.

[6]) Katyrev-Rostovskij, S. 618. Dies ist um so erstaunlicher, als der Truchseß I.M. Katyrev-Rostovskij durch seine erste Ehe mit den Romanovs verwandt war: Michail Fedorovič war sein Schwager. Der Bericht des Augenzeugen über die Wahl findet

annehmen, daß Michail Romanov, der ja bereits im August 1610 schon einmal zur Wahl gestanden hatte, auf Betreiben Šeremetevs, auf den Rat Palicyns und mit dem Nachdruck eines Teils der Kosaken am 7. Februar zunächst vorläufig gewählt wurde. Besonders Palicyn setzte, wie er selbst berichtet, zusammen mit dem Metropoliten von Rjazan', Feodorit, und dem Archimandriten Iosif die auf dem Roten Platz versammelte Menge zugunsten seines Kandidaten ein, wobei allerdings eine Rolle spielte, daß die Romanovs mit den Rjurikiden verwandt waren, daß sie von Boris Godunov verfolgt worden waren und daß Filaret der Patriarch von Tušino gewesen war. Das Gerücht, Zar Fedor Ivanovič, der letzte Rjurikide, habe dem nun in polnischer Gefangenschaft leidenden Filaret das Zartum auf dem Sterbebett anvertraut, tat ein übriges. Die Notwendigkeit der Mobilisierung einer Volksmenge läßt nun allerdings vermuten, daß Michail am 7. Februar nur eine recht schüttere Mehrheit gehabt haben muß. Die endgültige Wahl wurde deshalb auch „zur größeren Bekräftigung" (dlja bol'šogo ukreplenija) — so das Protokoll — auf den 21. Februar angesetzt. Zur Unterstützung mußte die Ankunft Mstislavskijs, der sich dann freilich gegen Michail aussprach (!), und anderer Mächtiger, z.B. des Metropoliten von Kazan', Efrem, abgewartet werden, und außerdem wurde in den umliegenden Städten nicht nur nach der Zulassung der Bojaren gefragt, sondern auch Stimmung für den Gewählten gemacht. Letzteres zeigt, wie wenig ein „Mandat" der Abgeordneten selbst bei dieser Wahl vorhanden gewesen sein konnte. Ljubomirovs Annahme, daß in den zwei Wochen bereits heimlich Michails Zustimmung eingeholt wurde, um bei einer Absage die Anarchie zu vermeiden, hat ebenfalls viel für sich, denn der junge Romanov und seine Mutter waren ebenso auf die spätere Gesandtschaft Feodorits und Šeremetevs vorbereitet wie diese auf die Antworten der beiden.[1]) Vor allem aber scheinen in diesen zwei Wochen verschiedene Kandidaten viel Geld ausgegeben zu haben, um selbst Zar zu werden. Mit Propaganda, Bestechung und einem Plebiszit wurde schließlich die Einmütigkeit hergestellt, die offenbar bei der endgültigen Wahl am Tage der Orthodoxie, dem letzten Sonntag der Fastenzeit, herrschte.[2]) Freilich, nur die benachbarten Städte hatten „befragt" werden können, und gewichtige Bojaren hatten gefehlt. Aus diesem Grunde wurden in der

---

sich in seinem „Erzählungsbuch von den früheren Jahren: über den Beginn der Zarenstadt Moskau" (Povest' knigi seja ot prežnich let: o načale carstvujuščego grada Moskvy).

[1]) Ljubomirov, S. 221.

[2]) Platonov, Očerki, S. 231 f.; Ključevskij, Kurs, Bd. 3, S. 61 ff.

oben erwähnten Aktion noch die wichtigsten Unterschriften bis 1615 eingeholt.

Da das plebiszitäre Element bei der Wahl eine so große Rolle spielte, kommt den eigentlichen gewählten Vertretern bei der Zarenwahl eine untergeordnete Bedeutung zu, denn eine Abstimmung wird es in der Versammlung sicher nicht gegeben haben. Die Abgeordneten entschieden, wie es das „Volk", d.h. die infolge der Ereignisse in der Pose des Siegers und Befreiers agierenden Bevölkerungsteile, wollten. Es ist deshalb müßig, bei dieser Versammlung bis zur Wahl nach dem Grad der Einflußnahme der Zemlja und der gewählten Dienstleute auf die Politik zu fragen. Sie entschieden letzten Endes selbst. Wichtig ist dabei, daß Michail Fedorovič nicht g e g e n den Willen dieser Bevölkerung gewählt wurde, denn von Manipulation dürfte man nur dann sprechen, wenn die Stimmung eindeutig auf einen anderen Kandidaten abgezielt hätte und von den „Führern" umgebogen worden wäre. Die Problematik dieser Versammlung liegt eher in dem, was aus ihr n a c h der Wahl wurde. Sie liegt darin, daß die Zemlja den nur ein halbes Jahr zuvor errungenen Prestigegewinn nicht ausnutzte, sondern sich sofort wieder der Autokratie, dem neuen Zaren und der Bojarenregierung, unterordnete. Minins organisatorische Leistung geriet zwar nicht in Vergessenheit, trug aber keine Früchte.[1]) Es scheint, daß die Künstler, die in der zweiten Hälfte des 17. Jahrhunderts für das Buch „Die Wahl Michail Fedorovičs auf das Zartum" (Izbranie Michaila Fedoroviča na carstvo) eine Miniatur von der Zarenwahl durch den Reichsrat zeichneten, die Dinge richtig gesehen haben: Rechts vom leeren Thron sitzen elf Geistliche der Synode, links elf Bojaren der Duma, während in der Mitte dieses Kreises offenbar der Rostover Metropolit steht. Ein wenig geistliches und weltliches Volk drängt sich nur in den beiden vorderen Ecken.[2]) Noch stärker verdrängte die Volksdichtung die Erinnerung an die Mitwirkung eben des Volkes dieser Dichtung an der Wahl. In einem Lied, das im 19. Jahrhundert im Gouvernement Kaluga aufgezeichnet wurde, heißt es: „Es versammelten sich alle Fürsten, die Moskauer Bojaren;/versammelten sich zu einer Duma./Und es begannen die älteren Bojaren, die Moskauer Voevoden, zu sprechen:/Nun sagt, ihr Bojaren, wer soll bei uns Zar sein?/Und es begannen die Bojaren, die Moskauer Voevoden, zu sprechen:/Laßt uns einen Zaren wählen/aus den Bojaren."[3]) Wenn man

---

[1]) K. Minin, der Landälteste von Nižnij Novgorod und Organisator des 2. Aufgebots, wurde 1613 Dumaadliger und starb 1616.

[2]) Eine Abbildung der Miniatur bei Buščik, S. 236.

[3]) Vasenko/Platonov/Turaeva-Cereteli, S. 247.

will, war die Chance eines Aufschwungs des gesellschaftlichen Lebens in Rußland bereits am 21. Febr. 1613 verspielt.

Diese Erscheinung erklärt sich leicht aus der wirtschaftlichen Schwäche des russischen „Mittelstandes". Trotzdem haben viele Historiker nicht einsehen wollen, daß die Chance von 1613 ohne jede Nachwirkung vorübergegangen ist. Mit zwei Thesen suchten sie die Ehre der Gesellschaft zu retten: mit der These von einer Wahlkapitulation und mit der sich noch sehr viel länger, nämlich bis heute haltenden Meinung von einer Mitregierung der Reichsversammlung wenigsten im ersten Jahrzehnt der Regierung Michail Fedorovičs. Beide sollen hier überprüft werden.

Da in der heutigen Forschung die Ansicht vorherrscht, gegenüber einem russischen Zaren seien Forderungen, wie sie 1610 Władysław gestellt wurden, nicht nötig gewesen, erübrigte sich eine Erörterung der Kapitulationsthese eigentlich, hätte nicht Čerepnin noch in jüngerer Zeit Konditionen von seiten der Bojaren für möglich gehalten.[1]) Die Vorstellung von einer beschränkten Autokratie erwies sich als gar zu verlockend, obwohl doch der tatsächliche Verlauf der Regierung des ersten Romanovs nichts davon spüren läßt und allein die bekannte Hinrichtung des Bojaren M.B. Šein einen Bruch der angeblichen Abschaffung der Todesstrafe für Bojaren dargestellt hätte.

Dennoch war zum Beispiel Ključevskij einer der Befürworter der Existenz einer Kapitulation. Aus der zeitlich am nächsten liegenden Quelle, der „Pskover Erzählung", las er heraus, Michail habe sich bei der Wahl verpflichtet, statt der Todesstrafe nur noch Verbannung zu verhängen.[2]) Der Chronist berichtet aber lediglich davon, daß der junge (und deswegen nicht gefürchtete) neue Zar die aus der Kriegsgefangenschaft heimkehrenden Dienstleute für ihre wilde Landnahme nicht mit dem Tode bestraft, sondern nur verbannt habe.[3]) Damit wollte der Chronist, der übrigens die Moskauer Verhältnisse zu dieser Zeit gar nicht gut kennen konnte, weil Pskov nicht auf der Wahlversammlung und der anschließenden Reichsversammlung vertreten war, nichts anderes tun als die zur Herrschereigenschaft gehörende Milde unterstreichen. Die zweite von den Befürwortern einer Kapitulation benutzte Quelle ist Kotošichin, der nun freilich als „Historiker" noch vorsichtiger benutzt werden muß denn als Chronist seiner eigenen Zeit. Im Zusammenhang

---

[1]) Čerepnin, „Smuta", S. 86.
[2]) Ključevskij, Kurs, Bd. 3, S. 75 ff.
[3]) PSRL, Bd. 5, S. 64.

mit der Diskussion des Begriffes „Selbstherrscher" spricht er davon,
daß Aleksej Michajlovič sich nicht, „wie die früheren Zaren nach dem
Zaren Ivan Vasil'evič", schriftlich habe verpflichten müssen, gerecht
zu sein, nur nach Gerichtsbeschluß zu bestrafen und nur gemeinsam mit
der Duma zu entscheiden.[1]) Diese Aussage stimmt weder für Fedor
Ivanovič noch für Boris Godunov, und es ist nicht einzusehen, warum
sie auf Michail zutreffen sollte, der von Kotošichin ja auch nicht ausdrücklich namentlich genannt wurde. Schließlich liegen aus der ersten
Hälfte des 18. Jahrhundert noch die Zeugnisse V.N. Tatiščevs und des
Schweden Ph. J. von Strahlenberg, der zur Zeit Peters des Großen
Sibirien bereiste, vor. Beide können, müssen aber nicht Quellen benutzt
haben, die später verlorengegangen sind. Strahlenbergs Aufzählung der
angeblichen Beschränkungen klingt gar zu sehr nach einer analogen
Anwendung der Władysław vorgelegten Konditionen, wenn etwa u.a.
die Bewahrung des orthodoxen Glaubens genannt wird, auf die man
doch einen russischen Zaren gar nicht hätte zu verpflichten
brauchen.[2]) Tatiščev ging in seiner „Russischen Geschichte" nicht über
die „Pskover Erzählung" hinaus; er nahm in einer Rezension sogar
ausdrücklich gegen Strahlenbergs These von einer Wahlkapitulation
Stellung.[3]) Daß die vermutete Kapitulation nicht veröffentlicht wurde,
erklärte Ključevskij übrigens damit, die Bojaren hätten die Reichsversammlung, die eine solche Begünstigung der Bojaren nicht hingenommen
hätte, gefürchtet. Dem hat Ljubomirov mit Recht entgegengehalten,
der Zar hätte dann die Versammlung leicht gegen die Duma ausspielen
können, um seine Macht zu bewahren.[4]) Bei genauerer Betrachtung der
Primärquellen läßt sich also kein direkter Anhaltspunkt für eine Wahlkapitulation aus dem Jahre 1613 finden.

Einige Historiker, die die Unhaltbarkeit der Kapitulationsthese aner-
kannten, hielten sich an einen zuerst von Markevič konstruierten Kompromiß: Die Machtbeschränkung sei in Form einer Bittschrift dem

---

[1]) Kotošichin, S. 126. Vgl. dazu auch Kap. 1.

[2]) Strahlenberg, S. 209.

[3]) Tatiščev, S. 155. Zu Strahlenberg schrieb er: „Es wird ein Vertrag Michail
Fedorovičs aufgeführt. Dies kommt mir äußerst seltsam vor, denn nirgends habe
ich in den Geschichten solches gesehen, und von den Menschen, die damals gelebt
haben, besonders von meinem Großvater, der damals in Moskau war und oft über diese
Dinge ausführlich erzählt, ist dies niemals erwähnt worden. Insbesondere zeigt die
ihm (dem Zaren—H.-J.T.) vom Volk gegebene Bestätigungsurkunde, daß ihm die
ganze Macht der Vorfahren überlassen und kein Vertrag eingeschlossen wurde."
(Ebenda, S. 425.)

[4]) Ljubomirov, S. 226.

bereits gewählten Zaren von der Versammlung vorgetragen worden, und, so wurde später hinzugefügt, Michail Fedorovič habe ein Versprechen gegeben, das dann nicht eingehalten worden sei.[1]) Noch vorsichtiger urteilte Ljubomirov, wenn er, ohne ein Verprechen des Zaren zu erwähnen, von einer eventuellen Bittschrift der Reichsversammlung über die Nöte des Landes sprach, die nach der Thronbesteigung überreicht worden sein könnte. In praxi seien die Wünsche auch eingehalten worden: gerechtes Gericht, Verurteilung nur nach Gerichtsurteil, Rückkehr zur Tradition, Amnestie für alle Geschehnisse in der Smuta, Beratung mit der Duma, keine Sippenhaft.[2]) Dazu ist zu sagen, daß es sich bei diesen Punkten hauptsächlich um Anliegen der Bojaren handelt, die kaum von einer Reichsversammlung vorgebracht worden wären, schon gar nicht 1613. Zudem gibt es keine anderen Hinweise auf Kollektivbittschriften, wie sie erst in den 20er Jahren üblich wurden (s.u. und Kap.3). Daß die von Ljubomirov genannten Punkte in der Tat die Politik der ersten Regierungsjahre charakterisieren, läßt sich mit Platonov dahingehend erklären, daß sich ein gemeinsames Handeln von Zar und gesellschaftlichen Kräften angesichts der Lage des Reiches von selbst ergab. Platonov wies aus diesem Grunde, ebenso wie später F.V. Taranovskij, die Idee einer Kapitulation als überflüssig zurück.[3]) Dem kann man nur beipflichten, ohne dabei zu übersehen, daß alle genannten Spekulationen natürlich einen realen Hintergrund haben, der Gerüchten Nahrung geben konnte, die wiederum dem Pskover Chronisten und Kotošichin gedient haben mögen. Gemeint sind die von Platonov angesprochene katastrophale Lage des Landes nach der Smuta und die Jugend des Zaren, der zunächst von den an die Macht zurückgekehrten Bojaren beherrscht wurde. Institutionell äußerten sich die Bojarenmacht in dem bis 1620 bestehenden und schon in vorigen Kapitel erwähnten sogenannten Bojarengericht und das Bestreben, den Notstand zu überwinden, in der häufigen Einberufung von Reichsversammlungen bis 1621. Eine Wahlkapitulation, die „polnische Neuerung", wäre widersinnig gewesen angesichts des allein erkennbaren Wunsches, der über alle Interessengegensätze hinaus alle — Zar, Duma, Kirche, Krieger, Zemlja und Pöbel — vereinte: der Rückkehr zur Tradition. Es ergibt sich demnach, daß nur 1606 und 1610, als Vasilij Šujskij und Władysław von den Bojaren

---

[1]) Markevič, Izbranie, S. 374; Avaliani, Zemskie sobory, S. 130.
[2]) Ljubomirov, S. 226 ff.
[3]) Platonov, K istorii, S. 319; Taranovskij, S. 33 f. Vgl. auch Platonov, Moskovskoe pravitel'stvo, S. 406.

eingesetzt wurden, eine Kapitulation vorgelegt wurde,[1]) während 1598
und 1613, als das „ganze Land" wählte, die Autokratie ohne jede
Beschränkung bestehen blieb, weil die unteren Schichten kein Interesse
an einer Begrenzung hatten und nicht einmal eine entsprechende Bittschrift einreichten. Die Bojaren unternahmen erst 1681 wieder einen
Versuch einer Machtbeschränkung des Zaren (s. Kap. 3).

Der frisch gewählte Michail Fedorovič stand keineswegs unter einem
Druck der Versammlung. Er war es, der ihr Bedingungen stellte, nicht
umgekehrt. Er ließ von Anfang an durchblicken, daß die Versammlung,
die ihn gewählt hatte, auch dafür sorgen müsse, daß er ordnungsgemäß
herrschen könne. Mit diesem Hinweis beschwerte er sich am 29. April
1613 auf dem Wege von Kostroma nach Moskau über die vielen Raub-
überfälle, und mit diesem Hinweis verlangte er Gehorsam von den Untertanen entsprechend der eidlichen Verpflichtung der Dienstleute, „ohne
Widerspruch den Herrscherdienst zu versehen", wohin sie auch geschickt
würden.[2]) Bis der Zar am 2. Mai in Moskau eintraf, führte die Versammlung übrigens die laufenden Geschäfte allein, d.h. sie handelte als Regierung, ohne sich weiterhin als Reichsrat zu bezeichnen (s.u.). Dem Zaren
wurde aber ständig über alle Maßnahmen berichtet. Man wird wohl
annehmen können, daß die Versammlung, hätte sie eine Wahlkapitulation verfaßt, sich auch für die Zeit nach der Ankunft des Zaren die legislativen Kompetenzen ausbedungen hätte, die ihr in der Kapitulation
von 1610 zugesprochen waren.[3]) Aber nur vor dem 2. Mai gehörten
alle möglichen Aufgaben zur Kompetenz dieses Organs, z.B. die schon
erwähnten Verleihungen. Schon am 2. Februar war der Reichsrat hinsichtlich des Gefangenenaustauschs mit Polen aktiv geworden. Nach
der Wahl mußten Kosaken nach Pskov und in andere Städte gegen
Schweden geschickt werden, ebenso Krieger in die Ukraine gegen Polen
und Litauen. Am 30. März wurde in einem Schreiben an die Voevoden
von Jaroslavl' die Suche nach zwei Schreibern eingeleitet, die den Eid
auf den neuen Zaren nicht leisten wollten.[4]) Manches andere kam hinzu.
Lediglich Bittschriften gingen nicht an die Versammlung, sondern vor
der Wahl an die Regenten Trubeckoj und Požarskij, die auch die Anwei-

---

[1]) Nach Platonov handelte es sich auch 1610 um einen Bojarenvertrag, der dann von
einer zufälligen Reichsversammlung sanktioniert wurde (Platonov, Očerki, S. 351).

[2]) Dvorcovye razrjady, Bd. 1, Nr. 54. Vgl. auch Solov'ev, Istorija, Buch 5, S. 11 ff.
Zum Eid s. Kap. 1 dieser Arbeit.

[3]) SGGD, Bd. 2, Nr. 200.

[4]) Dvorcovye razrjady, Bd. 1, Nr. 5 f. u. Anhang, Nr. 15 f. Vgl. auch Ljubomirov,
S. 231 ff.

sungen an die Zentralämter gaben. Bittschriften waren offenbar nur an bestimmte Personen denkbar und wurden dementsprechend seit dem 27. Februar wieder an den Zaren gerichtet, der seit dem 3. März die ersten Briefe schrieb. Damit war die Tätigkeit der Regenten als „Staatsoberhäupter", in deren Namen noch am 25. Februar Verleihungen geschahen (seit dem 26. im Namen des Zaren), beendet.[1]

Es gibt keinen Anhaltspunkt dafür, warum die eigentliche Regierungsübernahme erst fünf Tage nach der endgültigen Wahl geschah. An der offiziellen Annahme der Wahl durch Michail kann es nicht liegen, denn diese erfolgte ohnehin erst im März. Genauso merkwürdig ist, daß auch erst am 25. Februar die Briefe über die vollzogene Wahl an die Städte geschickt wurden.[2] Bei allem, was über die Bedeutung des Eides im ersten Kapitel gesagt wurde, gibt auch die an einige Städte erst spät versandte Aufforderung zur Eidesleistung — zum Beispiel am 22. März nach Archangel'sk — [3] zu denken. Sollte etwa die in bojarischen Händen befindliche Zentralverwaltung die Entscheidung der Wahlversammlung nur zögernd anerkannt haben? Man darf sich nicht darüber hinwegtäuschen, daß selbst die Bojaren, die der Stimmung der Bevölkerung entsprachen und die Kandidatur der Romanovs betrieben, dafür keineswegs selbstlose Gründe hatten. Nach Markevičs Mitteilung schrieb Šeremetev an den in polnischer Gefangenschaft befindlichen Golicyn: „Miša Romanov ist jung, noch nicht zu Verstand gekommen und wird uns angenehm sein."[4] Dieses Argument verstanden auch die Gegner der Romanovs.

Mit Recht rechneten die Bojaren mit Einflußnahme bei dem erst sechzehn Jahre alten Michail. Ključevskij und viele andere Forscher hatten unrecht mit der Behauptung, die Duma habe im ersten Jahrzehnt der neuen Regierung an Macht verloren.[5] Sie regenerierte sich mit der Ankunft des Zaren sehr schnell. Michail schrieb bereits von unterwegs keinesfalls nur an die Versammlung, sondern auch an „F.I. Mstislavskij und Genossen", und in der Tat darf der letzte Mstislavskij (gest. 1622) in dieser Zeit als der eigentliche Regent gelten, bevor er von den Saltykovs abgelöst wurde. Der Chronist berichtet, daß der Zar sich bald nach der Krönung mit seinen Bojaren über die Vertreibung der noch im Lande

---

[1]) Dvorcovye razrjady, Bd. 1, S. 47 f.; Ljubomirov, a.a.O.
[2]) Gleichzeitig wurde in den meisten Fällen zur Eidesleistung aufgerufen (s. Kap. 1).
[3]) Zimin, Akty, S. 192 f.
[4]) Markevič, Izbranie, S. 203.
[5]) Ključevskij, Kurs, Bd. 3, S. 79.

befindlichen Feinde beraten habe.[1]) Die Versammlung vergaß er zu erwähnen —, sie wurde auch tatsächlich ein Jahr später mit dieser wichtigen Frage nicht mehr befaßt. Ein am 20. Juli in Moskau eintreffender Brief von Kaiser Matthias, den dieser am 29. März, bevor er von der Zarenwahl wußte, über die Vermittlung zwischen Polen und Moskau geschrieben hatte, wurde hier bezeichnend falsch übersetzt. Die Worte „Wir, Matthias, von Gottes genaden erwölter Römischer kaiser... empieten des Moszco(witischen unnd) Reüszischen landen unnd ständen unnser gnad unnd alles guets" wurden offiziell zu „Wir entbieten den Moskauer russischen Landen und Bojaren (!) unsere Gnade und alles Gute".[2]) Niemals in der russischen Geschichte hätte es näher gelegen, die sozialen Gruppen der noch tagenden Wahlversammlung in die „stände" einzubeziehen. Die außerordentlich wichtigen Gesetze vom 27. und 30. Nov. 1613 über die Rückgabe ihrer alten Dienstgüter an Ausländer und darüber, daß ehemalige Anhänger des „Rebells" von Tušino ihre damals erhaltenen Güter behalten dürften, wenn sie ihr Unrecht nur eingstünden, sind Bojarenbeschlüsse ohne Beteiligung der Versammlung und sogar des Zaren![3])

Wie sehr Michail auch Werkzeug der Günstlinge gewesen sein mag, über die Hintansetzung der Versammlung waren sich Zar und Bojaren einig. I.M. Vorotynskij wehrte sich am 1. Dez. 1615 heftig gegenüber den polnischen Unterhändlern, die, um die Anerkennung des Zaren zu vermeiden, von „Land" zu „Land" verhandeln wollten. Der Moskauer Staat, so sagte er, sei dem Zaren von Gott gegeben worden. „Bei uns im Moskauer Staat ist es seit alters nicht geschehen, daß das Land etwas ohne einen herrscherlichen Befehl getan hat; von Anfang an war es so, daß ein Herrscher das ganze Land beherrschte, und die Bojaren und das ganze Land können nichts ohne zarischen Befehl machen." [4]) Er verschwieg geflissentlich, daß neben Gott auch das „ganze Land" an der Herrscherwahl mitgewirkt und daß es vor nicht allzu langer Zeit eine herrscherlose Periode gegeben hatte. Auch der Zar selbst verdrängte die Wahl aus der Erinnerung. Zusätzlich zu dem, was im ersten Kapitel über die Bemühungen um fugenlose Anknüpfung an die Zeit vor 1598 gesagt wurde, sei hier nur noch eine Stelle aus dem Brief zitiert, den Michail Fedorovič am 27. Febr. 1617 nach dem Frieden mit Schweden

---

[1]) PSRL, Bd. 14,1, S. 131.

[2]) Belokurov, Pamjatniki, S. 414. „Lande" wurde in der Fortsetzung auch mit „Staat" übersetzt (ebenda, S. 415).

[3]) PRP, Bd. 5, S. 446 ff.

[4]) Solov'ev, Istorija, Buch 5, S. 51.

an die Stadt Novgorod aus Anlaß ihrer Rückkehr ins Reich schickte. Er erzählte, wie bei früheren Gelegenheiten, die ganze Geschichte der Smuta seit dem Tode Fedor Ivanovičs. Neu war nur, daß jetzt weder die früheren Wahlen noch die eigene erwähnt wurden, was bislang immer noch geschehen war. Jetzt hieß es einfach: „...mit Gottes Hilfe wurden Wir (učinilisja)...Selbstherrscher von ganz Rußland".[1]

Es gibt noch viele andere Anhaltspunkte für den Ausschluß der Reichsversammlungen von den entscheidenden Problemen des ersten Jahrzehnts der Regierung Michail Fedorovičs. Die Untersuchung der Beratungsgegenstände wird dies gleich noch zeigen. Daß bis heute trotzdem der Eindruck vorherrscht, die Zeit bis 1621 oder gar 1622 sei „eine im Notstand praktisch gemeinsam durchgeführte Regierung von Zar und Zemskij Sobor" gewesen,[2] hängt mit der zweiten These zusammen, mit der man versucht hat, etwas vom Geist der Zeit vor dem 21. Febr. 1613 auf die neue Dynastie zu übertragen: Nicht nur das Gerücht von einer Wahlkapitulation, sondern auch die „permanente" Tagung der Versammlungen schien auf eine Beschränkung der Autokratie zu deuten. Dagegen war, wie eben gezeigt wurde, nicht die Reichsversammlung an der Regierung beteiligt, sondern nur ein unabhängiger Teil von ihr, die Duma. Da die Versammlungen in der Tat jedes Jahr bis 1621 tagten, waren sie zwar an den laufenden Problemen der Steuer- und an einigen der mit dem Steueraufkommen verknüpften Außenpolitik beteiligt, aber bei näherer Betrachtung erweist sich, daß sie keine aktive Rolle in der Initiierung dieser Politik spielten und auch nicht die Entscheidungen trafen, sondern — eher exhortativ als exekutiv — [3] nur Information und Akklamation lieferten. Die Einsicht in diesen Sachverhalt wurde wohl schon von Solov'ev mit der Feststellung angedeutet, trotz der Häufigkeit der Reichsversammlungen habe sich die Beziehung der Zemlja zur Regierung gegenüber früher nicht geändert, und das meint wohl auch die sowjetische Forschung mit der Behauptung, die Reichsversammlungen hätten den Willen der Klasse der Feudalen sanktioniert.[4] Denn auch das eigene Siegel, das die Versammlung für ihre Schreiben an die Städte benötigte, ändert nichts an der Tatsache, daß sie nach der

---

[1] SGGD, Bd. 3, Nr. 34.

[2] Stökl, Russiche Geschichte, S. 288.

[3] Keep, The Decline, S. 105 f.

[4] Solov'ev, Istorija, Buch 5, S. 257; E.V. Čistjakova in: Očerki istorii SSSR, konec XV v.—načalo XVII v., S. 597. Čerepnin spricht ganz vorsichtig von einer „Mitwirkung" der Versammlungen an den Aufgaben der Regierung (Čerepnin, Zemskie sobory, S. 114).

Wahl von 1613 nicht mehr Träger des Volkswillens war. Es ist aber auch ebenso unbestreitbar, daß zu einer oppositionellen Haltung kein Anlaß war, denn die auf der Versammlung vertretenen Schichten waren an einer Stärkung der Autokratie höchst interessiert. Es ergab sich das oben von Platonov erwähnte gemeinschaftliche Handeln, und insofern wäre auch das andere Extrem, die Einstufung der Reichsversammlungen als bedeutungslos, unangemessen. Diese Gemeinsamkeit mußte nicht immer andauern. Weiter unten wird in der Tat darauf hinzuweisen sein, daß die Einheit später mit dem Zerfall der Tradition verlorenging.

Die den Reichsversammlungen nach der Wahl von 1613 vorliegenden konkreten Probleme waren zunächst die gleichen, die bereits Michail Fedorovič und seine Mutter der Gesandtschaft des Reichsrats in Kostroma entgegengehalten hatten, um teils aus traditioneller Unwürdigkeitsbeteuerung, teils aber auch aus echter Besorgnis um die Realisierung der Herrschaft die Annahme der Wahl hinauszuzögern. Sie hatten nicht nur auf Filarets polnische Gefangenschaft und die sich daraus möglicherweise stellenden Verwicklungen hingewiesen, sondern auch gefragt: „Womit sollen die Dienstleute entlohnt und womit soll der herrscherliche Bedarf gedeckt werden, und wie soll gegen die Feinde, die Polen und Litauer, die nordwesteuropäischen Könige und andere ausländische Herrscher, gekämpft werden?"[1] Das alles zielte auf den Geldmangel, der sich tatsächlich als ein schier unüberwindliches Problem erweisen sollte, weil die Folgen der Smuta schwer auf der Bevölkerung lasteten. Die Grundbücher (piscovye knigi) aus der Zeit des neuen Zaren beweisen, daß die Zahl der im 16. Jahrhundert noch eine Minderheit darstellenden landlosen Bauern nunmehr derjenigen der besitzenden Bauern gleichkam oder sie noch übertraf. Viele Dienstleute waren deshalb dienstunfähig, und die Moskauer Stadtbevölkerung weigerte sich, die anwesenden Krieger zu ernähren.[2] Es bestand die Gefahr der Dienstflucht en masse und der Preisgabe der Stadt. Um die Armee wiederherzustellen, brauchte die Regierung daher zuallererst Geld und Getreide. Auch die Ausrüstung der für die Anerkennung der Dynastie unbedingt notwendigen Gesandtschaften kostete viel Geld. Wieviele Sondersteuern man jedoch der Bevölkerung zumuten konnte, wußten, zumal die Zentralarchive vernichtet waren, nur die seit der Wahl in Moskau versammelten Abgeordneten, die aus diesem Grunde nicht entlassen wurden.

Zunächst schrieben der Zar (bereits am 24. Mai 1613) und die hohe

---

[1] SGGD, Bd. 1, Nr. 203.
[2] Ključevskij, Kurs, Bd. 3, S. 87.

Geistlichkeit, letztere im Namen der ganzen Reichsversammlung (!), an die reiche Kaufmannsfamilie der Stroganovs. Sie forderten die Zahlung der Steuern für das vergangene Jahr und baten um Anleihen.[1]) Die Regierung erhielt tatsächlich von den Stroganovs nicht weniger als 16 810 Rubel. Außerdem wurden die Städte angeschrieben, was ganz eindeutig zeigt, daß die Abgeordneten der Versammlung nur informative Bedeutung hatten. S.B. Veselovskij, der die Geschichte dieser und der folgenden sechs Geldsammlungen geschrieben hat, glaubte immerhin eine Beeinflussung der Regierung durch die Versammlung feststellen zu können,[2]) als die Eintreibung des „Fünften" beschlossen wurde, d.h. des fünften Teils (pjataja oder pjatinnaja den'ga, pjatina) des Vermögens und des Umsatzes der Handels- und Gewerbeleute.[3]) Vielleicht veranlaßten die Informationen der Versammlung die Regierung wirklich, es bei dem Aufruf zu einer freiwilligen Spende zu belassen. Erst als deren Ergebnisse zu mager ausfielen, wurde die Steuer seit Anfang April 1614 allgemein eingetrieben, wobei sich die Regierung auf einen Beschluß der Versammlung berief.[4]) Der mit der Gesamtleitung der Aktion beauftragte Dumasekretär P. Tret'jakov und der für Moskau zuständige Dumaadlige K. Minin, der den Fünften seinerzeit in Nižnij Novgorod erfunden hatte, sammelten 1614 einschließlich der Zahlung der Stroganovs immerhin 113 169 Rubel ein, obwohl viele Leute ganz offensichtlich zu niedrige Angaben über ihre finanziellen Verhältnisse gemacht hatten und andererseits oftmals tatsächlich nichts vorhanden war. So schrieb der Voevode von Kevropol' an den Zaren, die „besten" Leute, die Ältesten und Beauftragten, seien zu ihm gekommen und hätten unter Tränen gestanden, daß sie das Geld für den Unterhalt der Krieger nicht aufbringen könnten.[5])

Wiederum ein Jahr später verzichtete die Regierung auf einen Versammlungsbeschluß und zog im April 1615 die Sondersteuer von sich aus ein. Die Versammlung war wahrscheinlich bereits entlassen. Dabei

---

[1]) AAÈ, Bd. 3, Nr. 4. Vgl. auch Latkin, Zemskie sobory, S. 148.

[2]) Veselovskij, Sem' sborov, S. 26 ff.

[3]) Dies ist die Meinung Veselovskijs über den Fünften. Die Forschung ist sich nicht einig, ob es sich um den 5. Teil des Jahreseinkommens, des beweglichen Vermögens, der Steuerveranlagung (oklad) oder noch anderer Werte handelte. In der Praxis wurden übrigens auch zum Teil Bauern herangezogen. Vgl. Miljukov, S. 42 ff.

[4]) Vgl. das Schreiben vom 14. April 1614 nach Beloozero (AAÈ, Bd. 3, Nr. 31 f.).

[5]) Bogoslovskij, Zemskija čelobitnyja, S. 686. Das Sammelergebnis bei Lichačev, S. 78. Veselovskij hielt dieses Resultat für bescheiden und führte es darauf zurück, daß die lokalen Einsammler (pjatinščiki) mit unzureichenden Mitteln für ihre Aufgabe ausgestattet waren (Veselovskij, Sem' sborov, S. 49).

ist in der Forschung umstritten, ob es sich wieder um einen Fünften (Latkin, Veselovskij) oder nur um einen Zehnten (Lichačev) gehandelt hat. Der Erlaß ist in zwei Briefen erhalten; der eine vom 29. April nach Sol' Vyčegodsk spricht vom Zehnten, der andere vom 25. Mai nach Perm' vom Fünften.[1]) Einen allerdings nicht sehr sicheren Anhaltspunkt zugunsten der Meinung, daß der Zehnte eingesammelt wurde, gibt die von B.M. Saltykov unter Einschluß bestimmter Strafgelder für Steuerschulden und einer einmaligen Besteuerung der niederen Geistlichkeit beigetriebene Summe von nur 53 411 Rubeln.[2]) Wie dem auch sei, für den vorliegenden Zusammenhang ist allein wichtig, daß die Regierung bereits 1615 glaubte, ohne die moralische Unterstützung einer Versammlung auskommen zu können. Bei der ersten Sammlung war dies ebenso wie bei anderen heiklen Problemen noch unumgänglich gewesen. Zu diesen anderen Fragen gehörte zum Beispiel die Aufforderung, die die Geistlichkeit unter Berufung auf die Versammlung am 18. März 1614 an die Don-Kosaken richtete, I.M. Zaruckij und Maryna Mnyszech zu fangen. Aus diesem Brief und aus den am gleichen Tage von Zar, Geistlichkeit und weltlichen Teilnehmern der Versammlung getrennt an die Wolga-Kosaken gerichteten Schreiben geht auch hervor, daß es noch immer die Wahlversammlung war, die in Moskau tagte, denn es wurde gesagt, daß die Absender („wir") den Zaren gewählt hätten. Die ganze Versammlung sandte übrigens auch an Zaruckij selbst ein Schreiben, in dem er zur Unterordnung aufgefordert wurde.[3]) Ferner schickte sie am 1. Sept. 1614 eine Gesandtschaft unter Führung des Erzbischofs von Suzdal', Gerasim, und des Fürsten B.M. Lykov zu den Kosakenabteilungen, die den Norden und das Moskauer Gebiet unsicher machten.[4])

Fast die gleichen Aufgaben wurden der ebenfalls mehrere Jahre tagenden nächsten Reichsversammlung gestellt. Die Wahlen dazu müssen Ende 1615 oder Anfang 1616 stattgefunden haben, denn vom 6. und 12. Jan. 1616 sind zarische Schreiben nach Sol' Vyčegodsk, Tot'ma und Perm' Velikaja erhalten, worin die Aufforderung zur Wahl

---

[1]) Ebenda, Nr. 52; AAĖ, Bd. 3, Nr. 70. Veselovskij plädierte grundsätzlich für den Fünften und nahm nur an, daß in einigen Orten aus unbekannten Gründen der Zehnte eingesammelt wurde (a.a.O., S. 59). Lichačev veröffentlichte später ein Dokument, das einen Beweis für den Zehnten erbrachte (Lichačev, S. 78).

[2]) Auch an die Stroganovs hatte der Zar am 8. April 1615 wieder geschrieben (AAĖ, Bd. 3, Nr. 68).

[3]) Ebenda, Nr. 23 u. 25 f.; Dvorcovye razrjady, Bd. 1, S. 143; Knigi razrjadnyja, Bd. 1, S, 1.

[4]) SGGD, Bd. 3, Nr. 22.

von Stadtleuten mahnend wiederholt wurde.[1]) Man muß sich fragen,
warum die frühere Versammlung wahrscheinlich nur ein halbes Jahr
zuvor überhaupt entlassen wurde. Zwei Gründe sind denkbar: Nach
über zwei Jahren wurden die Abgeordneten in ihren eigentlichen „Berufen" als Krieger und Zemlja-Leute benötigt, oder — wahrscheinlicher —
die Regierung hatte zunächst geglaubt, ohne eine Versammlung aus-
zukommen, wie sich das schon in der selbständigen Eintreibung der
zweiten Sondersteuer andeutete, mußte aber nun doch wieder gewählte
Vertreter hinzuziehen. Mehr noch: sie schien auf Vollständigkeit nach
dem Muster der Wahlversammlung von 1613 Wert zu legen, denn in dem
Schreiben nach Perm' hieß es zum Beispiel, die Versammlung käme
ohne die drei dortigen Vertreter nicht zustande. Bis zu sechs Abgeordnete
aus jeder Stadt wurden eingeladen. Welche außerordentlichen Schwierigkeiten waren aufgetaucht? Darüber gibt die zarische Rede Auskunft,
die zur Eröffnung der Versammlung verlesen wurde. Michail Fedorovič
wies darauf hin, daß die Verhandlungen mit Polen bisher zu keinem
Ergebnis geführt hätten. Daher werde weiter Geld für den Unterhalt der
Krieger benötigt, ebenso wie die Not im verwüsteten Norden des Reiches
gestillt werden müsse. Neben dem Hinweis auf das Fehlen regulärer
Einnahmen (wegen der Zerstörungen und der unumgänglichen Vergabe
von Krons- und Staatsland) konnte offenbar nur noch die rigorose
Offenlegung der staatlichen Finanzen die erneute Geldforderung rechtfertigen. Die Gegenüberstellung der Einnahmen und Ausgaben der
Zentralämter ergab ein Defizit von rund 343 330 Rubeln. Auch die Ergebnisse der Sondersteuereintreibungen von 1614 und 1615 wurden mit dem
Zusatz mitgeteilt, daß davon nichts mehr übrig sei. Zum Schluß erfuhr
die Versammlung, daß der polnische König, der Sejm und der Papst
schon lange nachdächten, wie sie das orthodoxe Moskau besiegen könnten. Sie wurde aufgefordert, sich Gedanken über eine Geldbeschaffung
zu machen: „Und ihr rechtgläubigen Christen sollt darüber alle gemeinsam beraten und intensiv über jegliche Maßnahmen nachdenken, indem
ihr eure eigenen Angelegenheiten und euren Eigennutz zurückstellt."[2])
Diese „Thronrede" (Lichačev) muß kurz nach dem 22. Febr. 1616
gehalten worden sein, denn bis zu diesem Datum gehen die in ihr genannten Zahlen der Zentralämter. Sie muß andererseits vor dem 18. März
verlesen worden sein, weil es von diesem Tage bereits ein Dokument

---

[1]) AAĖ, Bd. 3, Nr. 77; Veselovskij, Sem' sborov, Nr. 53 ff.
[2]) Lichačev, S. 69 ff.

der Versammlung gibt, nämlich ein zarisches Schreiben an den Voevoden von Tot'ma über Beschlüsse der Versammlung.[1])

Die Reichsversammlung von 1616, die demnach wohl Ende Februar eröffnet wurde, verdankte ihre Einberufung nur der Fortdauer des Kriegs- zustandes. Sie machte sich ihre Entscheidung offenbar nicht leicht, denn es wurde „viele Tage" beraten, bis die erneute Einsammlung eines Fünf- ten beschlossen war. Erst vom 20. April stammt das Schreiben, in dem auch die Stroganovs wieder zur Zahlung des Fünften, und das hieß konkret: von 16 000 Rubeln, aufgefordert wurden. Dem Voevoden von Sol' Vyčegodsk wurde aufgetragen, sich der Stroganovs anzunehmen. Der Zar berief sich in beiden Fällen auf den „Beschluß aller Gemeinden" (vsemirnyj prigovor).[2]) Die Verwaltung des Fünften wurde diesmal D.M. Požarskij anvertraut. Nur der populäre Held der Befreiung konnte die heikle Aufgabe der Schröpfung des verarmten Landes lösen. Wie Veselovskij gezeigt hat, hatte sich der Charakter der Sondersteuer seit der ersten Einsammlung geändert: Von der freiwilligen Spende führte ein direkter Weg zur regelrechten Repartitionssteuer (zapros) auf der Grundlage der Landbesteuerungseinheit (socha).[3]) Auf diese Weise wurden 180 000 bis 200 000 Rubel eingenommen.[4]) Bemerkenswert ist, daß die Versammlung Wert darauf legte, die Voevoden völlig aus der Ein- sammlung herauszuhalten; sie durften nur die nötigen Polizisten stellen. Schon im Herbst 1616 war die Aktion beendet.

Zu dieser Zeit wurde die Reichsversammlung noch in die laufenden Friedensverhandlungen mit Schweden eingeschaltet. Das geschah relativ spät, nachdem unter Vermittlung des Engländers Sir John Merrick schon lange verhandelt worden war und Zar und Duma bereits am 17. August territoriale Konzessionen (Karelien) beschlossen hatten. Am 11. Septem- ber ordnete Michail Fedorovič die Beratungen über die schwedischen Bedingungen an, die auf zusätzliche finanzielle Kontributionen hinaus- liefen. Die Versammlung lehnte solche am nächsten Tag „nach langer Beratung", wie es in dem erhaltenen Protokoll heißt, grundsätzlich ab und plädierte für die Aufgabe der Ostsee-Städte, die im gegenwärtigen Zustand doch nur eine Belastung für das Reich darstellen würden.

---

[1]) Veselovskij, a.a.O., Nr. 56.

[2]) AAÈ, Bd. 3, Nr. 79 f. Am 29. April wurden die Stroganovs noch aufgefordert, eine Anleihe von 40 000 Rubeln als Vorschuß auf künftige Steuerzahlungen zu leisten (ebenda, Nr. 81). Damit gaben die Stroganovs mit 56 000 Rubeln 1616 mehr Geld, als im Jahr zuvor durch die Eintreibung aus dem ganzen Land zusammengekommen war.

[3]) Veselovskij, Sem' sborov, SS. 7 u. 30.

[4]) SIÈ, Bd. 11, Sp. 744.

Die Versammlung führte also keineswegs die Friedensverhandlungen, sie wurde, wie üblich, nur konsultiert, weil eventuell Geld aufgebracht werden mußte. Die Schweden verlangten entweder 2 Mill. Rubel, zahlbar in vier Jahresraten, oder 150 000 Rubel bei größeren territorialen Konzessionen. Es verwundert nicht, daß die Abgeordneten nicht wußten, woher sie das Geld nehmen sollten („i gdě vzjati dengi?"). Mehr als diese Information wollte die Regierung nicht. Genauso förmlich wie ihr der frühere Verhandlungsgang geschildert worden war, unterrichtete der Zar Ende des Jahres die Versammlung von dem am 15. Dezember durch die russischen Gesandten unter Führung D.I. Mezeckijs erzielten Ergebnis: Die Schweden waren bei Übernahme Livlands mit 20 000 Rubeln zufrieden.[1]

Die weitere Geschichte dieser Reichsversammlung ist nicht völlig geklärt. Aus dem Fehlen von Quellen über Neuwahlen hat die Forschung geschlossen, daß die Versammlung bis 1618 tagte. Dabei wurde in der älteren Forschung — noch von Latkin — [2]) in Kauf genommen, daß für 1617 überhaupt keine Aktivitäten nachzuweisen waren. Als Veselovskij dann 1909 die seit dem 8. Juni 1617 datierten Aufrufe zur ebenfalls unter D.M. Požarskijs Leitung stehenden Eintreibung eines Fünften auch für 1617 fand,[3]) war damit immer noch nicht klar, ob es sich noch um die 1616 einberufene Versammlung handelte. Nach den „klassischen" Kriterien durfte man nicht einmal von einer Reichsversammlung sprechen, da die zu dieser Zeit wohl an der Front benötigten Dienstleute nicht mit den übrigen sozialen Gruppen aufgezählt wurden. Schon Ende Dezember 1616 war übrigens nicht mehr von den einzelnen Gruppen die Rede gewesen, sondern nur pauschal von der Synode, der Duma und den „Leuten aller Gruppen". Wenn man liest, wie die wieder mit der Notwendigkeit der Gehaltszahlung an die Krieger begründete Entscheidung über den Fünften im Jahre 1617 zustande gekommen ist — "die Geistlichen und die Bojaren sprachen mit drei Moskauer Großkaufleuten, den Handelsleuten und allen Leuten und beschlossen..." —, so klingt das nicht nach sehr großem Einfluß der Abgeordneten auf die Geschehnisse, nicht nach Beratung oder gar sehr langer Beratung, sondern entspricht genau der im gleichen Jahr stattfindenden Zusammenkunft der Duma mit den Großkaufleuten und Handelsleuten über die von

---

[1]) Zamjatin, Dva dokumenta. Die Einzelheiten der Verhandlungen kann man in dem Bericht der niederländischen Gesandten aus den Jahren 1615/16 nachlesen (Polovcev).

[2]) Latkin, Zemskie sobory, SS. 158 u. 201 ff.

[3]) Veselovskij, Sem' sborov, Nr. 62 f.

Merrick angeschnittene Frage des Persienhandels für England (s. Kap. 3).[1]) Abgesehen davon, daß zu diesem letzteren Problem sicherlich gleich die ohnehin an der Reichsversammlung teilnehmenden Kaufleute befragt wurden, zeigt diese Nebeneinanderstellung deutlich, daß die Frage der „Vollständigkeit" der Versammlungen für die Zeitgenossen keine Rolle spielte. Der Beschluß über den Fünften zeigt aber auch die geringe Entscheidungsbefugnis der Versammlung, die dann in den Erlassen über die Steuereinsammlung überhaupt nicht mehr erwähnt wurde.[2]) Es wiederholte sich 1617 der gleiche Vorgang wie 1614/15: Im zweiten Jahr sank die Bedeutung der Versammlung (sofern es 1617 überhaupt noch diejenige von 1616 war). Der Friede mit Schweden, der am 27. Febr./9. März 1617 in Stolbovo geschlossen wurde, enthielt selbstverständlich kein Wort über die Reichsversammlung.

Dieser Tendenz folgend, nahm Michail Fedorovič im April 1618 eine erneut notwendige Sondersteuereintreibung, die nun von I.N. Odoevskij geleitet wurde, wahrscheinlich wieder ohne Beteiligung einer Versammlung vor. Jedenfalls wurde in dem erhaltenen Brief nach Tot'ma vom 11. April kein Versammlungsbeschluß erwähnt.[3]) Analog zu den Vorgängen des Vorjahres muß das allerdings nicht heißen, daß ein solcher nicht vorgelegen hat. Er wäre aber sicher erwähnt worden, hätte er den Nachdruck und die Bedeutung etwa desjenigen von 1614 gehabt. Im übrigen existierte tatsächlich noch eine Versammlung, bei der es sich immer noch um die 1616 gewählte handeln konnte. Freilich läßt sich das nun noch weniger als in bezug auf 1617 beweisen. Die Zemlja-Leute können die gleichen gewesen sein; die Krieger, die nun nach der Unterbrechung des Vorjahres wieder teilnahmen, waren es mit einiger Sicherheit nicht, es sei denn, die wegen des drohenden polnischen Vormarsches in der Hauptstadt konzentrierten Truppen hätten ihre alten Vertreter noch einmal nominiert. Angesichts aller dieser unsicheren Faktoren läßt sich die Meinung wohl kaum aufrechterhalten, es habe sich um eine kontinuierliche und geschlossene Reichsversammlung von 1616 bis 1618 gehandelt. Wenn überhaupt, war nur ein Teil der Abgeordneten ständig anwesend. Eine Reaktivierung brachte, wie gesagt, erst der Vormarsch Władysławs mit sich. Schon am 26./27. Juli hatte der Zar allein mit Duma und Synode im Stile einer „Beamtenversammlung" des 16.

---

[1]) Vgl. auch weiter oben zu der Tatsache, daß die Regierung die Vertreter der Kaufleute als „ganzes Land" betrachtete.

[2]) Zaozerskij, K voprosu, S. 350.

[3]) Veselovskij, Sem' sborov, Nr. 66.

Jahrhunderts die Aufhebung der Rangplatzordnung in polnisch-litauischen Angelegenheiten beschlossen. Am 8. September traf die Nachricht
von der Invasion des Thronprätendenten ein, und erst dann wurde am
nächsten Tag die Reichsversammlung zusammengerufen. Diese kurz-
fristige Einberufung schließt Neuwahlen in den Städten logischerweise
aus — ein weiteres Indiz dafür, daß die Zemlja-Leute noch von früheren
Versammlungen anwesend waren. Im Angesicht der Bedrohung —
gleichzeitig marschierte der Hetman P. Sahajdačnyj mit 20 000 Dnepr-
Kosaken auf — herrschte allgemeine Einigkeit. Die Versammlung legte
fest, welche Heerführer welche Städte verteidigen sollten,[1]) und in die
Städte schickten Zar und Versammlung gleichlautende Schreiben, in
denen die Krieger zum Dienst und Geistlichkeit und Steuerzahler zur
materiellen Unterstützung des Feldzuges aufgefordert wurden. Dabei
war es offenbar für einige Orte unmöglich, nach den vorangegangenen
Sondersteuern noch einmal einen bestimmten Betrag festzusetzen. In dem
Schreiben nach Vladimir vom 17. September heißt es einfach, „wieviel
jedem zu geben zukommt". In anderen Städten wurde jedoch auch auf
der Grundlage der früheren Veranlagungen eingetrieben.[2]) Nach dem
Waffenstillstand von Deulino (1./11. Dez. 1618) war die Funktion der
Reichsversammlung erfüllt, und man kann annehmen, daß sie entlassen
wurde. Bewiesen werden kann auch dies nicht, denn über Neuwahlen
für die ersten beiden Versammlungen des Jahres 1619 ist nichts bekannt.
Es ist allerdings mehr als unwahrscheinlich, daß etwa noch Teilnehmer
von 1616 übriggeblieben waren. Es gab auch kein Problem mehr, daß
die Fortdauer der Versammlung gerechtfertigt hätte.

Bei der Menge, die sieben Monate später den 66jährigen Filaret nach
seiner Rückkehr von der Marienburg um die Annahme des Patriarchats
„bat", handelte es sich sicherlich überhaupt nicht um ein geordnetes
Gremium. Der „Neue Chronist" spricht nur von „der Geistlichkeit,
den Bojaren und dem Volk", was eher nach spontaner Akklamation
klingt. In den Diensternennungsbüchern (knigi razrjadnye) wurden allerdings aus dem gleichen Anlaß neben dem Patriarchen von Jerusalem
die einzelnen sozialen Gruppen aufgezählt,[3]) doch muß das nicht auf
eine Reichsversammlung hindeuten. Die Frage, ob Reichs- oder ad-hoc-

---

[1]) SGGD, Bd. 3, Nr. 40. Die Instruktion vom 17. September für B. M. Lykov,
der mit der Verteidigung von Niznij Novgorod beauftragt wurde, s. ebenda, Nr. 41.
Vgl. auch Knigi razrjadnyja, Bd. 1, SS. 559 ff., 577 u. 592; Dvorcovye razrjady, Bd. 1,
SS. 340 u. 353; Latkin, Zemskie sobory, S. 158 ff.

[2]) Veselovskij, Sem' sborov, Nr. 70. Das Schreiben nach Vladimir s. SGGD,
Bd. 3, Nr. 42.

[3]) PRSL, Bd. 14,1, S. 149; Knigi razrjadnyja, Bd. 1, S. 609 ff.

Versammlung, ist jedoch ohnehin irrelevant, da die Petition sicher von oben inszeniert wurde und es gar kein Problem zu beraten gab. Generell gesehen, waren die Moskauer Versammlungen inzwischen zu sichtbarer Bedeutungslosigkeit herabgesunken, denn auch für die Beratungen über die von Filaret unmittelbar danach in Angriff genommenen Staatsreformen großen Stils wurden sie nur sekundär herangezogen.

Diese Beratungen begannen gleich nach dem Gefangenenaustausch vom 1. Juli 1619. Wie aus erhaltenen Zirkularen des Zaren an die Voevoden von Novgorod und Galič vom 5. Juli hervorgeht, berieten die Herrscher — Vater und Sohn — zunächst nur mit der Synode über die finanzielle Situation des Landes.[1] Moniert wurden die ungerechte Verteilung der Steuern und Postgelder, die parteiische Bestandsaufnahme der Besitzverhältnisse, die Erscheinung der Steuerflucht durch Verpfändung und allgemein das Streben nach Steuererleichterungen (s. Kap. 3). Ferner wurden die Klagen der Bevölkerung gegen die Bojaren und andere „starke" Leute besprochen. Dieser letzte Punkt und wohl auch überhaupt das Mißtrauen Filarets gegen die vor seiner Heimkehr herrschenden Bojaren erklären den Ausschluß der Duma von den Beratungen. Erst danach wurden die einzelnen Fragen einer Reichsversammlung vorgelegt, die entweder die in früheren Jahren einberufene oder die eben erwähnte ad-hoc-Versammlung war. Nach A.I. Zaozerskijs Meinung erfolgte diese Wendung an die Versammlung aus Angst vor einer neuen Smuta.[2] Doch das ist schwer begreiflich. Einleuchtender ist die Erklärung, daß die unumgängliche Konsultierung der Duma im Rahmen der Reichsversammlung neutralisiert werden sollte, weil sonst die teilweise antibojarischen Maßnahmen nur schwer hätten verabschiedet werden können. Man brauchte natürlich auch die Beurteilung durch Kenner der Provinz, wohlgemerkt: die Beurteilung, nicht einmal mehr die primäre Beratung mit ihnen. Wie Keep im Anschluß an Smirnov festgestellt hat, nahm die Versammlung aber offenbar dennoch einigen Einfluß auf die Endbeschlüsse.[3] Neben den weltlichen Besitzern von „weißen Plätzen" wurde nämlich auch die Kirche — taktvollerweise mit Ausnahme des Patriarchen — aufgefordert, die „Verpfändeten" zurückzuschicken. Letztere sollten nun nur dann Moskau verlassen, wenn sie aus der Ukraine geflohen waren, nicht aber, wenn sie aus der Umgebung der Hauptstadt stammten. Darin zeigt sich eine Einflußnahme der auf

---

[1] SGGD, Bd. 3, Nr. 47; AAĖ, Bd. 3, Nr. 105. S. auch Got'e, Nr. 6.
[2] Zaozerskij, K voprosu, S. 350.
[3] Keep, The Decline, S. 108; Smirnov, Posadskie ljudi, Bd. 1, S. 363 ff.

der Versammlung vertretenen Bojaren, aber auch der Stadtleute, die zudem eine von Filaret nur angedeutete Steuererleichterung für die zwangsweise umgesiedelten Rückkehrer in die Steuerhaftpflicht verlangten. Über dieses ganze zakladničestvo sollten die Städte sofort schriftlich berichten bzw., wie aus einem Schreiben vom 27. Juli nach Sol' Vyčegodsk hervorgeht, Vertreter zur Befragung nach Moskau schicken.[1] Für die Untersuchung der Übergriffe „starker" Leute wurde eine Kommission unter I.B. Čerkasskij und D.I. Mezeckij eingerichtet. Ferner wurde eine gründliche Bestandsaufnahme des ganzen Reiches durch Landvermesser (piscy) in den nicht zerstörten und durch vereidigte Aufseher (dozorščiki) in den zerstörten Städten beschlossen. Mit diesen Maßnahmen, die bekanntlich nur bruchstückhaft in die Wirklichkeit umgesetzt werden konnten, sollte der Grad der Zerstörung, die Höhe der Einnahmen, Aus- und Abgaben und der Außenstände der Gemeinden sowie die Zahl der Dienst- und Erbgüter festgestellt werden.[2]

Daß diese Versammlung bei aller möglichen Einflußnahme im Grunde nur akklamatorischen Charakter besaß, zeigt der Aufruf zur Wahl einer neuen Reichsversammlung, den die Regierung noch zur Zeit der Tagung oder kurz danach erließ: In jeder Stadt sollten ein oder zwei Geistliche, zwei Adlige (und Bojarenkinder) und zwei Stadtleute gewählt werden, „die (in Moskau) über das Unrecht (obidy), die Gewalttätigkeiten und den Ruin berichten können sowie darüber, wie der Moskauer Staat bereichert, die Krieger entlohnt und der Moskauer Staat wiederaufgerichtet werden können..." [3] Offenbar erschien die Anfang Juli zusammengetretene Versammlung als nicht kompetent, was als Indiz dafür genommen werden kann, daß sie nicht in der Provinz gewählt worden war. Freilich, auch die neue Versammlung sollte nicht zum Zwecke der Beratung geschweige denn der Gesetzgebung zusammenkommen, sondern lediglich über die Nöte des Landes Bericht erstatten. Auf eine solche Reduzierung der Funktionen war im Grunde seit einiger Zeit gedrängt worden, Filaret aber setzte sie endgültig durch. Er verhalf damit der Kollektivbittschrift zu einer politischen Bedeutung, denn da die Berichterstattung in Form von Petitionen vor sich ging, ergab es sich ganz von

---

[1] Got'e, Nr. 7.

[2] Staševskij, Očerki, S. IV.

[3] Latkin, Materialy, S. 5. Übrigens nahmen in Wirklichkeit auch Bauern teil, wie aus der Abschrift eines zarischen Schreibens vom 2. Nov. 1619 hervorgeht, in dem Michail Fedorovič dem Voevoden von Tot'ma die Ankunft der gewählten Vertreter bestätigte. Die Abschrift wurde am 3. Mai 1620 gefertigt (Veselovskij, Sem'sborov, Nr. 74).

selbst, daß die Zemlja- und Kriegsleute seit den 20er Jahren ihren Einfluß auf diese Weise geltend machten (s. Kap. 3), zumal Reichsversammlungen von nun an seltener einberufen wurden. Bezeichnenderweise ist über die Tätigkeit der Reichsversammlung vom Herbst 1619 überhaupt nichts bekannt. Sie war ursprünglich auf den 1. Oktober angesetzt und wurde, wie aus dem bereits oben zitierten Schreiben vom 9. September an den Voevoden von Ustjužna hervorgeht, wegen einer Pilgerreise des Zaren auf den 6. Dezember verschoben. Schon dies zeigt, daß es die Regierung nicht mehr besonders eilig hatte. Da jedes Zeugnis fehlt, darf sogar vermutet werden, daß die Regierung einfach nur die Bittschriften entgegennahm. Auch daß die Versammlung noch 1620 getagt habe, kann nicht bewiesen werden.

Für dieses Jahr 1620 ist nur eine Beratung der Duma mit den Kaufleuten belegt, denn Merrick hatte seinen Wunsch von 1617 wiederholt. Wie das für jenes Jahr vermutet wurde, so könnten auch jetzt die Kaufleute aus einer größeren Versammlung hervorgegangen sein. Übrigens wurde Merrick wiederum abschlägig beschieden, obwohl sich die befragten Großkaufleute nicht einheitlich äußerten und um Hinzuziehung der für den Persienhandel besonders kompetenten Kaufleute aus Jaroslavl' und Nižnij Novgorod baten. Merrick berichtet, daß „the Great Duke in his former letters to his Majestie made promise of that trade to the merchants".[1]) Dies bestätigt nur die schwierige Position der Regierung zwischen nationalen und außenpolitischen Interessen, von der im vorigen Kapitel bereits die Rede war.

Um der Idee der permanenten Tagung willen hat die Forschung eine Fortsetzung der Reichsversammlung vom 6. Dez. 1619 nicht nur für das Jahr 1620, sondern auch für 1621 angenommen.[2]) Tatsächlich trat am 12. Okt. 1621 wegen der Verletzungen des Waffenstillstandes durch Polen und wegen der Titelfragen eine Reichsversammlung zusammen; ihr Protokoll ist erhalten. Aber es gibt ein starkes Indiz gegen eine zweijährige Kontinuität: In einem Schreiben nach Novgorod berichtete Michail Fedorovič folgendermaßen über die Versammlung: Er habe sich mit dem Patriarchen beraten und habe mit den Bojaren gesprochen (!), dann habe er eine Versammlung veranstaltet und zu sich in die Versammlung Leute aller Gruppen berufen (učinja sobor i prizvav k sebě na sobor...).[3]) Das bedeutet, daß auch diese Versammlung erst nach der

---

[1]) Konovalov, Anglo-Russian Relations, S. 101.

[2]) Latkin, Zemskie sobory, S. 168. Zur Frage der Permanenz von 1616 bis 1619 s. ders., Materialy, S. 2.

[3]) Knigi razrjadnyja, Bd. 1, S. 805.

Beratung der Probleme „veranstaltet", also neu einberufen wurde, und zwar ohne Wahlen. Wenn man dem offiziellen Protokoll glauben darf,[1] stimmte sie freudig einem Krieg mit Polen zu, den Filaret letzten Endes nur deswegen wollte, weil es die ihm und dem Reich angetane Schmach zu rächen und den Gebietsverlust rückgängig zu machen galt. Da bereits ein Ultimatum an Polen ergangen war, konnte die Versammlung eigentlich nur zustimmen. Alle waren zu Opfern bereit, sogar die Großkaufleute und die Handelsleute wollten „je nach ihren Mitteln" helfen. Diese Erforschung der finanziellen Möglichkeiten war denn auch wieder der alleinige Zweck der vermutlich aus der Moskauer Stadtbevölkerung und den anwesenden Truppen gebildeten Versammlung. Insofern ist ein indirekter Einfluß auf Krieg und Frieden erkennbar. Die Entscheidung über die Aufstellung des Heeres, so steht es sogar im Protokoll, fiel im Unterschied zu 1618 jedoch wieder in einer Beratung der beiden Herrscher mit der Duma.[2] Die Städte wurden wie üblich angeschrieben, und am 15. Oktober ging auch der Kurier an den Sejm mit der Nachricht ab, daß die Bojaren und „alle Leute" des Moskauer Staates Vertragsverletzungen nicht mehr dulden würden. Mitte März 1622 wurden die Städte von Michail Fedorovič noch einmal aufgefordert, sich für den Krieg bereitzuhalten. Aus einem erhaltenen Schreiben vom 14. März nach Novgorod [3] ist geschlossen worden, daß die Versammlung entweder mindestens bis zu diesem Datum getagt hat oder daß eine neue einberufen wurde. Es ist aber viel wahrscheinlicher, daß keines von beiden der Fall war, sondern daß sich der Zar einfach auf die Versammlung vom Oktober 1621 bezog. Für eine Wiederholung der damals gefaßten Beschlüsse bestand kein Grund. Der Krieg fand dann bekanntlich nicht statt, weil zwei andere Feinde Polens, Schweden und die Türkei, aus unterschiedlichen Gründen davon abließen. Immerhin war die Reichsversammlung wegen einer außenpolitischen Krise konsultiert worden.

Überblickt man die acht Jahre vom Eintreffen des neuen Zaren in der Hauptstadt im Fühjahr 1613 bis zum Herbst 1621, so fallen hinsichtlich der Tätigkeit der Versammlungen drei Dinge auf: 1. Die Regierung bestimmte, zu welchen Fragen eine Versammlung hinzugezogen wurde; 2. die Entscheidungsgewalt der Versammlungen sank von heftig diskutierten Beschlüssen über Sondersteuern auf die Ebene der Berichter-

---

[1] SGGD, Bd. 3, Nr. 57; Got'e, Nr. 8.

[2] Eine Instruktion für die Truppenaufstellung in Nižnij Novgorod und im nördlichen Küstengebiet s. SGGD, Bd. 3, Nr. 59.

[3] Knigi razrjadnyja, Bd. 1, S. 824 ff. Vgl. auch Solov'ev, Istorija, Buch 5, S. 160 f., u. Latkin, Zemskie sobory, S. 174.

stattung und akklamatorischen Sanktionierung der Regierungspolitik;
3. die Beratungsgegenstände betrafen in der überwältigenden Mehrheit
der Fälle die Möglichkeiten der fiskalischen Nutzung des Landes. Auch
alle vordergründig außenpolitischen Entscheidungen lassen sich auf dieses
letztgenannte Thema zurückführen. Umgekehrt genommen, wurden die
Versammlungen, von Filarets großer Staatsreform vielleicht abgesehen,
überhaupt nur konsultiert, weil die außenpolitische Situation unsicher
war und die Verteidigungsmöglichkeiten erkundet werden mußten.

Aus dieser Sicht wird auch klar, warum in dem Jahrzehnt der außenpolitischen Ruhe ab 1622 keine Versammlung einberufen wurde. Sehr
gern hat die Geschichtsschreibung auch das quasi-diktatorische Régime
Filarets dafür verantwortlich gemacht.[1] Dabei wird übersehen, daß
zu Beginn seiner Mitregierung allein fünf Versammlungen (einschließlich
der Befragung der Kaufleute 1620, aber ohne die Akklamation Filarets)
und am Ende noch einmal eine Versammlung stattfanden. Außerdem
unterstellt diese These, daß die Versammlungen in der von Filaret
durchgeführten Form der Regierung unbequem geworden seien, denn
sonst hätten sie nicht abgeschafft zu werden brauchen. Dies läßt sich
jedoch angesichts der bloßen Berichterstattung und der Sanktion von
Regierungsvorlagen nicht behaupten. Im übrigen verschaffte sich die
Regierung mit anderen Mitteln einige Informationen über den Zustand
der Provinz, da keine Probleme vorlagen, die die Mühen einer Reichsversammlung gerechtfertigt hätten. Auf das Aufkommen der Kollektivbittschriften in den 20er Jahren wurde schon hingewiesen. Beide Herrscher führten nun auch die früher nur dem höchsten Adel vorbehaltenen
Audienzen für andere soziale Gruppen ein. Bei Filaret erschienen sogar
Kosakenführer und Handwerker.[2]

Für die Vermutung, daß die Reichsversammlungen bis 1648 — das
sei hier vorweggenommen — von der außenpolitischen Entwicklung
abhingen, spricht auch die Wiedereinberufung einer Versammlung im
Smolensker Krieg. Dies geschah erst nach Ausbruch des Krieges, der
anfangs in seinen finanziellen Auswirkungen offenbar unterschätzt
wurde. Am 11. Nov. 1632, ein knappes Jahr vor Filarets Tod, beschloß
eine Versammlung die Eintreibung des Fünften von den Großkaufleuten
und Handelsleuten sowie einer freiwilligen Spende von den Dienstleuten
und ebenfalls von den Großkaufleuten. Da ein Protokoll nicht erhalten
ist, kann über das Zustandekommen dieser Entscheidung oder wenigstens

---

[1] Zum Beispiel Keep, The Decline, S. 107 ff.
[2] Smirnov, Posadskie ljudi, Bd. 1, S. 357 ff.

der Versammlung nichts gesagt werden. Aus einer Instruktion für D.M. Požarskij, der neben dem Archimandriten Levkij wieder mit der Einsammlung betraut wurde, geht lediglich hervor, daß die üblichen Bevölkerungsgruppen vertreten waren.[1]) Ob sie zum Teil gewählt waren, ob zu den Wahlen vielleicht schon vor Beginn des Krieges aufgerufen worden war, muß ungeklärt bleiben.

Einige Informationen über die Versammlung von 1632 verdankt die Forschung der nächsten vom 29. Jan. 1634, in deren Eröffnungsrede jene „erste Versammlung" erwähnt wurde. Zaozerskij hat die Vermutung ausgesprochen, daß es sich noch um die gleiche Versammlung gehandelt haben könnte.[2]) Es ist jedoch unwahrscheinlich, daß die Abgeordneten, zumindest die Dienstleute unter ihnen, nach 14 Monaten noch die gleichen waren. Zwar heißt es 1634, die Herrscher „haben euch (!) auf der ersten Versammlung verkündet...",[3]) doch muß dieses Anredepronomen nicht unbedingt die Identität der Versammelten bedeuten. Das schließt nicht aus, daß von der Moskauer Stadtbevölkerung zum Teil die gleichen Vertreter delegiert wurden. Als weitere Nachricht über 1632 enthält die Rede die Klage, daß damals viele Leute die Sondersteuer nicht ehrlich abgeführt hätten. Zum Beweis verwies der Zar darauf, daß 1614, als es den Untertanen noch sehr viel schlechter gegangen sei, viel mehr eingekommen sei. Entsprechend wurde jetzt eine gerechtere Eintreibung des Fünften gefordert, dessen Notwendigkeit unter Erinnerung an die Smuta mit der Rettung des Glaubens motiviert wurde. Denn der Krieg mit Polen-Litauen um Smolensk dauerte an. Am 18. Februar erhielten B.M. Lykov, V.G. Korob'in und der Archimandrit Feodosij, die mit der Einsammlung des Fünften beauftragt worden waren, ihre Instruktion.[4]) Ohne Zweifel hatte die Regierung auch diesmal Grund, mit der Freigiebigkeit der Bevölkerung unzufrieden zu sein. Eine Mahnung an den Archimandriten des Höhlenklosters von Nižnij Novgorod, der es mit der Zahlung nicht so eilig hatte, ist erhalten.[5]) Vor allem aber hatte die Reichsversammlung selbst dem Zaren am 29. Januar geantwortet, jeder werde geben, „was er je nach seinem Hab und Gut geben kann". Das bedeutete unmißverständlich die Verweigerung des Fünften und zeigt den Beginn eines gewissen Widerstandes der Versammlung an,

---

[1]) Dvorcovye razrjady, Bd. 2, Sp. 299; Knigi razrjadnyja, Bd. 2, S. 480. Zur Geschichte dieser und der folgenden Sammlung s. Staševskij, Pjatina.

[2]) Zaozerskij, K voprosu, S. 328 ff.

[3]) SGGD, Bd. 3, Nr. 99; AAĖ, Bd. 3, Nr. 242; Got'e, Nr. 9.

[4]) AAĖ, Bd. 3, Nr. 245. Vgl. auch ebenda, Nr. 211.

[5]) SGGD, Bd. 3, Nr. 101.

obwohl diese nicht gewählt sein konnte, denn der Aufruf war erst am Tage zuvor erfolgt. Es kann sich also nur um Abgeordnete Moskaus und der zufällig in Moskau anwesenden Dienstleute gehandelt haben. Trotzdem scheint sich, wie auch das Aufkommen der Kollektivbittschriften und deren Inhalt zeigen, seit der zweiten Hälfte der 20er Jahre der Wandel im Verhältnis zur Regierung angebahnt zu haben, der direkt zum Aufstand von 1648 hinführte.

Ein weiteres Indiz dafür ist der erstaunliche Vorschlag des Haushofmeisters Ivan A. Buturlin, die Reichsversammlung zu reorganisieren und zu institutionalisieren. Der Gedanke erwuchs aus dem Zusammenhang einer Reihe anderer Klagen und Reformprojekte. Als der Gesandte F.I. Šeremetev auf dem Wege zu Friedensverhandlungen mit Polen-Litauen bei Možajsk Station machte, suchte Buturlin ihn hier am 13. April 1634 auf, um ihm eine „große Staatsangelegenheit" (gosudarevo velikoe delo) vorzutragen. Obwohl Buturlins Onkel erklärte, sein Neffe sei nicht bei Verstand, ließ Šeremetev den Haushofmeister aufschreiben, „was...im Staat schlecht gemacht wird und warum das Heer in Unordnung ist".[1] Michail Fedorovič ließ Buturlin unter Sicherheitsvorkehrungen nach Moskau holen, wo er am 25. April von Ju.Ja. Sulešev verhört wurde. Dabei bezeichnete Buturlin zunächst Šein und Izmajlov als Verräter, was die Regierung sicher gern hörte. Dann kritisierte er die Praxis der Ernennung von zu jungen Offizieren in Možajsk und schlug vor, ältere „kampferprobte" (und das hieß: Moskauer) Adlige zu nehmen. Den Heerführer und Helden der Smuta, D.M. Požarskij, und andere Beamte, auch der Zentralämter, beschuldigte er der Parteilichkeit und Korruption. Auf Grund dieser und der Klagen seiner Standesgenossen sei er zu seinen Reformvorschlägen gelangt, die er am 27. April in einem Brief an den Zaren noch einmal darlegte. Er wies nun auch darauf hin, daß Voevoden generell zu jung ernannt und zu viele Offiziere im Reiterregiment eingesetzt würden. Auch hierbei lief seine Forderung darauf hinaus, es seien Moskauer zu nehmen, die Provinz habe ihnen in Moskau Häuser einzurichten, und sie dürften nur so lange im Amt bleiben, wie die Städte oder der Zar es wollten. Buturlin versprach sich davon auch finanzielle Einsparungen. Auch im Zusammenhang mit der Reichsversammlung sah sein Projekt die Anwendung des Wahlprinzips nur auf langgediente Dienstleute vor, von denen ebenso wie aus der Gruppe der Steuerzahler ein Abgeordneter pro Klein- und zwei Abgeordnete

---

[1] Kabanov, „Gosudarevo dělo". Vgl. auch Očerki istorii SSSR, XVII v., S. 364.

pro Großstadt gewählt werden sollten. Die Versammlung sollte eine ständige Einrichtung werden, die Abgeordneten sollten ein Jahres-mandat oder ein Mandat nach den Wünschen der einzelnen Städte erhalten. In Moskau sollten ihnen Wohnungen zur Verfügung gestellt werden.

Buturlin dachte ganz offensichtlich nur an ein Organ, das dem Zaren die Klagen der Bevölkerung über ungerechte Beamte übermitteln sollte, und es scheint, daß er in dieser Beziehung seine eigenen Erfahrungen gemacht hatte. Man sollte sein Projekt daher nicht überbewerten. Ande-rerseits hätten diese praktischen Erleichterungen der Kommunikation in den Krisenjahren der Jahrhundertmitte die Reichsversammlungen zu Foren größeren Mitspracherechts der Gesellschaft machen können. Die Regierung hat dies sicher gespürt, denn sein Projekt, das innerhalb der Dienstklasse offenbar keine Resonanz fand, wurde nicht verwirklicht, trug aber vielleicht auch zu der späteren Haltung der Regierung gegen-über den Versammlungen bei (s.u.). Es ist nicht überliefert, wie es Buturlin erging, als der Zar ihn am 7. Mai 1634 in den Dienst zu eben dem Voe-voden zurückschickte, den Buturlin angeklagt hatte.

Als in den 30er Jahren die Zahl der Kollektivbittschriften sowohl von Dienstleuten als auch von Steuerzahlern anschwoll (s. Kap. 3), fanden auch eine ganze Reihe von Versammlungen statt. Oft wurden die Bittschriften auf einer Reichsversammlung abgegeben, oder eine Bittschrift zog umgekehrt eine Versammlung nach sich, z.B. folgte auf die Bittschrift der Kaufleute von 1635 eine Beratung mit der Duma. Von einer großen Versammlung des Jahres 1636 weiß man leider nicht einmal den Anlaß, weil nur die Wahlaufforderungen erhalten sind. Die Antwort des Voevoden von Galič auf die zarische Aufforderung vom 3. Dezember wurde weiter oben bereits im Zusammenhang mit den örtlichen Schwierigkeiten dieser Wahl von Dienstleuten angeführt.[1] Aus einem Geschäftsbuch des Dienstlistenamtes geht hervor, daß auch noch am 17. Dezember Befehle an die Städte gingen, je sechs Dienstleute — zwei aus der „Auswahl", zwei Hofleute und zwei Provinzadlige —, eine ungewöhnlich hohe Zahl, zu wählen. Da Städter nicht erwähnt wurden, kann man annehmen, daß es sich um eine Weihnachten zusam-mentretende Versammlung des Dienstadels handelte. Vielleicht wurde er nur für irgendwelche administrativen oder militärischen Aufgaben gebraucht, doch das ungewöhnliche Verfahren der „Aushebung" spricht dagegen. Deshalb liegt die Annahme nahe, daß die Regierung die

---

[1] Got'e, Nr. 10. Das Wahlprotokoll ebenda, Nr. 11. Auch PRP, Bd. 5, S. 565 ff.

Zusammenkunft für nötig erachtete, weil die Unzufriedenheit der Dienstleute mit der Bauerngesetzgebung problematisch zu werden begann.
Auf jeden Fall nutzte der Adel die Gelegenheit für seine erste Kollektivbittschrift mit vielen Gravamina.

Wenn es sich also um eine reine Adelsversammlung handelte, werden
Latkins Spekulationen hinfällig,[1]) daß diese Versammlung das Jahr 1637
über getagt habe und mit der im September 1637 einberufenen und bis
Anfang Dezember dauernden identisch sei. Diese letztgenannte Reichsversammlung, deren Protokoll ebenfalls fehlt, wurde wegen eines drohenden Angriffs der Türken und Tataren im Zusammenhang mit dem
Streit um die Stadt Azov notwendig. Erhalten ist nur das zarische
Schreiben an die Stadtleute von Ustjužna Železnopol'skaja, in dem auf
Grund des Versammlungsbeschlusses zur Geldsammlung aufgefordert
wurde. Die Leitung der Eintreibung hatte I.A. Golicyn. Die Versammlung hatte sich also zugunsten der Verteidigung ausgesprochen, und zwar
offenbar vor dem 24. September, denn an diesem Tage befahl Michail
Fedorovič den Bojaren und Voevoden sowie dem mittleren Dienstadel,
sich in Moskau für den Feldzug bereitzuhalten.[2]) Die Invasion blieb
allerdings bekanntlich aus. — Am 28. Dez. 1637 fand noch einmal
eine Beratung der Duma mit den Kaufleuten statt (s. Kap. 3).[3])

Die außenpolitischen Ereignisse im Süden machten weitere Versammlungen notwendig. 1639 wurden die Moskauer Gesandten in der Krim
mißhandelt — Grund genug für eine neue Reichsversammlung, die
am 7. Juli nach der Beratung der Angelegenheit in der Duma einberufen
wurde und am 19. tagte. Füher war nur das undatierte Votum der
Geistlichkeit als einziges Zeugnis dieser Versammlung bekannt, so daß
die ältere Forschung, auf Vermutungen angewiesen, die Versammlung
irgendwo zwischen 1634 und 1640 ansiedelte.[4]) 1947 veröffentlichte
A. A. Novosel'skij weitere Quellen, die die Datierung ermöglichten,
nämlich das Protokoll der Versammlung und zwei Voten der Großkaufleute und der Hundertschaft der Großkaufleute mit 31 Unterschriften
sowie der Hundertschaft der Tuchhändler mit 14 Unterschriften.[5]) Das

---

[1]) Latkin, Zemskie sobory, S. 184. S. dort auch den Auszug aus dem Geschäftsbuch
des Dienstlistenamtes.
[2]) AAĖ, Bd. 3, Nr. 275; Dvorcovye razrjady, Bd. 2, S. 555.
[3]) Bazilevič, Kollektivnye čelob'tja, S. 110.
[4]) Das Votum der Geistlichkeit s. Zapiski, S. 372 ff. Zu den außenpolitischen Zu-
sammenhängen s. Novosel'skij, Zemskij sobor, S. 16 ff. Zum Forschungsstand vgl.
ebenda, S. 15 f., u. Avaliani, Zemskie sobory, S. 60.
[5]) Novosel'skij, a.a.O., S. 26 ff.

Protokoll bestätigte die ja bereits bekannte Haltung der Geistlichen, die sich für eine Truppenkonzentration an der Grenze aussprachen, aber meinten, es komme ihnen nicht zu, Rache zu fordern — das sei Sache der weltlichen Teilnehmer. Die Dienstleute waren laut Protokoll in der Tat freudig zum Kampf bereit. Die Kaufleute wollten zahlen, was der Zar "dem ganzen Land" auferlegen würde, — nicht ohne auf ihre Armut hingewiesen zu haben. Die übrigen Stadtleute, „Leute aller Gruppen", baten um Bedenkzeit. Die Steuerzahler teilten also keineswegs die Begeisterung der Dienstleute; ihr Mißtrauen gegen weitere staatliche Schröpfungen sollte sich in der Folgezeit noch verstärken. Aber im Grunde sollte diese Versammlung — das ist aus den Dokumenten ersichtlich — gar keinen Beschluß fassen. Sie wurde nur für eine Demonstration zur Stärkung der Regierung gebraucht. Auch gegenüber der in Moskau weilenden tatarischen Gesandtschaft, die eine Gegenklage erhoben hatte, war die Volksentrüstung wichtig. In den Verhandlungen mit der Krim beriefen sich die Russen denn auch einmal (am 30. Juli) auf die Versammlung. Ansonsten hinterließ sie keine Spuren. Die Haltung der Regierung war ohnehin bereits im Duma-Beschluß vom 7. Juli festgelegt. Schließlich läßt sich vom Zweck der Versammlung her folgern, daß sie nicht gewählt war. Dafür war die Zeit zwischen Einberufung und Tagung auch viel zu kurz. Gewählt wurde dagegen zwei Jahre später, als Michail Fedorovič fünf Adlige und Bojarenkinder aus jeder Stadt zum Bericht über ihre Beschwerden einlud. Wie 1636 nutzte die zum 1. September 1641 nach Moskau geladene Versammlung die Gelegenheit zur Übergabe einer Kollektivbittschrift (s. Kap. 3).[1]

Es ist nicht ausgeschlossen, daß viele dieser Dienstleute noch in der Hauptstadt waren, als am 3. Januar 1642 die nächste Reichsversammlung stattfand. Dazu kamen die vielen Adligen die zum Weihnachtsgerichtstermin ohnehin nach Moskau gekommen waren. Auf jeden Fall war die Zahl der Dienstleute so groß, daß sie, nach Gruppen getrennt, Delegierte in eine kleinere, beratungsfähige Versammlung wählen mußten. Dies geht aus dem Protokoll, dessen Schluß leider nicht erhalten ist, hervor.[2] Man darf wohl annehmen, daß so immer verfahren wurde, wenn keine Wahlen in der Provinz stattfanden. 1642 konnten die Städte nicht eingeladen werden, weil Aufruf und Tagung der Versammlung auf den gleichen Tag fielen. Deshalb waren auch nur Stadtleute aus

---

[1] Dies geht aus den Mitteilungen des im vorigen Kapitel erwähnten Kolbeckij hervor (Zercalov, Akty).

[2] SGGD, Bd. 3, Nr. 113. Das Protokoll wurde zuerst von Aksakov in der Zeitung „Den' ", Nr. 9, vom 2. März 1863 veröffentlicht.

Moskau selbst anwesend. Unter den Dienstleuten wählten auch die Moskauer Ränge (vom Truchseß bis zum Residenzadligen), so daß man beinahe eine der Forderungen Buturlins von 1634 (s.o.) als erfüllt ansehen könnte. Allerdings durften die oberen Ränge zwischen 7 und 20 Delegierte entsenden, während der Masse der mittleren Dienstleute nur zwischen 2 und 6 Vertreter pro Vornehmheitskategorie (stat'ja) zugestanden wurden. Die 192 bis 195 Teilnehmer verteilten sich demnach wie folgt: 44 Hauptstadtränge, 4 Strelitzenhauptleute, 115 Provinzadlige und Bojarenkinder, 3 Großkaufleute, 9 Handelsleute, 20 sonstige Stadtleute aus Moskau. Die 115 mittleren Dienstleute stammten aus 42 Städten, so daß durchschnittlich drei bis vier auf eine Stadt fielen. Doch sollte diese Tatsache nicht überschätzt werden, denn sie waren nicht zu Hause gewählt worden. Die Eröffnungsrede las, wie schon 1639, der Siegelbewahrer und Dumasekretär F.F. Lichačev vor. Aus ihr geht hervor, daß die schnelle Einberufung der Versammlung noch vor dem Eintreffen tatarischer Gesandter notwendig geworden war, weil der Sultan für das Frühjahr einen Krieg wegen Azov plante. Die Don-Kosaken, die die Festung fünf Jahre zuvor erobert hatten, baten Moskau um militärische Hilfe und Übernahme der Stadt. Noch am 2. Dez. 1644 hatte sich die Regierung mit einer öffentlichen Belobigung und 5000 Rubeln Belohnung für Ataman und Kosakenheer quasi zur Unterstützung verpflichtet.[1] Das mußte auf die Versammlung wieder wie eine Vorwegnahme der Entscheidung wirken. Die einzelnen Gruppen und die getrennt von der Versammlung tagende Synode erhielten übrigens schriftliche Kopien der Eröffnungsrede und wurden um schriftliche Stellungnahmen gebeten. Diese Information des Protokolls erhellt vielleicht auch die Prozedur anderer Reichsversammlungen, zumal 1639 genauso verfahren wurde.

Das Protokoll gibt auch ausführlich die höchst aufschlußreichen Voten wieder, die von den einzelnen Gruppen zu unterschiedlichen Zeitpunkten abgegeben wurden. Gleich am 3. Januar äußerten sich die Moskauer Adligen dahingehend, daß der Zar natürlich das Recht habe, zu tun, was er wolle; es werde allerdings wenig „geneigte" Leute geben. Ähnlich meinten die Truchsesse am 8. Januar, man solle es mit Freiwilligen versuchen; trotz der Loyalitätsbezeugung wurde ihre Unlust spürbar. Nur zwei Angehörige der Moskauer Adligen, N. Beklemišev und T. Željabužskoj (Željabovskoj) sprachen sich am 10. Januar in einem Separatvotum bedingungslos für die Verteidigung Azovs aus, weil die Tataren für ihre Übergriffe bestraft werden müßten. Allerdings sollte man keine

---

[1] SGGD, Bd. 3. Nr. 112.

unfreien Soldaten und keine eigenmächtigen Voevoden dort kämpfen lassen. Die Antipathie beider Männer gegen die Bürokratie kam auch in ihrem Vorschlag zum Ausdruck, die Kriegssteuer nicht nur von den Steuerzahlern, sondern auch von den korrupten Voevoden und Amtsleuten einzuziehen, damit die Gleichheit aller hergestellt werde. Gleichheit forderten Beklemišev und Željabužskoj bei dieser Gelegenheit auch zwischen Hauptstadt- und Provinzadligen: Die letzteren sahen sie als bevorzugt an, weil sie nach dem Kriegsdienst wieder auf ihren Gütern leben dürften, während die Moskauer Adligen auch in Friedenszeiten zu allen möglichen Aufgaben eingesetzt würden. Die Geistlichkeit redete sich am 13. Januar wieder damit heraus, sie sei nicht für weltliche und militärische Angelegenheiten zuständig, würde aber selbstverständlich ein einmal aufgestelltes Heer nach Kräften unterstützen.

Die eigentlichen Krieger, die mittleren Dienstleute, waren demgegenüber zum Krieg bereit, wie zum Beispiel die Provinzadligen und Bojarenkinder von Nižnij Novgorod, Murom und Luch am 17. Januar mitteilten. In einigen Fällen wurde lediglich darauf hingewiesen, daß kein Geld vorhanden sei, so von den Dienstleuten aus Vladimir, die schrieben, die Armut der Stadt sei dem Zaren ja bekannt. Auch die Zuversicht der Hauptleute und Hundertschaftsführer, der Zar werde schon wissen, woher er das Geld für den Feldzug nehmen werde, kann als eine solche vorsichtige Einschränkung interpretiert werden. Die Dienstleute anderer Städte (Suzdal', Kostroma, Smolensk, Novgorod, Rostov u.a.) machten dagegen sogar konkrete Vorschläge zur Geldbeschaffung. Verpflegung sollte zunächst aus den Klöstern, besonders aus dem Troice-Sergiev-Kloster, und später aus den südlichen Städten requiriert werden, wie es Ivan IV. und Fedor schon getan hätten. Rekruten und Kriegssteuern könne man von den reichen Bojaren und auch von den Sekretären und Schreibern nehmen, die sich im Dienst unrechtmäßig bereicherten und sich steinerne Häuser und Paläste bauten, wie sie früher nicht einmal Hochgeborene besessen hätten. Ebenso seien die Hofleute, die ja nicht einmal Regimentsdienst zu absolvieren brauchten, reich genug. Selbst die eigene soziale Gruppe wurde nicht ausgespart: Viele Provinzadlige und Bojarenkinder hätten sich ebenfalls bereichert; auch gebe es Witwen und Dienstleute im Ruhestand, die Rekruten stellen könnten. Nur den Verfassern dieses Votums sei es leider nicht möglich, Knechte und Bauern freizumachen. Viele von ihnen seien im Gegenteil so arm, daß sie den Krieg brauchten, um etwas zu verdienen. Der Bauernbesitz, so wurde bei dieser Gelegenheit gleich gefordert, sollte insofern gesetzlich geregelt werden, als eine Überschreitung einer Höchstzahl von Bauern eine

Besteuerung nach sich ziehen müßte. Zunächst aber, so betonte diese Gruppe abschließend noch einmal, böten die Kassen der Geistlichkeit und der Kaufleute genügend Geld. Eine andere Dienstleute-Gruppe (aus Kolomna, Rjazan', Tula, Kaluga und anderen Städten) führte der Regierung den außenpolitischen Vorteil einer eventuellen Herrschaft über die Nogaier vor Augen (Azov als Bollwerk gegen nomadische Invasionen!), trat jedoch auch nur für ein Freiwilligenheer ein, das wegen der Fluchtgefahr natürlich keine Bauern und Knechte enthalten dürfe. Das nötige Geld solle von den Kaufleuten und dem gesamten Adel bis hinunter zu den reichen Amtsleuten entsprechend der Zahl ihrer Häuser eingetrieben werden. Im übrigen solle jeder ohne Gehalt dienen, wenn er mehr als 50 Bauern besitze. Die Verfasser vergaßen allerdings nicht darauf hinzuweisen, daß sie selbst durch Türken und Tataren, „Moskauer Verschleppung" und ungerechte Gerichte ruiniert seien.

Zum Schluß führt das Protokoll noch die Meinungen der Städter an. Die Großkaufleute und die Angehörigen der Kaufmanns- und Tuchhändlerhundertschaften beschrieben beredt ihre Notlage. Während die Dienstleute Güter besäßen, müßten sie selbst jahraus, jahrein ohne Landentschädigung Frondienste versehen, hätten den Fünften für den Smolensker Krieg zahlen müssen — ganz abgesehen davon, daß sich die regulären Steuern gegenüber früher verzehnfacht hätten — und müßten unter dem Ausländerhandel und der Voevodenwillkür leiden. „Unter den früheren Herrschern gab es Gerichtsbezirksälteste, und die Stadtleute saßen über sich selbst zu Gericht; Voevoden gab es in den Städten nicht..." Auch die Stadtleute zogen also gegen die Amtsleute zu Felde, und sie verbanden damit die Klage über den Verlust der Lokalverwaltung (s. Kap. 2). Sie klagten auch über ihre Armut und fügten die unmißverständliche Formel hinzu, der Zar könne hinsichtlich Azovs natürlich bestimmen, wie er wolle. Die Vertreter der „schwarzen" Hundertschaften und der „Vorstädte" argumentierten ähnlich. Außer auf die Zahlung des Fünften verwiesen sie auf die Rekruten und Fuhren, die sie für den Smolensker Krieg hatten stellen müssen. Ferner seien sie durch die regulären Steuern und Frondienste sowie durch Brände arm geworden.

Soweit der interessante Inhalt des Protokolls der Reichsversammlung von 1642. Es bildet mit der Wiedergabe der unterschiedlichen Meinungen ihrer Teilnehmer das extreme Gegenstück zum geglätteten Protokoll von 1613, was in sich als Zeichen dafür gewertet werden darf, wieweit die Unruhe in der Gesellschaft fortgeschritten war. Wenn man von der indifferenten Stellungnahme der Geistlichkeit absieht, läßt sich wohl das Votum der Stadtleute als negativ, das der mittleren Dienstleute als positiv und das des oberen Adels als zustimmend mit Einschränkungen interpretieren, das positive Separatvotum ausgenommen. Die Tatsache, daß aber auch die zustimmenden Gruppen nicht zu persönlichen Opfern bereit waren, sondern höchstens immer „die anderen" belasten wollten, läßt sich allerdings auch als Generalabsage sehen und hat wohl auch Michail Fedorovič — nach langer Beratung, denn die Voten wurden im Januar abgegeben — dazu bestimmt, die Don-Kosaken am 30. April zur Aufgabe Azovs zu bewegen. Am 27. Juni folgte die offizielle Belobigung für den Abzug.[1]

In beiden Schreiben wurde die Reichsversammlung mit keinem Wort erwähnt, womit die wirklichen Machtverhältnisse korrekt wiedergegeben waren. Denn die Versammlung hatte die finanziellen Mittel für einen Krieg keineswegs deshalb verweigert, weil ihr der Krieg etwa außenpolitisch bedenklich erschienen wäre, sondern es schien objektiv kein Geld vorhanden zu sein. Wenn die Regierung den langwierigen und wegen der weiten Entfernung schwierigen Feldzug beschlossen hätte, wäre sie höchstwahrscheinlich auf keinen aktiven Widerstand der Bevölkerung gestoßen. Die Regierung handelte nur weise, wenn sie die Information der Versammlung berücksichtigte. Das heißt nicht, daß die Versammlung nicht auch Interessen verfolgt hätte. Čičerin und Latkin haben sich gestritten, ob die einzelnen Voten nur egoistisches „Standesinteresse" (Čičerin) oder auch politischen Sinn (Latkin) bewiesen.[2] Beides ist sicher bedingt richtig — mit der einen Einschränkung, daß ein „Standesinteresse" nur bei oberflächlicher Betrachtungsweise zu erkennen ist. Wenn Provinzadlige und Bojarenkinder auch gegen die besser gestellten Angehörigen der eigenen sozialen Gruppe Stellung bezogen, kann man höchstens von einem persönlichen Interesse sprechen, das mit Feindschaft gegen die „Reichen" und die Beamten gepaart war. Politischen Sinn bewiesen die Befragten andererseits wohl nur unbewußt, weil die eigenen Interessen mit den Interessen des Landes zusammenfielen: Für eine dauerhafte Eroberung Azovs war es zu früh. Nur die Provinzadligen waren für den Krieg, weil sie für j e d e n Krieg waren, der Landgewinn versprach. Smirnovs Versuch, die Voten von 1642 in das traditionelle Schema zu pressen, wonach die Bojaren seit Ivan IV. außenpolitisch in südliche Richtung auf Eroberung der Steppe orientiert waren, die Dienstgutsbesitzer jedoch nach Westen zur Sicherung der Handelswege und

---

[1] Ebenda, Nr. 114 f.
[2] Čičerin, O narodnom predstavitel'stve, S. 378; Latkin, Zemskie sobory, S. 197.

zur Verteidigung ihres Kapitals,[1]) stimmt keinesfalls. Zwar baute die
Regierung zwischen 1636 und 1645 fast zwanzig neue Festungen im
Süden, d.h. der Drang zum Schwarzen Meer war aus Landhunger
durchaus vorhanden, aber 1642 nur von seiten der mittleren Dienstleute.
Im übrigen waren alle vertretenen Gruppen viel mehr an inneren Reformen als an Azov interessiert. Die in den Bittschriften jener Zeit vorgetragenen Forderungen tauchen auch in den Voten der Reichsversammlung auf: gerechte Steuer- und Dienstverteilung, gerechtes Gericht,
Regelung der Bauernfrage, Klagen über die Herrschaft der Beamten
und der Reichen sowie über den Ausländerhandel. Insofern reiht sich
die Reichsversammlung von 1642 in die Reihe der Bittschriften seit Ende
der 20er Jahre und der Versammlungen seit 1634 ein, für die eine kriti-
schere Haltung gegenüber der Regierung charakteristisch ist. Das heißt
nicht, daß Zemlja und Militär mehr direkten Einfluß auf die Regierung
bekamen, aber sie wurden selbstbewußter.[2])

Da Kotošichin und Olearius als Zeitgenossen eine Wahlversammlung
im Jahre 1645 anläßlich des Thronwechsels annahmen, soll diese Frage
hier kurz behandelt werden. Bei Kotošichin heißt es, Synode, Duma,
Provinzadlige und Stadtleute hätten „den jetzigen Zaren" gewählt, und
Olearius schrieb, nach dem Tode des Vaters sei Aleksej Michajlovič
„noch selbigen Tag mit einhelliger Stimme aller Bojaren / grosser
Herren und der gantzen Gemeine gekrönet / und jhm gehuldiget worden".[3]) Von der Krönung konnte freilich am 13. Juli noch nicht die
Rede sein, sie fand erst am 23. September statt. Damit verliert Olearius'
Aussage an Wert. Kotošichins Mitteilung, die auch die Entsendung von
zwei Vertretern aus jeder Stadt einschließt, leidet an Realitätsferne,
weil unmöglich innerhalb eines Tages eine solche Reichsversammlung
einberufen werden konnte, zumal das Heer in der Ukraine gegen die
Tataren kämpfte. Es kann sich also lediglich um eine akklamierende
ad-hoc-Versammlung gehandelt haben. Eine Wahl wie diejenigen von
1598 und 1613 war ohnehin nicht mehr nötig, wohl aber wegen der
Präzedenzfälle eine Akklamation. Hätte eine Reichsversammlung den
E i d geleistet, wäre dies von Aleksej Michajlovič sicherlich in seinem
Zirkular vom 20. Juli (über den Tod des Vaters und seine eigene Thron-

---

[1]) Smirnov, Pravitelt'svo, S. 8 f.

[2]) Vgl. dazu auch die Mitteilungen Kolbeckijs im vorigen Kapitel.

[3]) Kotošichin, S. 4; Olearius, S. 245. C.V. Wickhart, der 1675 eine Reisebeschrei-
bung verfaßte und Olearius benutzte, verwandelte dessen Aussage folgendermaßen:
„durch einhellige Stimme aller Bojaren, grosser Herrn und der Gemeinde/zum Groß
Fürsten erwöhlet (!)...worden" (Wickhart, S. 189).

besteigung) erwähnt worden, zitierte er doch sogar den Eid, den alle Einwohner einst Michail Fedorovič und ihm selbst als Thronfolger geleistet hatten.[1]) Eine andere Frage ist, ob nicht beide Autoren, auch Kotošichin, überhaupt die Krönung im September meinten, als die Tula-Armee gerade entlassen war und die Dienstleute eine Bittschrift mit Forderungen überreichten (s. Kap. 3).

Smirnov hat den Verdacht geäußert, daß die Regierung 1645 schon deswegen keine Reichsversammlung einberief, weil sie drei Jahre zuvor so schlechte Erfahrungen gemacht hatte.[2]) Das kann nicht bewiesen werden, denn 1645 bestand keine Veranlassung zu einer Versammlung. Für diese These aber spricht, daß auch danach keine Versammlung von oben einberufen wurde, denn die Reichsversammlungen des Jahres 1648 unterschieden sich grundsätzlich von allen früheren dadurch, daß sie im Anschluß an den Aufstand vom 2. Juni (s. Kap. 5) auf Verlangen und Druck der Bevölkerung zustande kamen. Darauf wies der Patriarch Nikon im Zusammenhang mit seiner Kritik am Uloženie verächtlich hin: „Das ist doch allen bekannt, daß die Versammlung nicht freiwillig einberufen wurde, sondern aus Furcht vor dem gesamten Pöbel, wegen der Zwietracht mit ihm, und nicht um der wahrhaftigen Gerechtigkeit willen."[3]) Tatsächlich waren am 10. Juni 1648 Moskauer Adlige, Provinzdienstleute, Ausländer (!) und Moskauer Handelsleute zum Zaren gekommen und hatten im Bewußtsein der vorausgegangenen Ereignisse die Bittschrift überreicht, die eine Reichsversammlung als Forum für Beschwerden und ein neues Gesetzbuch forderte. Dies geht aus einem Memoire hervor, daß Odoevskij und die anderen beamteten Mitglieder der späteren Kodifizierungskommission am 16. Juli an das Novgoroder Viertel schickten, am gleichen Sonntag (!), an dem der Befehl zur Kodifizierung überhaupt erst offiziell erlassen wurde.[4]) Das Versprechen der Einberufung einer Versammlung hatte der Zar, wie aus den Aufzeichnungen Pommerenings deutlich wird,[5]) schon am 12. Juni gegeben, zwei Tage nach Abgabe der Bittschrift. Die geforderte Versammlung

---

[1]) SGGD, Bd. 3, Nr. 122.
[2]) Smirnov, Pravitel'stvo, S. 10.
[3]) Nikon, S. 426; Undol'skij, S. 611.
[4]) Smirnov, Neskol'ko dokumentov, SS. 6 u. 1. Das Novgoroder Viertel stand deshalb im Mittelpunkt der Aufmerksamkeit, weil zu den Forderungen der Aufständischen die Freilassung der Schuldner und die Aussetzung der Eintreibung von Außenständen in den Städten gehörten, die diesem Amt unterstanden (Očerki istorii SSSR, XVII v., S. 235 f.).
[5]) Jakubov, S. 419.

fand an eben jenem 16. Juli statt, und aus dem zitierten Memoire geht
hervor, daß es sich — entgegen der älteren Ansicht — dabei bereits um
eine Versammlung auch der in der Hauptstadt anwesenden Dienstleute,
Ausländer und Handelsleute handelte, nicht um eine bloße Tagung der
Duma. Für Smirnov, der das Memoire zuerst veröffentlichte, gab es
kaum einen Zweifel, daß die Vertreter zum Teil auch in den Städten
gewählt worden waren, aber diese These widerspricht ganz und gar der
Formulierung des Memoires selbst, es habe sich um Adlige und Bojarenkinder gehandelt, „die jetzt in Moskau sind und diesen Sommer in der
Ukraine dienen werden". Im übrigen sind die Akten der Versammlung
nicht erhalten. Aber unter welchem Druck die Regierung stand, erhellt
daraus, daß noch während der Tagung Forderungen der Stadtleute
erfüllt wurden: Sie brauchten von nun an den Dienst in den Zoll- und
Alkoholämtern nur noch in den Städten abzuleisten, in denen sie wohnten, und die Hundertschaften der Großkaufleute und Tuchhändler
mußten die in den vergangenen Jahren aufgenommenen Steuerzahler
herausgeben. Alle Kaufleute und Handwerker sollten in die staatliche
Besteuerung zurückkehren. Vor allem aber wurden, wie erwähnt, die
Kodifizierungskommission eingesetzt und in Briefen vom 28. Juli Wahlen
für eine auf den 1. September angesetzte größere Reichsversammlung
angeordnet. Eingeladen wurden je zwei Vertreter der einzelnen Moskauer
Ränge und der Adligen und Bojarenkinder aus den großen Städten,
fünf aus Novgorod und je einer aus kleineren Städten; drei Großkaufleute
und je zwei Vertreter der Hundertschaften bzw. einer aus den Stadtleuten.[1])

Die Präambel des am 29. Jan. 1649 erlassenen Uloženie weiß nichts
mehr davon, daß das Gesetzbuch am 16. Juli 1648 von einer Reichsversammlung gefordert worden war. Dem Vorwort zufolge haben nur
Synode und Duma den Entschluß zur Kodifizierung beraten und gefaßt.
Diese gerade in jener Zeit merkwürdige Unterschlagung der Beteiligung
von Heer und Zemlja hat vielleicht den gleichen Hintergrund wie die
Tatsache, daß zwischen der Forderung nach einer Versammlung (10.

---

[1]) Vgl. die Einladung an einen Novgoroder Gerichtsbezirksältesten vom 28.
Juli 1648 (AAÈ, Bd. 4, Nr. 27). In der Forschung besteht große Verwirrung hinsichtlich
des Datums der Versammlung von 1648; da die Präambel des Uloženie den 16. J u n i
als Datum des Aufrufs zur Kodifizierung nennt (PRP, Bd. 6, S. 19). Dem folgt zum
Beispiel Keep (The Decline, S. 114), während die Mehrzahl der Forscher die Angabe
im Uloženie für einen Druckfehler hält. Schon die Herausgeber des SGGD, die die
Präambel separat druckten, korrigierten 1822 das Datum zum 16. J u l i (SGGD, Bd. 3,
Nr. 129). — Forderungen, die noch 1648 erfüllt wurden, s. in AAÈ, Bd. 4, Nr. 32 u. 35.

Juni) und ihrer Verwirklichung (16. Juli) mehr als ein Monat lag — angesichts des Aufstandes eine sehr lange Zeit. Es muß damals, wahrscheinlich zwischen Morozov-Anhängern und -Gegnern, heftige Auseinandersetzungen in der Regierung gegeben haben, die zur Zeit der Abfassung des Uloženie (und nach Morozovs Rückkehr) nachwirkten: Die Morozov-Partei könnte die Erwähnung der Versammlung und ihrer Initiative unterdrückt haben. Wie dem auch sei, die Präambel des Uloženie hat die ältere Forschung dazu verführt, entweder die Bittschrift vom 16. Juli auf die Zeit zwischen 1645 und 1648 zu datieren (Zagoskin, Latkin) oder aber von einem Zwei-Kammer-System zu reden, was zum Beispiel Platonov die Behauptung ermöglichte, im Juli habe nur das „Oberhaus" getagt.[1]) Während die erstgenannte Annahme durch das erwähnte Memoire und durch Smirnov, der 1913 den genauen Verlauf der Ereignisse rekonstruierte,[2]) widerlegt wurde, bleibt die letztere als Analogie zu westlichen Ständevertretungen unbefriedigend (s.o.), hat aber wohl insofern etwas für sich, als sich die Regierung natürlich mit der Bittschrift der Bevölkerung konfrontiert sah und eine Antwort darauf gab. Das Uloženie berichtet, wie gesagt, nur über diese Antwort. Es verschwieg immerhin nicht, daß die Kodifizierung dann auf einer gewählten Reichsversammlung beraten wurde, an der neben Synode und Duma 153 Dienstleute und 79 oder 94 Stadtleute aus der Provinz teilnahmen. Dazu kamen noch 15 Strelitzen. In der Liste der 315 Unterschriften können 21 Personen nicht identifiziert werden, 30 weitere haben nach Latkins Feststellungen nicht unterschrieben, weil 25 offenbar vorzeitig abreisten und 5 irgendwelche Sekretärsaufgaben wahrnahmen.[3]) Die mindestens 290 gewählten Vertreter aus 117 Kreisen (außer Ostsibirien und dem Gebiet der unteren Wolga) überwogen bei weitem das hauptstädtische Element, denn zum erstenmal nach 1613 waren seit dem 18. Juli alle Städte eingeladen worden, und zum erstenmal wurde Moskau gegenüber der Provinz numerisch nicht bevorzugt. Es spricht einiges dafür, daß einige Städte einfach die bereits an der Versammlung vom 16. Juli teilnehmenden Vertreter wählten, die ja schon in Moskau waren. Smirnov geht aber sicherlich zu weit, wenn er daraus folgt, daß die Versamm-

[1]) Zagoskin, Istorija, S. 281; Latkin, Zemskie sobory, S. 205 f.; Platonov, Bojarskaja Duma, S. 480. Die Präambel s. PRP, Bd. 6, S. 19 f.
[2]) Smirnov, O načale, S. 41 ff.
[3]) Latkin, Zemskie sobory, S. 217. Die Liste der Teilnehmer s. ders., Materialy, S. 13 ff.; dort auch nähere Angaben über einige Teilnehmer (S. 131 ff.).

lung praktisch schon vor dem 1. September getagt habe. [1] Das schließt
nicht aus, daß Bittschriften überreicht wurden.

In der Sache bot sich nun endlich die Gelegenheit, die seit den 20er
Jahren immer wieder vorgebrachten Wünsche nachdrücklich und mit
Aussicht auf Erfolg zu vertreten: die gerechtere Verteilung des Dienst-
landes, der Steuern und Frondienste und die Festigung des Besitzes.
Man verlangte im einzelnen: die Abschaffung der geistlichen Gerichts-
barkeit; ein Verbot für die Geistlichkeit, Erbgüter zu erwerben, und den
Einzug ihrer seit 1584 erworbenen Güter; ein Verbot für Kirche und
Bojaren, Steuerleute und Steuerland in „Pfand" zu nehmen; ein ebensol-
ches Verbot, ihre Leute auf Almendeland anzusiedeln und darauf Freistätten aufzubauen; die Bindung der Steuerleute und der Bauern; die
Abschaffung der Verjährungsfristen vor Gericht; die Abschaffung der
Privilegien für ausländische Kaufleute. Zusätzlich zu den bereits 1648
darüber erlassenen Gesetzen (s.o.) wurden alle diese Forderungen im
Uloženie erfüllt, abgesehen vom Entzug der zwischen 1584 und 1648
erworbenen Güter der Geistlichkeit. Nur der zukünftige Erwerb wurde
ihr verboten, und zwar in dem einzigen Paragraphen des Gesetzbuches,
der neben der Präambel die Beteiligung der Reichsversammlung erwähnt
(Kap. XVII, § 42).[2] Die Stadtleute wurden allerdings dabei ausgelassen,
denn das Problem ging nur die Dienstleute an, obwohl sich die Städter
in den Bittschriften mit ihnen solidarisiert hatten. Mit dem Kirchenland
tat sich die Regierung überhaupt am schwersten. Die diesbezüglichen
Petitionen vom 30. Oktober und 9. November wurden zunächst am 13.
Nov. 1648 mit dem Versprechen der Vorbereitung eines Gesetzes dila-
torisch behandelt. Die Versammlung setzte sich mit dem Nachdruck
einer erneuten Eingabe vom 25. November dennoch durch.[3] Auch die
Frage der Leibeigenschaft wurde natürlich nicht im Sinne der Bojaren
entschieden, sondern im Interesse der mittleren Dienstleute. Im vorigen
Kapitel wurde jedoch schon darauf hingewiesen, daß dies auch letzten
Endes die Autokratie stärkte. Das gleiche gilt für den anderen Gewinner
von 1648/49, die Steuerzahler, deren Zufriedenheit nach der Jahrhundertmitte der Autokratie ebenfalls zur Unterstützung gereichte.

Stellen die Errungenschaften von 1648/49 also einen „Sieg der Mittelklasse" dar, wie Platonov meinte? Ja, aber nicht über die Autokratie;
die Konstruktion eines solchen Gegensatzes wäre anachronistisch. Der

---

[1] Smirnov, O načalě, S. 57.
[2] PRP, Bd. 6, S. 256 f. Vgl. auch Smirnov, Pravitel'stvo, S. 77 f.
[3] AAÈ, Bd. 4, Nr. 33 u. 32, III.

Sieg über Bojarentum und Kirche, die beide ohnehin bereits an Bedeutung verloren hatten, läßt sich eher mit Neubauers Urteil fassen, daß
die „Mittelklasse" nicht an Macht zugenommen habe, wohl aber an
politischem Gewicht.[1]) Dieses Gewicht äußerte sich in der Vielzahl der
auf Bittschriften zurückgehenden Artikel des Uloženie, die bereits Zagoskin auf 82 oder 8,5 % bezifferte. Das ist im Grunde wenig, aber es handelte
sich um die wichtigsten, weil akuten Probleme. Eine ganze Reihe anderer
Forscher hat diesbezüglich weitere Entdeckungen gemacht;[2]) eine genaue
Zahl kann jedoch nicht festgestellt werden. Mitunter finden sich sogar
Formulierungen aus früheren Bittschriften bis hin zum Jahre 1627 (z.B.
Kap. XIX, § 15 f.).[3]) Das heißt nicht, daß die einzelnen, von der Odoevskij-
Kommission ausgearbeiteten Artikel der Versammlung zur Beurteilung
vorgelegt wurden, aber die Kommission wurde um gewählte Vertreter
erweitert, und die Versammlung konnte vor allem ihre Änderungswün-
sche in Form von Bittschriften an die Duma anmelden.[4]) Kommission
und Versammlung tagten also nebenher, und seit dem 3. Oktober berieten
auch noch Synode und Duma unter Vorsitz des Zaren getrennt, während
der Rest der Versammlung unter Ju. A. Dolgorukijs Leitung stand.
Diese Teilung ist wiederum, wie erwähnt, oft als Einführung des Zwei-
Kammer-Systems mit „Oberhaus" und „Unterhaus" bezeichnet worden,
also als eine Reifung der Reichsversammlung als Institution. Dazu muß
zunächst festgestellt werden, daß getrennte Beratungen der Regierungs-
organe 1648/49 nichts Neues darstellten, sondern bereits früher vorkamen (s.o.). Im Hinblick auf den baldigen Untergang der Versammlungen ist man zudem eher geneigt von Anzeichen des Verfalls statt der
Reife zu sprechen: Erschreckt durch den Aufstand und die zum Teil
mit neuen Aufstandsdrohungen verbundenen Forderungen (s. Kap.5),
zog sich die Regierung wieder auf sich selbst zurück. Nikons oben wieder-
gegebene Bemerkung über die Angst der Regierung vor dem „Pöbel"
erklärt sich zwar aus seiner Verstimmung über die Einschränkung der
kirchlichen Gerichtsbarkeit, enthält aber sicher auch einige Wahrheit.

---

[1]) Platonov, K istorii, S. 323 ff.; Neubauer, S. 79.

[2]) Hellie, Readings, S. 207. Über die anderen Arbeiten vgl. Avaliani, Zemskie
sobory, S. 44 f.

[3]) PRP, Bd. 6, S. 310 f.

[4]) Latkin hat mit Recht darauf hingewiesen, daß dieser Einfluß auf die Gesetzgebung viel weiter ging als derjenige der französischen Generalstaaten, die im 15. und 16.
Jahrhundert lediglich ihre „cahiers de doléances" vorlegten, während die „ordonances"
von der Regierung zum Teil erst viel später und aus anderen Quellen formuliert
wurden (Latkin, Zemskie sobory, S. 283).

Auch das erwähnte Verschweigen der eigentlichen Initiatoren des Uloženie ist ein Indiz dafür. Bei allem Einfluß der Versammlung auf die Gesetzgebung der Jahrhundertmitte behielten sich Zar, Synode und Duma selbstverständlich ihr Entscheidungsrecht vor. Eine weitere Sonderversammlung stellte Ende 1648 die Beratung der Odoevskij-Kommission mit den anwesenden Kaufleuten über das Problem der ausländischen Händler dar (s. Kap. 3). Die gesamte Reichsversammlung endete wahrscheinlich mit dem Erlaß des Uloženie am 29. Jan. 1649. Warum es dann noch einmal bis zum 7. April dauerte, ehe der am 20. Mai vollendete Druck des Gesetzbuches begonnen wurde, ist eine ungeklärte Frage.

Die Reichsversammlungen von 1648/49, Ergebnis der Unruhe unter der Bevölkerung, hatten die Funktion eines Ventils. Einen ähnlichen bzw. mehr in Richtung auf eine Präventivmaßnahme zielenden Zweck verfolgte die Regierung wohl, als sie während des Pskover Aufstandes von 1650 (s. Kap. 5) eine Reichsversammlung zu zwei Sitzungen am 4. und 26. Juli einberief, deren Protokoll in einer Aktennotiz vorliegt.[1] Damit endet aber bereits die Analogie zu 1648. Die Versammlung von 1650 bestand allem Anschein nach nur aus den in Moskau zufällig zum Sommerdienst anwesenden Dienstleuten und dort wohnenden Steuerzahlern, und über die Einflußnahme der Abgeordneten lassen sich nur Vermutungen anstellen: sie fand ganz offensichtlich nicht statt. Die gemäßigte Linie gegenüber den Aufständischen war ohnehin im Sinne des milden Zaren Aleksej Michajlovič und ging letzten Endes auf den Ratschlag Nikons zurück. Am 4. Juli beauftragte die Versammlung eine Gesandtschaft unter Leitung des Bischofs Rafail von Kolomna und Kašira mit der Vermittlungsreise nach Pskov. Von den neun geistlichen und adligen Mitgliedern (außer den Städtern) dieser Gesandtschaft hatten fünf, darunter Rafail selbst, an der Versammlung von 1648/49 teilgenommen. Dies mag Zufall gewesen sein, vielleicht aber sollte auch ihr Prestige eingesetzt werden. Am 26. Juli entschied sich die Versammlung auf die Frage des Zaren, was zu tun sei, „wenn die Pskover Rafail, den Bischof von Kolomna, und die Delegierten nicht anhören, ihre Schuld gegenüber dem Herrscher nicht bekennen und den Eid nicht leisten", wiederum für Milde. Doch daß der Aufstand beendet wurde, ist nur äußerlich auf diese Tagung zurückzuführen, im Grunde jedoch auf das Geschick Rafails und das zarische Versprechen des Truppenrückzugs. Es scheint, daß die Versammlungsteilnehmer (vielleicht in

---

[1] Tichomirov, Dokumenty Pskovskogo vosstanija, Nr. 12.

etwas anderer Zusammensetzung) noch einmal am 8. Oktober, d.h. schon nach der Befriedung Pskovs, zusammengerufen wurden. Der Zar verkündete ihnen, so lautet eine weitere Aktennotiz, [1]) die Eidesleistung der Pskover und seine Amnestie. Dies scheint symptomatisch für alle Sitzungen: Sie wurden als Forum für Deklarationen der Regierung gebraucht, die damit ein Übergreifen des Aufstandes auf andere Landesteile verhindern wollte. Für Wahlen und Entschlüsse im Stile von 1648 war die Zeit bereits vorbei, obwohl sozusagen wieder eine Frage der Innenpolitik anstand. Nicht einmal die Instruktion der Gesandtschaft enthält einen Hinweis auf die Versammlung.[2]) Desungeachtet hält Tichomirov die Versammlung für gewählt und behauptet, das Auftreten der Rafail-Gesandtschaft sei als Zeichen für die Stärke der Reichsversammlung zu werten. Den Einwänden, die Neubauer dagegen erhoben hat, ist nichts mehr hinzuzufügen.[3]) Im nächsten Kapitel soll gezeigt werden, daß der Aufstand hauptsächlich deshalb zusammenbrach, weil er sich überlebt hatte.

Es bleibt festzuhalten, daß sich der Charakter der Versammlungen wieder einmal geändert hatte: Die Regierung benutzte sie als Instrument ihrer Politik. Und als Instrument der Außenpolitik blieben auch gewählte Reichsversammlungen danach noch ein paar Jahre lang wichtig. Schon im Januar 1650 hatte G.G. Puškin, der Moskauer Gesandte in Warschau, den Polen gedroht, der Zar würde eine Reichsversammlung mit Beteiligung aller sozialen Gruppen einberufen, wenn die Polen ihr Unrecht — Verletzungen des Vertrages an der Poljanovka (1634) und Schmähschriften gegen Moskau — nicht korrigierten. Die polnischen Untaten würden dabei öffentlich kundgemacht.[4]) Nichts anderes geschah tatsächlich im Jahre 1651, als der Zar am 31. Januar eine Reichsversammlung einberief, zu der im ganzen Land, mindestens aber in den 44 Städten, aus denen die oben besprochenen Antwortschreiben der Voevoden vorliegen, Wahlen stattfanden. Diesem reichen Material stehen leider nur wenige Dokumente über den Verlauf der Versammlung gegenüber. Erhalten sind nur die zarische Themenstellung und das am 27. Februar abgegebene Votum der Geistlichkeit.[5]) Zu den „Sünden der Polen" und Hilfeersuchen

---

[1]) Ebenda, Nr. 30. Die Namen der Gesandtschaft ebenda, Nr. 7.

[2]) DAI, Bd. 3, Nr. 74.

[3]) Tichomirov, Pskovskoe vosstanie, SS. 109 f. u. 127; Neubauer, S. 82 ff. Vgl. auch Keep, The Decline, S. 116.

[4]) Solov'ev, Istorija, Buch 5, S. 560.

[5]) Latkin, Materialy, S. 77 ff.; Got'e, S. 68 ff. Vgl. auch Keep, The Decline, S. 117. Die Geistlichkeit hatte übrigens seit dem 19. Februar beraten.

des Kosakenhetmans Bohdan Chmel'nyc'kyj äußerte sich die Synode wieder einmal sehr zurückhaltend. Sie befürwortete aber immerhin einen Feldzug für den Fall, daß der König sich nicht bessere. Vielleicht hatte sich die Regierung von dieser Sonderbefragung der Kirche — der Rest der Versammlung tagte erst am nächsten Tag — mehr versprochen, denn die Geistlichkeit wäre am ehesten gegen die „Lateiner" zu gewinnen gewesen. Das frühe Votum war sicher als Meinungsbeeinflussung gedacht, aber angesichts der nur bedingten Zustimmung erstaunt es nicht, daß den Kosaken noch nicht geholfen wurde. Aleksej Michajlovič hielt sich sicherlich auch deswegen noch zurück, weil Chmel'nyc'kyj die Herausgabe des falschen Prätendenten Akundinov verweigerte (s. Kap. 1).

So blieb das ukrainische Problem ungelöst, bis Aleksej Michajlovič am 22. Juni vorläufig und durch R. Strešnev am 6. Sept. 1653 endgültig den Kosaken die moskauische Unterstützung mitteilen ließ. Die eigentliche Entscheidung darüber war auf einer langen Tagung von Zar und Duma (vom 22. Februar bis 14. März) sehr viel früher gefallen.[1]) Da das erhaltene Protokoll einer Reichsversammlung des Jahres 1653 aber erst vom 1. Oktober stammt, schien es der älteren Forschung, daß die Entscheidung einer Versammlung bei der Angliederung der Ukraine überhaupt keine Rolle gespielt habe. Solov'ev und Aksakov gerieten darüber sogar in einen weiteren Streit.[2]) Aber während Aksakov die Reichsversammlung gegen den Vorwurf der Bedeutungslosigkeit noch mit dem Argument verteidigte, der Beschluß sei bereits 1651 gefaßt worden, hätte er doch in Solov'evs Geschichtswerk selbst an anderer Stelle viel bessere Beweise finden können: Als A.N. Trubeckoj am 23. April 1654 ins Feld zog, hielt der Zar vor den Moskauer Adligen und Dienstleuten aus Jaroslavl' eine Rede, in der er auch erwähnte, daß „im vergangenen Jahr" (d.h. vom 1. Sept. 1652 bis zum 31. Aug. 1653) mehrmals (ne raz) Versammlungen mit Beteiligung gewählter Provinzadliger über die polnischen Angelegenheiten stattgefunden hätten. Auch in einer zweiten Version des Protokolls vom 1. Oktober ist von früheren Versammlungen die Rede.[3]) Tatsächlich findet sich in den Hofbüchern der Hinweis, daß — im Anschluß an die oben erwähnte Duma-Tagung — zunächst am 19. März und dann noch einmal am 2. Mai 1653 die Städte angewiesen worden seien, zum 20. Mai je zwei Adelsvertreter aus der

---

[1]) Kozačenko, Zemskij sobor, S. 152; Vossoedinenie, Bd. 3, Nr. 169.
[2]) Aksakov, Zaměčanija, S. 207. Vgl. auch Latkin, Zemskie sobory, S. 240.
[3]) Solov'ev, Istorija, Buch 5, S. 621 ff. Das Protokoll vom 1. Okt. 1653 in SGGD, Bd. 3, Nr. 157, u. PSZ, Bd. 1, Nr. 104; die zweite Version bei Latkin, Zemskie sobory, S. 434 ff.

„Auswahl" zu schicken, und daß dann am 15. Mai die Sitzung auf
den 5. Juni verschoben worden sei.[1]) An diesem letztgenannten Datum
fand aber wahrscheinlich doch keine Zusammenkunft statt, sondern
schon am 25. Mai wurde der Beschluß, „die Kosaken aufzunehmen"
(čerkas prinimat'), herbeigeführt.[2]) Offenbar war zunächst befürchtet
worden, daß bis zum 20. Mai nicht genügend Abgeordnete eintreffen
würden, denn Mahnbriefe zeigen, daß sogar bis zum 19. Juni noch nicht
alle anwesend waren.[3]) Diese Zusammenhänge hat Kozačenko aufge-
deckt. Ihre Kenntnis ändert freilich nichts an der Tatsache, daß die
zarische Entscheidung vom 6. September nicht auf einen Beschluß „des
ganzen Landes" zurückging, sondern nur von einer Dienstleute-Versammlung gestützt war und daß die Regierung die grundsätzliche
Entscheidung ohnehin bereits im Februar und März 1653 getroffen
hatte. Da in der zitierten zarischen Rede jedoch von mehreren Versammlungen die Rede ist, über die bis heute nichts bekannt ist, müssen diese
Aussagen mit aller Vorsicht hingenommen werden. Es ist durchaus
möglich, daß schon im April im Anschluß an die Einladung vom 19.
März beraten wurde.

Kozačenko läßt auch durchblicken, daß es sich 1653 noch um die Versammlung von 1651 gehandelt habe, wenn er sagt, der weltliche Teil
der Versammlung habe sich erst 1653 geäußert.[4]) Zwar wurde im
Protokoll vom 1. Okt. 1653 ein geistliches Votum tatsächlich nicht
aufgeführt, was darauf schließen läßt, daß dasjenige von 1651
noch galt. Aber gerade die Dienstleute wurden im Frühjahr 1653 ja neu
gewählt. Eine andere Frage ist, ob die Versammlung vom 1. Oktober
noch mit derjenigen vom Mai 1653 identisch war, also so lange dauerte,
wie schon Latkin annahm.[5]) Dies kann ohne weiteres bejaht werden,
denn die Hofbücher berichten nur von Wahlen der Stadtleute zum
1. Oktober.[6]) Offenbar war ihre Hinzuziehung wegen der Finanzierung

---

[1]) Dvorcovye razrjady, Bd. 3, SS. 350 f. u. 369.

[2]) Kozačenko, Zemskij sobor, S. 153.

[3]) Kabanov, Organizacija, S. 96. Dies geht auch aus der von Kozačenko veröffentlichten (unvollständigen) Liste der Dienstleute hervor, die im Dienstlistenamt mit
Angabe des Ankunftstages angefertigt wurde. Danach waren zwischen dem 15. Mai
und dem 19. Juni 102 Abgeordnete eingetroffen (Kozačenko, K istorii, S. 224 ff.).

[4]) Kozačenko, Zemskij sobor, S. 152.

[5]) Latkin, Zemskie sobory, S. 236.

[6]) Dvorcovye razrjady, S. 369. Daß die Versammlung nicht früher zusammentrat,
erklärt sich daraus, daß der Zar die Rückkehr der am 30. April nach Polen aufgebro-
chenen Moskauer Gesandten abwarten wollte. Sie kamen am 25. September zurück
(Kozačenko, Zemskij sobor, S. 155).

des Krieges notwendig geworden.[1]) Damit wird noch klarer, daß „das ganze Land" nur zur Sanktionierung versammelt wurde. Auch der Verlauf der Versammlung bestätigt das. Nachdem die zarische Anklage gegen Polen, die zum Teil mit derjenigen von 1651 übereinstimmte, und dazu Chmel'nyc'kyjs Hilfeersuchen verlesen waren, faßte die Duma noch einmal den positiven Beschluß. Erst danach wurden die Gruppen einzeln befragt. Sie stimmten alle zu; eine andere Möglichkeit gab es gar nicht! Am 9. Oktober konnte Buturlin mit der Botschaft, die wegen der Sanktionierung durch die Versammlung mehr Gewicht besaß als diejenige Strešnevs vom 6. September, in die Ukraine reisen. Doch schon am 23. Oktober, als der Krieg in der „Entschlafungs-Kathedrale" feierlich verkündet wurde, war von der Reichsversammlung überhaupt keine Rede mehr, sondern es hieß nur — und im Grunde ja wahrheitsgemäß —, der Zar habe den Entschluß nach Beratung mit Synode und Duma gefaßt. In der Kriegserklärung an Kazimierz kam nicht einmal mehr die Duma vor.[2]) Womit Puškin Anfang 1650 den Polen gedroht hatte, das spielte post festum nicht einmal mehr die Rolle eines Arguments im diplomatischen Schlagabtausch.

In der Folgezeit fanden eine ganze Reihe von Beratungen der Duma hauptsächlich mit den Moskauer Kaufleuten statt, da die Nöte der übrigen Städter und der Dienstleute durch das Uloženie zunächst einmal befriedigt worden waren. Die erste dieser Konferenzen stand vielleicht noch in Verbindung mit der Reichsversammlung vom 1. Okt. 1653. Auf Grund einer Bittschrift der Kaufleute wurde am 25. Oktober das „Handelsstatut" über die Vereinheitlichung des Zollwesens erlassen.[3]) 1659 wurden die Kaufleute nach den Auswirkungen der Restriktionen befragt, die zuletzt 1654 den ausländischen Händlern auferlegt worden waren (s. Kap. 3). Sie erklärten, daß die noch im Lande befindlichen Hamburger und Holländer auch mit englischem Kapital arbeiteten, so daß die Bedrückung der Russen im Grunde weitergehe.[4]) Am 17. Okt. 1660 fand ein ähnliches Gespräch über die Ursachen der Teuerung und Abhilfemaßnahmen statt. Eingeladen waren die Großkaufleute, die Hundertschaften der Großkaufleute und Tuchhändler und die „schwarzen" Hundertschaften und „Vorstädte". Da das erhaltene Protokoll noch

---

[1]) Die Einsammlung des Zehnten ordnete die Regierung am 18. Juni 1654 an (PSZ, Bd. 1, Nr. 129).

[2]) PSZ, Bd. 1, Nr. 106 u. 111.

[3]) SGGD, Bd. 3, Nr. 158.

[4]) Bazilevič, Kollektivnye čelobit'ja, S. 121.

vermerkt, es hätten „beste, mittlere und jüngere" Leute teilgenommen,[1]) also reiche und arme, darf man wohl auf vorausgegangene Wahlen schließen. Auf die Fragen nach den Ursachen des Preisanstieges für Getreide und andere Lebensmittel, nach der Rolle von Aufkäufern („zakupčiki") und nach einer eventuell günstigen Wirkung eines Alkoholverkaufsverbotes auf die Getreidepreise gaben die Kaufleute einerseits und die Hundertschaftsführer und Ältesten andererseits getrennte Antworten. Die Kaufleute unterstützten die Ansicht der Regierung, die die Aufkäufer für die Verursacher der Teuerung hielt, über die Spekulation, nannten aber auch die Mißernte und den Getreideverbrauch in den Alkoholhöfen. Nach Meinung der niederen Schichten stand jedoch eher das Problem des Ungleichgewichts zwischen Angebot und Nachfrage im Vordergrund, ferner die Verringerung der Bauern durch die Pest von 1654/55 und die Rekrutierung im fortdauernden Krieg sowie die Vermehrung der Käufer dadurch, daß für einige Bevölkerungsteile (Strelitzen, Angestellte des Hofes, Popen, Deputatsgeistliche (ružniki)) die Naturalgehälter abgeschafft oder eingeschränkt worden waren. Sie empfahlen, die Bauern selbst zu befragen, wie es mit der Spekulation bestellt sei. Hinsichtlich des Alkoholproblems waren sich die Stadtleute nicht einig: Drei Teilnehmer der Konferenz wollten den Verkauf beibehalten.[2]) Obwohl die Regierung die nötigen Konsequenzen aus dem Gespräch zog, den Strelitzen teilweise Deputate zukommen ließ (die der Kirche weggenommen wurden), die Alkoholbrenner und den gesamten Getreidemarkt kontrollierte, wurde die Finanzkrise des Jahres 1662, der sogenannte „Kupfergeld-Aufstand" (s. Kap. 5), dadurch nicht verhindert. Vielleicht liegt ein Grund dafür darin, daß die Frage des Kupfergeldes noch von keiner Seite aufgegriffen wurde. Das geschah erst zwei Jahre später.

Die Regierung mußte sich seit Ende Januar/Anfang Februar 1662, als R.M. Strešnev und I.D. Miloslavskij die Moskauer Kaufleute und Städter wiederum befragten, viele Vorwürfe anhören. Sie sind in zehn verschiedenen Voten erhalten und liefen hauptsächlich darauf hinaus, daß sie es nicht verstanden habe, das Handelsrecht auf die Handelsleute zu beschränken, die dafür doch Steuern zahlten, während andere Gruppen steuerfrei handeln dürften. In ihrer Not hätten die Kaufleute ihre Waren

---

[1]) SGGD, Bd. 4, Nr. 18. Vgl. auch Latkin, Zemskie sobory, S. 241 f.

[2]) Bazilevič, der sich am intensivsten mit den wirtschaftlichen Ursachen des Aufstandes von 1662 beschäftigt hat, erklärt das damit, daß sie zu den „besten"Leuten der Hundertschaften gehört hätten und selbst am Alkoholverkauf hätten verdienen wollen (Bazilevič, Denežnaja reforma, S. 46 ff.).

teurer verkaufen müssen, weil sie sie schon fünf- bis sechsfach teurer aufkauften, und sich so den Haß der übrigen Bevölkerung zugezogen. Die Handelsleute der Vorstadt Kadaševo empfahlen am 5. und 8. Februar die Feldzüge einzuschränken bzw. den Krieg zu beenden, um Gehälter für die Krieger zu sparen, und die Exportwaren (Pottasche, Zobelfelle, Schuhleder, Hanf, Talg, Pech und Teer) zu Staatsmonopolen zu machen, nur harte Devisen anzunehmen, die Ausländer auf Archangel'sk zu beschränken und vor allem wieder Silbergeld zu prägen. Die „schwarzen" Hundertschaften und „Vorstädte" forderten in drei Voten ungefähr das gleiche, ebenso die Großkaufleute und ihre Hundertschaften in fünf Voten, in denen von einer Beendigung des Krieges allerdings n i c h t die Rede war und in denen die neuen, von der Regierung tatsächlich bereits am 9. Februar verwirklichten Monopole wieder kritisiert wurden, weil sie den reichen Kaufleuten die besten Waren weggenommen hatten. (Nur der Großkaufmann F. Jur'ev blieb in seinem Sondervotum vom 26. April bei der früheren Auffassung.) Zar und Duma beschlossen deshalb am 27. Juni die Freigabe der Exportwaren vom 1. September an — gegen Steuererhöhung.[1]) Diese wirtschaftlichen Teile der Voten zeigen, wie sehr die Regierung auf die Informationen der „Experten" angewiesen war und wie sehr sie den Anregungen in Krisenzeiten auch folgte.

Von besonderem Interesse für den vorliegenden Zusammenhang sind allerdings noch andere Vorschläge, die sich in den Voten der Vorstadt Kadaševo, der (qualitativ gewichtigen) Großkaufleute und Hundertschaften der Großkaufleute und Tuchhändler vom 22. und 23. April und der (quantitativ gewichtigen) „schwarzen" Hundertschaften und „Vorstädte" vom 1. Mai 1662 finden. In ihnen wurde neun Jahre nach 1653 die Einberufung einer gewählten Reichsversammlung des „ganzen Landes" gefordert. Die Leute aus Kadaševo sprachen nur davon, daß auch die übrigen Städte befragt werden müßten. In den anderen Voten hieß es, die Bedeutung der Sache erfordere es, daß der Zar aus jeder Stadt und jeder sozialen Gruppe fünf Leute „nehme", d.h. wählen lasse.[2]) „Dies ist eine gewichtige Angelegenheit des ganzen Staates (!), des ganzen Reiches, aller Städte und aller Gruppen..."; ohne die Provinzvertreter könnten die Moskauer die Frage nicht entscheiden. Nun bedeu-

---

[1]) Ebenda, S. 55 ff.

[2]) Zercalov, O mjatežach, S. 248 ff. „Nehmen" schließt hier tatsächlich die Wahl ein. Das gleiche Wort wurde zum Beispiel auch bei den (einwandfrei gesicherten) Wahlen zur Versammlung vom 1. Sept. 1648 gebraucht (AAÈ, Bd. 4, Nr. 27).

tet das noch nicht, daß diese Äußerungen als versteckter Protest gegen
die Unterdrückung von vollständigen Reichsversammlungen durch die
Regierung anzusehen sind, wie es seit Ključevskij immer wieder geschah. [1]) Eher schon steckt die Scheu dahinter, eine einseitige Entscheidung über Finanzen und Preise herbeizuführen, für die die Kaufleute
und Moskauer Städter eventuell noch mehr als bisher von der übrigen
Bevölkerung zu Sündenböcken gemacht worden wären. Auch über
Azov hatten sie zwei Jahrzehnte zuvor gesagt, es gehe das ganz Reich an,
und damals konnte von einer „Unterdrückung" der Reichsversammlungen noch keine Rede sein. Aber es läßt sich tatsächlich nicht übersehen, daß die Notwendigkeit einer Reichsversammlung aller Gruppen
von einem Teil der Zemlja vorgetragen wurde und daß sie, gemessen
an den Präzedenzfällen, auch faktisch gegeben war. Für die Regierung,
nach deren Auffassung die Versammlungen immer nur Informations-
quellen darstellten, ergab sich freilich diese Notwendigkeit nicht, da sie
die nötigen Informationen bekommen hatte. Schließlich ist zu bedenken,
daß die letzten Beratungen mit dem Aufstand vom 25. Juli 1662 zusammenfielen und Aleksej Michajlovič kein zweites 1648 wollen konnte.
Davon wird weiter unten noch zu sprechen sien.

Es gibt einen — allerdings nicht zuverlässigen — Hinweis, daß gewisse
Kreise für einen eventuell erfolgreichen Abschluß der 1664 beginnenden
Friedensverhandlungen mit Polen eine Reichsversammlung vorbereiteten.
Jedenfalls soll der am 18. Dez. 1664 ungerufen aus der Verbannung in
die Hauptstadt zurückgekehrte Patriarch Nikon dem Zaren vorgeschla-
gen haben, „darüber mit allen sozialen Gruppen eine Versammlung
abzuhalten". Nikon soll dies hinterher Ordin-Naščokin und dieser soll es
wiederum dem Bojaren N. Zjuzin erzählt haben. Doch die Aussage
Zjuzins, der des Verrats angeklagt war, ist unzuverlässig.[2])

Dagegen versammelte die Regierung am 7. Mai 1667 89 Kaufleute
und Städter (davon 80 aus Moskau, unter ihnen 13 Großkaufleute) zur
Unterzeichnung des „Neuen Handelsstatuts", zu dessen Erlaß sie durch
ihre Bittschriften erheblich beigetragen hatten.[3]) Nachdem dadurch
viele Wünsche befriedigt worden waren, beriet die Regierung 1672 und
1676 Handelsfragen nur noch mit den Großkaufleuten. Am 15. Juli 1672
wurden V. Šorin, F. Jur'ev, M. Gur'ev, A. Kirillov, O. Filat'ev u.a. im

---

[1]) Ključevskij, Kurs, Bd. 3, S. 205 f.

[2]) Nikol'skij, Zemskij sobor, S. 15.

[3]) PRP, Bd. 7, S. 356. Von dem Statut vom 22. April 1667 war schon im Zusammenhang mit Ordin-Naščokin, der einiges aus seinen Pskover Reformprojekten darin
verwirklichte, die Rede (s. Kap. 2).

Außenamt gefragt, ob ihnen der 1667 mit Armenien geschlossene Vertrag
über den Seidenhandel mit Persien schade. Als die 15 Großkaufleute
und die zwei Vertreter der Hundertschaft der Großkaufleute dies bejah-
ten, wurde den Armeniern der Handel in einem neuen Vertrag vom 7.
Febr. 1673 untersagt.[1]) Der Besuch des Niederländers van Klenk in
Moskau machte der Regierung jedoch deutlich, daß sie gewisse außenpolitische Rücksichten zu nehmen hatte und den Ausländern den Ein-
kauf bei den Armeniern unter Umgehung der Russen unter Umständen
gestatten müsse. Die zu dieser Frage von den Bojaren unter Leitung
von M.Ju. Dolgorukov am 23. Febr. 1676 angehörten 21 Moskauer
Großkaufleute sprachen sich jedoch dagegen aus. Trotzdem erreichte
van Klenk wenigstens, daß persische und armenische Händler nun frei
in andere Länder reisen durften.[2]) — Der Vollständigkeit halber sei erwähnt, daß Aleksej Michajlovič am 1. Sept. 1674 seinen Sohn Fedor vor
einer Akklamationsversammlung auf der Kreml'-Freitreppe (kryl'cy)
zum Nachfolger ausrufen ließ.[3])

Wie bereits erwähnt, wurden Fedor Alekseevičs Steuer- und Mili-
tärreformen von 1681 ebenfalls auf Versammlungen beraten, und zwar
auf getrennten Versammlungen der Handelsleute und Bauern der Hof-
dörfer einerseits und der Dienstleute andererseits. Beide wurden von
V.V. Golicyn geleitet, ohne daß sie je zusammengekommen wären.
Zunächst traten am 24. November die Vertreter der in der Hauptstadt
lebenden Dienstleute zusammen. Der Inhalt ihrer Beratungen betraf
die Abschaffung der Rangplatzordnung. Zur feierlichen Verkündung
dieser Reform versammelten sich die Dienstleute am 12. Jan. 1682 mit
Synode und Duma, so daß an diesem Tag beinahe eine Reichsversammlung alten Stils stattfand.[4]) Das Protokoll trägt 173 Unterschriften, von
denen 12 von Geistlichen und 98 von Duma-Angehörigen stammten.
Den übrigen Dienstleuten und auch anderen sozialen Gruppen wurde
das Ergebnis wieder von der Kreml'-Freitreppe herunter verkündet.
Inzwischen war die Versammlung zur Beratung anderer Probleme der
Heeresreform und auch der Landreform erweitert worden: Am 7. Dez.
1681 hatten Zar und Duma zur Wahl je eines Adligen aus den Städten
(aus Pskov und Kazan' sollten je zwei kommen) aufgerufen; sie sollten

---

[1]) SGGD, Bd. 4, Nr. 81.
[2]) Ebenda, Nr. 105; Coyet, S. CXLVIII ff.
[3]) SGGD, Bd. 4, Nr. 97.
[4]) Ebenda, Nr. 130, u. PSZ, Bd. 2, Nr. 905. Auch in diesem Fall wurden in der
Forschung Synode und Duma als „erste Kammer" bezeichnet, z.B. von Latkin,
Zemskie sobory, S. 249.

zum 1. Jan. 1682 in Moskau sein. Die Regierung folgte damit konsequent ihrer bisherigen Linie; sie ließ die Abschaffung der Rangplatzordnung nur vom oberen Adel beraten, den sie vornehmlich anging. Die erweiterte Versammlung besprach nun eine seit langem von den Dienstleuten geforderte und seit 1679 von der Regierung versprochene Landvermessungsordnung. Die gewählten Abgeordneten wurden zu diesem Zweck noch durch fast 100 Adelsheerbeauftragte aus der Provinz verstärkt. Am 7. und 15. März 1682 beriet die Duma den Entwurf der Versammlung. Da die Dienstleute noch am 23. März eine diesbezügliche Bittschrift abgaben (s. Kap. 3), scheint die Versammlung zu diesem Zeitpunkt noch getagt zu haben.[1] Wie weit die Einflußnahme der Dienstleute in dieser Frage ging, ist mangels Materials nur schwer abzuschätzen. Aus der Tatsache, daß die Dienstleute noch viele Jahre lang Kollektivbittschriften zu diesem Problem einreichten, kann man entweder schließen, daß ihre Wünsche 1682 nicht voll befriedigt wurden, oder aber, daß die Regierung Konzessionen gemacht hatte, die sie hinterher nicht realisierte.

Noch weniger ist jedoch über den Verlauf der Beratungen der Steuerzahler bekannt. Im genannten Erlaß vom 7. Dez. 1681 war auch je ein Stadtbewohner zum 1. Januar eingeladen worden. Die Moskauer Vertreter, nämlich vier Großkaufleute und je zwei Abgeordnete der Hundertschaften und „Vorstädte", und darüber hinaus eine unbestimmte Anzahl von Hofbauern wurden am 11. Dezember ebenfalls aufgefordert, sich am 1. Januar mit ihren Steuerbüchern einzufinden,[2] um über die Angleichung der Steuern und Frondienste zu beraten (s. Kap. 2). Aus einem Memoire vom 29. April 1682 für den Landältesten von Šuja geht hervor, daß Zar Peter offenbar zwei Tage nach Fedors Tod die Rückkehr der Abgeordneten in ihre Heimat angeordnet hatte.[3] Das bedeutet, daß bezüglich der Beratungsthemen zunächst einmal alles beim alten blieb. Ungeachtet des Dunkels, das über diesen Versammlungen liegt und das in der Literatur sogar hinsichtlich der Chronologie zu Unklarheiten geführt hat, ist eines klar: Die Wahl der Provinzadligen und der Steuerzahler aus der Provinz wurde in ein und demselben Erlaß angeordnet, ihre Beratungen begannen am gleichen Tag und wurden von dem gleichen Vorsitzenden geleitet, aber sie tagten doch getrennt. Diese Trennung erscheint wiederum sachgerecht, wenn auch anerkannt werden muß, daß letztlich natürlich alle Probleme miteinander verbunden waren.

---

[1] Novosel'skij, Kollektivnye dvorjanskie čelobit'ja, S. 103 f.
[2] PSZ, Bd. 2, Nr. 899. Vgl. auch Latkin, Zemskie sobory, S. 246 ff.
[3] Starinnye akty, Nr. 154.

Eine Koordinierung wäre sicherlich von der Regierung übernommen worden. Die räumliche Trennung beider Gruppen ist von einigen Forschern nicht als gravierend angesehen worden; sie sprachen deshalb vom letzten „zemskij sobor" oder der letzten vollständigen Versammlung.[1]) Diese Kategorisierung ist in dieser Arbeit irrelevant. Aber die zeitliche Kongruenz beider Versammlungen — von der früher beginnenden Beratung des oberen Adels über die Rangplatzordnung einmal abgesehen — verleitet doch wenigstens zu der Vermutung, daß vor 1621 alle Themen auf einer gemeinsammen Versammlung besprochen worden wären.

Im Jahre 1682 fanden noch zwei Versammlungen statt, die, wollte man dem offiziellen Wortlaut folgen, sogar als „vollständige" Reichsversammlungen gelten könnten. Die Forschung ist sich jedoch einig, daß es sich dabei um fiktive Versammlungen handelte, mit denen die nach Fedors Tod um den Thron kämpfenden Parteien ihren Kandidaten — Peter oder Ivan — „wählen" ließen. Am 27. April verkündete der Patriarch Ioakim dem Volk, alle Bevölkerungsgruppen hätten sich einmütig für Peter entschieden.[2]) Wenn überhaupt, kann damit nur eine Akklamationsversammlung Moskauer Einwohner gemeint gewesen sein, und nach dem Zeugnis des Sohnes A.S. Matveevs verlief die „Wahl" keineswegs einmütig.[3]) Latkin hat nicht ausgeschlossen, daß die seit dem 1. Januar tagenden Stadtleute und Bauern noch anwesend waren,[4]) und dieser Annahme widerspricht das erwähnte Memoire nach Šuja über die Rückkehr der Abgeordneten nicht, denn die Inthronisierung fand gleich nach Fedors Tod statt. Wenigstens könnten einige Teilnehmer noch in Moskau gewesen sein, denn in einem Schreiben an den Voevoden von Perm' schrieb Peter sogar erst am 6. Mai, daß sie zurückkehren würden.[5]) Ungeklärt muß aus diesem Brief auch die Aufforderung des Zaren bleiben, neue gewählte Vertreter der Steuerzahler zum 1. Juli nach Moskau zu schicken. Vielleicht war eine Fortsetzung der Steuerreform geplant. Bei der zweiten Akklamationsversammlung, die auf Druck der Strelitzen während ihres Aufstandes (s. Kap. 5) am 26. Mai zustande kam, geht aus der Quelle deutlich hervor, daß es sich um die Bitte der Moskauer Bevölkerung handelte, Ivan ebenfalls auf den Thron

---

[1]) Zum Beispiel Latkin, a.a.O. Keep bezieht sogar die Tatsache ein, daß ungefähr zur gleichen Zeit, im Herbst 1681, auch die Synode tagte (Keep, The Decline, S. 119).
[2]) SGGD, Bd. 4, Nr. 132, u. PSZ, Bd. 2, Nr. 914.
[3]) Matvěev, A.A., S. 4 f.
[4]) Latkin, Zemskie sobory, S. 252 f.
[5]) AI, Bd. 5, Nr. 83.

zu heben.[1]) Bei aller Skepsis ist für beide Fälle festzuhalten, daß eine
Thronfolge ohne Akklamation und sogar ohne die Fiktion einer Wahl
nicht mehr möglich war. Die Berufung auf „das allgemeine Einverständnis aller sozialen Gruppen des Moskauer Staates" (obščee soglasie vsech
činov Moskovskago Gosudarstva ljudej), wie es am 27. April und ähnlich
auch am 26. Mai 1682 hieß, war im 17. Jahrhundert als Rechtfertigungs-
element Teil auch der autokratischen „Verfassung" geworden.

Auch die Regentin Sofija griff noch einmal die alte Form der Wahlen
im ganzen Lande auf, führte sie aber gleichzeitig ad absurdum. Ihren
Ewigen Frieden mit Polen wollte sie sich vom Adel bestätigen lassen,
und es mag sein, daß der polnisch Erzogenen und der Moskauer „polnischen Partei" dabei die Praktiken des Nachbarlandes vorschwebten.
Während Ja.N. Odoevskij noch gar nicht in Andrusovo zu den Verhandlungen mit den Polen eingetroffen war, ließ Sofija schon durch Schreiben
vom 18. Dez. 1683 in jeder Stadt (in Novgorod in jedem Fünftel) zwei
(in den ukrainischen Orten nur einen) aktive oder im Ruhestand befindliche Provinzadlige oder Bojarenkinder der ersten Kategorie wählen, die
zum 5. Jan. 1684 in der Hauptstadt sein sollten. Über die Schwierigkeiten
dieser Wahl wurde weiter oben schon berichtet. Nikol'skij hat errechnet,
daß immerhin 242 Dienstleute teilnahmen, davon 69 aus Moskau selbst.[2])
Doch der Friede kam noch nicht zustande. Am 8. März wurden alle
Abgeordneten nach Hause geschickt; sie bekamen als Trost je zwei
Zobelfelle und eine Audienz bei den Zaren.[3]) Waren die Dienstleute durch
den Optimismus der Regentin zur Inaktivität verurteilt gewesen, so
blieben sie doch in bezug auf ihre eigenen Probleme nicht untätig. Sie
nutzten die Gelegenheit zu einer erneuten Forderung nach einer General-
landvermessung (s. Kap. 3). Auch scheint es, daß sie anläßlich der
Audienz am 9. März gegen Verurteilungen ohne Prozeß und Gegenüberstellung und gegen Verschleppungen protestierten.[4]) Nikol'skij
vermutete darüber hinaus, daß auch das Gesetz vom 18. Febr. 1684
über die Wiedereinsetzung der Gerichtsbezirksältesten (s. Kap. 2) auf

---

[1]) SGGD, Bd. 4, Nr. 147, u. PSZ, Bd. 2, Nr. 920. Vgl. auch SGGD, Bd. 4, Nr. 145.

[2]) Nikol'skij, Zemskij sobor, SS. 53 ff., 23 ff. u. 47. Nikol'skij bietet ein Beispiel
für die Begriffsverwirrung um das Wort „Reichsversammlung": Er spricht von einem
„zemskij sobor", obwohl er selbst sagt, daß die Versammlung rein herrscherlich
(gosudarevo) gewesen und das Zemlja-Element nicht erwähnt worden sei (ebenda,
S. 30). Die Einberufung s. PSZ, Bd. 2, Nr. 1056.

[3]) Ebenda, Nr. 1067. Als der Friede zwei Jahre später tatsächlich geschlossen
wurde, unterblieb die Verkündung an den Adel.

[4]) Dies geht jedenfalls aus einem Gesetz zu diesen Fragen vom 11. Nov. 1685
hervor (ebenda, Nr. 1140).

eine Initiative dieser Dienstleute zurückgeht, doch gibt es dafür keinen Beweis. Wichtig ist ferner, daß 1683 noch einmal Wahlen stattgefunden hatten, während wenig später, am 17. Febr. 1684, anläßlich des Empfangs schwedischer Gesandter einfach alle Gutsbesitzer aus einer Umgebung von höchstens 250 Werst in die Hauptstadt kommandiert wurden.[1]) Zwei Tage später fand noch einmal eine Befragung der Großkaufleute statt, die sich gegen die beabsichtigte Ausdehnung der Läuflingssuche auf Westsibirien wandten. Nur zu gern nahmen die Kaufleute nämlich entlaufene Bauern mit, damit sie, wie A. Filat'ev, G. Nikitin u.a. sagten, „auf dem weiten Weg nach Sibirien nicht aufgehalten und ruiniert würden".[2]) Die Regierung gewährte ihnen jedoch nur wandernde Tagelöhner als Hilfskräfte.

Damit endete die Geschichte der Moskauer Versammlungen. Einige Forscher haben noch das Strafgericht, das Peter der Große im Oktober 1698 über Sofija abhielt, hinzugerechnet.[3]) Für die meisten Historiker ereignete sich die letzte Reichsversammlung jedoch schon 1653. Sie boten dabei verschiedenartige Erklärungen für das Absterben der Versammlungen an. Für Latkin hatten die Reichsversammlungen nach der äußeren „Sammlung des russischen Landes" die innere Einung der einzelnen Landesteile untereinander und des Landes mit dem Zaren geleistet. Nach dieser inneren und äußeren Konsolidierung seien sie daher überflüssig geworden.[4]) Ähnlich argumentierte Palme, daß die Zaren nach ihrem Sieg über das Bojarentum die Versammlungen nicht mehr gebraucht hätten und daß der Dienstadel nach der Bindung der Bauern ebenfalls zufrieden gewesen sei.[5]) Avaliani meinte, daß die gemäß der Tradition lebende Zemlja nach dem Zerfall dieser starina nicht mehr Ratgeberin eines Zaren habe sein können, der die Ideen der absoluten Monarchie aufgegriffen habe.[6]) Platonov registrierte eine Ablösung der mittleren Schichten als Stütze der Zaren durch Bürokraten, so daß der Zustand des 16. Jahrhunderts, die Trennung von Zar und ”zemstvo” (sic!), wiederhergestellt worden sei. Diese Rivalität zwischen Zemlja und Bürokratie habe schon unter Michail Fedorovič zu Beschwerden

---

[1]) Ebenda, Nr. 1061.

[2]) Preobraženskij, S. 116.

[3]) Vgl. Latkin, Zemskie sobory, S. 254. Ščapov bezog sogar die Kommission ein, die Katharina II. 1766 einberief und die ab 1767 eine neue Kodifizierung beraten sollte (Ščapov).

[4]) Latkin, a.a.O., S. 285 f.

[5]) Palme, S. 20 f. Die gleiche Auffassung vertritt Eroškin, S. 54.

[6]) Avaliani, Zemskie sobory, S. 54.

und unter Aleksej Michajlovič dann sogar zum Aufstand geführt. Das als Befriedung gedachte Uloženie habe die Spaltung nur vertieft, so daß die unzufriedenen Massen sich dem Razinschen Aufstand am Don angeschlossen, während die obersten Kreise die Reichsversammlung auf legalem Weg unterbunden hätten.[1]) Von sowjetischer Seite sah A.I. Zaozerskij die Reichsversammlungen, die Vertretungen des Adels und der Städter, als Stütze der Zaren im Kampf mit den Resten der „feudalen Zersplitterung", was wohl einschließt, daß nach 1653 dieser Klassenkampf zuungunsten der Bojaren und der Kirche entschieden war.[2]) Die Erläuterung des neuesten Standardwerkes der russischen Geschichte geht jedoch umgekehrt dahin, daß gerade eine Verschärfung des Klassenkampfes (cf. die Aufstände) eine Stärkung der Bürokratie, die die Versammlungen unterdrückte, nötig machte.[3]) In der Klassenkampftheorie wird also heute nicht mehr der Konflikt zwischen den mittleren Schichten und den „Feudalherren" in den Vordergrund gestellt, sondern der Gegensatz zwischen Adel und „Bürgertum", weil nach Marx und Engels das aufkommende Bürgertum für die Entstehung des Absolutismus unbedingt erforderlich war. Über die sich daraus ergebenden Tendenzen in der sowjetischen Historiographie wird im Schlußkapitel dieser Arbeit noch ausführlich zu reden sein. Es sei hier nur vorweg festgestellt, daß diese Theorie für Altrußland nicht stimmt, und es ist wohl schon aus diesem und dem vorigen Kapitel deutlich geworden, daß die Klagen der Stadtleute sich in erster Linie nicht gegen die mittleren Dienstleute, sondern gegen die reichen weltlichen und geistlichen Herren richteten.[4])

Im Grunde laufen alle hier angeführten Erklärungen für das Absterben der Reichsversammlungen darauf hinaus, daß der aufkommende Absolutismus das in der ersten Jahrhunderthälfte entwickelte gesellschaftliche Leben unterdrückt habe. Diese Erklärung mag als Pauschalurteil einleuchten, im einzelnen läßt sie fast alle Fragen offen. Die These von der

---

[1]) Platonov, K istorii, SS. 322 f., 331 u. 334.

[2]) In: Očerki istorii SSSR, XVII v., S. 360.

[3]) So Preobraženskij in: Istorija, Bd. 3, S. 62 f. Vgl. auch Čerepnin, Predislovie, S. 19.

[4]) Smirnov hat in Prozenten die im Anschluß an die Aufhebung der „weißen Plätze" (1649) konfiszierten Häuser aufgeschlüsselt: 52,8 % gehörten der Geistlichkeit, 15,6 % den Bojaren (und zwar 837 von 1031 den vier Familien der Romanovs, Ja.K. Čerkasskijs, Saltykovs und Strešnevs) und nur 3,5 % (226) dem Dienstadel (Smirnov, Posadskie ljudi, Bd. 2, S. 609). Aus diesen Zahlen wird deutlich, gegen wen sich der Zorn der Städter in e r s t e r Linie richten mußte. Das schließt nicht aus, daß in die Klagen der Städter aus dem Jahre 1648 gelegentlich auch einmal die mittleren Dienstleute einbezogen wurden (s. Kap. 3, Anmerkung 1 auf S. 116).

Unterdrückung einer positiven gesellschaftlichen Entwicklung setzt bei der Gesellschaft ein Interesse an den Versammlungen voraus, daß sich, von der untypischen Situation des Jahres 1648 abgesehen, gar nicht nachweisen läßt. Auch das Rätsel, warum der Absolutismus, zu dessen Stützen bekanntlich Heer und Beamtentum gehören, zwischen 1653 und 1682 nicht einmal Versammlungen zuließ, die sich — wie so oft vorher — nur aus Duma, Synode und Dienstleuten zusammensetzten, wird dadurch nicht gelöst. Andererseits paßt auch die von vielen Historikern hervorgehobene politische Harmlosigkeit der Versammlungen nicht in das genannte Schema, denn harmlose Reichsversammlungen hätten nicht unterdrückt zu werden brauchen. Ključevskij zum Beispiel verwies auf die „repräsentative Prozedur ohne politische Begriffsbestimmungen", auf die Formen ohne Normen, die es mit sich gebracht hätten, daß die Geldbewilligungen zu keinerlei politischen Rechten, sondern nur zu Privilegien und Gnadenerweisen geführt hätten.[1]) Brauchte die Regierung also nach 1653 kein Geld mehr für Feldzüge? Hoetzsch bemerkte bei einem Vergleich mit den deutschen Territorialständen den fehlenden Dualismus von Fürst und Land in Moskau, der den rein beratenden Charakter der Reichsversammlungen bedingt habe. In jüngster Zeit hat Keep diesen letzteren Aspekt noch einmal betont.[2]) Aber selbst diese Historiker, die der Versammlung völlig zu Recht jede politische Potenz absprechen, gehen von falschen Voraussetzungen aus, weil sie mehr oder weniger direkt den westlichen Ständebegriff voraussetzen. Wo aber solche Stände fehlten, hätten sich auch dann keine Repräsentativversammlungen entwickeln können, wenn die Reichsversammlungen mehr Zeit gehabt hätten, wie etwa Kločkov im Vergleich mit dem englichen Parlament meinte.[3]) Im übrigen ist, wenn man schon diese Seite der Versammlungen hervorkehrt, auch das Wort „beraten" noch viel zu hoch gegriffen. In den Quellen taucht dieser Ausdruck nur in Verbindung mit der Synode auf; mit der Versammlung und sogar mit der Duma wurde „gesprochen".

Obwohl die mit dem aufkommenden Absolutismus zusammenhängenden Fragen erst im Schlußkapitel beantwortet werden sollen, kann die Grundfrage des Problems, nämlich ob der Untergang der Versammlungen auf die Indifferenz der Gesellschaft (Ditjatin) oder auf die Unterdrückung durch die Regierung (Ilovajskij) zurückzuführen ist,[4]) hier

---

[1]) Ključevskij, Kurs, Bd. 3, S. 200 ff.
[2]) Hoetzsch, Staatenbildung, S. 24 f.; Keep, The Decline, S. 111.
[3]) Kločkov, S. 96 ff.
[4]) Ditjatin, K voprosu; Ilovajskij, S. 81.

schon beantwortet werden. Angesichts des Dienstcharakters der Teilnahme an den Versammlungen darf wohl festgestellt werden, daß sie
weiterhin stattgefunden hätten, wenn die Regierung sie einberufen hätte,
daß die Bevölkerung sich aber auch nicht um eines ihrer Privilegien gebracht sah, als sie nicht mehr stattfanden. Der Gesellschaft fehlte die
Verantwortung für den Gesamtstaat, die allein dem Wunsch nach Zusammenkünften „des ganzen Landes" zugrunde liegt. Diese war nur in
der Smuta und 1648 vorhanden, denn der Vorschlag Buturlins aus dem
Jahre 1634 blieb das Projekt eines Einzelgängers und war außerdem
noch eindeutig auf den Vorteil des Moskauer Adels bedacht, und die
Forderungen der Stadtleute von 1662 entsprangen gerade einer Verantwortungsscheu. Ansonsten war jede Gruppe nur immer um ihre
eigenen Vorteile besorgt, und diese ließen sich in den Einzelberatungen
mit der Regierung am besten regeln. Für das Minimum an gesellschaftlicher Aktivität, das man auch im 17. Jahrhundert brauchte, reichte
der Zemlja die Lokalverwaltung mit ihren überschaubaren Arbeits-
gebieten und Problemen, und dem Heer genügten, abgesehen von
seiner Beteiligung an dieser Lokalverwaltung, die seit den 30er Jahren
bestehenden „Zusammenkünfte".[1]) Für das Maximum an Beschwerden und Klagen, das zur Befriedigung des Gerechtigkeitsbedürfnisses nötig
war, kamen beide mit den Bittschriften aus.

Eine andere Frage ist, warum in concreto die Regierung keine Versammlungen großen Stils mehr einberief, warum der Absolutismus, der
Bittschriften und gewählte Lokalverwaltung weiterhin duldete, nur noch
einzelne Gruppen befragte. Die Antwort darauf gibt ein Blick auf den
Wandel der Bedeutung, die die Reichsversammlungen für die Regierung
hatten. Im Anschluß an die Souveränität des Reichsrats in seiner Eigen-
schaft als Wahlversammlung von 1613 setzte sich die Bedeutung der
Versammlung nicht etwa in permanenter Regierungbeteiligung oder gar
Einschränkung der Autokratie fort, sondern lag in der Information über
den fiskalischen Zustand des Landes, die die an 1598 anknüpfende
Regierung für ihre Außenpolitik brauchte. Diese ständig abnehmende
Entscheidungsgewalt der Versammlung wurde durch Filaret zur bloßen
Berichterstattung degradiert und seit 1634 zur akklamatorischen Sanktionierung der Außenpolitik benötigt. Zur Ehre der Gesellschaft muß
gesagt werden, daß sich seit dieser Zeit aber auch ein Widerstandsgeist
regte, weil der nervus rerum berührt war. Die Auflehnung geschah zwar
zunächst nur im eigenen persönlichen Interesse, führte aber 1648 zur

---

[1]) Smirnov, Čelobitnyja, S. 36.

Solidarisierung. Ab 1650 benutzte die Regierung die Versammlungen dann nur noch als Instrument zur Niederschlagung des Pskover Aufstandes oder für Drohungen und Deklarationen in der Außenpolitik. Man hätte also erwarten können, daß wenigstens in diesem Sinne die Versammlungen weiterhin „benutzt" worden wären. Aber beim drohenden Angriff des Sultans im Jahre 1672 genügte die Beratung des Zaren mit Duma und Synode, ebenso am 12. April 1678.[1]) Der Razinsche Aufstand, eine viel größere innere Gefahr als der Pskover Aufstand, wurde ohne Hilfe einer Reichsversammlung niedergeschlagen. Aleksej Michajlovič schickte lediglich hinterher, am 15. Jan. 1672, zur Abschreckung einen Bericht über die Ereignisse an die verschiedenen Bevölkerungsgruppen ins Land hinaus.[2]) Auch Geldfragen wurden am 18. April 1673 und 1679 anläßlich der drohenden Türkengefahr einfach durch Beratung des Zaren mit Synode und Duma gelöst.[3]) Vom Aufstand Sten'ka Razins abgesehen, handelte es sich bei den außenpolitischen Krisen der 70er Jahre also um Gefahren von seiten der Türken, denen gegenüber, anders als im polnischen Ständestaat, die Resolution einer Versammlung nicht die geringste Bedeutung gehabt hätte.[4])

So bleibt zuletzt nur noch die Frage übrig, warum es überhaupt zu dieser Degradierung der Versammlung zum außenpolitischen Instrument Anfang der 50er Jahre gekommen ist, die eine Aktivierung des „ganzen Landes" mangels Anwendungsmöglichkeiten verhinderte, und warum die Versammlung nicht — wie vor 1648 — wieder zur Information über Geldressourcen oder im Kampf gegen Aufständische eingesetzt wurde. Der Grund dafür ist im Aufstand dieses Jahres zu suchen, d.h. gar nicht einmal so sehr im Aufstand an sich, sondern in der Tatsache der Solidarisierung von Dienstleuten und Steuerzahlern, die etwas ganz Neues seit 1613 darstellte. Gegen Ende der Smuta hatte ein solcher Zusammenschluß, symbolisiert durch die Namen Minin und Požarskij, einst das Land gerettet. Aber nichts konnte den restaurativen Regierungskreisen mehr Angst versetzen als gerade die Erinnerung an die Smuta und die Gefahr einer Wiederholung. Die Entwicklung des Bittschriftenwesens (s. Kap. 3) und seine partielle Verbindung mit den Reichsversammlungen zeigte jedoch der Regierung, daß Heer und Zemlja, die die gleichen

---

[1]) Ključevskij, Kurs, Bd. 3, S. 209; SGGD, Bd. 4, Nr. 111.

[2]) PSZ, Bd. 1, Nr. 503.

[3]) SGGD, Bd. 4, Nr. 85; Platonov, K istorii, S. 332.

[4]) Vielleicht meinte das Eroškin mit der Bemerkung, die Regierung habe die moralische Unterstützung des „ganzen Reiches" nicht mehr nötig gehabt (Eroskin, S. 54).

Gegner hatten, in bedrohliche Nähe rückten. Seit 1637 griffen die Dienstleute die vorher von den Kaufleuten praktizierten Kollektivbittschriften
mit politischen Forderungen auf, und 1648 kam es tatsächlich zu gemeinsamen Eingaben und sogar zu gegenseitiger Unterstützung der Forderungen. Verwunderlich war dies nicht, denn anders als das erst entste-
hende Berufsheer oder das westliche Berufsbeamtentum lernten die
Angehörigen des Aufgebots immer wieder in ihren Heimatstädten an
Ort und Stelle die Nöte der Stadtleute kennen und arbeiteten mit ihnen
teilweise sogar in der Lokalverwaltung zusammen. Es lag sozusagen in
der Natur des Adelsaufgebots, daß es viel stärker gesellschaftsbezogen
war als die „Truppen neuer Ordnung" (polki novago stroja). Welche
Angst die Regierung 1648 hatte, erkennt man daraus, daß den Adligen
zu Weihnachten die Reise nach Moskau verboten wurde; sie bekamen
ihre Gehälter zu Hause ausgezahlt. Am 21. April 1649 drohte der Bojarensohn V.K. Nesterov während eines Prozesses im Vladimirer Gerichtsamt mit einer „besseren" Wiederholung der Ereignisse vom
Sommer 1648, wenn man nur die Provinz nach Moskau ließe. Er erhielt
dafür einen Verweis.[1]) Der Eindruck, den die Ermordung des englischen
Königs auf Aleksej Michajlovič im Frühjahr 1649 machte, ist an anderer
Stelle bereits geschildert worden (s. Kap. 3). Der Zar wußte auch aus
dem Bericht eines Kuriers, was Parlamentsherrschaft bedeutete.[2])

Für die Regierung war es nicht vorhersehbar, daß die Solidarisierung
von 1648/49 eine einmalige, kurzlebige Angelegenheit blieb, die mit der
weitgehenden Befriedigung der Interessen von Dienstleuten und Städtern
durch das Uloženie ihre Grundlage verlor und die sich vielleicht auch
deshalb nicht wiederholte, weil die Zeit des Aufgebots vorüber war.[3])
Für sie genügte es, daß von 1649, als nach Pommerenings Mitteilung am
29. Januar zwei Strelitzen enthauptet und zwei weitere verstümmelt
wurden, weil sie einen noch größeren Aufstand als denjenigen vom Vor-
jahr angekündigt hatten,[4]) bis 1682 immer wieder auch Teile des stehen-

---

[1]) Gorodskie vosstanija, SS. 43 u. 83 ff.

[2]) G.S. Dochturov, der 1645/46 in England gewesen war, schrieb nach seiner
Rückkehr in seiner Relation: „London und ganz England und Schottland werden jetzt
vom Parlament statt vom König beherrscht: aus allen Ständen (činy) sind Duma-
Leute gewählt worden... Als der König alles nach seinem Willen machen wollte,
wollte das Parlament das nicht .." (Roginskij, S. 24 f.).

[3]) Hellie vertritt die Ansicht, daß die Reichsversammlungen abstarben, weil das
Aufgebot seine Bedeutung eingebüßt hatte (Hellie, Enserfment, S. 244 f.). Daß diese
Entwicklung des Aufgebots zum Beispiel 1662 schon Auswirkungen gehabt hätte,
ist schwer einzusehen.

[4]) Jakubov, S. 436.

den Heeres an den Aufständen beteiligt waren. Gerade bei den Strelitzen war freilich die Möglichkeit einer Solidarisierung mit den Stadtleuten ganz und gar nicht gegeben, weil sie als Kleinhändler ihre Konkurrenten waren. Doch die Tatache der im nächsten Kapitel zu untersuchenden Unruhe aller Bevölkerungsteile in der zweiten Jahrhunderthälfte darf als ausreichender Grund für die Befürchtungen der herrschenden Kreise angesehen werden. Bezeichnenderweise gab es erst im Zuge der Reformen Fedor Alekseevičs einen schüchternen Versuch wenigstens simultaner Tagungen von Versammlungen der Zemlja und des Heeres. Der sich unmittelbar anschließende Aufstand von 1682 verhinderte alle nur denkbaren Folgen dieses Neuansatzes.

DIE STÄDTISCHEN AUFSTÄNDE

Zu den im 17. Jahrhundert neuen Erscheinungen der russischen Ver-
fassungs- und Sozialgeschichte gehören neben den Kollektivbittschriften
und den gewählten Reichsversammlungen auch die vielen Aufstände,
so daß schon die Zeitgenossen von der „aufrührerische Zeit" (buntašnoe
vremja) sprachen. S.K. Bogojavlenskij meinte deshalb mit einiger
Übertreibung sogar, die Smuta habe mit der Wahl Michail Fedorovičs
zum Zaren keineswegs aufgehört, sondern nur eine andere Richtung
genommen.[1]) Wie er haben andere Sowjethistoriker sich der Aufstände
vor allem unter dem Gesichtspunkt des Klassenkampfes angenommen,
während andererseits die nichtmarxistische Geschichtsschreibung noch
immer von der „staatlichen" Schule beeinflußt scheint, die einst die
Aufständischen mit dem ebenfalls zeitgenössischen Begriff „vory" abtat.
Dabei wurde übersehen, daß dieses Wort im 17. Jahrhundert noch nicht
in erster Linie „Diebe" bezeichnete, sondern „Übeltäter" und besonders
„Rebellen". Die schlechte Quellensituation, insbesondere für die erste
Jahrhunderthälfte, öffnet freilich gerade bei der Untersuchung der Aufstände Spekulationen Tür und Tor: Offizielle Dokumente geben naturgemäß in den seltensten Fällen die Ansichten der Aufständischen objektiv
wieder, ganz abgesehen davon, daß Protokolle der Verhöre (rassprosnye
reči) oder der peinlichen Verhöre (rassprosnye i pytočnye reči) nur
vereinzelt erhalten sind. Die marxistische Geschichtsschreibung hat
dennoch Beachtliches bei der Erforschung der Aufstände geleistet, ist
freilich in der Interpretation oft über das Ziel hinausgeschossen.

An dieser Stelle soll die Geschichte der Aufstände jedoch nicht dargestellt werden. Erforderlich ist hier nur die Untersuchung der Beteiligung
von Zemlja-Leuten und Kriegern, also den städtischen Elementen, an
gewissen Aufständen gegen Regierung und Staat, die dadurch, wie auch
E.V. Čistjakova etwa in bezug auf 1648 meint, „einen besonderen
politischen Sinn" erhielten.[2]) Das ist nur *ein* Aspekt, während die sowjetischen Forscher darüber hinaus noch andere (hier unberücksichtigt

---

[1]) Bogojavlenskij, Moskovskija smuty, S. 123. Den Ausdruck „buntašnoe vremja"
s. z.B. in einem Dokument bei Zercalov, O mjatežach, S. 196.

[2]) Čistjakova, Narodnye dviženija, S. 10.

bleibende) Seiten des Klassenkampfes betonen: seine Kontinuierlichkeit, die Verbindung des Zentrums mit der Peripherie und vor allem die Bewegung unter den Bauern und Kosaken, die sogenannten Bauernkriege. Die Aufstände werden von Čerepnin und anderen als die Basis gesehen, von der aus die Reichsversammlungen erst möglich wurden.[1]) Demgegenüber befaßt sich dieses Kapitel mit den Aufständen, bei denen der Klassenkonflikt, der Protest gegen die „Reichen", nur ein Nebenprodukt darstellte und die, beginnend mit 1648, nicht ganz zufällig gerade in die Periode des Absterbens der Reichsversammlungen, also in die zweite Jahrhunderthälfte, fielen, weil sich die „gesellschaftliche" Aktivität ein neues Betätigungsfeld suchte. Die Bauern-Aufstände können dabei ganz außer acht gelassen werden, da sie sich in der Tat nicht direkt gegen Regierung und Verwaltung, nicht gegen die politische Ordnung, sondern gegen die Sozialordnung richteten. Die daran nicht beteiligten Stadt- und Dienstleute hatten im Grunde unter den aufständischen Bauern genauso zu leiden wie die Oberschicht des Adels und der Beamten.[2]) Die Erörterung beschränkt sich daher auf die Aufstände von 1648, 1650, 1662 und 1682 sowie einige kleinere Vorfälle. Die unter Führung von Ivan Balaš stehende Rebellion der Bauernsoldaten aus der Gegend um Smolensk, die 1634 während des Smolensker Krieges ausbrach, gehört nicht dazu, da es sich um einen Bauernaufstand handelte, dem sich — nach sowjetischen Aussagen — einige niedere Dienstleute und Städter anschlossen.[3]) Auch ein ganz andersartiger Protest, verursacht durch das Schisma, muß unberücksichtigt bleiben, weil er eine religiöse Grundlage hatte: der Protest der Altgläubigen, der nach 1676 die Selbstverbrennung von Tausenden und Abertausenden (rund 20 000 sind belegt) und auch einen bewaffneten Aufstand mit sich brachte. Dieser Aufstand des Soloveckij-Klosters aus den Jahren 1668 bis 1676 richtete sich zwar zum Schluß gegen Regierungstruppen und wurde, wie in der Sowjetunion eifrig nachgewiesen wird, ebenfalls von einigen Städtern und Soldaten unterstützt, gehört aber dennoch in die Auseinandersetzung

---

[1]) Čerepnin, Predislovie, S. 14 f. Vgl. auch Istorija, Bd. 2, S. 303, u. Očerki istorii SSSR, XVII v., S. 221 ff.

[2]) Razin zum Beispiel, dessen politische Vorstellungen, soweit überhaupt erkennbar, auf einen naiven Monarchismus hinausliefen, rief auf zum Zug „nach Moskau, um alle Fürsten und Bojaren und vornehmen Leute und den ganzen russischen Adel zu schlagen" (ebenda, S. 296). Daß dabei auch Voevoden und Amtsleute getötet wurden, muß eher als Reaktion auf den Kampf der Regierung gegen die Aufständischen angesehen werden; die Beamten, die sich gut mit Razin stellten, wurden verschont.

[3]) Zu diesem Aufstand s. Poršnev.

mit dem Raskol. Es wird gern verschwiegen, daß die Mönche keineswegs mit der weltlichen Obrigkeit brechen wollten.[1]

1648 aber fand kein Widerstand traditionsgebundener Mönche gegen die Staatskirche und keine Rebellion schollengebundener Bauern gegen ihre Herren oder freiheitsliebender Kosaken gegen den Moskauer Adel statt, sondern die Explosion lange angestauter Gefühle gegen Korruption und andere Mißstände in Verwaltung und Gerichtswesen sowie gegen die in den vorangegangenen Kapiteln bereits geschilderten sozialen Ungerechtigkeiten, mit denen die Oberschicht die mittleren und unteren Bevölkerungsgruppen bedrückte. Diese Unzufriedenheit kam in der von Smirnov ausführlich untersuchten städtischen Unruhe der ersten Jahrhunderthälfte zum Ausdruck,[2] hatte sich schon mindestens zwei Jahrzehnte in Bittschriften artikuliert, die zum Teil auf Versammlungen vorgetragen worden waren, und war offenbar auch direkt spürbar, denn der schwedische Resident Krusbiörne erwartete den Aufstand schon im Februar 1645: „Seer altså här i Rysland alt mechta perplext vth, och omineras (sic!) ett farligt vplop vthaf gemena mannen...''[3]

Zunächst aber erwartete der „gemeine Mann'' noch von dem jungen Aleksej Michajlovič eine Besserung der Verhältnisse. Sein starker Mann, der in der Forschung seit Olearius verteufelte und erst durch Smirnov teilweise rehabilitierte Morozov, versuchte tatsächlich 1646/47 die Verwaltung zu durchforsten (s. Kap. 3) sowie Finanzreformen und eine fortschrittliche Städtepolitik durchzuführen. Doch das neue eiserne Eichmaß, das der Handelsgerechtigkeit dienen sollte, kostete 10 Kopeken — eine Belastung für die Bevölkerung und eine neue Einnahme für die Staatskasse. Als Erleichterung war ursprünglich auch die berüchtigte Salzsteuer vom 9. Febr. 1646 gedacht, die offiziell mit der Bedrohung durch die Tataren begründet wurde und das Pud Salz um zwei Grivnen verteuerte (bzw. um eine Grivna für das schlechtere Salz aus Astrachan'). Gleichzeitig wurden nämlich die direkten Steuern, die sogenannten Fuhr- und Strelitzengelder, abgeschafft, weil man sich von der Akzise eine größere Steuergerechtigkeit versprach. Allerdings ging der Salzver-

---

[1] Zu diesem Aufstand s. Barsukov, N.A.

[2] Smirnov, Iz istorii. Er zählte für die Zeit zwischen 1630 und 1650 an die 30 Erhebungen, wobei jedoch vor 1648 nur in Ustjug Velikij (1632) und in Tot'ma (1639) größere Unruhen vorkamen (ders., Posadskie ljudi, Bd. 2, S. 159). Vgl. auch Tichonov, Les mouvements, S. 491.

[3] „Es sieht hier in Rußland doch mächtig verwirrt aus, und omineras (sic!) einen gefährlichen Auflauf durch den gemeinen Mann...'' (Forsten, Snošenija Švecii s Rossiej, S. 364).

kauf nun so sehr zurück, daß die Salzsteuer knapp zwei Jahre später wieder zurückgezogen werden mußte. Ungeschickterweise forderte Morozov gleichzeitig die Nachzahlung der direkten Steuern für die vergangenen zwei Jahre und die Eintreibung der Außenstände der letzten zehn Jahre, so daß für 1648 die dreifache Steuerlast fällig gewesen wäre.[1] Kein Wunder, daß die Unruhe so plötzlich zunahm. Bei Olearius kann man nachlesen, daß die Moskauer morgens und abends bei den Kirchen über die Mißstände berieten.[2] Das war auch der Regierung nicht entgangen. Pommerening, der neue schwedische Botschafter, berichtete am 15. Sept. 1647, daß in Moskau um die 10 000 Strelitzen konzentriert seien. Es gibt auch Hinweise, daß während der Abwesenheit des Zaren im Mai 1648, als P.I. und M.P. Pronskij, I.I. Romodanovskij, N.I.Čistoj und M. Vološeninov die Regierungsgeschäfte führten, jeder nächtens Angetroffene von der Polizei gefragt wurde, wohin er gehe oder fahre.[3] Trotz dieser Vorsichtsmaßnahmen handelte die Regierung bei Ausbruch des Aufstandes unüberlegt und töricht, denn die unmittelbare Gefährdung des Zaren war eine ganz neue Erfahrung.

Eine Reihe russischer und ausländischer Quellen vermitteln ein relativ gutes Bild von den Ereignissen, die mit der Rückkehr Aleksej Michajlovičs aus dem Troice-Sergiev-Kloster, wohin er zur Feier des Pfingstfestes (21. Mai) am 17. Mai gereist war, am 1. Juni begannen. Unter den russischen Quellen sind die Chronikberichte, in erster Linie die „Chronik über die vielen Aufstände..." und die Pskover Chronik, beinahe lakonisch kurz, ebenso die Hofbücher und die Mitteilungen des Patriarchen Iosif an den Metropoliten von Rostov und Jaroslavl'.[4] Hochinteressant erscheinen dagegen ein von Platonov 1888 veröffentlichter Bericht eines Sympathisanten des Aufstandes sowie eine von Buganov 1957 veröffentlichte Notiz vom Ende des 17. Jahrhunderts.[5] Ebenso aufschlußreich sind die Ausländerberichte, und zwar die noch 1648 dreimal in den Niederlanden veröffentlichte sogenannte Leidener Broschüre eines Holländers („Waerachtighe Historie ende Beschrijvinghe, van het schrick-

---

[1] Smirnov, Pravitel'stvo, S. 84. Zur Einführung der Salzsteuer s. das Zirkular Aleksej Michajlovičs vom 18. März 1646 (SSGD, Bd. 3, Nr. 124) und zu ihrer Aufhebung einen Brief des Voevoden von Tobol'sk an den Voevoden von Turinsk vom Februar 1648 (ebenda, Nr. 128).

[2] Olearius, S. 254.

[3] Forsten, a.a.O., S. 372; Zercalov, O mjatežach, S. 226.

[4] Diese Anweisung zu Gebeten wegen des Aufstandes stammt von Mitte August (AAĖ, Bd. 4, Nr. 30). Zur Schilderung des Aufstandes in den vielen Chroniken s. Čistjakova, Letopisnye zapisi.

[5] Platonov, Moskovskija volnenija; Buganov, Zapiski.

elick Tumult ende Oproer in der Moscouw..."),[1]) der vielleicht nicht
im Gefolge des Botschafters Albert Burgh Augenzeuge des Aufstandes
war, wie oft angenommen wird, sondern — diesen Eindruck vermittelt
der Text — wohl ständig in Moskau lebte; ferner die Erzählungen bei
Olearius, der persönlich allerdings 1639 zum letztenmal in Rußland
gewesen war, die schon oft zitierten Berichte Pommerenings, dessen
Haus selbst dem Aufstand zum Opfer fiel, und schließlich die ebenfalls
von Platonov 1893 publizierte anonyme „Kurtze undt warhaftige Beschreibung desz gefährlichen Affleuffes des gemeinen Pöbels in der Stadt
Moscow den 2 Iuny A. 1648 geschehen undt vorgelauffen", die, wie die
darin vorhandenen Ähnlichkeiten nahelegen, vielleicht von jemandem
aus Pommerenings Begleitung verfaßt wurde.[2]) Dazu kommen noch
einige besonders von Zercalov herausgegebene Akten.[3])

Nach diesen Quellen stellen sich die Vorgänge wie folgt dar. Nachdem
bereits im Mai Soldaten, die zum Don expediert werden sollten, wegen
einer Gehaltskürzung randaliert hatten, wurde der Zar bei seiner Rückkehr in die Hauptstadt von Moskauer Einwohnern nicht nur mit „Brot
und Salz" (chleb-sol') begrüßt. Sie nutzten vielmehr die Gelegenheit dieses
alten Brauches, um, „wie es auch früher oft geschehen war",[4]) der zarischen Begleitung eine Klage gegen L.S. Pleščeev abzugeben. „Dieser
schindete und schabete über die masse den gemeinen Mann", schrieb
Olearius zur Charakterisierung des Leiters des Moskauer Landesamtes,
der zu jener Zeit erst 9 1/2 Monate im Amt war.[5]) Die Supplikanten
wurden jedoch nicht vorgelassen, sondern auf Befehl Morozovs durch
Strelitzen ausgepeitscht, und 15 oder 16 von ihnen wurden obendrein gefangengesetzt. Es gelang den Moskauern auch nicht, die Bittschrift der
etwa eine halbe Stunde später eintreffenden Zarin zu überreichen. Sie
wurden wieder auseinandergetrieben, „worüber die gantze gemeine
hefftig erbittert zue Steinen undt Prugeln gegriffen auff die Strelitzen
geschlagen undt zu geworffen, dass auch die herrn ..., so S. Zaar May-tt
Gemahlin begleiten helffen theils mit beschädiget undt verwundet wor-

---

[1]) Die Leidener Broschüre wird hier in der von Loewenson edierten zeitgenössischen
englischen Übersetzung benutzt („A true historicall Relation of the horrible tumult
in Moscaw..."), die nur unwesentlich vom Original abweicht. Eine russische Übersetzung veröffentlichte K.N. Bestužev-Rjumin 1880 im „Istoričeskij Vestnik" (Heft 1).

[2]) Platonov, Novyj istočnik. Vgl. dazu die Bemerkungen bei Zercalov, K istorii
Moskovskago mjateža, S. III f.

[3]) Zercalov, Novyja dannyja, u. ders., O mjatežach.

[4]) Mitteilung Pommerenings (Jakubov, S. 417 ff.).

[5]) Olearius, S. 253. Klagen gegen Pleščeev aus der Zeit, ehe er Leiter des Moskauer
Landesamtes wurde, s. bei Latkin, Zemskie sobory, S. 422 ff.

den..." Bis zu diesem Punkt handelte es sich um eine nicht gar zu außergewöhnliche Geschichte, die vielleicht, wie die „Kurtze und warhaftige Beschreibung" spekulierte, mit der Todesstrafe für die Inhaftierten geendet hätte.[1]

Am nächsten Tag forderte das Volk jedoch die Befreiung der Gefangenen, als Aleksej Michajlovič an der seit 1514 alljährlich zu Mariä Lichtmeß am 21. Mai stattfindenden, in diesem Jahr aber wegen des Pfingstfestes auf den 2. Juni verschobenen Prozession teilnahm, in der die Ikone der Muttergottes von Vladimir zum Sretenskij-Kloster getragen wurde. Bevor Platonov die „Beschreibung" mit den obigen Mitteilungen veröffentlichte, galt der 2. Juni überhaupt erst als der Beginn des Aufstandes. Tatsächlich fand an diesem Tag die erste direkte Konfrontation der Menge mit dem Zaren statt, indem die „Gemeinde", nach anderen Quellen „das ganze Reich" oder „ganz Moskau",[2] ihn zweimal auf dem Wege zur Kirche ansprach. Dabei wurde die Beschwerde gegen Pleščeev wegen seiner großen Bedrückung des Volkes und seiner Nachlässigkeit hinsichtlich des Räuberunwesens mündlich wiederholt und auf Morozov, P.T. Trachaniotov, den Leiter des Artillerieamtes, nach Olearius ein „gottloser Beampter", sowie auf N.I. Čistoj, den Leiter des Außenamtes, ausgedehnt. Außerdem forderte man, wie gesagt, die Freilassung der Gefangenen, wobei sich herausstellte, daß der Zar gar nichts von ihnen wußte. Dies war den Bittstellern natürlich eine Bestätigung für den alten Verdacht, daß Morozov und andere Bojaren auch den Inhalt der früheren Bittschriften unterschlagen hätten. Der Rückweg von der Kirche verlief genauso stürmisch; die Menge drängte so stark nach, daß die Kreml'-Tore nicht mehr geschlossen werden konnten. Zwei von Aleksej hinausgeschickte Vermittler, M.M. Temkin-Rostovskij und B.I. Puškin, richteten ebensowenig aus wie der sonst einflußreiche Onkel des Zaren, N.I. Romanov. Der Zar mußte sich schließlich selbst zeigen und zunächst einmal die Freilassung der Gefangenen gewähren. Zur Prüfung der übrigen Fragen bat er um Zeit, was den Aufständischen freilich schon nicht mehr genügte. Der Augenblick ernster Gefahr für die Regierung trat ein, als die von Morozov mobilisierten Strelitzen sich weigerten, die Menge auseinanderzutreiben: Sie hätten zwar dem Zaren einen Eid geschworen, aber wegen der Bojaren und besonders Pleščeevs wollten sie sich nicht mit dem Volk verfeinden. Dies war eine ganz unerhörte Befehlsverweigerung, deren Bedeutung von der Chronik

---

[1]) Platonov, Novyj istočnik, S. 7 f.
[2]) Bachrušin, S. 78.

noch durch die Mitteilung unterstrichen wird, daß sich ohnehin schon
Dienstleute mit dem Pöbel solidarisiert hatten.[1]) Als weiterhin die Her-
ausgabe der verantwortlichen Bojaren gefordert wurde, mußte der Zar
noch einmal erscheinen. Er schlug vor, mit Rücksicht auf den Feiertag
Blutvergießen zu vermeiden; morgen wolle er Pleščeev ausliefern. Danach
kam es noch zu einer Schlägerei zwischen Strelitzen und den Leuten
Morozovs, und einige Demonstranten drangen wohl auch in die zarischen
Gemächer ein, wo ausländische Offiziere Aleksej beschützten, weil die
Strelitzen nicht mehr zuverlässig genug waren. Ansonsten aber zog sich
das Volk erst einmal zurück, wobei offenbar, wie einige Chroniken
berichten, M.M. Temkin und F.F. Volkonskij als Geiseln mitgenommen
wurden.[2]) Allerdings teilte man sich außerhalb des Kreml's in zwei
Gruppen und plünderte über 70 Häuser von reichen Leuten, darunter
Pleščeevs, Morozovs und Trachaniotovs. Auch der Großkaufmann
V. Šorin wurde beraubt. Der aus dem Bad zurückkehrende Čistoj wurde
sogar getötet, und auch ein Haushofmeister, den der Zar ausgeschickt
hatte, um das im Kreml' gelegene Haus Morozovs zu retten, wurde erschlagen.

Am 3. Juni zog eine vieltausendköpfige Menge nach Plünderung von
weiteren 36 Häusern vor die verschlossenen Kreml'-Tore und ließ sich
auch durch Schreckschüsse nicht vertreiben. Sie drohte, so lange nicht
vom Kreml' zu weichen, bis der Zar Morozov, Trachaniotov und Pleščeev herausgegeben habe, und sie kündigte im Verweigerungsfall großes
Blutvergießen an. Aleksej Michajlovič opferte schließlich Pleščeev, der
sofort erschlagen wurde. Danach öffnete der Zar die Tore und ließ durch
seinen Beichtvater und den Patriarchen um Gnade für seinen Erzieher
und Schwager Morozov bitten, den die Aufständischen nun immer
heftiger forderten. Dreimal gingen Unterhändler noch zwischen beiden
Parteien hin und her, „biss Endtlich Seiner Zar. M-t. selbst zur gemeine
heraussgangen mit unbedeckten undt blosen häupte undt weinenden
augen geflehet undt umb Gottes willen gebeten sich zu frieden zu stellen
undt des Morosows zu verschonen."[3]) Offenbar machte der Zar sein

---

[1]) Letopis', S. 377. Vgl. auch Forsten, Snošenija Švecii s Rossiej, S. 373 f., u.
Loewenson, S. 153.

[2]) Čistjakova, Letopisnye zapisi, S. 244; Zercalov, O mjatežach, S. 24 ff.

[3]) Platonov, Novyj istočnik, S. 16. Es gibt verschiedene Quellenberichte über
unterschiedliche Emissäre, und es ist auch nicht gesichert, daß der Zar selbst auf den
Roten Platz hinausgegangen ist. Vgl. dazu Bachrušin, S. 55 ff., u. Čistjakova, a.a.O.,
S. 250. Aleksej Michailovic soll gesagt haben: „Ich habe euch versprochen, euch Morozov herauszugeben, und ich muß zugeben, daß ich ihn nicht völlig rechtfertigen kann,

eigenes Schicksal vom Leben Morozovs abhängig, denn sonst hätten
die Aufständischen niemals in den Kompromiß zunächst von zwei
Tagen Bedenkzeit und am Nachmittag einer Verbannung des Mannes
gewilligt, dessen Leute gerade in der Stadt einen Brand legten. Diesem
Anschlag fielen zwischen 4000 und 24 000 Häuser, 500 000 Tonnen
Korn, über 2000 Menschen und das Arsenal zum Opfer. Die Häuser von
38 Truchsessen und Haushofmeistern gehörten zu den abgebrannten.[1]
Morozov wurde erst am 11./12. Juni unter schwerer Bewachung ins
Kirillov-Kloster (Beloozero) geschickt. Der Zorn der Menge konzen-
trierte sich am 3. Juni noch auf Trachaniotov, der für die erwähnte
Salzsteuer verantwortlich gemacht wurde. Bei der Plünderung seines
Hauses waren obendrein ein zarisches Siegel und zwei Münzstempel
gefunden worden, mit denen er sich ungesetzliche Einnahmen verschafft
hatte. Vielleicht ließ ihn der Zar deshalb von unterwegs nach Moskau
zurückholen, nachdem er ihn zur Rettung gerade erst als Voevoden
nach Ustjug „Železnoj" (Ustjug Velikij oder Ustjužna Železnopol'skaja)
geschickt hatte. Am 5. Juni wurde er geköpft.[2]

Auch am 4. und 5. Juni versammelte sich die Volksmenge wieder
am Kreml'. Aleksej Michajlovič versprach den Strelitzen und anderen
Dienstleuten die Verdoppelung der Geld- und Getreidegehälter sowie
allen Betroffenen eine Entschädigung für die Brandkatastrophe. Jeder
Strelitze erhielt sofort 8 Rubel. Bis Mitte August wurde Land als Erb-
besitz aus dem Vermögen der Erschlagenen unter die Dienstleute verteilt,
die in Scharen nach Moskau strömten, um bei der „Entlohnung" nicht
zu kurz zu kommen. Auch sie erhielten Geld, und zwar zwischen 14 und
20 Rubel. Am 6. Juni schenkte die Zarin den Unterhändlern der Aufständischen wertvolle Zobelfelle. Damit war die unmittelbare Bedrohung
gebannt, die Unruhe aber noch keineswegs vorüber, wie die am 10. Juni
überreichten ultimativen Forderungen nach einer Reichsversammlung
und der Kodifizierung beweisen (s. Kap. 3 u. 4). Bazilevič hat 71 Bitt-

---

aber ich kann mich nicht entschließen, ihn zu verurteilen. Dieser Mann ist mir teuer;
er ist der Mann der Schwester der Zarin, und seine Auslieferung zur Bestrafung mit
dem Tode wird mir schwer." (Solov'ev, Istorija, Buch 5, S. 483.)

[1] Aleksej Michajlovič mußte später viele Gesuche um finanzielle Unterstützung
seiner brandgeschädigten Dienstleute befriedigen. Der letzte „natürliche" Brand lag
nur eine gute Woche (am 25. Mai) zurück. Vgl. Platonov, Moskovskija volnenija,
S. 71, u. Buganov, Opisanie, S. 229.

[2] Trachaniotovs Gefangennahme nahe beim Troice-Sergiev-Kloster schilderte der
Kellermeister dieses Klosters, Simon Azar'in, in seinem „Buch über die Wunder des
hl. Sergius" (Azar'in).

schriften für die Zeit zwischen den 2. Juni und Ende Juli gezählt.[1]) Fast ununterbrochen, Tag für Tag, erfüllte die Regierung bis in die zweite Augusthälfte hinein Bitten von Provinzadligen und Bojarenkindern hinsichtlich der Rückgabe ihrer Bauern, die sich die Bojaren und besonders Morozov unrechtmäßig angeeignet hatten. Am 12. Juni beschlossen Zar und Duma endlich die Aufhebung der Eintreibung von Steuerrückständen der letzten Jahre. Zwischen dem 10. und 27. Juni mußte ein Aufstand der Knechte niedergeschlagen werden, die Freiheit für sich forderten. Sechs von ihnen wurden am 3. Juli geköpft, und 72 wurden gefangengesetzt. In der Folgezeit blieben die Strelitzen weiterhin unruhig, denn ihre Anführer waren verbannt worden. Für Pommerening war es noch am 4. Oktober ungewiß, für welche Seite sie sich entscheiden würden.[2]) Mit noch einmal 10 Rubeln vom Zaren und 4 Rubeln vom Patriarchen für jeden Strelitzen wurde schließlich ihre Zustimmung zur Rückkehr Morozovs am 26. Oktober aus der Verbannung erkauft. Schließlich drohten auch die Stadtleute am 25. November mit einem neuen Aufstand, weil die Regierung ihre Forderungen vom 30. Oktober nicht sofort erfüllen wollte (s. Kap. 3 u. 4).[3])

Nicht weniger bedrohlich mußte es der Regierung erscheinen, daß auch in einigen Provinzstädten Erhebungen stattfanden. Der Boden war dort, wie erwähnt, durch einige Ereignisse ebenfalls vorbereitet. In Tot'ma zum Beispiel gelang es 1639 dem Voevoden nicht, die Bauern zur Zahlung der zuvor erhöhten „Strelitzengelder" zu zwingen. Ähnliches wiederholte sich dort 1646/47, als sogar militärischer Nachdruck in Form von zwanzig Strelitzen gegen die Zahlungsunwilligen nichts ausrichten konnte. In Elec kam es zur gleichen Zeit zur Desertion ganzer Abteilungen „freier Leute", also von Wandertagelöhnern, die in den Militärdienst gezwungen worden waren. Dieses Ereignis muß im Zusammenhang mit dem im 2. Kapitel erwähnten „Eidesbeschluß" gesehen werden.[4]) Tichomirovs Bemühen, die dann 1648 sich häufenden Aufstände mit der Entwicklung in der Ukraine in Verbindung zu bringen, gelang nicht recht.[5]) Der Süden aber war von jeher unruhig, und es bedurfte oft nur der Nachricht von den Moskauer Geschehnissen, um die Unruhe hier und auch in anderen Landesteilen auszulösen. Nicht

---

[1]) Gorodskie vosstanija, S. 24. Vgl. auch Smirnov, O načalě, S. 46 ff., u. Bachrušin, S. 74 ff.

[2]) Jakubov, S. 426 ff.

[3]) AAĖ, Bd. 4, Nr. 32, III.

[4]) Istorija, Bd. 3, S. 36. Über Tot'ma vgl. Kolesnikov.

[5]) Tichomirov, Sobornoe Uloženie, S. 175 f.

immer lassen sich solche Anstöße nachweisen. Daß sie nicht unbedingt nötig waren, zeigt die Tatsache von Unruhen vor dem 2. Juni in der Provinz, so im April in Kargopol' und im Mai in Tomsk, wo eine Gruppe unter Führung eines Bojarensohns den Voevoden unter Hausarrest stellte.[1]) Die sowjetischen Historiker, die dem kleinsten Hinweis nachgegangen sind, haben dabei auch absolut unergiebige Nachrichten in die Aufstandsbewegung eingeschlossen. In Surgut zum Beispiel bestand die „Unruhe" offenbar nur darin, daß einige Kosaken vom Moskauer Aufstand erzählten. Einer von ihnen trug die Nachricht dann weiter nach Narym und Ende 1648 auch nach Tomsk, wo gegen ihn Anzeige erstattet wurde.

An anderen Orten ging es ernster zu. Der Voevode von Taleckij ostrog (ehemals bei Elec gelegen) schrieb am 16. Juli an den Zaren, drei Waffenschmiede seien im Juni aus Moskau gekommen und hätten über die Plünderungen, das Feuer und den Totschlag von Bojaren berichtet, woraufhin es auch in Taleckij ostrog zu einer Verschwörung und in Kozlov zu Raub gekommen sei. Aleksej Michajlovič beauftragte am 19. Juli den Voevoden von Elec mit der Knutung der Schuldigen, die erst am 21. August freigelassen wurden.[2]) In Kozlov waren am 11. Juni der Voevode und 23 Bojarenkinder mit dem Tode bedroht worden; der Zar gewährte ihnen deshalb am 6. Juli eine Versetzung. Mehrere Bojarenkinder forderten später, vom September 1648 bis zum Januar 1649, direkt von Aleksej Michajlovič in Bittschriften materielle Unterstützung, weil der im Juli und August anwesende Untersuchungsbeamte E.I. Buturlin ihre Beraubung durch die Aufständischen angeblich ignoriert hatte. Interessant ist dabei, daß als Aufständische andere Bojaren-

---

[1]) Schon 1634 und 1637/38 hatte es in Tomsk unter den Dienstleuten Unruhen wegen der Willkür der Verwaltung gegeben, die die mittleren gegenüber den niederen Dienstleuten bevorzugte. Im April 1648 klagten sie, unterstützt vom zweiten Voevoden und einem Sekretär, gegen den Hauptvoevoden und nahmen die Verwaltung selbst in die Hand, nachdem sie den Voevoden am 21. Mai in seinem Haus eingesperrt hatten. Die Bevölkerung nutzte die Gelegenheit zu vielen Klagen gegen die Verwaltung. Doch schon Ende Mai zerfiel die Front der Bojarenkinder und der niederen Dienstleute, wenn auch der Voevode erst im September abgelöst wurde. Bei diesem Aufstand scheint eine Intrige des zweiten Voevoden eine Rolle gespielt zu haben. Dieser durfte zunächst die Geschäfte führen, wurde aber dann, wie auch der Sekretär, ebenfalls abgesetzt, weil er nicht den Rechtsweg beschritten hatte. Die Untersuchung führte der Voevode von Tobol'sk und später das Sibirien-Amt, in dem beide Voevoden 1651/52 einander gegenübergestellt wurden. Vgl. Zercalov, K istorii mjateža, SS. 1 ff., 24 u. 33 ff.; Gorodskie vosstanija, S. 139 ff.; Flërov, S. 23; Ogloblin, K istorii, S. 5 ff.

[2]) Latkin, Zemskie sobory, S. 413 ff.

söhne und auch Strelitzen und Kosaken genannt wurden. In der Bittschrift des Bojarensohnes D.S. Gal' wurden Regimentskosaken beschuldigt, nach Rückkehr aus Moskau vom dortigen Aufstand erzählt zu
haben. Auch nach Elec war diese Nachricht gelangt. Die Bojarenkinder
und Dienstkosaken, die unter der Willkür der Verwaltung und reicher
Adliger zu leiden hatten, protestierten hier im August gegen die Wahl-
manipulationen anläßlich der Reichsversammlung (s. Kap. 4). Ähnlich
gab es in Livny unter den Bojarenkindern im Herbst 1648 Unruhen,
die mit einem Angriff auf den Voevoden begannen und sich im Winter
in einem Protest gegen die Wahl des Alkohol- und Zollverwalters
fortsetzten. Čistjakova hat diese und andere kleinere Unruhen unter
den Dienstleuten des Südens untersucht und auch festgestellt, daß die
2783 Dienstleute in Elec und Livny im März 1649 eine Sonderzuweisung
von 7 Rubeln pro Mann erhielten. Das war das Ende der Auflehnung.[1]
Im Anschluß an die Ereignisse in Kozlov wurde übrigens ein reicher
Strelitze von neun anderen Strelitzen in Čelnavskij ostrog erschlagen.
Als Strafe verhängte die Regierung am 22. September „nur" die Knute.
In Voronež hatte es schon im April 1646 Unruhen unter Freiwilligen
gegeben, die für einen Feldzug gegen die Krim rekrutiert worden waren.
Soldaten des Lazarev-Regiments, die nun im Mai 1648 aus Moskau,
wo sie randaliert hatten, nach Voronež versetzt wurden, mögen hier die
Stimmung aufbereitet haben. Am 17. Juni traf ein Augenzeuge des Moskauer Aufstandes ein, ein Kosak, den die Voronežer im voraufgegangenen
Herbst mit einer Bittschrift nach Moskau geschickt hatten und der
übrigens zuvor auch in Elec die Nachricht vom Aufstand verbreitet
hatte. Der am 25. Juni beginnende Aufstand, dem sich auch zwei Bojarenkinder anschlossen, richtete sich gegen die Verwaltungsspitzen und die
reichen Einwohner. Voevode und Strelitzenhauptmann konnten fliehen,
nachdem sie von Totschlagsplänen erfahren hatten. Am 27. Juni wurde
der Aufstand vom Adel niedergeschlagen; 40 Leute wurden verhört.[2]

Auch im Norden des Reiches, wo die Land- und Stadtbevölkerung
schon seit den frühen 30er Jahren in kleineren Unruhen gegen die Steuer-
verteilung protestiert hatte (s. Kap. 2 u. 3), kam es 1648 zu größeren
Vorfällen. Dienstgutsbesitzer gab es hier nicht, aber am 9. Juli zerstörten
die Stadtleute von Ustjug Velikij, verstärkt durch Bauern der Kreises,
das Haus des Voevoden M.V. Miloslavskij und wollten ihn ins Wasser

---

[1] Čistjakova, Volnenija, S. 259 ff.; Zercalov, K istorii moskovskogo mjateža,
S. 12.
[2] Čistjakova, Voronež, S. 39 ff.

werfen. Ein Schreiber wurde getötet; fünf Häuser wurden geplündert. Die Einwohner forderten 260 Rubel zurück, die sie nach ihrer Meinung dem Schreiber hatten unrechtmäßig zukommen lassen. Seine Verurteilung nahmen sie laut Lokalchronik auf einer Volksversammlung (veče) vor, und vor Beginn der Unruhen hatten sie sich am 8. Juli auf einem „Rat" (sovet) besprochen. Anfang August gelang es dem in seinem Haus ausharrenden Voevoden, den Zaren um Hilfe zu bitten. Am 7. September traf I.G. Romodanovskij mit 200 Strelitzen ein, um die Aufständischen grausam zu bestrafen: Einige wurden gehenkt; 99 wurden ungeachtet ihrer recht unterschiedlichen Aussagen ins Gefängnis geworfen, wo sechs von ihnen — offenbar an den Folgen der Folterungen — starben. An die 5000 Leute wurden verhört. Als sich die Gemeinde am 23. Dezember beim Zaren beklagte, daß auch Unschuldige gefoltert würden, kam im Januar 1649 N.A. Zjuzin als Oberuntersuchungsbeamter, der Romodanovskij größere Bestechungssummen nachwies. Aus den Untersuchungsprotokollen geht hervor, daß ein Einwohner von Ustjug Velikij am 8. Juli aus Moskau zurückgekehrt war und von den dortigen Ereignissen berichtet hatte. Über einen anderen Beteiligten, einen später geflohenen Kirchenschreiber, wurde ausgesagt, er habe einen angeblich zarischen Brief besessen, in dem die Plünderung von 17 Häusern befohlen gewesen sei.[1] Auch in Sol' Vyčegodsk richtete sich der Zorn der Bevölkerung gegen den Voevoden, der darüber am 17. Juli 1648 nach Moskau berichtete. Er sei zunächst von den Einwohnern mit 20 Rubeln milde gestimmt worden, als er eine Sondersteuer habe einziehen wollen. Als jedoch die Nachricht von der Absetzung Morozovs eingetroffen sei, habe man den Betrag plötzlich zurückgefordert. Er sei völlig ausgeraubt und mit dem Tode bedroht worden und habe sich gerade noch in eine Privatkirche der Stroganovs retten können.[2]

Von ganz anderer Natur als die Erhebungen der Dienstleute im Süden und der Städter im Norden war die Revolte der Klosterbauern, die am 5. Juli 1648 unter Führung der Äbtissin Feodora des Troickij-Devičij-Klosters in Kursk stattfand. Da sie eine Untersuchung der Zentrale und der lokalen Strelitzenobrigkeit darüber verhindern wollte, ob verarmte Strelitzen in den Klöstern arbeiteten,[3] gehört dieser Aufstand

---

[1] Dies., Narodnye dviženija, S. 17; dies., Letopisnye zapisi, S. 246; Barzov, Iz rukopisej, 1886, S. 1 f.; Solov'ev, Istorija, Buch 5, S. 488 f.

[2] Ebenda, S. 487 f.

[3] Als die Äbtissin Anfang Juli aus Moskau zurückkehrte, wo sie diesbezüglich einen Schutz ihrer Strelitzen erwirkt hatte, bezweifelte die Lokalobrigkeit die Echtheit des zarischen Briefes. Das war der Anlaß zum Aufstand. Der Strelitzenhauptmann der Stadt wurde erschlagen; der Voevode mußte alle „älteren" Strelitzen und Bojaren-

bereits in die Reihe der Unruhen von seiten der „Verpfändeten". Unruhen dieser Art wurden in der Hauptstadt erst um die Jahreswende spürbar (s.u.).[1]

Es ist unbestreitbar, daß der Moskauer Aufstand von 1648 insofern ein Echo in der Provinz hatte, als die Nachrichten davon in vielen Fällen als auslösendes Moment wirkten. Meist wurden in den Provinzstädten die Vertreter der Zentralgewalt mit dem Nachdruck angestauter Haßgefühle angegriffen, aber gleichzeitig lehnten sich natürlich auch Arme gegen Reiche auf. Der alte Glaube des Volkes an den guten Zaren spielte eine große Rolle, wie schon der genannte angebliche zarische Brief in Ustjug Velikij zeigt.[2] Eine gewisse Bedeutung besaßen aber auch jene Elemente unter den niederen Stadtbewohnern, die jede sich bietende Gelegenheit benutzten, um zu rauben und zu plündern. Gerade deshalb kann man der Sowjethistoriographie nicht folgen, wenn sie jeden kleinen und unpolitischen Vorfall aufgreift und der „Aufstandsbewegung" hinzurechnet. Wenn in Romanov das Haus eines Probstes zerstört wurde, in Vladimir Läden und Hopfenfelder ruiniert wurden oder wenn in Čuguev die Dienstleute nach dem Bericht des Voevoden nur zum Aufstand geneigt waren, so ist es zumindest etwas gewagt, diese Vorfälle in eine Reihe mit den obengenannten Erhebungen zu stellen und damit zu dem Urteil zu kommen: „In der Mitte des 17. Jahrhunderts rollte zum erstenmal die Welle der städtischen Aufstände über den ganzen russischen Staat."[3] Die großen Städte der Provinz blieben jedenfalls 1648 ruhig. Allerdings scheinen auch die Zeitgenossen einen Zusammenhang der Provinzerhebungen mit dem Moskauer Aufstand gesehen zu haben. In seinem oben genannten Brief vom 8. August schrieb der Patriarch Iosif, daß „in Moskau und in der Provinz Zwie-

---

kinder entlassen, und sein Leben rettete er nur mit einem Sprung aus dem Fenster. Als V.V. Buturlin aus Moskau mit 105 Strelitzen eingriff, wurden am 17. August vier Bauern und ein Strelitze und später noch ein Strelitze gehenkt. Die Äbtissin wurde verbannt. Laut Untersuchungsprotokoll soll sie dem Voevoden unmißverständlich gedroht haben, in Moskau würden nicht nur Leute wie er erschlagen (Novickij, G.A.). Vgl. auch Očerki istorii SSSR, XVII v., S. 242 f., u. Gorodskie vosstanija, S. 109 ff.

[1]) Für die zweite Jahrhunderthälfte sollte sich das Problem ergeben, daß die ehemaligen „Verpfändeten" lieber als kleine Dienstleute in den Herrscherdienst traten, statt in den Steuerstatus zurückzugehen (Čistjakova, Narodnye dviženija, S. 14 f.).

[2]) In Novosil' verkündete ein Fuhrmann am 30. Juni 1648: „Der Zar hat befohlen, in den Städten die Amtsleute mit Steinen zu töten." (Čistjakova, Sostav, S. 93.)

[3]) So A.A. Preobraženskij in: Istorija, Bd. 3, S. 40. Vgl. auch Očerki istorii SSSR, XVII v., SS. 239 u. 242.

tracht (mežuusobnaja bran') entstanden ist und bis jetzt in der Provinz
auch Aufruhr..." [1] Das heißt vor allem: Wie unterschiedlich die Motive
auch gewesen sein mögen und wie schwerwiegend die Fälle im einzelnen
—für die Regierung ergab sich schon aus der Parallelität mit den Moskauer
Ereignissen und der Häufung der Vorkommnisse der Eindruck einer
größeren Gefahr. Die Frage war, ob sich die Solidarität von Dienstleuten
und Steuerzahlern, die sich in Bittschriften und auf den Reichsversammlungen 1648/49 beobachten ließ, auch direkt in den Aufständen äußerte.

Schon aus der regionalen Verschiedenheit der Aufstände ergibt sich,
daß sehr unterschiedliche soziale Gruppen beteiligt waren. Wie gesagt,
rebellierten im Süden hauptsächlich die Dienstleute. Auch in Sibirien
war dies der Fall, denn dort gab es nur sehr wenige Stadtleute. Hier kam
es auch zu den Sonderfällen von Protesten einflußreicher Verbannter
gegen die Verwaltung.[2] Im Norden trugen die Stadtleute (mit Ausnahme
der Großkaufleute) die Erhebungen; ihnen schlossen sich manchmal
Bauern und niedere Dienstleute an. Die Beteiligung der Strelitzen in
allen Landesteilen war unterschiedlich. In Moskau, wo alle die genannten
Gruppen unter den Aufständischen vertreten waren, standen die Strelitzen mit Ausnahme des Stremjannyj-Regiments auf der Seite der Erhebung.[3] Die zwiespältige Rolle der Strelitzen zwischen Dienst- und
Stadtleuten wurde 1648 zum erstenmal deutlich: Ihre gerade erst gekürz-
ten Gehälter zwangen sie, nebenbei ein Gewerbe zu betreiben, so daß
sie einerseits die gleichen Probleme wie die Städter hatten, andererseits
aber bei ihnen natürlich aus Konkurrenzgründen nicht sehr wohl
gelitten waren. Neuerdings hat Čistjakova noch einmal betont, daß die
Teilnahme der Strelitzen an dem Aufstand bisher ebenso unterschätzt
worden ist wie diejenige des „Pöbels", d.h. der „schwarzen" Stadtleute
und der Knechte.[4] Dazu sind Mitteilungen Pommerenings und einige
Stellen aus den Chroniken aufschlußreich. In der Fortsetzung des Stufen-
buchs heißt es zu 1648: „In diesem Jahr machten die Einwohner Moskaus

---

[1] AAĖ, Bd. 4, Nr. 30.

[2] In Tomsk zum Beispiel wurden die rebellischen Dienstleute nicht nur von dem
Tomsker Bojarensohn F.I. Puščin, sondern auch von dem verbannten ehemaligen
Patriarchentruchseß G.O. Pleščeev-Podrež angeführt. Beide waren mit dem Voevoden
persönlich verfeindet, jedoch soll der Verbannte schon vier Jahre lang mit verschiedenen Untersuchungen gegen seine Verbannung aufbegehrt haben. Die beiden Anführer
mobilisierten auch die anderen unzufriedenen Verbannten für sich (Flёrov, S. 23).

[3] Dieses Regiment wurde auf Grund einer Bittschrift dafür am 17. Nov. 1648
mit dem Privileg belohnt, nicht mehr an der südlichen Grenze dienen zu müssen
(Zabelin, Čelobitnaja).

[4] Čistjakova, Narodnye dviženija, S. 11.

und anderer Städte, die Bauern (mužiki) und der Pöbel einen Aufstand und verfaßten eine Klage gegen die Bojaren und Richter." Pommerening erschienen in seinem Bericht an Königin Kristine vom 4. Oktober sowohl Strelitzen (s.o.) als auch die Knechte sehr aufrührerisch, und zwar die Knechte gegenüber den Bojaren und die Strelitzen gegenüber dem Zaren. Von ihm weiß man auch zur Situation der mittleren Dienstleute, daß sich während des Aufstandes Bojarenkinder und einfaches Volk beraten hätten. Damit korrespondiert wiederum die Stelle im „Chronisten des großen Rußland" (Letopisec velikoj Rossii), wonach sich zum Pöbel die „Dienstleute" gesellt hätten, um Bojaren und Häuser zu plündern.[1] Mit diesen „Dienstleuten" waren also sehr wahrscheinlich nicht nur die niederen Dienstleute gemeint. Besonders Smirnov hat auf der Grundlage des Studiums des „Novgoroder Chronographen" großen Wert auf eine Beteiligung von Provinzdienstleuten gelegt, eine Beteiligung von Anfang an, ja durch Bittschriften sogar schon vor dem 2. Juni.[2] Er nahm damit sicher auch gegen Platonov Stellung, der mehr die Rolle der Stadtleute hervorgehoben hatte. Dies war zweifellos eine einseitige Sicht, vor allem kann man Platonov angesichts der neueren sowjetischen Forschungen nicht mehr zustimmen, wenn er nur von einem „Moskauer Haufen" sprach, für den die im Bericht eines Teilnehmers gebrauchten Ausdrücke „Gemeinde" und „das ganze Reich" zu ehrenhaft gewesen seien.[3] Denn auch unter den Stadtleuten rebellierten nicht nur Arme gegen Reiche, sondern auch die Gemeinde gegen Fiskus und Verwaltung und für das Monopol der Handelstätigkeit und die Abschaffung der „weißen Plätze".

Nach all dem drängt sich die folgende Schlußfolgerung auf: Die treibenden Elemente des Aufstandes waren bei den Steuerzahlern die „schwarzen" Hundertschaften und bei den Dienstleuten die niederen Dienstleute einschließlich der Strelitzen, die mit ihrer Weigerung, gegen die Aufständischen vorzugehen, die Gefahr für die Regierung erst richtig heraufbeschworen. Die besser situierten Schichten beider Gruppen, also

---

[1] Dies., Letopisnye zapisi, S. 248 f.; Jakubov, SS. 419 f. u. 427 f.

[2] Smirnov, Posadskie ljudi, Bd. 2, SS. 138 u. 185. Das Zitat aus dem Chronographen s. bei Tichomirov, Sobornoe Uloženie, S. 178 ff. Zu Smirnovs Ansicht ist aufschlußreich, daß die Regierung am 22. April 1648 mehr Dienstleute als sonst nach Moskau rief, um sie in die Ukraine zu schicken, wo eine tatarische Invasion erwartet wurde. Als sie Forderungen erhoben, wurden sie nicht bezahlt und aufgelöst (Hellie, Readings, S. 206).

[3] Platonov, Moskovskija volnenija, S. 74; ders., Lekcii, S. 354 ff. Vgl. auch Čerepnin, Predislovie, S. 15 f.

die Kaufleute und die mittleren Dienstleute, beeinflußten den Gang
der Dinge in erster Linie durch Bittschriften, verhielten sich zum Teil
abwartend, zogen aber in jedem Fall aus den Ergebnissen, die sich im
Uloženie widerspiegeln, den größten Nutzen. Eine Solidarisierung von
Dienst- und Stadtleuten, die Smirnov ebenfalls betonte, während Tichomirov sie herunterspielte, war mindestens seit dem 19. Juni gegeben.
In den Kapiteln über die Bittschriften und die Moskauer Versammlungen
ist darauf schon mehrfach hingewiesen worden. Dieser Umstand und
die Tatsache, daß in der Provinz ebenfalls beide Gruppen — wenn auch
nicht gemeinsam — rebellierten, hinterließen bei Zar und Regierung einen
nachhaltigen Eindruck.

Daß die Hauptstadt in den ersten Junitagen praktisch in der Hand
der Aufständischen war, kann als Ergebnis eines Umschlages von der
üblichen bürokratischen „Moskauer Verschleppung" zu einer Mißachtung der Eingaben der Bevölkerung über ihre Nöte angesehen werden.
Da die Bittschriften in den Zentralämtern nicht mehr nur liegenblieben,
sondern da der Bevölkerung auch die direkte Wendung an den Zaren
verstellt wurde, da also das Gewohnheitsrecht verletzt worden war,
griff auch die Gesellschaft zum ungesetzlichen Mittel des Aufstandes.
Genauer gesagt, empfanden die Aufständischen ihr Vorgehen als gesetzlich, weil sie eben letztlich nur ihr Recht der Bittschriftenübergabe
wahrnahmen. Alle Forderungen wurden als Bittschriften vorgetragen;
die damit zusammenhängenden Termini finden sich immer wieder in
den Quellen. Als unrechtmäßig wurde nur die Form angesehen, weshalb
auch von „heftigen" oder „unhöflichen" Bittschriften die Rede war.[1]
Man glaubte das Recht zu haben, den Zaren vor den verräterischen
Bojaren zu schützen, die sein Siegel mißbraucht hatten. Als Ausdruck
dieser Auffassung erscheint eine gegen Ende des 17. Jahrhunderts entstandene Interpolation in der Chruščov-Redaktion des „Stufenbuches",
in der Ivan IV. eine Rede hält, die zweifellos von den erst 100 Jahre
später stattfindenden Ereignissen des Aufstandes von 1648 beeinflußt ist:
Die Bojaren seien eigenmächtig gewesen und hätten seinen Namen
mißbraucht; hätten ihn für dumm gehalten, weil er noch jung gewesen
sei usw.[2] So etwas konnte nur geschrieben werden, nachdem das Bojarentum sich neben der Kirche als eigentlicher Verlierer des Aufstandes
erwiesen hatte. Nur diejenigen Bojaren konnten dem Aufstand einiges
abgewinnen, die zu den Gegnern Morozovs zählten. Er hatte sich durch

---

[1]) Bachrušin, S. 79.
[2]) SGGD, Bd. 2, Nr. 37; Bachrušin, S. 80.

seine Reformpolitik, u.a. durch die Kürzung der Hofausgaben und die damit verbundene Entlassung vieler Hofdiener sowie durch die Kürzung der Gehälter zugunsten der Gehälter der mittleren Dienstleute, vor allem aber durch seine Städtepolitik viele Feinde geschaffen.[1]) Auch sie wurden freilich von den Ergebnissen des Aufstandes wie alle anderen Bojaren betroffen.

Bereits 1629/30 hatte ein aus der Hauptstadt nach Sibirien zurückkehrender Dienstgutsbesitzer namens A. Levont'ev festgestellt, daß „in Moskau keine Ordnung herrscht; Moskau ist dreigeteilt: die Bojaren für sich, die Adligen für sich und die Gemeindeleute und Leute aller Gruppen für sich, und der Herrscher ist deswegen sehr bekümmert".[2]) Aus dieser Dreiteilung der sozialen Beziehungen erwuchs 1648 das Bündnis der beiden letztgenannten Gruppen, eine Art Selbstgericht (Alekseev),[3]) das den jungen Zaren aus Angst daran denken ließ, eine Leibgarde aus Ausländern unter dem Kommando eines holländischen Obersten aufzustellen.[4]) „In so grosse Gefahr," schrieb Olearius abschließend über den Aufstand, „gerieth damals die Wolfahrt so wol des jungen Regenten, als der Unterthanen, da man den ungerechten und eigennützigen Beampteten den Zügel zu lang ließ. Und also seynd die Russen bey jhrer Sclaverey, wenn sie sehr gepresset werden... gesinnet."[5]) Verfassungsrechtlich erreichten diese Aufständischen sogar die faktische Beschränkung der Autokratie zwischen dem 3. Juni und der Mitte des Monats Oktober 1648, denn Aleksej Michajlovič konnte sich die Zustimmung zur Rückkehr Morozovs nur durch Bestechung der Strelitzen erkaufen.[6]) In diesem Licht wird die im vorigen Kapitel angebotene Begründung für die Unterbindung der Reichsversammlungen durch die Regierung erst richtig verständlich.

Den letzten Anstoß dazu mögen auch die unmittelbar nach 1648 folgenden Aufstandsversuche und Aufstände gegeben haben. Im Januar 1649 brachen Unruhen unter den Strelitzen aus; die Untersuchungsakten über den Strelitzen A. Larionov liegen vor.[7]) Ebenfalls im Januar wurde

---

[1]) Der neureiche Morozov, der seine Karriere erst in den 20er Jahren mit wenig Besitz in Galič begonnen hatte und 1648 bereits mehr als 6000 Bauern besaß (in den 60er Jahren mehr als 9000) und der der Vertraute des jungen Zaren war, mußte besonders den alten Geschlechtern der Šeremetevy und Čerkasskie verhaßt sein.

[2]) Bachrušin, S. 47.

[3]) Alekseev, Bor'ba, S. 98.

[4]) Platonov, Moskva, S. 113.

[5]) Olearius, S. 260.

[6]) Bachrušin, S. 59.

[7]) Gorodskie vosstanija, SS. 45 u. 83 ff.

ein geplanter Aufstand von „Verpfändeten" vorzeitig verraten. Sie
fürchteten die in der Uloženie-Kommission beschlossene Abschaffung
der „weißen Plätze", der privaten Freistätten, und sie fürchteten ihre —
der zakladčiki — Rückführung in die Steuergemeinde. Insofern handelte
es sich um eine verständliche Reaktion der Verlierer von 1648, auch der
Bojaren, der Besitzer der Freistätten. Tatsächlich plante der Anführer,
S. Korepin, ein „Verpfändeter" N.I. Romanovs, den Aufstand wohl
im Namen seines Herrn und Čerkasskijs gegen die Spitze der Regierung
unter Morozov und Miloslavskij. Statt um einen Klassenkonflikt
handelte es sich also im Grunde eher um den Kampf zweier Bojaren-
gruppen, deren eine die „Verpfändeten" als verlängerten Arm benutzte.
Korepin, dessen Aussagen auf Grund einer zweitägigen Folterung in
Gegenwart der gesamten Duma auch eine Majestätsbeleidigung beinhal-
teten (s. Kap. 1), wurde am 29. Januar hingerichtet. 35 weitere Beteiligte
wurden am 3. März ausgepeitscht.[1]) In beiden Fällen war es also nicht
zu Aktionen gekommen. Um so deutlicher zeigt sich die Angst der
Regierung in ihrer scharfen Reaktion. Im Falle der Strelitzen wurden
Anfang April mehrere hundert aus nichtigen Anlässen verbannt. Allgemein berichtete Pommerening noch bis Mitte April 1649 von Unruhen
in Moskau.[2]) Viel ernster waren die im nächsten Jahr tatsächlich verwirklichten Aufstände von Pskov und Novgorod, zweier großer Städte,
die 1648 ruhig geblieben waren.

Daß es in Pskov 1648 keine Unruhen gab, war um so erstaunlicher,
als die Stadt sich beinahe schon traditionell feindselig gegen ihre Voevoden
und damit gegen Moskau gezeigt hatte. In der Sache war es dabei
meist um den Handelswettbewerb mit den Kaufleuten der westlichen
Länder gegangen, denen die Zentrale nach Meinung der Pskover zuviele
Privilegien eingeräumt hatte. In der „Pskover Chronik" kann man nachlesen, wie die Einwohner unter Führung ihres Erzbischofs Ioasaf (nicht
unter Führung des Voevoden!) 1631/32 vergeblich gegen die Einrichtung
eines Handelshauses der „Nordwesteuropäer" (nemcy) in ihrer Stadt
protestierten; der Erzbischof verlor sein Amt. Zwei Jahre später klagte
die Chronik über die schwere Last des von Moskau wegen des Smolensker
Krieges auferlegten Fünften (s. Kap. 4) und besonders über das Verbot,
mit Flachs zu handeln. Über die in der Hauptstadt festgesetzten Preise
waren die Pskover so erbost, daß sie einen Handelsboykott beschlossen.
Unter dem Jahr 1631/32 nannte die Chronik übrigens auch schon die

---

[1]) Ebenda, S. 86 ff.; Solov'ev, Istorija, Buch 5, S. 490 ff.
[2]) Jakubov, S. 443 ff.

Hauptursache für den späteren Aufstand: Viele Russen seien aus dem Westen gekommen, auch nach Novgorod; sie seien aber zurückgeschickt worden, aus Novgorod zum Beispiel über 700 Familien.[1]) Gemeint waren damit die Russen, die aus den im Frieden zu Stolbovo (1618) an Schweden abgetretenen Gebieten in das Moskauer Reich zurückkehrten. Vertragsgemäß mußten sie eigentlich wieder an Schweden ausgeliefert werden, da sie nicht, wie seinerzeit vereinbart, innerhalb von zwei Wochen nach Friedensschluß ins Moskauer Reich gegangen waren. Trotzdem flohen nach russischen Zählungen innerhalb von drei Jahrzehnten ungefähr 50 000 Menschen. Unter Aleksej Michajlovič setzte sich mehr und mehr die Meinung durch, daß es Sünde sei, orthodoxe Christen den Lutheranern preiszugeben. Als Ausweg bot sich der Freikauf an. Aus einer Gesamtsumme von 190 000 Rubeln erhielt Schweden zunächst 20 000 und sollte außerdem 10 000 Viertel Getreide aus den zarischen Kornkammern in Pskov sowie 2000 Viertel durch Aufkäufer bekommen. Dies wurde dem Pskover Voevoden am 24. Febr. 1650 mitgeteilt.[2]) Gleichzeitig wurde der örtliche Getreidepreis künstlich in die Höhe getrieben, damit die Schweden möglichst teuer einkaufen sollten. Aber diese Maßnahme traf auch die Pskover Bevölkerung, die ohnehin von Mißtrauen gegen die westliche Konkurrenz erfüllt war. Die Schweden hatten 1649 sogar versucht, ein eigenes Handelshaus im Zentrum der Stadt zu errichten, was in Moskau aber abgelehnt worden war; sie mußten außerhalb im „Gebiet jenseits der Velikaja" (zavelič'e) bleiben. Nun erfüllten die wildesten Gerüchte die Stadt: Morozov wolle mit den „Nordwesteuropäern" die Stadt einnehmen, danach nach Novgorod ziehen und schließlich sogar Moskau erobern. Der schlechte Ruf Morozovs und die Unbestimmtheit des Begriffs „nemcy" ließen der Phantasie freien Lauf.

Der Aufstand begann in Pskov und wurde von dort nach Novgorod getragen. 300 Pskover, darunter 50 „beste" Leute, baten am 27. Februar 1650 ihren Erzbischof Makarij, den Voevoden N.S. Sobakin zur Einbehaltung des Getreides zu bewegen, bis sie eine Eingabe an den Zaren gemacht hätten. Als der Voevode, den die Einwohner bereits am 26. vergeblich selbst angesprochen hatten, unwillig reagierte, wurde ihm vorgeworfen, er habe entgegen dem Verbot Ausländer, Freunde des kranken Großkaufmanns F. Emel'janov, der mit den Getreideaufkäufen und

---

[1]) Pskovskie letopisi, S. 282 ff.
[2]) Tichomirov, Pskovskoe vosstanie, SS. 31 u. 50. Zur sozialen Zusammensetzung und den Spannungen in der Stadt vgl. ebenda, S. 36 ff.

Preiserhöhungen beauftragt war, in die Stadt gelassen. Zu allem Überfluß erschien am nächsten Tag der schwedische Gesandte L. Numens (Numers) in der Stadt. Die Aufständischen nahmen ihm die 20 000 Rubel ab und sperrten ihn ein.[1]

Einige Kaufleute und die am 4. März von der Begleitung Numens' nach Novgorod zurückkehrenden Strelitzen trugen die Unruhe auch in diese Stadt, die traditionell mit Pskov vieles gemein hatte. Ein aus dem Ausland zurückgekommener Kaufmann hatte hier bereits berichtet, die Ausländer wollten mit dem vom Zaren erhaltenen Geld gen Novgorod ziehen. In dieser Atmosphäre wurde der gerade in der Stadt weilende dänische Gesandte, I. Krabbe, den man für einen schwedischen Agenten hielt, am 15. März unter Führung des Landältesten A. Gavrilov übel zugerichtet. Anreisende westliche Kaufleute, aber auch die eigenen reichen Kaufleute, insbesondere die verhaßten Stojanovs, wurden ausgeraubt. Während als Initiatoren des Aufstandes in Novgorod Gavrilov (Krasil'nik) und der Schuhmacher E. Grigor'ev (Lisica) zu gelten haben, ging die faktische Führung bald auf den Bojarensoln I. Žeglov, der früher am Metropolitenhof tätig gewesen und nun aus dem Gefängnis befreit worden war, sowie zwei Stadtleute über. Sie bildeten eine eigene „Regierung", die der Metropolit (und spätere Patriarch) Nikon am 17. März im Gottesdienst verfluchte. Offiziell wurde die Gegenregierung von den Landältesten geführt, die auch die Gemeindeversammlung (mirskoe sobranie; das Wort „veče" wurde interessanterweise nicht gebraucht) einberiefen. Nikon gewährte obendrein dem bedrohten Voevoden F.A. Chilkov Unterschlupf und ließ einen der Anführer knuten. Wie der Metropolit selbst in einem Brief an die zarische Familie schrieb und wie sein zeitgenössischer Biograph I.K. Šušerin bestätigte, wurde Nikon am 19. März dafür von der wütenden Menge am Betreten der Kirche gehindert und mit Fäusten und Steinen „halbtotgeschlagen".[2] Aus den späteren Verhören der Aufständischen geht hervor, daß die Steine in Mützen eingewickelt waren. Tichomirov hat deshalb gemeint, Nikon habe mit seinem Brief bereits zielbewußt an seiner Vita gearbeitet.[3] Aber die wundersamen Zeichen, die laut Nikon die Ereignisse antizipiert

---

[1] Infolge der Verwicklung Schwedens in den Aufstand wurden die Quellenmaterialien auch zuerst von Jakubov, S. 290 ff., veröffentlicht. Weitere Dokumente s. bei Tichomirov, Dokumenty Pskovskogo vosstanija. Vgl. auch Solov'ev, Istorija, Buch 5, S. 493 ff.

[2] Šušerin, S. 29 ff. Nikons Brief bei Tichomirov, Dokumenty o Novgorodskom vosstanii, Nr. 5. Vgl. auch ders., Novgorodskoe vosstanie, S. 145 ff.

[3] Ebenda, S. 152 f.

haben sollen, entsprachen durchaus dem Lebensgefühl eines altrussischen (wie überhaupt mittelalterlichen) Geistlichen. Auch die Archaismen wird man ihm nicht zum Vorwurf machen können, wie das bei Tichomirov anklingt. Nikon schloß sein Schreiben übrigens mit der Feststellung, daß es ihm gelungen sei, die Leute zu beruhigen. Diesen Einfluß auf die Geschehnisse wird man ihm nicht absprechen können, denn in den nächsten Tagen wurde tatsächlich eine Delegation, bestehend aus drei Städtern, zwei Strelitzen und einem Kosaken, zu Aleksej Michajlovič geschickt. Ihre Zusammensetzung dürfte ungefähr die zahlenmäßigen Verhältnisse unter den Aufständischen widerspiegeln.

Die Bittschrift, die die Delegation überbrachte, war darüber hinaus aber auch im Namen der Adligen und Bojarenkinder der Stadt geschrieben. Sie hatten nicht unterschrieben, aber ein Zusammengehen mit den Städtern wenigstens in der Frage eines Verbots von Getreideverkäufen ins Ausland zugesagt. In der zarischen Antwort (s.u.) wurde prompt auf die fehlenden Unterschriften hingewiesen und den Aufständischen Fälschung vorgeworfen. Die Bittschrift beschuldigte den Voevoden und den Großkaufmann S. Stojanov des Ungehorsams gegenüber dem Zaren, der Bestechlichkeit und der Mißwirtschaft sowie den Metropoliten Nikon des Totschlags an dem geknuteten Aufrührer.[1] Die allgemeine Klage lief darauf hinaus, daß die Schweden am 16. März Geld und Getreide aus der Stadt hatten hinausschaffen wollen. Neben der Bitte, den Anschuldigungen gegen die Novgoroder nicht zu glauben, wurde nur die Forderung nach Ablösung Chilkovs ausgesprochen. In diesem bescheidenen Verlangen und in der ganzen beschränkten Anlage unterscheidet sich die Bittschrift wesentlich von der späteren dezidierten Petition der Pskover. Noch ehe die Abordnung in Moskau angekommen war, hatte der Zar einen Adligen mit einem Brief nach Novgorod geschickt. Dieser Bote wurde von den Aufständischen als angeblicher Anhänger Morozovs eingesperrt und sollte als Geisel bis zur Rückkehr der Delegation festgehalten werden. Auf Bitten Nikons wurde er jedoch schon am 3. April befreit. Den Brief, den er überbracht hatte, bezeichneten die Novgoroder als gefälscht. Der Zar hatte außerdem N.I. Chovanskij mit einer kleinen

---

[1] Tichomirov, Dokumenty o Novgorodskom vosstanii, Nr. 7. Im einzelnen wurde Chilkov beschuldigt, er habe in der kalten Jahreszeit das Heizen nicht gestattet und habe Nikon überredet, die Aufständischen zu verfluchen. Eben das Anathema wurde auch Nikon besonders angekreidet. Auch bei Šušerin kann man nachlesen, die Aufständischen hätten die beiden Führer der Stadt der Freundschaft mit Morozov und des Exports von Getreide, Fleisch und Fisch beschuldigt, d.h. einer Vermehrung ihrer Armut und der Teuerung (Šušerin, S. 29).

Einheit bis vor Novgorod geschickt und am 20. März bereits die Novgoroder Adligen und Bojarenkinder für diesen Zweck rekrutieren lassen.
Am 22. März rief er die Voevoden im „Gebiet jenseits des Onega-Sees"
(zaonež'e) zu besonderer Wachsamkeit auf.

Erst am 17. April beantwortete Aleksej Michajlovič die bereits am
4. des Monats erhaltene Bittschrift.[1]) Sagt dies schon etwas über die
Haltung der Regierung aus, so kann man das noch mehr vom Ton der
Antwort sagen. Er wisse selbst, schrieb der Zar, wie der Staat zu schützen
und zu regieren sei. Wenn in Novgorod das Getreide knapp sei, hätte
ihn die Stadt um welches bitten sollen. Handel und diplomatische
Beziehungen zwischen den Staaten würden ohne Ausfuhr unmöglich
gemacht. Als einzige (und übliche) Konzession gewährte der Zar die
Ablösung des Voevoden. Die Geschenke der Novgoroder nahm er nicht
an; von der Delegation schickte er nur ein Mitglied zurück. In einem
anderen Schreiben vom gleichen Tage drohte er mit einem noch größeren
Heer, falls sich die Aufständischen nicht mit Chovanskij verständigten.
Das alles war freilich bereits überholt, denn schon am 13. April war
Chovanskij in die Stadt einmarschiert; am 20. April traf seine Mitteilung
darüber in Moskau ein. Vier Tage später begann er mit der Untersuchung,
in deren Verlauf bis zum 11. Mai 212 Personen angeklagt wurden. Er
wollte ein besonderes Gefängnis für sie bauen, aber auf Bitten Nikons,
an den sich die Strelitzen um Hilfe gewandt hatten, wurden die meisten
gegen eine Bürgschaft entlassen, während Moskau auf einigen Todesurteilen bestand. Es scheint, daß der Metropolit nicht nur nach dem Einmarsch mildernd gewirkt hat, sondern daß der einigermaßen rätselhafte
Umfall der Aufständischen überhaupt auf seine Vermittlungstätigkeit
zurückgeht. Tichomirov vermag daran allerdings nicht zu glauben,
sondern erklärt den Wandel mit einer Charakterschwäche Žeglovs, der
sich heimlich bei Chovanskij angebiedert habe, und mit dem Klassengegensatz zwischen den Aufständischen und ihren Führern.[2]) Aber diese
Auffassung steht gar nicht im Gegensatz zu der hier vertretenen, denn
Chovanskij und Nikon mögen eben darauf hingearbeitet haben. Während
Moskau den Heerführer der Verzögerung der Untersuchungen beschuldigte, bemühten er und der Metropolit sich klugerweise um einen Kom-

---

[1]) Solov'ev, Istorija, Buch 5, S. 502 f. Nach außen gab sich die Regierung kühl:
Der Dumaskretär M. Vološeninov äußerte gegenüber Pommerening im Hinblick
auf England und die Türkei, daß „Gott in dieser Zeit auch noch größere Erhebungen
zuläßt". Der Resident berichtete dies seiner Königin am 7. April (Jakubov, S. 470).
[2]) Ebenda, S. 341 ff.

promiß, um ein erneutes Aufflammen des Aufstandes zu verhindern, wenn Chovanskij nach Pskov weitergezogen war.

Für Milde gegenüber den Novgoroder Aufständischen plädierte Nikon in der Tat auch im Hinblick auf den noch andauernden Pskover Aufstand. Dort hatte sich die in Raub und Mord ausartende Unruhe seit dem 17. oder 20. März wieder verstärkt. Auch das in einem Gegensatz zum harten Auftreten gegenüber Novgorod stehende zarische Versprechen, in Zukunft kein Getreide mehr in Pskov aufzukaufen, änderte daran nichts: Da der Unterhändler vorher in Novgorod gewesen war und einen Brief des dortigen Voevoden Chilkov an den Pskover Erzbischof Makarij bei sich hatte, verschlimmerte sich die Situation nur noch. Der Unterhändler und der Erzbischof wurden eingesperrt, der schwedische Gesandte wurde am 21. März gefoltert. Der Voevode Sobakin wurde nicht nach Moskau gelassen, solange die dorthin entsandte Pskover Abordnung nicht zurückgekehrt war. Ihm wie auch seinem inzwischen eingetroffenen Nachfolger, V.P. L'vov, wurden die Söhne als Geiseln weggenommen. Stadtschlüssel und Munition nahm man sich ebenfalls gewaltsam. Der am 30. März eintreffende Moskauer Untersuchungsbeamte F.F. Volkonskij wurde geschlagen und mit einer Axt am Kopf verwundet. Mitte April stellten die Aufständischen ihre große zweite Bittschrift zusammen, die am 12. Mai in Moskau eintraf.[1])

In dieser Bittschrift wiederholten Geistliche, mittlere und niedere Dienstleute sowie Stadtleute das ihnen aus Novgorod zugetragene Gerücht, Morozov wolle den Ausländern die Stadt Pskov kampflos überlassen. Zur Unterstützung wiesen sie darauf hin, daß der schwedische Gesandte ihnen mit Krieg und der Voevode ihnen mit Tod und Verbannung gedroht hätten, wenn sie das Getreide nicht herausgäben. Die Ausländerfeindlichkeit als eine Ursache des Aufstandes kam in der Bemerkung zum Ausdruck, noch unter Ivan IV. hätten keine Ausländer im Moskauer Reich gedient. Überhaupt knüpften die Pskover an verschiedene Privilegien an, die sie im 16. Jahrhundert, sogar noch vor Ivan IV., genossen hatten. Auf die Armut als tiefere Ursache der Unruhen, deren Verschwörungscharakter bestritten wurde, bezogen sich folgende Klagen und Forderungen: Unter Michail Fedorovič hätten die Dienstleute ihr Gehalt ohne Abzüge bekommen, während sie jetzt oft nur die Hälfte oder manchmal überhaupt nichts mehr erhielten. Die Voevoden und Amtsleute zahlten die Gehälter nicht vollständig und nicht fristgemäß aus und nähmen Bestechungsgelder von 500 Rubeln und mehr im Jahr.

---

[1]) Tichomirov, Novgorodskoe vosstanie, SS. 156 ff. u. 167 ff.

Darüber hinaus würden die Dienstleute oft zum Dienst in anderen Gegenden eingesetzt. Die Steuerlast der Stadtleute sei fast so hoch wie diejenige der Bauern; die Steuern sollten nicht nach den alten Grundbüchern (piscovye knigi), sondern nach den neuen Revisionsbüchern (dozornye knigi) festgesetzt werden. Schließlich wurden die häufigen Verbannungen nach Sibirien beklagt und gerechte Prozesse in von Amtsleuten und Wahlbeamten gemeinsam besetzten lokalen Gerichten (außer bei Mord) gefordert. Als Untersuchungsbeamten wünschte man sich N.I. Romanov. Zu ihm, dem beliebten Onkel des Zaren, der „dem Herrscher in allem eifrig dient und um das Land bekümmert ist" und dessen „Verpfändete" früher Handelsbeziehungen mit den Pskovern gepflogen hatten, schickten die Aufständischen gleichzeitig einen Kosaken mit der Bitte, der Bojar möge sich für bessere Rechtsverhältnisse in der Stadt einsetzen. Wie man sieht, liegt in diesen Forderungen der Ursprung der sechzehn Jahre später von Ordin-Naščokin versuchten Pskover Stadtreform (s. Kap. 2). Die Petitionen umfaßten Anliegen von Stadtleuten und Bauern sowie von niederen und mittleren Dienstleuten. Auch die letztgenannten unterschrieben im Gegensatz zu ihren Novgoroder Kollegen die Bittschrift. Der Gutsbesitzer G. Voroncov-Vel'jaminov, Mitglied der Pskover Abordnung, sagte am 12. Mai vor Aleksej Michajlovič allerdings aus, er sei zur Unterschrift gezwungen worden. Doch ist dann nicht recht verständlich, warum er der Delegation angehörte, deren Teilnehmer ohne Zweifel von ihrer Sache überzeugt sein mußten. Da in der Bittschrift auch das Deputat der Geistlichkeit erwähnt wurde, von dem die Amtsleute nun keine Abgaben mehr erhalten sollten, unterschrieb auch die Geistlichkeit mit einem Archimandriten als Ranghöchstem. Man kann also ohne Übertreibung von einer Petition der ganzen Stadt sprechen. Tichomirov möchte eine solche Einheit freilich nicht wahrhaben und glaubt daher dem Zeugnis Voroncov-Vel'jaminovs. Für ihn handelt es sich im Sinne des Klassenkampfes um eine Bittschrift der Strelitzen und Stadtleute.[1]

Der Zar beantwortete alle mündlich und schriftlich vorgetragenen Beschwerden Punkt für Punkt in einer grundsätzlichen Stellungnahme am 19. Mai. [2] „Unsere Knechte und Waisen (die Dienstleute und Steuerzahler—H.-J. T.) haben uns Großen Herrschern noch niemals etwas vorgeschrieben, und ihr hättet eure Klage… v o r dem gegenwärtigen Aufstand einreichen sollen, statt selbständig zu handeln…" Ebenso wäre eine Be-

---

[1] Tichomirov, Pskovskoe vosstanie, S. 65 ff.; Jakubov, S. 366.
[2] Ders., Dokumenty Pskovskogo vosstanija, Nr. 4.

schwerde über die Korruption, vor dem Aufstand eingereicht, rechtmäßig
untersucht worden. Daß früher keine Ausländer in Rußland gedient hätten, bestritt Aleksej Michajlovič mit dem Hinweis auf „König Magnus
und viele Ausländer". Die Wendung der Pskover an N.I. Romanov
interpretierte er als „aufrührerische Verschwörung"; die Loyalität dieses
und anderer Bojaren stehe außer Zweifel. Ferner sei es noch niemals
vorgekommen und werde auch niemals geschehen, daß „Bauern" zusammen mit Bojaren und Voevoden gerichtliche Untersuchungen durchgeführt hätten. Der Ausdruck „Bauern", obendrein in der Form „mužiki",
stellte dabei zweifellos eine Verächtlichmachung dar, denn die Pskover
hatten ganz allgemein an Wahlbeamte der Zemlja gedacht. Im übrigen
verwies der Zar auf das Uloženie und machte den Platzschreiber T. Slepoj
und andere „Aufrührer" für die Verschwörung verantwortlich. Zum
Schluß drohte er auch den Pskovern mit einem großen Heer unter A.N.
Trubeckoj und M.P. Pronskij. Kein Wunder, daß die Aufständischen
diesem Brief keinen Glauben schenkten und sogar das Gerücht verbreiteten, der Zar sei gar nicht in Moskau. In einem weiteren Schreiben, das
an den Erzbischof Makarij gerichtet war, stellte der Zar diesem das
Verhalten Nikons in Novgorod als Beispiel hin.

Statt des Heeres schickte der Zar Ende Mai zunächst einmal den in
Novgorod erfolgreichen Chovanskij mit 2700 Mann vor Pskov. Die
Soldaten wurden mit Beschuß empfangen, ohne selbst das Feuer zu erwi-
dern. Seine Verpflegung reiche für fünf Tage, schrieb Chovanskij dem
Zaren, während die Pskover angeblich trotz der Mißernte für zehn Jahre
Nahrung in der Stadt hätten. Chovanskijs Unterhändler wurden in der
Stadt getötet oder eingesperrt. Auch die heimliche Aufforderung an den
Ältesten G. Demidov, einen Brotbäcker, der als Führer der „Allstädti-
schen Stube" (vsegorodskaja izba) die „Regierung" leitete, bei Straffrei-
heit zu Chovanskij überzulaufen, blieb folgenlos. Die Aufständischen
ventilierten demgegenüber vorübergehend sogar den Gedanken an einen
Abfall nach Litauen und auch die Möglichkeit eines Zusammengehens
mit dem bei Chmel'nyc'kyj lebenden falschen Thronprätendenten Akun-
dinov (s. Kap. 1). Deshalb schien ein Erfolg der am 9. Juli nach der
Beratung der Reichsversammlung vom 4. Juli expedierten Gesandtschaft
unter Leitung des Bischofs Rafail von Kolomna so zweifelhaft, daß der
Zar die Reichsversammlung am 26. Juli noch einmal einberief (s. Kap. 4).
Sie folgte ganz und gar dem Rat Nikons, der inzwischen schon selbst
Anfang Mai einen Unterhändler nach Pskov geschickt hatte. Seiner
Aufforderung, ihre Schuld zu bekennen, hatten die Pskover allerdings
entgegengehalten, sie seien keine Novgoroder. Um weiteres Unheil

zu verhüten, bat Nikon den Zaren, Milde walten zu lassen und den vier Anführern das Leben zu schenken. Er wies auch darauf hin, daß Pskov natürlich eine Wiederholung der Ereignisse in Novgorod fürchtete, wo trotz des gegenteiligen Versprechens der Regierung jetzt doch einige Rebellen im Gefängnis säßen. In Moskauer Kreisen waren N.I. Romanov und Ja.K. Čerkasskij Nikons Meinung, während ihr alter Gegner Morozov vergeblich für schärfere Maßnahmen eintrat. Rafail wurde angewiesen, nicht die Herausgabe der Anführer zu fordern, sondern den Abzug Chovanskijs für den Fall zu versprechen, daß die Pskover den Treueeid leisteten.[1] Mit diesem Angebot wurde die Gesandtschaft, die sehr langsam über Novgorod gereist war, am 17. August feierlich nach Pskov eingelassen. Am nächsten Tag erklärte die Gemeindeversammlung (mirskij schod) ihr Einverständnis. Am 20. August unterschrieben die Ältesten und die „besten" Leute, aber erst am 24. die restlichen Pskover den Eid. Diese Verzögerung erklärt sich aus den Meinungskämpfen, die insbesondere um die Frage ausgebrochen waren, ob der von Moskau herausgestellte „Verrat", d.h. die Verbindung der Pskover mit Litauen, anerkannt werden sollte. Die Unterschriften wurden außerdem erst nach Chovanskijs Versprechen des Rückzugs geleistet, der nach der Eidesleistung auch tatsächlich erfolgte. Rafail verkündete eine allgemeine Amnestie, aber die Reichen und der Voevode L'vov sperrten doch von sich aus einige Aufrührer, darunter Demidov, ein, weil sie angeblich noch nach dem Eid Unruhe gestiftet hatten. Demidov wurde am 18. November in ein Novgoroder (!) Gefängnis gebracht, andere folgten ihm am 21. des Monats. Sie wurden im Februar 1651 zusammen mit den Anführern des Novgoroder Aufstandes verbannt. Damit hatte die Regierung ihr Versprechen letztlich doch nicht eingehalten, aber immerhin die Todesstrafe nicht angewandt, die Aleksej Michajlovič zu Beginn des Aufstandes, am 5. April, noch Königin Kristine zugesagt hatte.[2]

Der Aufstand von 1650, dessen Quellen Tichomirov publiziert hat, blieb auf das Gebiet von Novgorod und Pskov mit ihren Beistädten (Izborsk, Velikie Luki, Olonec u.a.) beschränkt. Über die Ereignisse in den Beistädten liegen nur Andeutungen vor. Tichomirovs Spekulationen über ein Echo des Aufstandes außerhalb dieses Gebietes, etwa in Kursk und Perejaslavl', besagen nichts. Ohne die nötigen Anhaltspunkte zu haben, behauptet auch Tichonov, die Aufständischen hätten die Rebellion

---

[1] DAI, Bd. 3, Nr. 74.
[2] Jakubov, S. 292.

auf das ganze Reich und besonders nach Moskau ausdehnen wollen.[1]
Aus der Tatsache, daß ein Einwohner von Klin im März 1650 einem
Durchreisenden zu verstehen gab, Morozov wolle mit den Ausländern
Pskov, Novgorod und schließlich gar Moskau einnehmen, sowie aus dem
Umstand, daß er sich überhaupt über die Ereignisse gut unterrichtet
zeigte und später aussagte, die Rebellen seien „für die Gerechtigkeit"
(pravda) aufgestanden, schloß auch M. Ostrovskaja schon 1911 auf
Unruhen in dieser Stadt.[2] Doch ist wohl die Quellenbasis für eine solche
Annahme zu dünn. Selbst zwei schwere Folterungen dieses I. Matveev,
genannt Trunilo, erbrachten am 26. April und am 21. Mai keine weiteren
Anhaltspunkte. Die Erklärung kann nur lauten, daß man in dem Durch-
gangsort auf der Route nach Moskau natürlich einiges über den Aufstand
wußte. Immerhin ist es für die Angst der Regierung bezeichnend, daß
Anfang Oktober das Haus des Genannten in Klin konfisziert und er
selbst mit seiner Familie noch Moskau umgesiedelt wurde. Diese harte
Strafe steht in keinem Verhältnis zu der Bestrafung der meisten wirklichen Aufständischen in Novgorod und einiger in Pskov. Man darf
daraus schließen, daß die Regierung nichts mehr fürchtete als ein Übergreifen des Aufstandes eventuell nach Moskau. Denn die Beteiligung
von Bauern, von Privatleibeigenen, die Chovanskij mit partisanenartigen
Überfällen belästigten, barg — anders als 1648 — die Gefahr einer
großen Erhebung der nach dem Uloženie unzufriedenen Leibeigenen
in sich. Die Unruhen dieser „šiši" („Gesindel") dauerten noch mindestens bis zum Februar 1651 an, wie aus einem Brief des neuen Pskover
Voevoden, V. P. L'vovs, an Aleksej Michjalovič vom 17. Februar dieses
Jahres hervorgeht.[3] Vielleicht verfuhr die Regierung auch dieser Gefahr
wegen mit den Pskovern sehr viel milder als mit den Novgorodern.

Noch ein weiterer Grund drängt sich bei der Nachforschung darüber
auf, warum in Novgorod sehr viel härter vorgegangen wurde: Dort waren
die mittleren Dienstleute höchstens indirekt beteiligt, sofern man von
dem individuellen Fall des Anführers Žeglov absieht. Die Bittschrift unterschrieben sie nicht. In Pskov aber wiederholte sich genau die Solidarität
von Dienst- und Stadtleuten, die die Regierung seit dem Sommer 1648
so fürchtete. Jene Ereignisse waren natürlich noch allgegenwärtig. Am
7. April 1650 schrieb der schwedische Gesandte de Rodes: „In Moskau

---

[1] Tichomirov, Pskovskoe vosstanie, S. 86 ff.; Tichonov, Les mouvements, S. 493.
Bei Tichomirov s. auch eine Übersicht über Quellen und Literatur.

[2] Ostrovskaja.

[3] Tichomirov, Dokumenty Pskovskogo vosstanija, Nr. 40. Vgl. auch ders., Pskovskoe vosstanie, S. 93 ff.

lebt man in großer Angst, weil dieser Aufstand wie eine laufende Flamme nach Novgorod übergegriffen hat, und man fürchtet sehr, daß er sich noch weiter hierher ausbreitet, was nichtsdestoweniger sehr leicht passieren kann."[1]) Zu den Vorsichtsmaßnahmen, die die Regierung in der Hauptstadt ergriff, gehörte eine Umfrage unter den „schwarzen" Hundertschaften über mögliche Unruhen. Vielleicht beeindruckte am meisten, daß der Pskover Aufstand viel besser organisiert war als die 1648er Erhebung und daß die Stadtleute (außer den Großkaufleuten), die Strelitzen, die Vertreter des Adels und der Geistlichkeit viel geschlossener auftraten. Das mag darauf zurückzuführen sein, daß sich hier wie auch in Novgorod nicht nur formale Reste der alten Selbstverwaltungstradition erhalten hatten, sondern auch eine — allerdings rein abstrakte — Erinnerung an den Kampf der Volksversammlung (veče) mit den Ansprüchen der Fürsten (sprich: Voevoden). Dieser sechsmonatige Protest gegen die Zentrale stand im Vordergrund der Motivationen. Morozov mußte dabei noch einmal als Symbol der Mißwirtschaft dienen, denn ein schlechter Zar überstieg das Vorstellungsvermögen des Volkes. Demgegenüber bildete die für Grenzstädte erstaunliche Fremdenfeindlichkeit nur den äußeren Anlaß des Aufstandes, und auch der „Klassenkampf" der Armen gegen die Reichen, wie er sich in Novgorod schon 1649 bei der Wahl der Vertreter für die Reichsversammlung geäußert hatte (s. Kap. 4), war nur Begleiterscheinung.

Die Regierung fühlte die eigentliche Bedrohung genau. Aus Angst vor einer Wiederholung von 1648 ließ sie nicht das angedrohte große Heer aufmarschieren, das die Stadt Pskov leichter hätte einnehmen können. Aus Angst versicherte sie sich noch einmal der moralischen Unterstützung einer Reichsversammlung, obwohl, wie im vorigen Kapitel dargelegt wurde, die eigentlichen Entscheidungen unabhängig von ihr gefällt wurden. Aus Angst wurde die Amnestie versprochen und weitgehend eingehalten. Aus Angst vor einem weiteren Zusammengehen von Zemlja und Strelitzen wurde nach dem Aufstand die Hälfte aller Pskover Strelitzen zum Dienst in die Hauptstadt abkommandiert. Aus Angst wurden schließlich, wie gesagt, die Führer der Moskauer „schwarzen" Hundertschaften ins Außenamt gerufen, damit sie alle Verdächtigen denunzierten. Ein Indiz ist höchst entlarvend: Die Regierung kannte die Beteiligung der Pskover Dienstleute, wollte sie aber nicht wahrhaben; der Entwurf einer der zarischen Briefe schloß auch die Dienstleute in die Anrede ein, während sie in der Reinschrift fortgelassen

---

[1]) Rodes, S. 28.

wurden.[1]) Tichomirov ist allerdings auch über die Frage der Beteiligung
an der Bittschrift hinaus der Meinung, daß im Gegensatz zu 1648 nur
sehr wenige Adlige beteiligt gewesen seien.[2]) Seiner Meinung nach trug
die seit dem Uloženie verfolgte Politik der Regierung zugunsten der
Dienstleute ihre ersten Früchte. Wäre dieses Argument stichhaltig,
hätten auch die Pskover Stadtleute 1650 ruhig bleiben müssen, denn
die Städter gehörten ebenfalls zu den Siegern von 1648/49. Demgegenüber handelte es sich beim Pskover Aufstand gar nicht um einen Protest
aus allgemeiner Not sozialer oder wirtschaftlicher Art, sondern um den
speziellen Fall der Notlage eines einzigen Gebietes, von der sehr wohl
auch die dort lebenden Dienstleute betroffen waren.

Von kleinen örtlichen Unruhen abgesehen,[3]) fand der nächste große
städtische Aufstand 1662 in Moskau statt. Seine Vorgeschichte reicht
allerdings bis in die wirtschaftliche Krise der Mitte der 50er Jahre zurück.
1654 dezimierte die Pest die Bevölkerung des Zentralgebiets gerade zu
einem Zeitpunkt, als der Krieg mit Polen-Litauen begann und im
Sommer der Zehnte eingetrieben wurde (s. Kap. 4). Das Heer konnte mit
Hilfe von Klosteranleihen zunächst finanziert werden,[4]) aber auf die
Dauer erhoffte sich die Regierung nur durch die Prägung minderwertigen
Geldes aus Kupfer eine Art Staatskredit. Da K.V. Bazilevič die tiefergehenden wirtschaftlichen Ursachen des Aufstandes eingehend dargestellt
hat,[5]) sei hier nur die Entwicklung dieses Kupfergeldes kurz skizziert.
Schon 1654 wurden Münzen geprägt, deren Silbergehalt um die Hälfte
verringert war. Zwei Jahre später bot sich — wohl auf Vorschlag F.M.
Rtiščevs — als einziger Ausweg aus der Geldknappheit die Prägung von
Kupfergeld an. Die Bevölkerung erkannte dieses Geld jedoch nicht als
vollwertig an. Sie begann Silbermünzen zu horten, während andererseits
viel Kupfergeld gefälscht wurde. Wer Kupfergeschirr besaß — in erster
Linie die Reichen —, ließ sich auch durch die Androhung der Todesstrafe
oder des Händeabhackens nicht abschrecken, es in Münzen umzugießen.
Zur Kontrolle mußten die Kaufleute und Großkaufleute Vereidete und
Beauftragte (celoval'niki) wählen, die freilich nach dem Zeugnis Kotoši-

---

[1]) Kurskov, S. 190. Zum Verhör der „schwarzen" Hundertschaften s. Tichomirov,
Dokumenty Pskovskogo vosstanija, Nr. 5 f.

[2]) Ders., Pskovskoe vosstanie, SS. 83 u. 101.

[3]) Zum Beispiel wurde 1650 bis 1652 der Voevode von Valujki von der „ganzen
Stadt" unter Hausarrest gestellt (Očerki istorii SSSR, VXII v., S. 391).

[4]) 10 000 Rubel gab das Tichvinskij-Kloster, 20 000 das Soloveckij-Kloster (Istorija, Bd. 3, S. 48).

[5]) Bazilevič, Denežnaja reforma.

chins häufig selbst mittaten.¹) Noch schlimmer war, daß sich an der
Spitze der Verwaltung auch der mit der Untersuchung der Teuerung
befaßte I.D. Miloslavskij und der mit der Ausgabe des Kupfergeldes
betraute Dumaadlige A.I. Matjuškin, ebenfalls ein Verwandter des
Zaren, bestechen ließen. Daß nach der Aufdeckung dieser Vergehen
Ende Juni 1662 Matjuškin nur entlassen wurde und Miloslavskij sich gar
nur den zarischen Zorn zuzog, beide ansonsten jedoch straffrei ausgingen,
trug zur Unzufriedenheit des Volkes bei, das unter der inflationären
Entwicklung zu leiden hatte: Während im September 1658 noch 1 Kupfer-
auf einen Silberrubel kam, waren es im März 1660 schon 1 1/2, und Ende
1661 bekam man 4 Kupferrubel für einen silbernen. Im März 1663 (nach
dem Aufstand) belief sich der Kurs auf 10 zu 1 und Ende dieses Jahres
auf 15 zu 1. Seit Juni 1663 wurde der Handel in Silber allerdings verboten.
Zahlreiche Erlasse zur Eindämmung der Preiserhöhungen hatten ebensowenig genützt wie die im vorigen Kapitel untersuchten Befragungen
der Kaufleute durch die Regierung. Die Dienstleute, die in der Ukraine
ihr Gehalt in Kupfer ausgezahlt bekamen, konnten schließlich nichts
mehr dafür kaufen.²)

Im Jahre 1662 wurde die Situation durch die Anordnung verschärft,
die Außenstände der vergangenen Jahre sowie (am 15. Juni) den Fünften
einzusammeln.³) Daß wegen des Geldmangels die „Strelitzengelder" in
Form von Getreide eingezogen werden sollten, trug angesichts der

---

¹) Kotošichin, S. 101 f. Das Zirkular über die Prägung von Kupfergeld in SGGD,
Bd. 4, Nr. 9. Vgl. auch Solov'ev, Istorija, Buch 6, S. 192 ff.

²) Der schwedische Gesandte Adolf Ehbers stellte schon im Sommer 1660 eine
Teuerung für Lebensmittel um das Zwei- bis Dreifache fest. 1662 berichtete der „Kom-
missar" mit Botschafterrang dann: „Es ist gross lamentiren alhier über dass leichte
Kupfergeldt wohrüber vielh leute zu grunde gehn, jnsonderheit die ausslendische
offitzierer welche alle einhellig mit einander an den Zaaren gesupliciret entweder sie
wollen silber geldt haben, oder jhren abscheidt." Aus Vologda erreichten Ehbers
Nachrichten über Einbrüche bei reichen Leuten und in Klöstern (Forsten, Snošenija
Švecii i Rossii, SS. 70 u. 94 f.). Wie aus dem zwei Jahrzehnte später aufgezeichneten
Augenzeugenbericht des Bojaren G.N. Sobakin hervorgeht, der unter dem Eindruck
der Ereignisse des Jahres 1682 (s.u.) übrigens auch, wenn auch noch ungenauer, über
den Aufstand von 1648 berichtete, wurden einige Sekretäre und Münzmeister zur
Strafe verstümmelt und verbannt (Buganov, Vosstanie v Moskve, S. 449). Zwei Erlasse
zur Eindämmung der Preissteigerung s. bei Berch, S. 90 ff. — Nach Meyerbergs
Mitteilung saßen im Dezember 1661 rund 40 Münzmeister im Gefängnis und hatte
I.D. Miloslavskij 120 000 Rubel für sich selbst geprägt (Mayerberg, S. 92 f.).

³) PSZ, Bd. 1, Nr. 322. Dieser Befehl wurde am 2. Nov. 1662 in einem Zirkular
wiederholt, da er offenbar nicht gründlich genug befolgt worden war (SGGD, Bd. 4,
Nr. 25).

Getreidemißernte des Jahres auch nicht zur Beruhigung bei. Zudem waren bereits im Februar die wichtigsten Exportwaren zu Staatsmonopolen erklärt worden (s. Kap. 4), so daß sie zwangsrequiriert werden konnten. Besonders schlecht ging es wieder einmal den Strelitzen, was sich in vielen Eingaben äußerte. Obwohl sich die Regierung dazu verstand, ihnen auch ihr Geldgehalt in Naturalien auszuzahlen, starben zum Beispiel in Kol'skij ostrog 50 den Hungertod. In Novgorod brodelte es so sehr, daß Moskauer Truppen geschickt werden mußten.[1] Unter diesen Umständen ist es erstaunlich, daß der sogenannte „Kupfergeld-Aufstand" auf Moskau beschränkt blieb. Das mag darauf zurückzuführen sein, daß sich nur in dieser ganz großen Stadt so etwas wie ein städtisches Proletariat gebildet hatte, während die Provinzstädte so weitgehenden ländlichen Charakter besaßen, daß die wirtschaftliche Krise durch agrarische Selbstversorgung gemildert werden konnte.

Schon am Ostersonntag kamen in Moskau Gerüchte auf, daß die Häuser Miloslavskijs und des Großkaufmanns Šorin, der bereits 1648 angegriffen worden war und jetzt auch im Verdacht der Geldfälschung stand, sowie anderer reicher Leute zerstört werden sollten. Buganov schloß deshalb auf eine längere Vorbereitung des Aufstandes und stützte sich dabei insbesondere auf die Mitteilung des Augenzeugen G.N. Sobakin, die Stadtleute hätten die Strelitzen heimlich auf ihre Seite ziehen wollen.[2] Buganov verschwieg allerdings, daß die Stelle bei Sobakin mit den Worten beginnt: „Nachdem sie die aufrührerische Wandzeitung (ab)genommen hatten..." (I one, tot list vorovskoj vzjavši...). Das heißt, daß die Verbindung mit den Strelitzen erst im Laufe des Aufstandes am 25. Juli zustande gekommen und spontan war. In der Nacht zum 25. Juli tauchte nämlich an verschiedenen Stellen der Stadt eine Wandzeitung auf, in der I.D., I.A. und I.M. Miloslavskij, F.M. Rtiščev, der früher mit der Einsammlung des Fünften beauftragte B.M. Chitrovo sowie die Großkaufleute V. Šorin und S. Zadorin und andere des Verrats bezichtigt wurden: Sie wollten angeblich das an Lebensmitteln und Soldaten arme Moskau den Polen übergeben.[3] Wieder mußten also außenpolitische Vorwände für eine Kritik der Regierung herhalten. Der Zeitpunkt war günstig gewählt, denn immer noch berieten die Kaufleute mit der Duma über die Ursachen der Teuerung. Aus den Ausführungen des vorigen Kapitels geht hervor, daß die Kauf-

---

[1] Očerki istorii SSSR, XVII v., S. 257 f.
[2] Buganov, Zapiski, S. 111. Vgl. auch Buganov/Kučkin, S. 145.
[3] Buganov, Moskovskoe vosstanie, S. 40 ff.

leute bei dieser Gelegenheit die Einberufung einer Reichsversammlung forderten, weil sie sich scheuten, allein Entscheidungen herbeizuführen, die alle sozialen Gruppen angingen. Daß die Regierung diesen Vorschlägen von Ende April und Anfang Mai nicht folgte, muß nicht unbedingt den Aufstand provoziert haben. Er hätte aber vielleicht vermieden werden können, wenn eine Versammlung die Funktion eines Ventils übernommen hätte. Die Ablehnung der Regierung zeigt andererseits noch einmal mehr, wie sehr sie eine Wiederholung von 1648 fürchtete. So kam es am 25. Juli zu „außerordentlichen" Versammlungen vieler Leute auf dem Roten Platz, wo über den Fünften diskutiert wurde. Einige Demonstranten drangen auch in den Kreml' ein. Eine Konfrontation der unter Führung des Strelitzen K. Nogaev stehenden Menge mit zwei Beamten fand in der Hauptstadt jedoch nur an der Lubjanka statt, als letztere dort die Wandzeitung abreißen wollten. Um wieder den Zaren selbst zu sprechen, mußte man in seine Sommerresidenz nach Kolomenskoe ziehen, wo er seit dem 16. Juli die Geburt seiner Tochter Feodosija und an diesem 25. Juli den Namenstag seiner Schwester Anna feierte. Aleksej Michajlovič hatte gerade noch Zeit, Miloslavskij und Rtiščev in den Frauengemächern zu verstecken, als die Aufständischen unter Führung des Zehnerschaftsführers L. Židkij (Žitkoj) ihm die Wandzeitungen überreichen wollten und die Bestrafung der Übeltäter forderten. Der Zar schickte zunächst Ja.K. Čerkasskij, N.I. Odoevskij, Ju.A. Dolgorukov, R.M. Strešnev, I.A. Gavrenev und S. Zaborovskij vor, denen die Bittschrift jedoch nicht übergeben wurde. Obwohl er unbedingt den Gottesdienst hatte beenden wollen, mußte er doch selbst vor die Menge treten und versprechen, nach Moskau zurückzukehren und eine Untersuchung zu veranlassen. Während man 1648 nur seinem Pferd in die Zügel gefallen war, wurde er jetzt sogar an den Knöpfen seines Gewandes festgehalten, und ein Beteiligter ergriff seine Hand, um ihm ein ehrenwörtliches Versprechen abzunehmen. Kein Wunder, daß die Zarenschwester daraufhin länger als ein Jahr krank wurde.[1]

Zunächst schien allerdings alles friedlich abzulaufen, weil die Menge nach Moskau zurückkehrte, wohin der Zar auch I.A. Chovanskij zur Wiederherstellung der Ordnung schickte. Dort hatte die große Masse der Aufständischen inzwischen Šorins Haus ausgeraubt und seinen

---

[1] Zurückhaltend verzeichnete der Hofbericht: „Zum Mittagsgottesdienst ging der Herrscher nicht aus, und Namenstags-Piroggen verschenkte er nicht (an 20 einfache Menschen, wie es die Tradition erfordert hätte — H.-J.T.), weil zu dieser Zeit der Pöbel aus Moskau mit Bittschriften kam." (Zitiert ebenda, S. 79.)

Sohn als Geisel mitgenommen. Auch andere Kaufmannshäuser wurden
geplündert. Chovanskij mußte unverrichteterdinge nach Kolomenskoe
zurückkehren. Die ihm folgenden Aufständischen trafen unterwegs
auf die vom Zaren zurückkommenden Überbringer der Bittschrift und
überredeten sie zum nochmaligen Zug nach Kolomenskoe. Die mit
Stöcken bewaffnete gesamte Menge forderte von Aleksej, der nun seinerseits gerade nach Moskau zurückreiten wollte, wiederum die Herausgabe
der Verräter. Nach Solov'evs Mitteilung soll der Zar geantwortet haben:
„Ich bin der Herrscher. Meine Aufgabe ist es, zu untersuchen und diejenigen zu bestrafen, denen es gemäß der Untersuchung zukommt...”[1]
Aleksej irrte, wenn er damit die Aufständischen nach Hause zu schicken
hoffte. Sie drohten mit Selbstjustiz, woraufhin der Zar sie — anders
als 1648 — von den anwesenden 6000 bis 10 000 Strelitzen auseinander-
treiben ließ. Mehr als 900 Flüchtende ertranken dabei in der nahgele-
genen Moskva oder wurden erschlagen, während viele andere, meist
unbeteiligte Neugierige, gefangen und zum Verhör in das Nikolo-Ugrešskij-Kloster gebracht wurden. Die aktiven Aufständischen zählten wohl
nur etwa 275; die Zahl aller „Beteiligten” schätzt Buganov, der beste
Kenner des Aufstandes, auf 9000 bis 10 000.[2]

Bereits am folgenden Tag, dem 26. Juli, wurden 50 von ihnen gehenkt,
und zwar zur Abschreckung mehr oder weniger zufällig, denn kein
Anführer befand sich darunter. Der Zar hatte die Auswahl und Anzahl
A.N. Trubeckoj überlassen. Nach Abschluß der Untersuchung wurden
noch 13 Beteiligte mit dem Tode bestraft, darunter auch einige Wort-
führer. Židkij und Nogaev wurden grausam verstümmelt. Die Verfasser
der Wandzeitungen wurden übrigens nie gefunden. Für die Mitteilung
Kotošichins, daß noch 108 Leute gehenkt worden seien, gibt es in den
von Zercalov und Buganov veröffentlichten Prozeßakten keinen Anhaltspunkt.[3] Wohl aber wurden 1200 Personen mit ihren Familien nach
Sibirien verbannt und weitere in andere Gegenden.[4] Angemerkt sei,

[1] Solov'ev, Istorija, Buch 6, S. 196.
[2] Buganov, Moskovskoe vosstanie, S. 73.
[3] Kotošichin, S. 102 f. Zercalov hat die Untersuchungsakten unvollständig und
unwissenschaftlich ediert (Zercalov, O mjatežach), während Buganov die Dokumente
sowohl der Moskauer als auch der Kolomenskoer Kommision ganz herausgegeben
hat (Buganov, Vosstanie 1662 g.). Er bringt aber gegenüber Zercalov nichts wesentlich
Neues. Zur Quellensituation s. ders., Moskovskoe vosstanie, S. 15 ff. Ebenda, S. 5 ff.,
eine ausgezeichnete historiographische Übersicht.
[4] Buganov, Moskovskoe vosstanie, S. 91 ff.; ders., Novyj dokument. — Unter
den Verbannten war übrigens ein Regimentshauptmann Fürst Danilo Krapotkin.

daß in der älteren Literatur die Berichte über die Zahl der Bestraften beträchtlich differieren. Ključevskij sprach noch von über 7000 Getöteten und von mehr als 15 000, die entweder mit Verbannung. Abhauen von Gliedmaßen oder Vermögensentzug bestraft worden sein sollten.[1]) Er hatte sich dabei auf Kotošichin gestützt, der Aleksej Michajlovič nicht wohl gesinnt war. Es ist anzunehmen. daß sich seine Zahlen auf die für Geldfälschungen — auch noch lange nach dem Aufstand — schlechthin Bestraften beziehen. Die erwähnten Untersuchungsakten der von I.A. Chovanskij und F.F. Volkonskij in Kolomenskoe geleiteten Kommission und der von Trubeckoj geleiteten Moskauer Kommission sind übrigens die ersten erhaltenen Prozeßakten eines Aufstandes. Sie bilden neben Kotošichins Hinweisen die Hauptquellenbasis. Die Akten der dritten, von P.M. Saltykov im Nikolo-Ugrešskij-Kloster geleiteten Kommission sind nicht direkt erhalten. Alle drei Kommissionen tauschten Dokumente aus, so daß sich die Quellen zum Teil überschneiden. Auf Grund dieses Materials gibt Buganov im Gegensatz zu Ključevskij die Zahl aller Bestraften mit mindestens 2500 bis 3000 an. Er unterscheidet unter den allerdings nur 826 überlieferten Namen 518 niedere Dienstleute, 144 Stadtleute, 17 Geistliche und 5 mittlere Dienstleute. Diese wurden natürlich nicht alle verurteilt, während andererseits allein in Moskau zwischen 12 und 19 Provinzadlige und Bojarenkinder verhört wurden.[2])

Bereits am 26. Juli 1662 schickte der Zar, der erst am 11. August nach Moskau zurückkehrte, Briefe an die Voevoden verschiedener Städte (Perm' Velikaja, Čerdyn', Solikamsk, Sevsk, Smolensk, Vladimir, Suzdal', Arzamas, Kolomna, Šack), um sie von der Niederschlagung des Aufstandes zu unterrichten und so einer eventuellen Ausbreitung auf die Provinz zuvorzukommen.[3]) Darin kennzeichnete er die Aufständischen als „Aufrührer und Gesindel verschiedener sozialer Gruppen" (vory raznych činov, chudye ljudiška), denen sich niemand von den Kriegs- und Zemlja-Leuten angeschlossen habe. Diese hätten im Gegenteil gebeten, die Rebellen zu bestrafen. Deshalb habe er die Anführer mit dem Tode und die übrigen hart bestraft, denn in Moskau seien Häuser ausgeraubt und in Kolomenskoe seien die Beschwerden „mit großer Grobheit"

---

ein früher rebellischer Vertreter der Familie, die mehr als zwei Jahrhunderte später den berühmten Anarchisten hervorbrachte.

[1]) Ključevskij, Kurs, Bd. 3, S. 225.
[2]) Buganov, Moskovskoe vosstanie, SS. 71 f. u. 116 ff.
[3]) PSZ, Bd. 1, Nr. 325; SGGD, Bd. 4, Nr. 23 (fehlerhaft!); Berch, Nr. XXXIII; Zercalov, O mjatežach, S. 294 ff.

vorgetragen worden. Den Voevoden befahl Aleksej Michajlovič, allen Einwohnern den Inhalt des Briefes zu verkünden, wobei er am Schluß nochmals Wert auf die Feststellung legte, daß keine Krieger an dem Aufstand teilgenommen hätten und daß die Bestrafung auf Eitten aller sozialen Gruppen erfolgt sei. Solche Beteuerungen einschließlich der Unwahrheit, Anführer seien bereits mit dem Tode bestraft worden, wie überhaupt die schnelle Briefnachricht wären freilich sicher nicht nötig gewesen, hätte es sich tatsächlich nur um das Stadtgesindel gehandelt oder auch nur um den „Pöbel", wie die Chroniken berichten.[1]

Über die Wirklichkeit sagen die Untersuchungsprotokolle etwas ganz anderes aus. Bis zum 19. September wurden in der Chovanskij-Kommission Reiter, Soldaten und Offiziere verhört und gefoltert und in der Saltykov-Kommission ebenfalls allein 343 Soldaten. Aus den bis zum 12. Jan. 1663 fertiggestellten Berichten geht folgendes hervor: Die Soldaten sagten aus, sie seien dem Befehl ihrer Vorgesetzten gefolgt, nach Kolomenskoe zu gehen; die Offiziere stellten dagegen den Marsch als befehlswidrig dar. Wer nicht den Dienstleuten angehörte, behauptete, von den Soldaten zum Mitmachen gezwungen worden zu sein. Geistliche gaben sich einfach als Mitläufer im wahrsten Sinne des Wortes aus. Viele hatten angeblich nur eine Bittschrift über persönliche Belange überreichen wollen.[2] Auch der schwedische Beobachter A. Ehbers konstatierte die Beteiligung der „arme rusche vom Adell welche vor reuter dem Zaaren von Ihren gütern solten dienen…" Nach seinem Bericht lag die Initiative sogar eindeutig bei den Soldaten, denen sich der Pöbel erst später angeschlossen habe.[3] Wahrscheinlich ist dies nicht, aber verschiedenen Beobachtern mögen sich die Ereignisse unterschiedlich dargestellt haben. Ein Chronist, der rückblickend aus der Situation des Jahres 1682 (s.u.) schrieb, entschuldigte sich zum Beispiel gleichsam dafür, daß 1662 die Moskauer Strelitzen nicht beteiligt gewesen seien, „weil es keine Beratung mit ihnen gegeben habe".[4] Die Ansicht kann sich jedoch höchstens darauf gründen, daß nicht ganze Strelitzenregimenter rebellierten (wie 1648 und eben 1682) und daß der Aufstand in der Tat von den Regiementern Poltevs, Matveevs, Solovcovs und zum Teil Lopuchins niedergeschlagen wurde. Diesem entscheidenden Unterschied zur Situation des Jahres 1648, den man damit erklären kann, daß die Strelitzen seit dem

---

[1]) So die Mazurinskij-Chronik (Mazurinskij letopisec) und die „Chronik von 1619 bis 1691" (Letopisec 1619-91 gg.) (PSRL, Bd. 31, SS. 170 u. 183).

[2]) Buganov, Moskovskoe vosstanie, S. 101 ff.

[3]) Forsten, Snošenija Švecii i Rossii, S. 97 ff.

[4]) Buganov, Vosstanie v Moskve, S. 453.

Herbst jenes Jahres durch einige Geldzulagen gewonnen worden waren,[1]) verdankt die Regierung die Sicherheit, die ihr das rigorose Durchgreifen ermöglichte. Aber andererseits ist unbestreitbar, daß viele Strelitzen individuell beteiligt waren, vor allem aber sehr viele Reiter und Soldaten der „Truppen neuer Ordnung", darunter auch Ausländer, die mit dem fortdauernden Krieg unzufrieden waren. Einzelne ihrer Offiziere wurden nur der Sympathie für die Aufständischen angeklagt. Andererseits befanden sich selbst unter denen, die in Moskau Kaufmannshäuser ausraubten, nach Feststellung der Behörden zwei Residenzadlige, acht Bojarenkinder und mehrere Offiziere. Sie wurden dafür am 5. und 7. August nach Astrachan' oder, wenn sie dort zu Hause waren, nach Sibirien verbannt.[2]) Es stimmt also keinesfalls, daß sich die Dienstleute 1662 ganz und gar loyal verhielten.

Getragen wurde der Aufstand allerdings von den Moskauer Stadtleuten, und zwar auch von den mittleren, über dem Pöbel rangierenden Zemlja-Leuten, wie der Zar mit dem Ausdruck „Aufrührer verschiedener sozialer Gruppen", seine eigene Behauptung widerlegend, selbst entlarvend zugab. Weil die unteren Schichten jedoch das Übergewicht besaßen, wird der „Kupfergeld-Aufstand" von der Sowjethistoriographie heute als Massenvolksbewegung und Vorläufer der Razinschen Erhebung gefeiert, während Bazilevič 1936 auch die Möglichkeit einer Fehde der Feinde I.D. Miloslavskijs und anderer Günstlinge nicht ausgeschlossen hatte.[3]) Das Volk sei dadurch in eine bestimmte Richtung gelenkt worden. Bazilevič zog infolgedessen auch die Parallele zum 1648er Aufstand und dessen Schlüsselfigur Morozov, sah aber den Unterschied in der Verbreitung: Der Aufstand von 1662 erscheint eher als eine lokale Erhebung mit dem beschränkten Ziel, die für die Teuerung verantwortlichen Beamten zu beseitigen. Ursache waren die wirtschaftlichen Ungerechtigkeiten, nur den Anlaß hätten, wenn Bazilevičs These stimmt, Machtkämpfe liefern können. Für den vorliegenden Zusammenhang ist aber vor allem wichtig, daß der Aufstand scheiterte und keinerlei Einfluß auf die Gesetzgebung ausübte. Erst am 11. Juni 1663, also ein Jahr nach dem Aufstand, befahl Aleksej Michajlovič die Schließung der Kupfergeldmühlen, weil die Inflation weiter fortgeschritten war. Gleichzeitig wurde die Ausgabe der Gehälter in Silber und am 15. Juni die Eintrei-

---

[1]) Tichonov, Les mouvements, S. 495.
[2]) Buganov, Vosstanie 1662 g., SS. 147, 149, 244 u. 249.
[3]) Bazilevič, Denežnaja reforma, S. 108 ff. Zur neueren sowjetischen Auffassung s. Očerki istorii SSSR, XVII v., S. 263, u. Istorija, Bd. 3, S. 52.

bung aller Staatseinnahmen ebenfalls in Silber angeordnet. Am 15. Juni befahl der Zar auch die Vernichtung der Prägemühlen in Moskau, Novgorod und Pskov sowie die Wiedereröffnung der Silberwerkstatt in Moskau und die Abwicklung des Handels in Silber. In Zirkularen an die Voevoden, die er im Juli verschickte, machte er ausdrücklich die Fälscher für die Inflation verantwortlich.[1]) So sehr unterschieden sich also diesbezüglich die Auffassungen des Zaren von denen der Aufständischen nicht, aber Aleksej mochte eine „Selbstjustiz" des Volkes nicht wieder zulassen und wollte sich allein die Entscheidung über zu treffende Maßnahmen vorbehalten.

Der nächste große städtische Aufstand ereignete sich, wiederum abgesehen von kleineren Unruhen,[2]) erst zwanzig Jahre später in Moskau. Hatten sich die Strelitzen 1662 zurückgehalten, so nutzten sie 1682 die Gelegenheit der Auseinandersetzungen innerhalb der Dynastie und der strittigen Thronfolge zu einem Aufstand. Die offiziellen und offiziösen Quellen dazu, d.h. die Erlasse und die Chroniken, sprechen häufig von einer „smuta". Tatsächlich läßt die dynastische Krise die Erinnerung an die Jahre 1598 bis 1613 aufkommen. Der Aufstand schloß auch noch ein weiteres der drei von Platonov für die „Zeit der Wirren" stipulierten Kriterien ein, nämlich die soziale Krise, während die nationale Krise diesmal fehlte. Wenn man die letztere allerdings in erster Linie als religiöse Krise sieht, als den ab 1605 zweifellos auch spürbaren Konflikt zwischen der Moskauer Orthodoxie und dem polnischen Katholizismus, so war sie 1682 auch vorhanden, und zwar in der Auseinandersetzung der Staatskirche mit den altgläubigen Strelitzen. Man sollte die Analogie freilich nicht zu weit treiben.

Genauer gesagt, stellte der Streit der Familien Miloslavskij und Naryškin um die Nachfolge Fedor Alekseevičs nur den äußeren Anlaß zum Aufruhr der zutiefst unzufriedenen Strelitzen und anderer kleiner Dienstleute dar. Diese Unzufriedenheit hatte mehrere Ursachen: die Verbitterung über die Bevorzugung der „Truppen neuer Ordnung" durch die Regierung (ein augenfälliges Beispiel war die Angleichung der Strelitzenränge an die der anderen Offiziere am 25. März 1680),[3]) die Unbeliebtheit

---

[1]) PSZ, Bd. 1, Nr. 338 f.; SGGD, Bd. 4, Nr. 29-32 u. 33.

[2]) 1666 gab es wieder Spannungen in Pskov. 1673 verweigerten die Einwohner von Kajgorod (Kaj-Gorodok) die Steuern, bedrohten den Voevoden mit dem Tode und vertrieben die Polizisten und Beauftragten aus der Stadt. 1679 dauerten die durch die Höfesteuer von einem Rubel pro Hof hervorgerufenen Unruhen in Pskov 5 1/2 Monate. 1680 erhoben sich die Einwohner von Vologda gegen ihre lokale Obrigkeit. (Istorija, Bd. 3, S. 118.) Zu Kaj-Gorodok s. Barsov, Iz rukopisej, 1886, S. 2 f.

[3]) PSZ, Bd. 2, Nr. 812.

der Strelitzen bei der Bevölkerung (beim Adel, weil sie Läuflinge aufnahmen; bei den Steuerzahlern wegen der neuen, „Strelitzengelder" genannten Steuer), vor allem aber die materielle Not. In den 60er Jahren hatten
sie noch 10 Rubel im Jahr verdient, 1681 waren es nur noch 6 Rubel.
Die Möglichkeit, nebenbei einem Gewerbe nachzugehen, war ihnen in
Moskau seit 1667 genommen, jedenfalls dem Gesetz nach. Obendrein
ließen ihre Vorgesetzten sie privat für sich arbeiten und behandelten
sie schlecht. Gegen beides protestierten die Strelitzen in zwei Bittschriften
an Fedor. Während die Überbringer der ersten Beschwerde (über den
Obersten Pyžov) im Februar 1682 noch geknutet wurden, hatte die zweite
Klage, deren Übergabe bereits unter Anzeichen bedrohlicher Unruhe
am 24. April erfolgte, wenigstens das Ergebnis einer Befragung der Strelitzen in Gegenwart des Zaren und immerhin der Verhaftung des verhaßten
Obersten S. Griboedov.[1]) Ihr weitergehendes Versprechen, Griboedov zu
verbannen und seine Erbgüter zu konfiszieren, löste die Regierung jedoch
nicht ein. Die Strelitzen fanden sich bei all ihren Beschwerden durch die
Leiter ihres Zentralamtes, den greisen Ju.A. Dolgorukij und seinen
unfähigen Sohn, nur ungenügend unterstützt.

Der Strelitzen-Aufstand brach Ende April 1682 also nicht spontan
aus, sondern war langsam herangereift. Einer der Augenzeugen, Sil'vestr
Medvedev, schrieb in seiner 1684 oder 1685 verfaßten „Kurzen Betrachtung der Jahre 1681/82, 1682/83 und 1683/84 und dessen, was sich in
ihnen in der civitas zugetragen hat" (Sozercanie kratkoe let 7190, 91 i 92,
v nich že čto sodejasja vo graždanstve), daß sich die Strelitzen schon
im Winter 1681/82 „über die Bedrückung durch die Obrigkeit und die
ungerechten Gerichte" beschwert hätten. Spätere Historiker haben ihn
seit Tatiščev der Sympathie für die Regentin Sofija und der Subjektivität
aus zu großer Nähe zu den Ereignissen bezichtigt, aber diesen Beschuldigungen lag natürlich eine mindestens ebenso große Sympathie der Kritiker für Peter zugrunde. Medvedev, der sich selbst das Gebot der Wahr-
heitsliebe setzte, tadelte die Strelitzen denn auch gar nicht für ihr Vorgehen — ebensowenig lobte er sie —, und seine angebliche Sympathie für
Sofija erschöpfte sich in der üblichen Höflichkeit gegenüber dem Herr-
scherhaus. Es ist aber richtig, daß er die Regentin insofern verschonte, als
er sie in die Rolle einer unbeteiligten Beobachterin versetzte, während ein
anderer Zeitgenosse, A.A. Matveev, der Sohn des während des Aufstandes erschlagenen A.S. Matveev, sie in seinen Memoiren verständlicherweise direkt beschuldigte.[2]) Wie dem auch sei (von Sofijas Rolle

---

[1]) Solov'ev, Istorija, Buch 7, SS. 265 f. u. 319; Očerki istorii SSSR, XVII v., S. 326.
[2]) Matveev, A.A., SS. 9 u. 19; Medvědev, SS. IV, 16, 37 u. 40.

wird noch zu reden sein), wenn man Medvedev glauben darf, wuchs die Unruhe der „Leute", also nicht nur der Strelitzen, im Winter beträchtlich, wobei „besonders über die Günstlinge, die großen Richter und die Offiziere, deren Augen durch Bestechlichkeit geblendet waren", aber auch über die ausländischen Neuerungen und Sitten geklagt worden sei. Mit letzterem waren nicht nur die westlichen Einflüsse gemeint, sondern, wie sich während des Aufstandes bald zeigen sollte, die Kirchenreformen. Medvedevs Worte machen auf jeden Fall schon deutlich, daß es sich keinesfalls nur etwa um eine Hofintrige handelte, sondern wiederum um eine breite Erhebung auf der Basis tiefgehender sozialer und wirtschaftlicher Ungerechtigkeit.

Fedor Alekseevič starb vier Tage nach der Übergabe der Strelitzen-Bittschrift vom 23. April. Damit nahmen die Ereignisse ihre entscheidende Wende, indem nämlich einerseits Forderungen der Strelitzen erfüllt, letztere aber gleichzeitig in Thronkämpfe hineingezogen und zu immer weitergehenden Forderungen angespornt wurden. Die Strelitzen gerieten damit bald unter den Einfluß der Cliquen; Mitte Mai wurde aus dem Aufruhr eine Verschwörung.

Zunächst verweigerte ein Strelitzen-Regiment vorübergehend den Eid auf den neuen Zaren Peter (s. Kap. 1). Aber auch die übrigen Strelitzen waren aufgebracht, weil die neue Regierung sofort den verhaßten Oberst Griboedov nach nur drei Tagen Haft aus dem Gefängnis entließ. Sie forderten in einer am 29. April durch eine Abordnung von 16 Regimentern und einem Soldaten-Regiment überreichten Bittschrift unter Drohungen die Herausgabe ihrer von neun Obersten einbehaltenen Gehälter und die Bezahlung ihrer Privatarbeiten für diese Offiziere. Peters Mutter Natal'ja gab allem nach: Sie ließ die beschuldigten Vorgesetzten, darunter wiederum Griboedov, am nächsten Tag ins Gefängnis werfen und danach auf weiteres Drängen sogar den Strelitzen übergeben.[1]) Beschwichtigungsversuche des Patriarchen blieben vergeblich. Die Strelitzen nahmen ihren Vorgesetzten bis zu 2000 Rubel ab. Griboedov konnte nicht zahlen und wurde geknutet. Offenbar nahmen auch andere Bevölkerungsteile diesen Erfolg zum Anlaß für Aktionen. Eine von einem Augenzeugen geschriebene Chronik weiß von Aufruhr und Mord im Volke zu berichten: „Ganze Regimenter von Dienstleuten, Strelitzen und Soldaten berieten sich untereinander, waren sich einig und sprachen: ‚Da die Bojaren den ganzen Staat beherrscht haben,…werden wir uns gegen sie erheben,

---

[1]) AAĖ, Bd. 4, Nr. 254. Im ganzen befanden sich 19 Strelitzen- und zwei Soldaten-Regimenter in Moskau, ca. 15 000 Mann.

denn die Bojaren tun, was sie wollen, während die Dienstleute es nicht nachprüfen können (!); dies weiter von den Bojaren zu erdulden ist ihnen unmöglich.'" Man habe sich ferner auf die Formulierung geeinigt, daß die Bojaren das Zartum verraten hätten und alle Dienstleute verachteten. Sie hätten nun den jüngeren Peter statt des älteren Ivan auf den Thron gehoben, um einen gefügigen Zaren zu haben. Diese höchst interessanten Mitteilungen der erst 1968 erstmals edierten Quelle [1]) bekräftigen noch mehr als Medvedevs Hinweise, daß an dem Aufstand keineswegs nur Strelitzen beteiligt waren, sondern auch andere Dienstleute sowie Soldaten der beiden ständig in der Hauptstadt stationierten und seit 1676 auch dem Strelitzenamt unterstellten Regimenter. Die Soldaten überreichten übrigens der Regierung ebenfalls eine Klage gegen M.O. Kravkov, einen ihrer Generäle. Dennoch scheint die Chronik die Gefahr hinsichtlich der Haltung der mittleren Dienstleute zu übertreiben, denn die Strelitzen hatten auf jeden Fall die Führung. Sie rangen der Regierung sogar weitere Konzessionen ab, z. B. die Verhängung der Acht über Jazykov und die Lichačevs, die Günstlinge des verstorbenen Zaren. Bereits damals wurde behauptet — und zwar von dem aus der Verbannung zurückgekehrten A.S. Matveev —, Sofija habe die Strelitzen aufgehetzt. B.I. Kurakin wiederholte diese Anschuldigung in seiner zwischen 1723 und 1727 verfaßten „Geschichte des Zaren Petr Alekseevič, 1682-1694" (Gistorija o carě Petrě Alekséevičě, 1682-1694).[2]) Beweisen läßt sich das nicht, vor allem nicht, daß sie das nachfolgende Blutvergießen wollte. Dagegen agitierten die anderen Miloslavskijs zweifellos mit Hilfe ihrer Anhänger Cykler und Tolstov in den Regimentern, und I.M. Miloslavskij plante vom Krankenbett aus eine regelrechte Verschwörung. Ein polnischer Autor bezeugte in seinem „Diariusz zaboystva tyranskiego senatorów moskiewskich w stolicu roku 1682, y o obraniu dwoch carów Ioanna y Piotra", daß Miloslavskij in I.A. Chovanskij ein williges Werkzeug fand.[3]) Durch seine ungestümen Angriffe auf die Günstlinge der Naryškins machte sich der berühmte Heerführer, der

---

[1]) Es handelt sich um die „Chronik von 1619 bis 1691" (Letopisec 1619-91 gg.), von der zwei Drittel den Ereignissen nach Fedors Tod gewidmet sind (PSRL, Bd. 31, S. 187 ff.). Zum Ablauf der Geschehnisse s. Solov'ev, Istorija, Buch 7, S. 266 ff.

[2]) Kurakin, Bd. 1, S. 44.

[3]) Pekarskij, S. 9. Eine zeitgenössische und übrigens fehlerhafte deutsche Übersetzung des „Diariusz" erschien 1686: „Kurtze und gründliche Relation, wie die vornehmste moscowitische Herren in der Stadt Moscow, anno 1682, jämmerlich seyn nieder gehauen und die beyden Printzen Iohannes und Petrus zu Zaren erwehlet worden" (vorh. im Berliner Zentralarchiv).

1650 und 1662 selbst die Aufstände niedergeschlagen hatte, bei den
Strelitzen beliebt, zu denen er bis dahin gar keine besondere Beziehung
gehabt hatte.[1]

Der Verschwörungscharakter ergibt sich auch daraus, daß mit dem
15. Mai ein festes Datum, nämlich der Todestag des in Uglič 1591 unter
ungeklärten Umständen verstorbenen Dmitrij Ivanovič, als Beginn des
Massakers festgelegt wurde. Ferner wurde eine Liste mit 46 Todeskandidaten aufgestellt. Im Gegensatz zu der Annahme des Memoirenschrei-
bers I.A. Željabužskij und einer Chronik (Mazurinskij letopisec), die
Strelitzen aller Regimenter hätten an dem Blutbad teilgenommen,[2]
war eines, nämlich das Sucharev-Regiment, als einziges nicht beteiligt.
Wenn man dem Chronisten aber den Hinweis glauben darf, daß unter den
Aufständischen, die am 15. Mai auf das Gerücht hin, Ivan sei von den
Naryškins umgebracht worden, bewaffnet und mit Fahnen und Trom-
meln ausgerüstet in den Kreml' stürmten, auch Dienstleute aus der
„Auswahl" gewesen seien, so wäre das wiederum ein Beweis für die Viel-
schichtigkeit des Aufstandes. Offiziere, so betont die Chronik, hätten
sich aber nicht unter ihnen befunden. Alle hätten Peter für zu jung zum
Regieren gehalten und die Gefahr einer Bereicherung der Bojaren gesehen. Bekanntlich wurde der lebende Ivan Alekseevič den Aufständischen gezeigt, was sie jedoch nicht davon abhielt, an diesem Tag und den
folgenden beiden Tagen ihre Mordpläne auszuführen.[3] Daß man gerade
G.G. Romodanovskij zu ihnen geschickt hatte, um sie zu beschwichtigen,
war eine taktische Unvorsichtigkeit: Der berühmte Feldherr war seit
den Čigirinschen Feldzügen (1677-1681) bei den Strelitzen höchst unbe-
liebt, weil er die Schikanen der Obersten gedeckt hatte. Bezeichnend
für die blinde Wut der Palaststürmer ist, daß der dänische Botschafter
Butenant von Rosenbusch für den Arzt des verstorbenen Zaren gehalten
wurde und nur um Haaresbreite dem Tode entging, der dann den richtigen Doktor Gaden ereilte. Rosenbusch schickte übrigens am 19. Mai
seine offizielle Relation der Ereignisse nach Dänemark, die einen weiteren
wertvollen Augenzeugenbericht darstellt. [4] Nicht alle Feinde der Milo-

---

[1] Bogojavlenskij, Chovanščina, S. 188.

[2] Željabužskij, S. 1; PSRL, Bd. 31, S. 174. Der letzte Teil der Chronik besteht
aus einem von Tichomirov gesondert veröffentlichten Stück, das er als Aufzeichnung
eines Beamten identifiziert hat (Tichomirov, Zapiski, S. 449 ff.).

[3] Ermordet wurden u.a. A.S. Matveev, der von 1654 bis 1674 selber Strelitzen-
hauptmann gewesen und gerade erst aus der Verbannung zurückgekehrt war, G.G.
Romodanovskij, M. Ju. u. Ju. A. Dolgorukov, L. Ivanov, L.I. Vasilij, F.P. Saltykov,
A.K. u. I.K. Naryškin, A.S. Dochturov, I.M. Jazykov u. A. Stepanov.

[4] Pekarskij, S. 12; Medvedev, S. XXVII.

slavskijs wurden durch die Strelitzen getötet. Als die Aufständischen am 18. Mai unbewaffnet in den Kreml' kamen, redete Sofija lange auf sie ein und erreichte, daß viele Bojaren nur verbannt wurden.[1]) Fünf Tage später kam die Forderung der Strelitzen unter Chovanskijs Führung nach einer Doppelherrschaft von Ivan und Peter Sofijas Wünschen sogar direkt entgegen: Am 26. Mai vollzog eine fiktive Reichsversammlung (s. Kap. 4) diese Inthronisation. Am 29. Mai, als der Aufstand einen ganzen und die Verschwörung einen halben Monat alt waren, erklärte sich Sofija zur Regentin; sie hatte mehr und mehr den Gang der Ereignisse bestimmt und die Strelitzen in die Defensive gedrängt, obwohl deren finanzielle Forderungen noch befriedigt werden mußten: Jeder erhielt im ganzen 26 Rubel — eine Ausgabe von 390 000 Rubeln für die Regierung.[2])

Die Isolierung der Strelitzen zeigte sich sehr bald. Daß sie keine Unterstützung in anderen Bevölkerungsgruppen bekamen, ist um so erstaunlicher, als sie nach dem Blutbad wieder zu allgemeineren Forderungen fanden, die Verschwörung sozusagen wieder in einen Aufstand zurückverwandelten. Als Erklärung dafür bietet sich nur an, daß sich die Strelitzen gründlich diskreditiert hatten. Sofija konnte sie bereits gegen eine Gruppe von Bojarenknechten ausspielen, die ebenfalls am 26. Mai um ihre Befreiung gebeten hatten. Dabei hatten die Strelitzen, um Rückhalt in dieser sozialen Schicht zu finden, vorher das Gerichts- und das Knechtsamt zerstört und die Bindungsurkunden (kreposti) der Knechte vernichtet. Den meisten Knechten war das jedoch gar nicht recht, da sie sich freiwillig in die vorteilhafte Abhängigkeit von einem Herrn begeben hatten. Diejenigen, die nun ihre Freiheit wollten, wurden auf Befehl der Regierung geknutet — von Strelitzen. Kein Wunder, daß die Aufständischen unsicher wurden ob der Haltung der neuen Machthaber. Am 6. Juni verlangten sie unter Führung von A. Judin von Sofija eine Anerkennung der edlen Ziele ihres Aufstandes. Dies sollte schriftlich und durch Aufstellung einer Säule auf den Roten Platz geschehen, um die sie auch im Namen der Großkaufleute und der Bewohner der „schwarzen” „Vorstädte” baten.[3]) Damit gaben sie wieder ihr Bestreben zu erkennen, eine Verbindung zu sozialen Gruppen außerhalb des Dienstes her-

---

[1]) Nämlich K.P., K.F., G.F., I.I., M.K., L.K., M.F. u. V.F. Naryškin, S.I. u. I.A. Jazykov, S.B. Lovčikov, A.T. u. M.T. Lichačev, M. Prokof'ev, P.A. Lopuchin, G. u. F. Bogdanov, D. Poljanskoj, F. Kuzmiščev, M.F. Karandeev, A.A. Matveev u. V.B. Buchvostov.

[2]) Bogojavlenskij, Chovanščina, S. 205.

[3]) AAÈ, Bd. 4, Nr. 255, I; Buganov, Moskovskie vosstanija, S. 236 ff.

zustellen. Doch eine solche Verbindung bestand ganz offensichtlich nicht. Vergeblich spekulierten sie auf eine Geistesverwandtschaft mit den Großkaufleuten im Schisma, und auch unter den niederen Stadtbewohnern bestand die einzige Aktion lediglich in der Verjagung anwesender Reicher bei der Ältestenwahl in einer Vorstadt. Die Steuerzahler konnten schon deswegen nicht gut auf die Strelitzen zu sprechen sein, weil deren Forderungen eine große finanzielle Belastung bedeuteten und weil die Strelitzen auch Freiheit von den ihnen noch verbliebenen Wahldiensten (Beauftragte für die Einsammlung, Bewachung und Ausgabe des Strelitzen-Getreides) verlangten. Die Städter reichten denn auch eine Bittschrift ein, in der sie darauf hinwiesen, daß ihnen dafür die Leute fehlten.[1])

Die Strelitzen erhielten tatsächlich ihre Säule, auf der dem Volk erklärt wurde, warum so viele berühmte Männer sterben mußten. Sie wurden außerdem auf ihren Wunsch in „Hofinfanterie" (nadvornaja pechota) umbenannt, weil sie ihre inzwischen anrüchige alte Bezeichnung vergessen machen wollten, und bekamen ein zarisches Schreiben, in dem die Zaren nicht nur die Untaten der Ermordeten aufzählten, sondern der Öffentlichkeit auch verboten, die Strelitzen Verräter zu nennen.[2]) Aus diesem Verbot darf man wohl darauf schließen, daß die Strelitzen im Volk als solche bezeichnet wurden. Andere Forderungen der Aufständischen, dargelegt in der genannten Bittschrift vom 6. Juni, die ihr politisches Programm enthielt, blieben bezeichnenderweise ohne Folgen, obwohl die Regierung noch am gleichen Tage alles versprach. Sie verlangten die Abstellung von Mängeln im Amts- und Militärwesen, die Verbesserung ihrer Lebensbedingungen, die Entlassung der „schlechten" Beamten. Auf kosakische Vorbilder gingen wohl die geforderten Selbstverwaltungsorgane namens „Kreise" (krugi) zurück, denen gewählte Vertreter der Strelitzen verantwortlich sein sollten. Diese Funktionäre sollten die Wünsche der Strelitzen „ihrem Zaren" vortragen, der auf sie zu hören hatte.

Dieses überhebliche Programm, bei dessen Verwirklichung die Strelitzen nicht nur zur führenden sozialen Gruppe im Staat geworden wären,

---

[1]) Von allen übrigen Diensten und den Steuern waren die Strelitzen neben denKosaken und den Dragonern im Gegensatz zu anderen ausnahmsweise Gewerbe treibenden Dienstleuten schon im Uloženie (Kap. XIX, § 11) befreit worden (PRP, Bd. 6, S. 309). Vgl. auch Bogojavlenskij, Chovanščina, S. 200.

[2]) AAĖ, Bd. 4, Nr. 255, II. Der dänische Botschafter schickte von diesem Schreiben am 18. Juni eine deutsche Übersetzung nach Hause (Ščerbačev, Datskij archiv, S. 275 ff.).

sondern auch die eigentliche politische Macht ausgeübt hätten, zeigt im Grunde nur die tiefe Erniedrigung, in der sich die ehemalige Elitetruppe vor 1682 befunden hatte und aus der heraus sie nun in letzter Verzweiflung die Ergebnisse des Aufstandes zu retten versuchte. Wäre die Verschwörung nicht vorangegangen, hätten die gegen die Korruption gerichteten Punkte sicherlich bei der übrigen Bevölkerung Anklang gefunden. So aber blieb ein positives Echo auf die Außenseiter, die Altgläubigen, beschränkt, für die Chovanskij nach Avvakums gerade erfolgter Verbrennung eine Führerfigur wurde, ohne daß er vorher engere Beziehungen zu ihnen gehabt hätte. Für die Strelitzen wiederum, die sich inzwischen, durch Gerüchte aufgeputscht, wahllos der Tötung Unschuldiger hingaben, wäre eine Unterstützung durch die Altgläubigen die letzte Chance zur Rettung des Aufstandes gewesen. Chovanskij, der anläßlich der Krönung der beiden Zaren am 25. Juni zum Bojaren erhoben worden war, erzwang deshalb am 5. Juli eine öffentliche Debatte im Facetten-Palast über die Religion, wobei ihm Sofijas Interesse an dieser Frage zugute kam. Außer ihr, den beiden Zaren und dem Patriarchen waren u.a. noch acht Metropoliten, fünf Erzbischöfe und zwei Bischöfe anwesend, während Chovanskij von dem Mönch Nikita Pustosvjatov und einigen Strelitzen unterstützt wurde. In einer Rede, die von Solov'ev als Erpressung und von O'Brien als glänzend charakterisiert wurde,[1]) argumentierte Sofija, daß ja auch ihr und der Zaren Vater Häretiker gewesen sein müßte, wenn Nikon es war. Noch mehr erschreckte die Strelitzen aber wohl, daß Sofija ganz konkret mit dem Wegzug der Zaren aus Moskau drohte, denn der Hof, der täglich jeweils zwei Regimenter verpflegte, war für viele Strelitzen die einzige Nahrungsquelle gewesen. Mit diesen beiden Argumenten wurde Chovanskij geschlagen, und die Behauptung ist vielleicht nicht übertrieben, daß Sofija an diesem 5. Juli 1682 nicht nur der offiziellen Kirche, sondern vor allem auch der Dynastie einen Dienst erwies, denn Chovanskij, der Nachkomme Gedymins, hatte anscheinend Ambitionen auf den Thron. Auf jeden Fall war der Einfluß des neuen Leiters des Strelitzenamtes nunmehr merklich erschüttert und bei Miloslavskij endgültig erloschen. Der Mönch Nikita wurde hingerichtet. Damit war eigentlich auch der ganze Aufstand endgültig gescheitert. Die Distanzierung der Regierung von den Strelitzen wurde noch sichtbarer, als die Duma am 16. August einen Antrag auf finanzielle

---

[1]) Solov'ev, Istorija, Buch 7, S. 276 ff.; O'Brien, Russia under Two Tsars, S. 23 ff.

Unterstützung in Höhe von 25 Rubeln pro Person für solche Strelitzen — mehr als 4000 —, die aus Hofdörfern stammten, ablehnte.[1]

Schließlich begab sich der Hof am 20. August tatsächlich nach Kolomenskoe; der hohe Adel und einige reiche Leute folgten. Damit haftete an den Strelitzen das Odium, die Regierung vertrieben zu haben. Eine gewählte Abordnung aller Regimenter erklärte deshalb am 23. August in der zarischen Sommerresidenz, man habe keine bösen Absichten, worauf Sofija klug antwortete, die Abreise habe nichts zu bedeuten. Freilich, zu den Neujahrsfeierlichkeiten am 1. September hätten die Zaren unbedingt im Kreml' sein müssen. Statt dessen reiste der Hof weiter auf andere Dörfer. Am 2. September wurde ein wahrscheinlich von den Miloslavskijs produzierter Brief „eines Strelitzen und zweier Kleinbürger" bekannt, der in der deutschen Übersetzung des neuen dänischen Botschafters Hildebrandt von Horn erhalten ist: Chovanskij wolle seinen Sohn mit einer Zarentochter verheiraten, selbst Zar werden, und beide, Vater und Sohn, hätten die Ermordung der Zaren, Sofijas, Natal'jas, des Patriarchen und vieler anderer geplant.[2] So unglaublich diese Anhäufung von Todeskandidaten auch war, nach dem vorangegangenen Massaker durfte sie beim Volk durchaus auf Glauben stoßen und damit ihren Zweck erfüllen, Chovanskijs anscheinend bevorstehende Machtübernahme zu verhindern. Während die Strelitzen nach den Worten einer Chronik „den ganzen Moskauer Staat (!) beherrschten und machten, was sie wollten",[3] fühlte sich Chovanskij ohne Zweifel in die Enge getrieben. Er sah sich nun der vereinigten Front von Hof und Moskauer Adel gegenüber, mit dem Sofija am 17. September in Vozdviženskoe konferierte. Dabei wurde die Hinrichtung beider Chovanskijs wegen Hochverrats beschlossen. Beiden wurde eigenmächtiges Handeln, zum Teil entgegen zarischen Befehlen, vorgeworfen, ferner die erwähnten beabsichtigten Morde sowie die geplante Usurpation, finanzielle Verschwendung und Korruption, Kompetenzüberschreitung und Mißachtung des Uloženie, Überheblichkeit, Diffamierung der Strelitzen (!), Einlaß aller möglichen Leute in den Kreml' und schließlich der beabsichtigte Aufruf zum Aufruhr im ganzen Land (!) in Verbindung mit einer Machtübernahme durch die Altgläubigen. Das Todesurteil wurde auf Betreiben Miloslavskijs sofort vollstreckt, ohne daß die mit einem ge-

---

[1] Buganov, Moskovskie vosstanija, S. 261 f.

[2] Ščerbačev, Datskij archiv, S. 276 f.; Solov'ev, Istorija, Buch 7, S. 292 ff.; O,Brien, Russia unter Two Tsars, S. 33 ff.

[3] PSRL, Bd. 31, S. 177.

fälschten Brief aus Moskau herausgelockten Angeklagten Gelegenheit zu einem Prozeß oder auch nur zur Rechtfertigung bekommen hätten. Gleichzeitig sprach Sofija geschickt den überraschten Strelitzen das Vertrauen aus.[1])

Während sich Hof und Regierung inzwischen im befestigten Troice-Sergiev-Kloster befanden, konnte ein zweiter Sohn Chovanskijs die Strelitzen mit der Nachricht, die Hinrichtung sei ohne zarischen Befehl erfolgt und die Bojaren nähmen jetzt Rache, noch einmal zur Besetzung des Kreml' und der Stadttore anstacheln. Doch schon am 19. September baten sie unter Vermittlung des Patriarchen die Regierung um Verzeihung. Eine Delegation von 20 Mann pro Regiment wurde am 24. von Sofija empfangen und erhielt einen strengen Verweis. Die ängstlichen Strelitzen erklärten sich unterwürfig zu allen Diensten bereit und wollten in Zukunft ohne Murren sogar wieder nach Kiev gehen.[2]) Die Regentin ließ dies und anderes (zum Beispiel das Verbot der Selbstverwaltung und selbständiger Entscheidungen) in elf Artikeln festhalten, die am 8. Oktober vom Patriarchen in der Entschlafungs-Kathedrale verlesen und von den anwesenden Strelitzen beschworen wurden. Ende des Monats folgte die schwerste Demütigung: Die Strelitzen mußten sich vom 15. Mai lossagen und ihre Säule auf dem Roten Platz abreißen. Gleichzeitig wurden sie mit der Ausgabe der Jahresgehälter ohne Abzüge und Verzug sowie mit anderen Zahlungen geschickt getröstet. Als die Regierung am 6. November endlich nach Moskau zurückkehrte, stellte sie auch die Bezeichnung „Strelitzen" wieder her.[3]) Adelsregimenter übernahmen jedoch von nun an die Kreml'-Wache, womit rein praktisch die Voraussetzungen für die Palastrevolutionen des 18. Jahrhunderts geschaffen waren.

Die „smuta" des Jahres 1682 beschäftigte die Regierung noch eine ganze Zeit nach der offiziellen Verzeihung. Sofija reagierte unverhältnismäßig nervös, als einige Strelitzen des Bochin-Regiments am 26. Dez. 1682 beim neuen Leiter des Strelitzen-Amtes, F.L. Šaklovityj, gegen die Versetzung einiger Kameraden in ein anderes Regiment protestierten. Nach Festnahmen und weiteren Protesten wurden fünf Leute hingerichtet. Den übrigen Angehörigen des Regiments wurde Anfang 1683 verziehen.[4]) Aus Angst vor neuen Unruhen wurde die Rückkehr der von den Strelit-

---

[1]) SGGD, Bd. 4, Nr. 155; PSZ, Bd. 2, Nr. 954.

[2]) AAÈ, Bd. 4, Nr. 261.

[3]) PSZ, Bd. 2, Nr. 963. Die 11 Punkte s. in: AAÈ, Bd. 4, Nr. 266. Vgl. auch ebenda, Nr. 263 ff., 267 u. 270 f.

[4]) Ebenda, Nr. 273 f.

zen befreiten Knechte erst am 13. Febr. 1683 befohlen.[1]) Vor allem aber mußte sich die Regierung noch um Folgeerscheinungen des Aufstandes in der Provinz sorgen. Die Erhebung hatte selbst keine innere Verbindung mit irgendwelchen anderen Aufständen im Reich gehabt, obwohl sie natürlich überall bekannt wurde. Nur bei den Don-Kosaken, die unter Ivan Terskij weiterhin rebellierten, tauchte vorübergehend der Gedanke an eine Verbindung mit den Moskauer Strelitzen auf.[2]) Die Zaporoger Kosaken wurden am 16. Juni 1682 von ihrem Hetman Ivan Samojlovyč davor gewarnt, den lügenhaften Gerüchten aus Moskau zu glauben, „in der hochrühmlichen Herrschaft unseres Monarchen, Sr. Zarischen Erlauchtigsten Majestät, gebe es keine Ordnung, und die Voevoden marschierten aus den ukrainischen und anderen Städten auf Moskau..." Er befahl jedermann, auf seinem Platz zu bleiben. Es sei weiter nichts geschehen, als daß nach dem Tode Fedor Alekseevičs einige bedeutende Bojaren „aus gewissen Gründen" mit dem Tode bestraft worden seien; den kleineren Leuten aber sei kein „gieriges Unrecht" (žadnaja krivda) geschehen.[3]) Es scheint also, daß bei den Kosaken am ehesten die Bereitschaft bestand, den ihnen sozial ähnlich gestellten Strelitzen zu helfen oder zumindest die Situation für gleichartige Aktionen auszunutzen. Wenn die Sowjethistoriographie seit Čerepnin im Jahre 1938 in diesem Zusammenhang die ohnehin laufend stattfindenden kleineren Bauernerhebungen des Südens (1682 zum Beispiel im Kreis Belgorod) heranzieht, so muß man darin eine gewisse Irreführung sehen.[4]) Nachweisen läßt sich eine Verbindung nur für die 600 Bauern des Dorfes Il'inskoe im Kreis Jaroslavl', die dem Moskauer Simonov-Kloster unterstanden und im Juli 1682 einen Vertreter zu Chovanskij schickten, um gegen die Höhe des Zinses zu protestieren. Tatsächlich halfen die Strelitzen und bedrohten deswegen den Archimandriten des Klosters. Nach Chovanskijs Sturz wurden im Januar 1683 ebenfalls Strelitzen zur Befrie-

---

[1]) Die Regierung erklärte die Freibriefe für ungültig, wenn sie gegen den Willen der Herren zustande gekommen waren. Als Strafe war die Knute vorgesehen, und wer nicht mehr zu seinem früheren Herrn zurückgehen wollte, mußte nach Sibirien (PSZ, Bd. 2, Nr. 992).

[2]) Solov'ev, Istorija, Buch 7, S. 300 ff. Nachdem die niederen Dienstleute der Stadt Dobryj in Moskau gegen ihren Voevoden geklagt hatten, erzählten die Überbringer der Bittschrift zu Hause vom Aufstand. — Die sowjetischen Historiker erwähnen auch diese nichtssagende Episode im vorliegenden Zusammenhang (Očerki istorii SSSR, XVII v., S. 335 f.).

[3]) AZR, Nr. 137.

[4]) Čerepnin, Klassovaja bor'ba, u. ders., Predislovie, S. 20.

dung des Dorfes eingesetzt.[1]) Man wird die Unterstützung durch Chovanskij wohl als einen weiteren Versuch der Aufständischen ansehen
müssen, Rückhalt in anderen Schichten der Bevölkerung zu gewinnen.
Daß dies bei den Stadtleuten nicht und bei den Knechten nur gering-
fügig gelang, wurde bereits oben ausgeführt. Bei den Bauern war offenbar
nach dem Razinschen Aufstand die Zeit für eine neue größere Erhebung
noch nicht reif.[2])

Dagegen mußte sich die Regierung n a c h dem Aufstand mit einem
ganz anderen Echo in der Provinz beschäftigen. Am 31. Dez. 1682
teilte sie dem Dienstlistenamt mit, daß die wegen des Aufstandes verbannten Strelitzen und „Leute anderer Gruppen" in den verschiedenen
Städten weiterhin ungebührliche Reden führten. Die Voevoden sollten
angewiesen werden — und das Dienstlistenamt tat dies Anfang Januar
1683 —, solche Leute dem Strelitzenamt zu melden. Auch Versammlungen der Verbannten nach Art der Kosakenselbstverwaltungsorgane
seien verboten. Kein Strelitze solle die obersten Beamten belästigen,
sondern bei irgendwelchen Anliegen eine Bittschrift in höflichem Ton
und nur in seinen eigenen Angelegenheiten einreichen. Das gleiche gelte
auch für die in Moskau befindlichen Strelitzen. Für Verstöße gegen diese
Regeln wurde die Todesstrafe angedroht und, wie der oben erwähnte
Vorfall vom 26. Dez. 1682 zeigt, auch ausgeführt.[3]) Die gleiche Sanktion
enthielt ein ebenfalls an das Dienstlistenamt gesandtes Memoire des
Strelitzenamtes vom 21. Mai 1683, in dem strengste Maßnahmen und
bei kleineren Vergehen die Knute für jeden gefordert wurde, der sich
im Volk löblich über den vergangenen Aufstand äußerte. Schließlich
übergab Šaklovityj der Regierung am 30. Dez. 1683 eine Denkschrift,
in der er die Entfernung einiger Strelitzen, besonders der Astrachaner,
aus Moskau befürwortete, weil ein neuer Aufstand zu befürchten sei.[4])
Was die Strelitzen noch vermochten, zeigten sie in Perejaslavl', wo sie
widerrechtlich die Voevodenverwaltung selbst in die Hand nahmen.[5])

---

[1]) Očerki istorii SSSR, XVII v., S. 334.

[2]) Dem scheint eine Mitteilung des polnischen Nuntius zu widersprechen. Er
schrieb am 30. Sept. 1682 über den Aufstand der „soldatesca, che chiamasi de' Stril-
lizzi, et è la guardia del corpo de' Czari" nach Rom, daß „un gran numero de' villani
se gl'era unito con animo di sottrarsi in tal forma dalla dura servitù, alla quale sono
soggetti…" (Theiner, S. 237). Sehr wahrscheinlich wurden hier aus der Perspektive
des Nachbarlandes die Bauern mit den Knechten verwechselt.

[3]) PSZ, Bd. 2, Nr. 978; SGGD, Bd. 4, Nr. 158.

[4]) Solov'ev, Istorija, Buch 7, S. 302; PSZ, Bd. 2, Nr. 1014; SGGD Bd. 4, Nr. 160.

[5]) Solov'ev, a.a.O., S. 300.

„Das waren die Strelizen! abscheuliche und mit höllischen Gifte erfüllte Ungeheuer." Mit diesen Worten schloß A.P. Sumarokov im Jahre 1768 seine Darstellung des Strelitzen-Aufstandes.[1]) Daran ist in gewissem Sinne richtig, daß die Strelitzen aus den genannten Gründen auf die Stufe eines moralisch zweifelhaften Gesindels gesunken waren. Doch gerade deswegen muß ihr Aufstand, der sowohl im Verhalten der Rebellen als auch der Regierung einen Modellfall in „Aufstandspsychologie" darstellt, natürlich anders bewertet werden, als er von der propetrinischen Geschichtsschreibung eingeschätzt wurde. Sofija war der Aufstand recht, solange er gegen die Naryškins gerichtet war und ihre eigenen Ambitionen förderte. Nach der Inthronisierung Ivans V. distanzierte sie sich aber mehr und mehr von den Strelitzen, indem sie die Führer von ihnen trennte. Angst und Vorsicht leiteten sie nur, solange sie in Moskau war; außerhalb der Hauptstadt war sie sich der Unterstützung der mittleren und höheren Dienstleute gewiß. Die Haltung der Aufständischen erscheint als Mischung aus Verzweiflung und schlechtem Gewissen. Die Verzweiflung mündete in blinde Wut gegen die Vorgesetzten und die von den Miloslavskijs verteufelten Bojaren, aber auch gegen Ausländer. Das schlechte Gewissen resultierte zweifellos aus dem Status der Strelitzen als Dienstleute, die ihren Eid gebrochen hatten, und zeigte sich in dem Wunsch nach Sanktionierung ihrer Taten durch die Regierung mittels einer Gedenksäule. Auch die Versuche, den Aufstand auf eine breitere soziale Basis zu stellen, Rückhalt bei den nicht dienenden Schichten zu gewinnen, waren wohl ein Ausfluß dieses Gefühls. Diese Bestrebungen scheiterten jedoch im großen und ganzen, abgesehen von einigen sympathisierenden Altgläubigen. Lediglich andere Dienstleute, nicht nur niedere, waren in der ersten Phase der Unruhen beteiligt, bevor das Blutbad im Kreml' geschah. Erst danach handelte es sich um einen Strelitzen-Aufstand im engeren Sinne, aber an diesem 15. Mai ging der Aufstand in eine Verschwörung über. Man müßte also eigentlich einen Dienstleute-Aufstand und eine Strelitzen-Verschwörung unterscheiden, wobei die Strelitzen auch bei dem ursprünglichen Aufstand die treibende Kraft waren. Die Unruhen der Dienstleute stellten gewissermaßen das Äquivalent zu dem vorwiegend von Steuerzahlern getragenen „Kupfergeld"-Aufstand von 1662 dar. Vielleicht hätte sich ihre Erhebung ausgeweitet, wenn die Miloslavskijs sie nicht zu einer Verschwörung mißbraucht hätten. Chovanskij wollte offenbar diese Ausweitung nachholen, falls an seinem Aufruf an das „ganze Land" etwas Wahres ist. Wenn ein

---

[1]) Sumarokov, S. 87.

solcher Aufruf nicht bevorstand, ist seine Erfindung bezeichnend für die Befürchtung der Regierung, in der sie sich hinterher durch die Agitation der verbannten Strelitzen in der Provinz bestätigt sehen konnte. Ebenso aufschlußreich ist, daß den Strelitzen Selbstverwaltungsorgane und Kollektivbittschriften, beide Ausdruck „gesellschaftlicher" Aktivität, verboten wurden. Das politisch zu verstehende Verlangen der Strelitzen nach Selbstverwaltung und Abschaffung der Korruption in ihrem Programm vom 6. Juni hob die Rebellion wieder über den Verschwörungscharakter hinaus und rechtfertigt u.a. ihre Behandlung im Rahmen des vorliegenden Themas.

Die auf den vorangegangenen Seiten oft herausgestellte bewußte oder zufällige Solidarität von Dienst- und Stadtleuten fand allerdings 1682 nicht statt. Auch die sowjetischen Historiker müssen zugeben, daß die Stadtleute nicht beteiligt waren. Dennoch sehen sie in dem Aufstand einen Fortschritt im Hinblick auf eine Verschärfung der Klassengegensätze.[1] Dies ist nur schwer nachvollziehbar, denn bei den früheren Aufständen waren die Gegensätze zwischen arm und reich viel schärfer zum Ausdruck gekommen, während weder 1682 noch in den folgenden Jahren ein großer Ausbruch erfolgte. Keine „Revolution des ganzen Volkes" fand statt, wie es Štrauch einst in den 20er Jahren und neuerdings ähnlich auch Buganov behaupteten.[2] Gegenüber dem letztgenannten Autor konnte allerdings Pavlenko glaubhaft machen, daß die Moskauer Strelitzen 1682 weder mehr oder weniger zum „Kleinbürgertum" gehörten noch überhaupt von den Steuerzahlern unterstützt wurden. Ferner hob er deutlich hervor, daß erst der Wille Sofijas und der Miloslavskijs den Unruhen einen politischen Charakter gegeben habe, während vorher nur quasi persönliche Belange vertreten worden seien.[3] Dieser Meinung ist zuzustimmen, sofern sie die Eigenständigkeit der Forderungen der allerdings durch Sofija provozierten Strelitzen gelten läßt. Dagegen erscheint Pavlenkos Zurückweisung einer Rolle aller a n d e r e n Dienstleute in der Anfangsphase des Aufstandes genauso einseitig wie Buganovs Rehabilitierungsversuch der Regentin und ihrer Verwandten, der die unhaltbare Behauptung einschließt, der Aufstand sei von Anfang an politisch gewesen.

Nicht ganz unwesentlich erscheint die Tatsache, daß die Strelitzen zwar einerseits als Werkzeug benutzt wurden, aber andererseits auch

[1] Sacharov, Buch 7, S. 678.
[2] Buganov, Moskovskie vosstanija, SS. 362 u. 414 ff.; Štrauch, S. 9.
[3] Pavlenko, Ob ocenke, S. 77 ff.

der Regierung ihren Willen aufzwangen. Nicht ganz so lange wie 1648, aber doch eine Zeitlang befand sich Moskau praktisch in ihrer Hand. „Status hujus civitatis et totius patriae miserrimus est, post tot magnates a feroci plebe tam subitanee et misere trucidatos," meldete ein polnischer Agent am 30. Mai 1682 dem König.[1]) Um so höher ist Sofijas staatsmännische Leistung zu bewerten, durch die scheinbare Flucht des Hofes aus der Hauptstadt den Sieg herbeizuführen, der sich übrigens endgültig in einem Gesetz vom 5. April 1685 manifestierte, als jedermann (außer Landstreichern) vom Erscheinen vor Gericht entbunden wurde, wenn Strelitzen gegen ihn, wie es üblich geworden war, anonym klagten.[2]) Um die Strelitzen abzulenken, setzte die Regierung sie geschickt in den Krim-Feldzügen ein. Sie hielten sich natürlich auch zunächst einmal aus der Politik heraus: Als Šaklovityj 1687 zur Unterstützung von Sofijas Thronansprüchen das Gerücht verbreiten ließ, Natal'ja Naryškina plane einen Aufstand, fanden sich nur fünf Strelitzen zur Verschwörung bereit, und die andere Seite, also Peter, wollten auch nur acht unterstützen.[3]) Erst 1689 ergriffen sie, von Hofintrigen noch mehr als sieben Jahre zuvor hin- und hergerissen, Peters Partei, ohne am Kampf selbst aktiv beteiligt zu sein.[4])

Die vier in diesem Kapitel behandelten städtischen Aufstände stellen nur einen Ausschnitt aus der „aufrührerischen Zeit" des 17. Jahrhunderts dar. Nimmt man die Kosaken- und Bauernerhebungen hinzu, war aus zeitgenössischer Sicht die Prognose wohl nicht ganz aus der Luft gegriffen, zu der der Kroate Juraj Križanić Mitte der 60er Jahre kam.[5]) Aber die Reformen, die er forderte, fanden nicht die Billigung der Moskauer Zaren. Sie wurden auf andere Weise mit der Bedrohung fertig: durch Niederschlagung der Aufstände und teilweise durch Ablenkung (zum Beispiel 1648 über die Reichsversammlung), durch Unterbindung „gesellschaftlicher" Aktivitäten, nämlich der Reichsversammlungen nach 1653 und im Falle der Strelitzen schließlich auch der Kollektivbittschriften, durch vermehrte Mitarbeit der Zemlja an der staatlichen Verwaltung und schließlich auch durch Konzessionen, wie sie das Uloženie und andere Gesetze darstellen. Auf diese Weise wurde erreicht, daß die Bevölkerung keineswegs ständig unzufrieden war.

---

[1]) Theiner, S. 239.

[2]) PSZ, Bd. 2, Nr. 1118.

[3]) Vgl. darüber und überhaupt über Šaklovityj seine Prozeßakten: Šaklovityj, bes. Bd. 3 u. 4.

[4]) Solov'ev, Istorija, Buch 7, S. 453 ff.

[5]) S. das Motto dieses Buches (Križanič, S. 238).

In der Sowjetunion, wo die Stadtaufstände nicht nur besonders intensiv erforscht, sondern auch in ihren Auswirkungen gröblich überschätzt wurden, scheint die gegenteilige Annahme eine stillschweigende Voraussetzung zu sein. Die Aufstände werden ausnahmslos unter dem Gesichtspunkt des Klassenkampfes behandelt, wobei dessen Existenz als sicher angenommen wird. Dies war in der marxistischen Geschichtsschreibung nicht immer so. S.V. Bachrušins 1917 erschienener Aufsatz „Der Moskauer Aufruhr (mjatež) von 1648" wurde von den Herausgebern seiner Arbeiten 1954 posthum in „Moskauer Aufstand (vosstanie)" umgetauft, wobei ihm vorgeworfen wurde, den Klassenkampf nicht genügend berücksichtigt zu haben.[1] Man darf allerdings annehmen, daß das neue Wort, das der historiographischen Ära nach Pokrovskij eher entsprach, durchaus im Sinne Bachrušins war. Denn als dieser 1948 aus dem Nachlaß P.P. Smirnovs dessen zweiten Band von „Die Stadtleute und ihr Klassenkampf bis zur Mitte des 17. Jahrhunderts" herausgab, bemängelte er seinerseits, daß der Autor wegen Krankheit angeblich den antifeudalen Charakter des Aufstandes, d.h. den Kampf der unteren Klassen gegen die Ausbeuter, nicht mehr vollständig habe darstellen können.[2] Nun fanden Aufstände ohne Zweifel statt. Die Frage ist nur: gegen wen in erster Linie, gegen die herrschenden „Klassen" oder gegen die Verwaltung und die „Beamten"? Im Verständnis der Sowjethistoriographie kam beides zusammen, weil die Regierung mit gewissen Klassen paktierte, aber die ökonomisch-soziale überwiegt immer die politische Motivierung. Für die hier nicht untersuchten Bauernaufstände mag das durchaus stimmen. In den städtischen Aufständen wurde jedoch — selbstverständlich aus wirtschaftlicher Not — zuvörderst gegen die Verwaltung, gegen ihre Korruption und ihren „Verrat", gegen die Berater des Zaren usw. protestiert. Es ist wohl in diesem Kapitel deutlich geworden, daß die Ausschreitungen gegen die „Reichen" immer nur ein Nebenprodukt der Erhebungen waren, denn Klassenk o n f l i k t e hat es tatsächlich immer gegeben. Der Protest gegen die „Regierung" darf auch nicht als Protest gegen das System mißverstanden werden. „Revolutionen" mit Ziel einer Änderung der Autokratie fanden ebenfalls nicht statt, obwohl auch dieses Wort in der Literatur gelegentlich aufgetaucht ist.[3] Nicht die poli-

---

[1] Vgl. die Anmerkung der Herausgeber Ustjugov und Čerepnin in: Bachrušin, S. 46 f.

[2] Smirnov, Posadskie ljudi, Bd. 2, S. 736.

[3] Vgl. Anmerkung 2 auf S. 265. Auch Bachrušin sprach in dem genannten Aufsatz (s. Anmerkung 1) ursprünglich von einer Revolution (Bachrušin, S. 47, auch Anmerkung 3).

tische Struktur sollte geändert werden, sondern die Aufständischen wollten die Gesetzgebung personell und materiell beeinflussen. Die vorstehenden Ausführungen sollten u.a. nachweisen, daß ihnen das auch gelungen ist.

Andererseits erklären sich viele restriktive Maßnahmen der Moskauer Regierungen natürlich auch aus der Reaktion auf die Aufstände, und zwar nicht zuletzt aus der oft erwähnten Angst vor einer Solidarisierung von Dienst- und Stadtleuten heraus. Man darf freilich nicht die Entstehung des russischen Absolutismus überhaupt nur als Reaktion auf die Aufstände sehen, wie dies gelegentlich in der Sowjetunion geschieht.[1] Dieses Fehlurteil gehört zu den vielen Problemen, die sich für die sowjetischen Historiker in jüngster Zeit daraus ergeben, daß die Erforschung des russischen Absolutismus bisher weitgehend vernachlässigt wurde. Erst jetzt ist man sich der auf diesem Gebiet noch zu bewältigenden Aufgaben bewußt geworden. Dazu soll im folgenden Kapitel u.a. Stellung genommen werden.

---

[1] Indova/Preobraženskij/Tichonov, SS. 50 u. 82 ff.

KAPITEL 6

ZUR FRAGE DES VORPETRINISCHEN ABSOLUTISMUS

Die Kapitel 2 bis 5 dieser Arbeit sollten die vielfältigen Aktivitäten der in der Themenstellung definierten russischen „Gesellschaft" des 17. Jahrhunderts nachweisen, deren Wurzeln bis zu den Reformen Ivans IV. zurückreichen. Überblickt man den ganzen beschriebenen Bereich, so läßt sich eine interessante zeitliche Abfolge erkennen: Als die lokale Selbstverwaltung des 16. Jahrhunderts seit der Smuta durch die Voevodenverwaltung eingeschränkt wurde, kamen die Reichsräte und -versammlungen auf; die fortschreitende Einengung ihrer Tätigkeit hatte das Entstehen der Kollektivbittschriften mit politischem Inhalt in den 20er Jahren zur Folge; deren Vernachlässigung durch die Regierung in der Jahrhundertmitte, führte zum ersten städtischen Aufstand im Jahre 1648. Natürlich gab es Überschneidungen, aber im großen und ganzen darf wohl gesagt werden, daß nach der Jahrhundertmitte die Zemlja-Verwaltung „verstaatlicht", die Kollektivbittschriften unpolitisch und die Versammlungen auf Zusammenkünfte einer einzigen sozialen Gruppe beschränkt waren. In dieser Beschränkung, die auf die Angst der Regierung vor einer vereinigten Front von Dienst- und Steuerleuten zurückzuführen ist, machte sich die Bevölkerung durch gelegentliche Aufstände Luft. Um einen Überblick über die Fülle der Kollektivbittschriften und der Versammlungen zu geben, seien sie hier noch einmal chronologisch und synoptisch zusammengefaßt, wobei zu berücksichtigen ist, daß die Liste der Bittschriften nur die bedeutendsten umfaßt (s. Kap. 3). Die Tätigkeit der gewählten Lokalverwaltung kann in dieser Aufzählung überhaupt nicht erfaßt werden.

KOLLEKTIVBITTSCHRIFT DER	JAHR	VERSAMMLUNG
	1613 ⎫	
	1614 ⎬	Reichsversammlung
	1615 ⎭	
	1616	Reichsversammlung
	1617	1. Kaufleute-Versammlung
		2. Versammlung ohne Dienstleute
	1618	1. Synode und Duma
		2. Reichsversammlung

KOLLEKTIVBITTSCHRIFT DER	JAHR	VERSAMMLUNG
	1619	1. Reichsversammlung oder ad-hoc-Versammlung
		2. Reichsversammlung
		3. Reichsversammlung
Stadtleute	1620	? 1. Reichsversammlung (?)
		2. Kaufleute-Versammlung
Stadtleute	1621	Reichsversammlung
1. Stadtleute	1627	
2. Kaufleute		
Stadtleute	1629	
	1632	Reichsversammlung
	1634	? Reichsversammlung
Kaufleute	1635	Kaufleute-Versammlung
	1636	Dienstleute-Versammlung
1. Dienstleute	1637	1. Reichsversammlung
2. Kaufleute		2. Kaufleute-Versammlung
Kaufleute (zwei)	1639	Reichsversammlung
Dienstleute	1641	Dienstleute-Versammlung
	1642	Reichsversammlung
Dienstleute	1645	Akklamationsversammlung
Kaufleute	1646	
1. Stadtleute	1648	1. Versammlung ohne Provinzstadtleute
2. Kaufleute (zwei)		2. Kaufleute-Versammlung innerhalb der Kodifizierungskommission
3. Dienstleute (zwei)		
	1648/49	1. Kodifizierungskommission
		2. Reichsversammlung
		3. Teilung der Reichsversammlung
Kaufleute	1649	
	1650	Reichsversammlung
Stadtleute aus Vologda	1651	1. Reichsversammlung
		2. Geistlichkeit getrennt
Kaufleute	1652/53	
	1653	1. Versammlung ohne Stadtleute
		2. Reichsversammlung
		3. Kaufleute-Versammlung
Dienstleute	1657	
	1659	Kaufleute-Versammlung
	1660	Kaufleute- u. Stadtleute-Versammlung
	1662	Kaufleute- u. Stadtleute-Versammlung
Kaufleute	1667	Kaufleute- u. Stadtleute-Versammlung
	1672	Großkaufleute-Versammlung
	1674	Akklamationsversammlung
	1676	Großkaufleute-Versammlung
	1681/82	Versammlung der Moskauer Dienstleute

KOLLEKTIVBITTSCHRIFT DER	JAHR	VERSAMMLUNG
	1682	1. Versammlung der Stadtleute u. Hofbauern
		2. Dienstleute-Versammlung
		3. Akklamationsversammlung
		4. Akklamationsversammlung
Dienstleute (fünfzehn Petitionen)	1682 bis 1686	
	1684	1. Dienstleute-Versammlung
		2. Kaufleute-Versammlung

Bei aller Unzulänglichkeit und Unvollständigkeit zeigt diese Tabelle immerhin, daß sich die zweite Hälfte des 17. Jahrhunderts von der ersten durch eine geringere „gesellschaftliche" Aktivität unterscheidet. Worauf dies zurückzuführen ist — ob auf Passivität der Gesellschaft oder Einwirken des Staates —, muß nun untersucht werden. Dabei ist die Kardinalfrage die nach dem Aufkommen eines Absolutismus.

Zunächst ist die Frage zu stellen, ob sich die staatsbedingte Moskauer Gesellschaft qualitativ von der zeitgenössischen Ständegesellschaft des Westens unterschied. Die Mehrheit der heutigen Forscher, in der Hauptsache die marxistischen, leugnet einen solchen Unterschied in principe, wobei sie sich auf eine gewisse historiographische Tradition stützen kann. Die Front der Befürworter einer identischen Entwicklung in Ost und West, beginnend mit dem Feudalismus, geht bis ins 18. Jahrhundert auf G.F. Müller zurück.[1] Zu Beginn des 20. Jahrhunderts bestätigte N.P. Pavlov-Sil'vanskij 1907 diese These durch eine rein formale Gegenüberstellung von russischen und westlichen Institutionen, und auf die gleiche Weise gelangte er zur Kennzeichnung des 16. und 17. Jahrhunderts als „ständische Monarchie" (soslovnaja monarchija).[2] Welche Überzeugungskraft von dieser These ausging und ausgeht, zeigt sich zum Beispiel bei Stökl, der 1963 behauptete, in Rußland habe es von 1610 bis zur letzten Reichsversammlung von 1653 in Nacheiferung polnischer Verhältnisse Stände gegeben.[3] Die marxistischen Historiker stimmen mit Pavlov-Sil'vanskij in dieser Frage sogar vollständig überein:

[1] Er schrieb 1790: „Die Dienstgüter zeigen, daß die Feudalverfassung (feodal'noe pravlenie) in Rußland in alter Zeit nicht minder etabliert war wie in anderen Staaten, abgesehen von einigen Abänderungen..." (Müller, Izvěstie, S. 5).

[2] Pavlov-Sil'vanskij, Feodalizm, S. 145 ff.

[3] Stökl, Gab es im Moskauer Staat „Stände"?, bes. S. 340.

Für sie folgt die Identität der Entwicklungen schon aus der ökonomischen Gesetzmäßigkeit der Geschichte, die ja am Modell Westeuropas konzipiert wurde. Während sich nun aber in bezug auf die Feudalismus-These in der westlichen Geschichtsschreibung seit O. Hoetzsch der Standpunkt durchgesetzt hat, daß Rußland — bei gleichen Voraussetzungen, aber unterschiedlichen Ergebnissen — nicht das ausgebildete System des Westens, wohl aber einzelne feudalistische Elemente kannte,[1]) herrscht bezüglich der Stände noch weitgehende Verwirrung. Dabei legt doch gerade die westliche Verfassungsgeschichte den Schluß nahe, daß es nur dort korporative Stände geben konnte, wo ein Feudalismus vorangegangen war.

Zur Klärung des Phänomens und in concreto des altrussischen Wortes „čin", das gewöhnlich mit „Stand" übersetzt wird, kann man keine zeitgenössischen nichtrussischen Quellen heranziehen.[2]) Denn andere Länder nahmen selbstverständlich die Existenz von Ständen (bzw. von états, stany, status) im Moskauer Reich an; der bereits in anderem Zusammenhang (s. Kap. 4) zitierte Brief des Kaisers Matthias vom 29. März 1613 an die „Reüzsischen lande und stände" sei nur als Erinnerung daran genannt.[3]) Und ebenso selbstverständlich übertrugen die Moskauer Übersetzer die russische Terminologie analog in die Fremdsprachen. Zum Zwecke der Abgrenzung vermag vielleicht eher eine Unterscheidung der deutschen Verfassungsgeschichtler zu helfen. Danach gab es in Deutschland zum einen „Landstände", die sozusagen den politischen Oberbau der wirtschaftlichen und sozialen Ordnung bildeten und der Verfassung im engeren Sinne angehörten, und zum anderen „soziale" Stände, die freilich in den Quellen mehr oder weniger abstrakt bleiben.[4]) Während nämlich Prälaten, Adel und fürstliche Städte aus den Quellen des deutschen Mittelalters hervortreten, geschah die Einteilung jener anderen „Stände" durchaus unterschiedlich nach Berufen, nach Geburt, nach kirchlichen Kriterien usw., also nicht sozialpolitisch. Nur die Landstände kann man nach Hintze als Vorstufen der modernen Volksvertretung in der konstitutionellen Verfassung ansehen.[5])

Im Moskauer Rußland deckt das Wort „činy" schon rein quantitativ viel mehr als nur etwa Adel, Geistlichkeit und Stadtleute. Aber auch die „sozialen" Stände sind mit den činy nicht identisch, denn letztere bezeich-

---

[1]) Hoetzsch, Adel, S. 68 ff. Vgl. auch Blum, bes. S. 92.
[2]) So zum Beispiel Stökl, a.a.O., S. 325.
[3]) Bělokurov, Pamjatniki, S. 414.
[4]) Brunner, S. 400 ff.
[5]) Hintze, Weltgeschichtliche Bedingungen, S. 130 ff.

nen auch Ränge und treten immer in der gleichen festgelegten Reihen-
folge, einer Rangordnung gleich, auf: Patriarch, Metropoliten, Erzbi-
schöfe, Bischöfe, Archimandriten, Äbte, Bojaren, Bojaren minderen
Ranges, Dumaadlige, Dumasekretäre, Truchsesse, (Moskauer) Adlige,
Haushofmeister, Residenzadlige, Provinzadlige, Strelitzenhauptleute,
Amtsleute, Bojarenkinder, Großkaufleute, Handelsleute, Strelitzen,
Kosaken, Kanoniere und überhaupt „alle činy" (s. Kap. 4). Diese feste
Ordnung stellt ein buntes Gemisch aus erblichen Rängen und dienst-
lichen Ämtern, Berufen und sozialen Kategorien dar, ohne daß obendrein
zwischen Dienstleuten und Steuerzahlern oder Kriegern und Zemlja-
Leuten getrennt würde. Das einzige Ordnungsprinzip ist die Würde.
Ansonsten gilt das Bestreben, möglichst die gesamte Untertanenschaft zu
erfassen, denn solche Aufzählungen, die nicht immer in dieser Vollständigkeit vorkommen, endeten gewöhnlich mit der Floskel: „und alle
činy der Dienstleute und der Einwohner des Moskauer Staates". Unter-
halb der Großkaufleute kann man übrigens schwerlich noch eine Grada-
tion erkennen; auch im Strafrecht unterlagen alle diese unteren Gruppen,
ob Dienst- oder Steuerleute, laut Uloženie (Kap. X, § 31) bei aktiver
Beleidigung der gleichen Strafsumme.[1] Auch Stökls Übersetzung „Dienst-
ränge" ist nicht recht anwendbar,[2] da eine Laufbahn in diesem Konglo-
merat nicht für alle činy unterstellt werden kann. Die Bedeutung war
viel umfassender und unschärfer, so daß Alekseevs Vorschlag, činy mit
„Klassen" zu präzisieren, durchaus brauchbar wäre, wenn dieses Wort
nicht durch die marxistische Geschichtswissenschaft belastet wäre, wo
die „Klassen" ja auch eine autonome Größe bezeichnen, also ein Synonym
für die „Stände" der Neuzeit sind. Dem entspricht der sowjetische
Gebrauch der Kontraktion „Klassen-Stände" (klassy-soslovija) im
Anschluß an Engels.[3] Wenn man also činy übersetzen will, bleibt nur
der in dieser Arbeit beschrittene Ausweg der neutralen Bezeichnung
„Gruppe" oder „soziale Gruppe", einer zwar nichtssagenden, aber
auch nichts Falsches sagenden Interpretation. Etwas anderes ist natürlich die Übersetzung „Rang", wenn es sich eindeutig um Hof-, Militär-
oder Zivilränge handelt. Erst Peter der Große hat das vieldeutige altrussische Wort „čin" eindeutig festgelegt, und zwar auf die Bedeutung
„Amt", während er für „Rang" das Fremdwort „rang" einführte.[4] Für
„Stand" wurden im 18. Jahrhundert andere Bezeichnungen üblich.

---

[1] PRP, Bd. 6, S. 84.
[2] Stökl, Gab es im Moskauer Staat „Stände"?, S. 327.
[3] Alekseev, Zemskie sobory, S. 32; Očerki istorii SSSR, XVII v., S. 17.
[4] Torke, Das russische Beamtentum, S. 51 ff. Keep sieht keinen Unterschied zwi-

Wenn die altrussischen činy weder als Landstände noch im Grunde als „soziale" Stände gelten können, so ist damit noch nicht bewiesen, daß es nicht vielleicht dennoch etwas Entsprechendes gab, ohne daß sich eine eigene Bezeichnung dafür entwickelt hätte. Dabei wären im vorliegenden Zusammenhang natürlich nur die den Landständen analogen Gruppierungen von Bedeutung. Tatsächlich haben viele Historiker im Anschluß an Pavlov-Sil'vanskij auf Grund der äußerlichen Ähnlichkeiten von Landtagen oder Generalständen und Moskauer Reichsversammlungen auf ihr Vorhandensein geschlossen. Diese Ähnlichkeiten sind auf den ersten Blick bestechend; sie brauchen hier nicht alle wiederholt zu werden. Herausgegriffen sei nur, daß die Teilnahme an den Landtagen auch im Westen eine Pflicht darstellte, der man sich gern entzog, weil die Beschlüsse Belastung bedeuteten, sei es durch Steuern und Kriegsdienst („Steuer und Reise"), sei es durch die Verhängung eines Landfriedens, der den mit Kosten verbundenen Verzicht auf das Fehderecht einschloß. Auch im westeuropäischen Mittelalter existierte in der Regel kein Recht, vom Fürsten um Rat gefragt zu werden, und wenn die Stände durch Bitten und Beschwerden einmal weitergehende Rechte erlangten, lag ausnahmsweise ein Versagen des Landesherrn vor. O. Brunner hat mit diesen Erkenntnissen das im 19. Jahrhundert geprägte Schlagwort von der „Ständemacht" in die richtige Perspektive gerückt.[1]) D. Gerhard hat darüber hinaus darauf hingewiesen, daß in den meisten Ländern allein der Monarch die Gesetzgebung wahrnahm; nur in England und Schweden und dann in Polen und Ungarn waren die Versammlungen in der Mitte des 17. Jahrhunderts auf dem Wege zu legislativer Autorität. In vielen Staaten durften die Stände nicht einmal mehr über die Steuern verhandeln. Gerhard fordert in diesem Zusammenhang, der verwaltenden Tätigkeit der Landtage mehr Beachtung zu schenken, die bisher zugunsten der legislativen vernachlässigt worden sei.[2]) In diesem Punkt drängt sich dem Rußland-Historiker aber bereits die Erkenntnis von der Andersartigkeit der Moskauer Versammlungen auf, die nicht einmal „verwalteten". Vor allem aber gewährten die westlichen Ständeversammlungen dem Fürsten consilium et auxilium im Rahmen eines beide gemeinsam bindenden Rechts. Da der Fürst im Rahmen dieses Rechts handeln mußte, handelte er auch im Rahmen ihres Rates. Er wollte

---

schen dem Rang des 17. Jahrhunderts und dem Rang der Rangtabelle Peters des Großen (Keep, The Muscovite Élite, S. 216).

[1]) Brunner, S. 426 ff.

[2]) Gerhard, Assemblies, S. 297 ff.; ders., Ständische Vertretungen, S. 468 f.

durch die Einholung des Rates jeden potentiellen Einwand abschneiden. Dies ist ein schwerwiegender, grundsätzlicher Unterschied zwischen dem Moskauer Reich und den übrigen europäischen Ländern, dem sich mit dem Übergang zum Absolutismus ein weiterer anschloß: Als der absolutistische Fürst allein entscheiden wollte, was Rechtens sei, und als er dies zum Teil unter Bruch ständischer Rechte durchsetzte, wurde das „Land" zur „Landschaft", d.h. es bildeten sich Korporationen mit ebenfalls eigenem Recht. Aus diesem Dualismus zwischen Fürsten- und Landrecht ergab sich schließlich auch das durch die Lehre der Monarchomachen untermauerte Widerstandsrecht gegen die ungerechte Obrigkeit, und es entstand im weiteren Sinne die moderne Gesellschaft.

Im Moskauer Reich war dies alles nicht der Fall. Die Ratschläge der Reichsversammlungen, sofern man von beraten überhaupt sprechen kann (s. Kap. 4), waren für die Zaren nicht bindend. Daß während der Smuta 1610 ständische Forderungen vorgetragen wurden und die Gewalt eines ausländischen Thronkandidaten beschränkt werden sollte, blieb eine Episode polnisch-litauischen Einflusses, die bereits 1613 in der Wahl Michail Romanovs nicht mehr nachwirkte. Den Grund dafür muß man wohl letzten Endes im Fehlen von Provinzlandtagen sehen, wie sie zum Beispiel die polnischen (allerdings rein adligen) sejmiki darstellten, die sich in der zweiten Hälfte des 17. Jahrhunderts auch in Südwestrußland (Ruthenien) ausbreiteten.[1] Im Nordosten aber bestand ja nicht einmal eine innere Beziehung zwischen den Reichsversammlungen und der lokalen „Selbstverwaltung", wie es einst Bogoslovskij angenommen hatte.[2] Nur die Äußerlichkeit der als Pflicht empfundenen Wahlen war beiden gemeinsam. Beim Adel fehlte nicht nur ein Indigenatsbewußtsein, er akzeptierte es nicht einmal von zarischen Gnaden. Ein Versuch der Regierung, am 29. Juni 1639 den Übergang von Dienstgütern des Provinzadels in die Hände des Moskauer Adels, etwa durch Tausch, zu verbieten, um Land und Besitzer zusammenzuhalten, mußte am 13. Aug. 1648 während des Aufstandes rückgängig gemacht werden.[3] Man kann aus der politischen Konstellation schließen, daß dies zumindest nicht gegen den Willen des Provinzadels geschah. Daß die Dienstleute im Amt des Gerichtsbezirksältesten und einigen kleineren Ämtern tätig waren, bedeutet noch keine adlige Standesverwaltung. Wie schon Gradovskij richtig bemerkte, lag lediglich eine Verwaltung der Gemeinden vor.[4]

[1] Storoženko.
[2] Bogoslovskij, Zemskoe samoupravlenie, passim.
[3] PRP, Bd. 5, SS. 477 f. u. 520 f.
[4] Gradovskij, April, S. 89.

„So hing das ,ganze Land', als es im 17. Jahrhundert politisch aktiv in Erscheinung trat, gewissermaßen in der Luft, es fehlte die regionale Grundlage der einzelnen ,Länder'." [1]) Dieser Beobachtung Stökls muß man noch Hintzes Feststellung hinzufügen, daß auch die römische Kirche fehlte, die im „Abendland" durch bewußte Politik und hierokratische Verfassung die Entstehung ständischer Verfassungen begünstigte.[2]) Der russische S e l b s therrscher des Nordostens war schließlich von Anfang an viel stärker als die westlichen Monarchen. Zemlja und Armee gaben keinen bindenden Rat, bildeten keine Korporationen, kannten kein Widerstands r e c h t . Lokalverwaltung, Bittschriften und Moskauer Versammlungen blieben vom Staat geduldete Regierungshilfen der staatsbedingten Gesellschaft.

Im Rahmen der autokratischen Verfassung kann man dieser spezifischen Gesellschaft des 17. Jahrhunderts jedoch durchaus ein Eigenleben zubilligen, denn das „gosudarevo delo" schluckte das „zemskoe delo" keineswegs, wie einst Alekseev meinte.[3]) Die Regierung rechnete mit der Zemlja, fürchtete ihr Zusammengehen mit den Dienstleuten und mußte ihre Aufstände hinnehmen. Aber da der Adel dienstverpflichtet war und deshalb nur eine geringe Rolle in der Gesellschaft spielen konnte, hätte ihr eine Stärkung nur aus der Stadt erwachsen können. Ein Bürgertum, ein „dritter Stand", fehlte aber in Rußland bis weit ins 19. Jahrhundert hinein.[4]) Die Zemlja mußte im Absolutismus des 18. Jahrhunderts untergehen. Die Wiederbelebung der Provinzgesellschaft durch Katharina II. gelang nur mühsam und eigentlich nur beim Adel einigermaßen. Im 17. Jahrhundert entstand eine Adelsgesellschaft auch nicht einmal auf der Grundlage der allerdings enormen Dienstflucht, denn die dadurch gewonnene Muße für eventuelle eigenständige politische Arbeit war illegal und konnte schon deshalb nicht zur Ausbildung ständischer Positionen im Kräftespiel von Staat und Gesellschaft führen.

Nichtsdestoweniger hat die Forschung, wie gesagt, die Existenz von Ständen immer wieder zu beweisen versucht. Einer der ernst zu nehmenden Nachweise gründet auf der zuerst von Čičerin 1856 formulierten These, daß mit der Trennung der einzelnen sozialen Gruppen durch das Uloženie in der zweiten Hälfte des 17. Jahrhunderts Stände entstan-

---

[1]) Stökl, Gab es im Moskauer Staat „Stände"?, SS. 330 ff. u. 340 f.

[2]) Hintze, Weltgeschichtliche Bedingungen, S. 172 ff. Vgl. auch Hoetzsch, Staatenbildung, S. 25.

[3]) Alekseev, Zemskie sobory, S. 53.

[4]) Über die Bedeutung des Bürgertums für die Entstehung der modernen Gesellschaft vgl. in der Themenstellung dieser Arbeit.

den seien.[1]) Durch die Bindung von Bauern und Stadtleuten an ihren Wohnort hätten diese Gruppen Ständecharakter erhalten, weil Landwirtschaft einerseits und Handel und Gewerbe andererseits nun getrennt worden seien. Die Bauern hätten zudem für ihre Herren, die Städter für den Staat gearbeitet. Im Grunde verließ sich Čičerin damit auf die Hoffnung, daß aus Form Inhalt werden könne, aus der rein schematischen und nach steuerlichen Gesichtspunkten durchgeführten Trennung von Stadt und Land korporative Vereinigungen aus eigenem Recht. Er selbst sagte freilich auch, was im Grunde nur geschehen war: Die Bindung des Menschen an seinen Wohnsitz und an staatlich verordnete Verpflichtungen war nach 1649 wichtiger geworden als die Steuereinheit des Landes. Trotz dieser Ungereimtheiten schloß sich Ključevskij Čičerin an.[2]) Er folgerte aus dem Umstand, daß die gegenseitigen Beziehungen der verschiedenen sozialen Gruppen im Uloženie zum erstenmal bestimmt wurden (wobei der Adel mit mehr als der Hälfte aller Artikel die größte Aufmerksamkeit für sich in Anspruch nahm), und aus dem erklärten Bemühen der Regierung, die unbequemen Zwischenschichten wie die „Verpfändeten" oder die „Freien" abzuschaffen, ebenfalls auf den Beginn von Ständen. In neuerer Zeit versuchte Smirnov in seinem fundamentalen Werk über die Stadtleute vor der Jahrhundertmitte, das als die beste Monographie der sowjetischen Historiographie bezeichnet worden ist,[3]) zu beweisen, daß das Ju. A. Dolgorukij unterstehende Untersuchungsamt (prikaz sysknych del) zwischen 1648 und 1652 den Auftrag des 19. Kapitels des Uloženie erfüllte, die Städter als besonders privilegierten Stand zu fixieren. Tatsächlich mußten die „Verpfändeten" die verbotenen Freistätten verlassen, jedoch wiederum nur aus steuerlich-fiskalischen Notwendigkeiten. Ob mit der Trennung von Stadt und Land auch der Übergang vom Personalitäts- zum Territorialitätsprinzip im Recht einherging, kann hier nicht untersucht werden. Entscheidend für die Beurteilung ist, daß in der Praxis die Agrarwirtschaft in den Städten, abgesehen von Moskau, keineswegs zweitrangig wurde und daß andererseits Handel und Gewerbe nicht aus den Dörfern verbannt wurden, wo übrigens die Privatbauern ohnehin nur einen Teil der Bauernschaft bildeten.[4])

---

[1]) Čičerin, Oblastnyja učreždenija, SS. 562 f. u. 533.

[2]) Ključevskij, Kurs, Bd. 3, SS. 142 u. 157 ff.

[3]) Yaresh, S. 21; Smirnov, Posadskie ljudi, Bd. 2, S. 251 ff.

[4]) Die Gesamtzahl der männlichen Bauern im Moskauer Reich betrug nach den mühevollen Berechnungen Vodarskijs in der zweiten Hälfte des 17. Jahrhunderts rund 4 Millionen oder 90% der Gesamtbevölkerung. Davon waren 2 269 000 Leibeigene

In der Tat, so ernst wie einem Teil der Forschung war es den Moskauer Zaren keineswegs mit der juridischen Trennung von Stadt und Land. Das Uloženie verbot zum Beispiel den Handel von Nichtstädtern nur in der Stadt und ihrer Umgebung (Kap. XIX, § 9,) nicht aber auf entfernteren Dörfern. Smirnov übersah dies geflissentlich, als er stolz darauf hinwies, daß in dieser Beziehung die russische Entwicklung schneller als die westeuropäische gewesen sei, weil im Moskauer Reich die Städte als Ganzes ihr Handelsmonopol erreicht hätten, während dies im Westen immer nur einzelnen Zünften usw. gelungen sei.[1]) Darüber hinaus war der Zug von Bauern in die Stadt und von Städtern aufs Land in der Praxis gang und gäbe. Das 1649 erlassene Verbot des Zuzugs von Bauern in die Städte, dessen Übertretung gewöhnlich mit 10 Rubeln Strafe pro Jahr der Flucht, zu zahlen von der aufnehmenden Stadt, geahndet wurde, mußte in den 70er und 80er Jahren für bestimmte Kategorien von Bauern und um die Jahrhundertwende sogar völlig aufgehoben werden.[2]) Das bedeutet, daß der ursprünglich damit verbundene Schutz der Adelsinteressen mehr und mehr der Finanznot weichen mußte, denn die zuziehenden und einheiratenden Bauern wurden natürlich in die städtische Steuerpflicht aufgenommen. Umgekehrt hielt die Flucht aus den Steuergemeinden so sehr an, daß Aleksej Michajlovič am 8. Febr. 1658 dafür die Todesstrafe verhängte. Wie wenig aber solch eine Drohung ausrichtete, zeigt der Erlaß von 12. Sept. 1667, mit dem nun nicht mehr die Geflüchteten, sondern diejenigen bestraft wurden — und zwar mit dem Verlust ihrer Güter —, die die Flüchtlinge aufnahmen.[3]) Die Maßnahmen der Regierung gegen diese Neuauflage des „Verpfändetenwesens" blieben

---

weltlicher Besitzer, 686 000 in geistlichem Besitz, 405 000 Hofbauern, 338 000 „schwarze" Bauern und 200 000 jasak zahlende Eingeborene Sibiriens (Vodarskij, Čislennost' naselenija, S. 227).

[1]) Smirnov, a.a.O., S. 723; PRP, Bd. 6, S. 308.

[2]) PRP, Bd. 7, S. 291 ff. Vgl. auch das Gesetz vom 24. Dez. 1685 (PSZ, Bd. 2, Nr. 1147). Auch in der Kollektivbittschrift der Dienstleute von 1657 (s.u.) wurde die Landflucht beklagt (Storožev, Dva čelobit'ja, S. 9). Auch aus dem unverhältnismäßig schnellen Wachstum der Städte in der zweiten Hälfte des 17. Jahrhunderts kann man auf den Zuzug von Bauern schließen: Die Zahl der männlichen Stadtleute erhöhte sich von 83 000 (1646) über 108 000 (1652) auf 134 000 (1678). Sie machten im letztgenannten Jahr 3% der Gesamtbevölkerung aus (Vodarskij, Čislennost' i razmeščenie, S. 278; ders., Čislennost' naselenija, S. 227). Wie hoch die Wachstumsrate der Städter war, zeigt die Tatsache, daß die absolut ebenfalls steigende Zahl der Dienstleute (s. Anmerkung 1 auf S. 281) zwischen 1652 und 1678, gemessen an der gesamten Stadtbevölkerung, von 56% auf 45% sank.

[3]) AAĖ, Bd. 4, Nr. 101 (Zirkular vom 25. Febr. 1658) u. 158.

keineswegs nur wegen der großen Entfernungen so wirkungslos. Ihnen liegt auch ein unentschlossenes Schwanken zwischen den eigenen fiskalischen Interessen und den Interessen des hohen Adels zugrunde, der auf die „Verpfändeten" nicht verzichten wollte und, wie etwa die Klage der Stadt Luch (bei Šuja) vom 20. Juli 1651 zeigt,[1]) die Stadtleute aus Rache für das Uloženie schikanierte.

Dieser Dualismus von Steuer und Dienst äußerte sich auch beim nach 1649 durchaus anhaltenden Läuflingsproblem. Wenn die Bauern nicht in die Städte gingen, sondern in den Süden flohen, lautete das Problem für die Regierung nur etwas anders: Landesverteidigung und Adelsinteresse. Die Fluchtbewegung nahm besonders mit Beginn des Krieges von 1654 zu, wie der Zar in einem Brief vom 25. April 1655 selbst zugab; er befahl zehn Läuflinge exemplarisch zu hängen.[2]) Später war die Regierung allerdings nicht mehr so streng, denn die bei den Kosaken aufgenommenen Bauern halfen die Grenze schützen, und die Rücksichtnahme auf die mittleren Dienstleute ließ angesichts der sinkenden Bedeutung des Aufgebots nach.[3]) So wurde für die Bauern, die an der Südgrenze (zasečnaja čerta) kleine Dienstleute geworden waren, der Stichtag der Rückkehr laufend vorgeschoben: Am 5. März 1653 fiel er noch auf den Tag des Erlasses des Uloženie, 1656 aber schon auf jenes Jahr 1653, 1683 auf 1675, 1684 (auch für die in den Städten ansässig gewordenen Bauern [!]) auf das gleiche Jahr 1684. Zwar wurde gleichzeitig die Läuflingssuche auch auf Westsibirien ausgedehnt, aber von diesem Jahr an bis 1698 wurde die Bestrafung der Bauern viermal suspendiert und aufgehoben.[4]) Praktisch erließ die Regierung in ihrem eigenen Interesse also wieder Fristjahre, während die Aufnahme von Läuflingen durch P r i v a t l e u t e weiterhin bestraft wurde, z.B. im Gesetz vom 13. Sept. 1661, mit dem als Strafe die Abgabe einer gewissen Zahl der eigenen Bauern (naddatočnye) verhängt wurde.[5])

Die geschilderte schwankende Sozialpolitik in der zweiten Hälfte

---

[1]) Starinnye akty, Nr. 77.

[2]) Zapiski, S. 733; Solov'ev, Istorija, Buch 5, S. 643.

[3]) Hellie behauptet sogar, die Regierung hätte auch die Leibeigenschaft aufheben können, habe dies aber nur deswegen nicht getan, weil man mit ihr leben gelernt habe (Hellie, Enserfment, S. 250 f.).

[4]) Novosel'skij, Pobegi. Vgl. auch Čerepnin, Predislovie, Vypusk sed'moj, S. 11 ff. Immerhin konnten Zehntausende zurückgeholt werden: 1664/65 allein im Kreis Tambov über 3200, in Rjazan' von 1663 bis 1667 rund 8000 (Očerki istorii SSSR, XVII v., S. 280).

[5]) PSZ, Bd. 1, Nr. 307.

des 17. Jahrhunderts paßt nicht in das Konzept der staatlichen Verordnung von Ständen, vor allem nicht innerhalb der Zwangsjacke der marxistischen Betrachtungsweise. Bei Čerepnin selbst und anderen, am Schluß dieses Kapitels zu nennenden Historikern kann man immer wieder die Klage finden, daß die Entstehung einer Bourgeoisie durch die Leibeigenschaft behindert wurde und die Regierungspolitik aus lauter Rücksichtnahme nicht einheitlich war. Selbst die am ehesten als zukünftige Bourgeoisie zu bezeichnenden Gruppen der Großkaufleute und Kaufmannshundertschaften hätten den Charakter von Feudalherren gehabt, weil sie wie der Adel Pflichtdienst hätten leisten müssen und als Großkaufleute sogar Erbgüter besessen hätten.[1]) Dem ist noch hinzuzufügen, daß keineswegs nur Großkaufleute Erb- und bis 1666 Dienstgüter (!) mit Bauern besitzen durften, wie es ihnen seit 1573 immer wieder bestätigt worden war, sondern bis 1651 durften dies in praxi auch einfache Stadtleute. Den Einwohnern von Ustjug Velikij wurde dies am 18. Juni 1652 sogar weiterhin gestattet, sofern sie — im Unterschied zu den Dienstleuten — auch noch ihre Steuern zahlten.[2]) Von dieser Ausnahme aber einmal abgesehen, kann wohl grundsätzlich festgehalten werden, daß sich ein städtisches Eigenleben seit dem Uloženie außerordentlich langsam und höchstens in ganz geringem Umfang entwickelte. Auch die Hundertschaften stellten keine Keimzellen ständischen Denkens und Handelns dar, denn sie existierten nur zum Zwecke der Organisation der Wahldienste und der Steuereintreibung. Die eine Initiative, die die Städter von sich aus zeigten, ihr Drängen auf eine Abgrenzung der Stadt und eine Bindung ihrer Einwohner, entsprang einzig fiskalisch-administrativen Forderungen und wurde nicht einmal konsequent verwirklicht. Demgegenüber wollten die Bauern ihre Bindung noch weniger von sich aus, und auch ihnen wurden Wege eröffnet, sie zu umgehen. Wenn also das Bemühen, „Stände" zu schaffen, vorhanden war, so scheiterte es an der politischen Wirklichkeit. Aber selbst gegenüber diesem Bemühen gilt der prinzipielle Einwand, der auch auf die späteren Bemühungen Peters des Großen und Katharinas II. anwendbar ist, daß Stände nicht geschaffen werden können, schon gar nicht durch Zwangsbindung; sie müssen frei wachsen.

---

[1]) Čerepnin, a.a.O., S. 12 ff. Der „Pflichtdienst" der Großkaufleute war keineswegs mit demjenigen des Adels identisch, sondern entsprach dem Wahldienst der Zemlja (s. Kap. 2). Welche Privilegien ein Großkaufmann hatte, kann man aus einer Verleihungsurkunde Fedor Alekseevičs ersehen (Novikov, S. 1 ff.).

[2]) PSZ, Bd. 1, Nr. 79; PRP, Bd. 7, SS. 45 u. 136 f. Zur Frage der Abgrenzung von Stadt und Land s. auch Gradovskij, Juni, S. 631 ff.

Das gilt auch für den Adel, dessen freie Entfaltung durch die Zwangs-
dienstordnung verhindert wurde. Zudem war auch der Besitz von Gütern
— wie allgemein die Einteilung der Bevölkerung — für die Moskauer
Regierung in erster Linie eine fiskalische Frage. Nur weil dem Staat die
Steuern verlorengegangen wären, war den Steuerzahlern der Übergang
in die Gruppe der Dienstleute verwehrt. Zunächst war der Adel sogar
grundsätzlich nach unten offen: der dritte Sohn eines Steuerzahlers
durfte laut Uloženie (Kap. XIX, § 27) immerhin zu den Strelitzen gehen.
Allerdings entfernten sich die Strelitzen und die anderen kleinen Dienstleute „nach Ernennung" im 17. Jahrhundert sozial von den mittleren
Dienstleuten, den Provinzadligen. Sie durften zwar Land besitzen, meist
aber ohne Bauern, mußten es deshalb selbst bearbeiten und zahlten wie
die Bauern eine Abgabe (obrok). Das heißt, sie näherten sich den Steuerzahlern, und 1675 wurde ihnen wie den Bauern, Knechten und Stadtleuten konsequenterweise verboten, in diejenige Gruppe der mittleren
Dienstleute aufzusteigen, die ihnen am nächsten stand: die Bojarenkinder.[1]) Dies geschah — um es zu wiederholen — aus rein fiskalischen
Gründen und nicht, weil der Provinzadel eine geschlossene Gruppe
werden wollte, wie sowjetische Historiker ohne Beleg behaupten.[2])
Dieser Zustand dauerte zudem nur bis 1722, als die Rangtabelle den
Adel wieder allen Schichten öffnete. Auch die Forderungen der mittleren
Dienstleute nach Landvermessung und Rückkehr der Läuflinge können
beim besten Willen nicht als Verlangen nach korporativen Rechten anerkannt werden. Die Zaren kamen ihnen nach, weil die Autokratie wirtschaftlich und politisch — nicht mehr militärisch — auf diese Schicht
angewiesen blieb. Nachdem die Regierung u.a. durch Unterbindung der
Reichsversammlungen ein Zusammengehen von Dienstleuten und Steuerzahlern verhindert hatte, vereinte sie sich mit den *Dienstleuten* in gemein-
samer Furcht vor den Volksaufständen, an denen nur vereinzelt mittlere
Adlige beteiligt waren. Sie wurden zu *Staatsdienern*, die der Zemlja
so fern standen, wie einst vor der Smuta. Nur das Problem der Läuflinge
und der säumigen Landvermessung stand gelegentlich zwischen Adel
und Regierung.

42 Adlige baten Aleksej Michajlovič in der bereits im 3. Kapitel

---

1) Istorija, Bd. 3, S. 115; PRP, Bd. 6, S. 312. Die Zahl der männlichen Dienstleute
stieg von 126 000 (1646) über 139 000 (1652) auf 149 000 (1678). Zusammen mit anderen steuerfreien Gruppen (Geistlichkeit, niedere Dienstleute, Einhöfer) machten
sie 1678 311 000 oder 7% der Gesamtbevölkerung aus (Vodarskij, Čislennost' i razmeščenie, S. 279; ders., Čislennost' naselenija, S. 227).
2) Zum Beispiel Čerepnin, Predislovie, Vypusk sed'moj, S. 11.

zitierten Kollektivbittschrift 1657 um eine Bestätigung der im Uloženie
fixierten Leibeigenschaft in einem besonderen Leibeigenschaftsstatut,
„damit in deinem Herrschaftsbereich alle Gottesmänner und Herrscher-
leute, jeder der vier großen Stände — der geistliche, der dienstliche,
der kommerzielle und der agrarische — in deinem zu erlassenden Statut
und zarischen Befehl fest und unverrückbar stehen und der eine nicht
vom anderen irgendwie Unrecht erleidet und sich alle Leute gemäß dem
göttlichen Gebot von ihrer eigenen Arbeit ernähren".[1]) Dies ist, soweit
ersichtlich, die erste Stelle in den erhaltenen Quellen zur russischen
Geschichte, die die Wiedergabe des Ausdrucks „činy" mit dem Wort
„Stände" erlaubt. Damit ist nicht gesagt, daß es die Stände auch gab,
aber sie existierten in der Vorstellungswelt dieser Petenten, die vielleicht
an der polnischen Wirklichkeit orientiert war. Die Unterzeichner der
Bittschrift stellten sich nämlich als Teilnehmer des gerade beendeten
Feldzuges gegen Polen und des gerade begonnenen Krieges gegen Schwe-
den vor. Fünf Jahre später gebrauchten die von der Regierung über die
Teuerung befragten Moskauer Großkaufleute (s. Kap. 4) eine ähnliche
Ausdrucksweise.[2]) Dieses westliche Schema war freilich noch längst
nicht Allgemeingut. Noch in der ersten Hälfte der 80er Jahre charakterisierte Sil'vestr Medvedev die russische Sozialordnung folgendermaßen:
Jeder Mensch solle auf dem Platz (zvanie) bleiben, auf den er berufen sei:
der Bojar für die Herrscherangelegenheiten, der Voevode für Heer und
Verwaltung, der Krieger für das Heer allein, der Untertan für den Acker-
bau.[3]) Die Stadt- und Kaufleute vergaß Medvedev vielleicht nicht ohne
Grund zu erwähnen, die Kategorien der westlichen Landstände waren
ihm nicht geläufig. Den Adel aber unterteilte er in mehrere Gruppen, entgegen der Tendenz zur Nivellierung, die auch in der Abschaffung der
Rangplatzordnung zum Ausdruck gekommen war. Tatsächlich wehrten
sich die Bojaren gegen die „Verkleinadeligung" (odvorjanenie) mit ihrem
Statthalterschaftsprojekt von 1681, dessen Verwirklichung vielleicht das
für eine ständische Entwicklung unumgängliche regionalistische Bewußtsein schneller hätte aufkommen lassen.[4]) Die Abgrenzung des Hochadels

---

[1]) Storožev, Dva čelobit'ja, S. 14 f.

[2]) Sie sprachen vom „geistlichen, militärischen und richterlichen Stand" (duchov-
nago i voinskago činu i sudebnago), die angeblich alle unrechtmäßig Handel trieben
(Zercalov, O mjatežach, S. 262 f.). Dies entspricht zwar nicht den westlichen Landständen, es handelte sich aber um zusammenfassende, überordnende Kategorien.

[3]) Medvedev, S. 18 f.

[4]) Auch Keep hat neuerdings für das Ende des 17. Jahrhunderts einen Anflug von
„Pluralismus" im hohen Adel (im Sinne einer Abkehr vom autokratischen Zentrum)
festgestellt, bis Peter solchen Bestrebungen den Garaus gemacht habe (Keep, The

von der mittleren Dienstschicht, die von Peter bald danach šljachetstvo
(vom polnischen Wort „szlachta") genannt wurde, zog sich deshalb
jedoch das ganze 18. Jahrhundert über hin und war im 19. Jahrhundert
noch schwach genug. Im 17. Jahrhundert jedenfalls war die ständische
Kraft des Kleinadels so minimal, daß nicht einmal der Gedanke an
Grundgesetze aufkam, und statt Regionalismus herrschte die Konzentration auf Herrscher und Hauptstadt, die nur eine Verödung der russischen Provinz erlaubte. Voevodenverwaltung und Zemlja stellten nur
schwache russische Varianten der Postulate dar, die die liberale juristische
Schule, etwa Gradovskij, an den Begriff „Provinz" anlegte: eine verant-
wortliche Regierungsinstanz und ein hierarchisch aufgebauter gesellschaftlicher Organismus.[1])

Es kann also festgehalten werden: Die altrussischen činy entsprechen
nicht den westlichen Landständen des deutschen Mittelalters. Im Moskauer Reich gab es keine Landstände mit Provinzialversammlungen
und keinen den Herrscher bindenden Rat der Reichsversammlungen.
Weder von der Smuta bis zum Untergang dieser Reichsversammlungen
noch erst seit dem Uloženie existierten solche Landstände. Eine „Bereini-
gung" und Bindung der sozialen Gruppen nahm der Staat nur aus
fiskalischen Gründen vor, wobei sich gegen Ende des 17. Jahrhunderts
nur der Adel relativ geschlossen präsentierte und das Bojarentum sogar
Ansätze zu ständischem Bewußtsein zeigte. Es ist hinzuzufügen, daß die
Geistlichkeit schon immer eine geschlossene und sich bis 1869 nur aus
sich selbst rekrutierende Gruppe bildete, allerdings auch keinen Land-
stand, denn sie übte infolge der traditionell weltabgewandten Natur
der orthodoxen Kirche und ihrer geschichtsgleichgültigen Frömmigkeit
keinen politischen Einfluß aus. Sie muß daher ebenso außerhalb einer
Diskussion möglicher Stände bleiben wie das Bauerntum, das zweifellos,
anders als Adel und Städter, von seiner Selbstverwaltung her eine Korpo-
ration hätte werden können, wäre ihm nicht die Freiheit genommen
worden.

An diese Feststellungen knüpfen sich nun einige Fragen nach der
Natur der russischen Herrschaftsverfassung. Kann die Periode der
Reichsversammlungen als die einer „ständisch-repräsentativen Monar-

---

Muscovite Élite, S. 204). Er spricht zwar vom letzten D r i t t e l des Jahrhunderts und
beschäftigt sich auch mit Strelitzen und Provinzadligen, kann aber sein Anliegen nur
für die Bojarengruppe um Golicyn nach 1681 belegen, d.h. hauptsächlich für das
Rangprojekt.

[1]) Für Gradovskij gab es demnach vor dem 18. Jahrhundert in Rußland überhaupt
keine „Provinz" (Gradovskij, Juli, S. 72).

chie" bezeichnet werden, wie dies in der sowjetischen Forschung geschieht? Was veranlaßt in diesem Zusammenhang die sowjetischen Historiker zur Annahme einer ständischen Entwicklung? Wie unterscheidet sich die Periode der Reichsversammlungen von der Epoche des Absolutismus? Wann beginnt der Absolutismus in Rußland? Welche Rolle spielt die Zemlja dabei? Einschränkend muß darauf hingewiesen werden, daß die Auseinandersetzung mit den Ständen nur e i n Schwerpunkt der vielfältigen Erscheinungsformen des Absolutismus war und daß es auch wirtschaftliche und außenpolitische Aspekte gab, die hier nicht ausführlich berücksichtigt werden können.

Betrachtet man die Regierungsweise der ersten Romanovs, ihre „milden" Charaktere und — mit Ausnahme Filarets — ihre Beherrschung durch Günstlinge, ihre Finanzknappheit, ihre Bedrohung durch falsche Prätendenten und Aufstände, so drängt sich der Eindruck auf, daß die Zaren im 17. Jahrhundert weniger unumstrittene „Autokraten" als vielmehr Verteidiger ihrer Herrschaft waren. Zu dieser Überzeugung kamen auch einige Zeitgenossen, zum Beispiel Olearius: „Daß aber die jetzigen Großfürsten, als wol vormahls der Tyranne, die Unterthanen und dero Güter so Gewaltthatsamer weise anfallen solte, wie wol ers Macht hat, ist nicht... Jetzund ist das Regiment und Civilwesen der Russen etwas besser bestelt, auch werden die Gerichte und Gerechtigkeit in anderer Form, als vorher, beobachtet."[1] Verglichen mit Ivan IV., erschienen die Rcmanov-Zaren also viel gemäßigter, aber das bedeutet natürlich nicht, daß das Moskauer Reich ein Rechtsstaat oder auch nur ein Gesetzesstaat gewesen wäre. Dazu wäre eine gewisse Unterordnung des Herrschers unter das Gesetz nötig gewesen. Aber als mit dem Uloženie auch im Bereich der staatlichen Ordnung das Gewohnheitsrecht kodifiziert wurde, und das unter Heranziehung des Litauischen Statuts als Hauptquelle, wurden gerade diejenigen Artikel dieses Statuts, die die herrscherliche Gewalt einschränkten, nicht übernommen. Das Uloženie war im „Staatsrecht" wie überhaupt auf allen Rechtsgebieten ein Denkmal der alten Zeit. Obwohl zum Beispiel der strafrechtliche Schutz des Herrschers zum erstenmal formuliert wurde (s. Kap, 1), galten doch die Sanktionen in der Praxis schon seit langem. Den Anteil der Zemlja wie auch den des Heeres an der Herrschaftsverfassung, etwa die Reichsversammlungen, ignorierte das Gesetzbuch völlig. Alekseev,

---

[1] Olearius, SS. 221 u. 263. Ähnlich äußerte Kotošichin, Michail Fedorovič habe nicht ohne Bojarenrat regieren können (Kotošichin, S. 128). Vgl. ferner Neubauer, S. 23.

der in einer Monographie der Idee der Gesetzlichkeit im Moskauer Rußland nachspürte, konnte für das 17. Jahrhundert auch in bezug auf die elementarste Form von Gesetzlichkeit, die Beachtung der Gesetze, nur eine Fehlanzeige liefern. Die Gründe dafür sah er in der Unreife des noch im Patrimonialgedanken befangenen Staates und im Primat der Außenpolitik, vor dem die innere Entwicklung habe zurücktreten müssen, weil das Reich von außen bedroht gewesen sei.[1]) Man muß hinzufügen, daß in dieser Beziehung nicht nur kein Fortschritt, sondern sogar ein Rückschritt zu verzeichnen ist: Der Staat verbot 1649 den Freien, von selbst auf ihre Freiheit zu verzichten und sich zu „verpfänden". Er selbst beanspruchte das Eigentum an allen seinen Untertanen und schützte sie, wie Ključevskij es ausgedrückt hat, nicht in ihrer Eigenschaft als Bürger, sondern nur als Soldaten und Steuerzahler.[2]) Wie am Verhalten der Zemlja gezeigt werden konnte (Kap. 2), waren es die Untertanen auch zufrieden, solange die Regierung für Sicherheit und Wohlstand sorgte. Nur wenn diese beiden Elemente (bezopasnost' und blagodenstvie) bedroht waren, wurden Bittschriften eingereicht oder gar Aufstände ausgelöst. Durch Bittschriften und die Notwendigkeiten der Zentralgewalt wurde auch die Gesetzgebung des Staates hervorgerufen, die noch keineswegs den ganzen Staatsorganismus umfaßte.[3]) Ganz anders als im 18. Jahrhundert, berührte der Staat überhaupt nur ganz wenige Bereiche seiner Untertanen: für die Verteidigung durch den Dienst, für den Unterhalt des Heeres durch die Steuern, für die innere Ordnung durch das Gericht.

Es konnte also weder von einer Tyrannei noch von einem Gesetzesstaat die Rede sein. Im Vergleich mit der Zeit Ivans IV. erschien die Regierung der ersten Romanovs milde; aber etwa im Vergleich mit Litauen, in dem einst die gleichen Voraussetzungen wie in Moskau geherrscht hatten, konnte das Moskauer Régime nicht so bezeichnet werden. Wo keine Stände den Herrscher beschränkten und kein Mittelstand den faktischen Widerstand einer modernen Gesellschaft gebar, herrschte die immerwährende Autokratie oder, falls man so will, ein Absolutismus von Anfang an, wenn man darunter einfach die durch weltliche Gesetze nicht beschränkte Fürstenherrschaft versteht. Im Unterschied zum klassischen Absolutismus des Westens war dieser Absolutismus im weiteren Sinne nicht aus dem spätrömischen Herrscherrecht und nicht aus einem

---

[1]) Alekseev, Bor'ba, S. 116 ff.
[2]) Ključevskij, Kurs, Bd. 3, S. 144 f.
[3]) Čičerin, Oblastnyja učreždenija, S. 511; Hellie, Muscovite Law, S. 398.

Kampf mit Ständen hervorgegangen, es sei denn, man wollte in dem Kampf, den die nordöstlichen Großfürsten im 12. Jahrhundert (bis 1212) mit den alteingesessenen Bojaren führten und gewannen, eine solche Auseinandersetzung sehen. Verschärfend kam hinzu, daß neben der profanrechtlichen Begründung auch die Philosophie der Staatsräson fehlte. Andererseits aber unterschieden christliches Gewissen des Herrschers, Gewohnheitsrecht und Erblegitimität, die Moskauer Autokratie von der asiatischen Despotie (s.u.).

Eine andere Frage ist, ob und seit wann Form und Inhalt des k l a s - s i s c h e n westlichen Absolutismus auch für das vorpetrinische Rußland gelten können. Dabei soll hier das Problem ganz außer acht gelassen werden, ob sich etwa auch auf Rußland die Kategorien des „praktischen, grundsätzlichen und aufgeklärten Absolutismus" im Sinne Kosers oder des „werdenden und reifen Absolutismus" im Sinne Meineckes anwenden lassen. Es kann zunächst nur um eine ganz naive Annäherung an die Problematik gehen, die in der Historiographie recht unterschiedliche Deutungen erfahren hat. Hoetzsch zum Beispiel erkannte zwar das Fehlen von Ständen an, sah aber die Zaren durch die Rangplatzordnung beschränkt, weil sie im 16. und 17. Jahrhundert in der Besetzung der höchsten Stellen nicht frei gewesen seien. Dementsprechend habe sich 1682 mit der Abschaffung des mestničestvo der Absolutismus durchgesetzt. Gleichzeitig seien ja die den Ministerialen entsprechenden Dienstleute in den „Geschlechterbüchern" als wirklicher Adel anerkannt worden.[1]) Tatsächlich wurde 1682 in Durchsetzung des Ansatzes zum Leistungsprinzip ein Hindernis auf dem Wege zur Modernisierung beseitigt. Aber dies war nur der letzte Schritt in einer spätestens seit der opričnina Ivans IV. brüchigen Ordnung und in einer bereits 1550 mit der Aufhebung der Rangplatzordnung in Feldzügen begonnenen Entwicklung. Die Überlegenheit der uneingeschränkten Autokratie war viel älter, als Hoetzsch behauptete; das Bojarentum konnte das ganze Jahrhundert über nichts gegen die Maßnahmen der Regierung ausrichten, weder 1648 noch vorher. Andererseits folgte der negativen Maßnahme von 1682 bezeichnenderweise erst unter Peter dem Großen der positive Schritt der Aufstellung einer neuen Rangtabelle. Dieser Versuch, den Beginn des russischen Absolutismus auf ein bestimmtes Datum zu fixieren, muß als mißlungen angesehen werden.

Allerdings ist die Abschaffung der Rangplatzordnung eine Maßnahme unter vielen anderen, die in der gesamten zweiten Hälfte des 17. Jahr-

---

[1]) Hoetzsch, Adel, SS. 64, 67 u. 74.

hunderts eine absolutistische Politik im westlichen Sinne einleiteten. Die nötigen Kenntnisse darüber trug bereits die vorrevolutionäre Forschung zusammen, jedoch ohne zu relativieren. Das häufigste, insbesondere auch von Ključevskij gebrauchte Argument[1]) lief darauf hinaus, daß Fedor Alekseevič die Verwaltung seiner Zeit stark konzentriert und zentralisiert habe. Was damit gemeint war, hatte freilich schon sehr viel früher begonnen: die Bürokratisierung durch die Gruppe der Sekretäre, Zusammenlegungen von Zentralämtern, Einschränkung der Lokalverwaltung durch die Voevoden, „Verbeamtung" der Duma, Gründung des Geheimamtes und des Rechnungsamtes sowie viele andere Erscheinungen. Die Zusammenlegungen unter Fedor beschränkten sich ferner auf die Zentralämter des Finanzwesens, während sie im Gerichtswesen scheiterten und es im Militärbereich sogar im Gegenteil zu einer Dezentralisation kam. Wie das Kapitel über die Lokalverwaltung zeigt, kann man auch so absolut nicht von einer Einschränkung zugunsten der Zentralverwaltung unter Fedor sprechen (Kap. 2). Vor allem aber kann von einem systematischen Vorgehen nicht die Rede sein; dazu fehlte noch die theoretische Begründung aller Maßnahmen, die später ebenfalls Peter dem Großen vorbehalten blieb. Unbestreitbar ist dagegen — analog zur Zusammenlegung der Finanzämter — eine Konzentration des Steuerwesens, die allerdings ebenfalls schon mit der Vereinheitlichung der Zoll- und Mautgebühren im Handelsstatut vom 25. Okt. 1653 begann.[2]) Eine Angleichung der Maße und Gewichte innerhalb Rußlands war darin auch vorgesehen. In Ergänzung dessen nahm Fedor Alekseevič zwischen 1678 und 1681 eine Vereinheitlichen der direkten Steuern vor, von der Besteuerung der „Hinterhöfer" (zadvornye), jener vorher von ihren Herren nicht zur Steuer angemeldeten Leibeigenen, über die endgültige Durchsetzung der bereits von Filaret begonnenen Höfesteuer bis zur Zusammenlegung einer ganzen Reihe von Steuern zu den sogenannten „Strelitzengeldern", die sich ab 1681 auf einen Rubel beliefen. Die Ursache aller dieser Maßnahmen, die Finanznot, wurde dadurch nicht behoben, aber das tut der Tatsache keinen Abbruch, daß Moskau schon vor Peter auf dem fiskalischen Sektor den Weg westlicher absolutistischer Staaten ging. Protektionismus und andere wirtschaftspolitische Aktionen (in der marxistischen Terminologie: die Schaffung eines allrussischen Marktes, vor dessen Überschätzung Bazilevič 1940 allerdings

---

[1]) Ključevskij, Kurs, Bd. 3, S. 229 ff.
[2]) SGGD, Bd. 3, Nr. 158.

gewarnt hat)[1]) weisen darüber hinaus ebenfalls auf den Beginn eines (spezifisch russischen) Merkantilismus hin. Er hatte sich in dem großenteils von Peter Marselis und auch von Ordin-Naščokin verfaßten „Neuen Handelsstatut" schon 1667 zum erstenmal konkretisiert.[2]) Damit wurden nicht nur, wie früher, die Zölle geregelt, sondern der gesamte innere Handel wurde geordnet, auch in prinzipieller Hinsicht.

Neben der größeren Systematisierung und besseren Kompetenzverteilung glaubte die ältere Forschung als weiteren charakteristischen Zug der Verwaltungsgeschichte des 17. Jahrhunderts den Sieg des bürokratischen Elements über das ständisch-gesellschaftliche zu erkennen.[3]) Dies ist, wie gesagt, bis zu einem gewissen Grade richtig, wenn auch von einer Bürokratie als Stand und überhaupt von ständischen Elementen nicht die Rede sein kann. Man muß in den Begriff der Bürokratisierung allerdings auch die für absolutistische Staaten bezeichnende Militarisierung einschließen. Nicht nur, daß die „Truppen neuer Ordnung", also das Stehende Heer, anwuchsen, — der Erforscher der altrussischen Polizei, M.V. Šachmatov, hat für die erste Jahrhunderthälfte ein Anwachsen der Zahl der Polizisten (pristavy) festgestellt, die nun auch in die unteren Behörden Eingang fanden. Für die zweite Jahrhunderthälfte galt, daß keine besondere Polizei mehr aufgebaut wurde, sondern die entsprechenden Funktionen den niederen Dienstleuten übertragen wurden, was durchaus in die Richtung eines Polizeistaates weist.[4]) Das alles trug nur zur Stärkung der Autokratie bei, so daß Solov'evs Schlüsse, ihr Charakter habe sich nach der Smuta überhaupt nicht geändert und als Grundantrieb der Innenpolitik müsse die Finanzfrage, nämlich die Geldbeschaffung für das Heer angesehen werden, nicht so grundsätzlich falsch waren, wie es ihm heute in der Sowjetunion vorgeworfen wird.[5]) Bevor nun die marxistische Absolutismus-Forschung untersucht wird, ist es vielleicht nützlich, sich dies noch einmal vor Augen zu halten: So wenig getrennte und geschlossene Stände vorhanden waren und die Autokratie beschränkten, so wenig konnte ihre Überwindung durch eine systematische Zentralisierung und Bürokratisierung erfolgen. So wie die Zemlja unter Hinzuziehung von Teilen des Heeres etwas anderes als die westliche Ständegesellschaft darstellte, eine staatsbedingte Gesellschaft, so gab es im 17. Jahrhundert in Nacheiferung westlicher Staaten

---

[1]) Bazilevič, Èlementy, S. 4 f., sowie passim zum Merkantilismus allgemein.
[2]) PSZ, Bd. 1, Nr. 408.
[3]) Ulanov, S. 253.
[4]) Šachmatov, Ispolnitel'naja vlast', S. 61 ff.
[5]) Sacharov, Buch 5, S. 703 f.; Solov'ev, Istorija, Buch 5, S. 257.

vorerst nur einzelne absolutistische Maßnahmen, die sich um 1680 verstärkten und noch einer theoretischen Grundlage entbehrten.

Noch viel stärker als die vorrevolutionären Historiker behaupteten die sowjetischen Forscher, daß ein voll ausgebildeter vorpetrinischer Absolutismus bestanden habe, denn die entwicklungsgeschichtliche Parallelität aller Erscheinungen des Überbaus in Ost und West folgt aus der marxistischen Lehre der historischen Gesetzmäßigkeiten. Erst neuerdings hat demgegenüber N.I. Pavlenko die Meinung vertreten, daß zwar absolutistische Staaten zentralisiert, aber zentralisierte nicht immer unbedingt absolutistisch sein müssen,[1]) womit der Eigenständigkeit der Regierungsform der Moskauer Reiches Rechnung getragen wird. Generell ist die marxistische Geschichtswissenschaft jedoch der Meinung, daß sie durch die Erforschung der gesellschaftlichen Grundlagen des Absolutismus der „bürgerlichen" Wissenschaft voraus sei, die sich mit dem Thema nur verfassungsgeschichtlich und personengebunden befasse.[2])

Die ersten sowjetischen Historiker knüpften an die Periode vor der Revolution an, zum Beispiel an Pavlov-Sil'vanskij, der, wie erwähnt, schon 1907 die Frage nach der Existenz von Ständen bejaht hatte. Obwohl er die Periode seit der Mitte des 16. Jahrhunderts als „ständische Monarchie" charakterisierte, begann für ihn der russische Absolutismus allerdings erst mit Peter dem Großen.[3]) Unter seinen Kritikern befanden sich zwar auch Marxisten — Plechanov warf 1914 dem damals schon Verstorbenen vor, die Institute in Ost und West nur formaljuristisch miteinander verglichen zu haben —, aber der in den 20er Jahren führende Historiker, M.N. Pokrovskij, unterstützte die Meinung Pavlov-Sil'vanskijs, dessen „Feudalismus in Altrußland" er 1924 neu herausgab.[4]) Er erweiterte die These sogar zu einer Identität des ganzen historischen Prozesses und betonte das Wachstum der Bürokratie, die sich nicht mehr auf die

---

[1]) Pavlenko, K voprosu, S. 67. Vgl. dazu auch weiter unten.

[2]) Hoffmann, S. 107.

[3]) Pavlov-Sil'vanskij, Feodalizm, SS. 124, 140 u. 147. Sein Einfluß zeigte sich zum Beispiel auch an Bogoslovskij, der 1913 einen „autokratisch-landschaftlichen"(samoderžavno-zemskoe) Staat bis zur Mitte des 17. Jahrhunderts von einem „autokratisch-bürokratischen" (samoderžavno-bjurokratičeskoe) Staat danach unterschied (Bogoslovskij, Zemskoe samoupravlenie, S. 260). Er mußte sich von D'jakonov in einer Rezension belehren lassen, daß auch die erstgenannte Periode vorwiegend monarchisch-bojarische Züge getragen habe (Bogoslovskij/D'jakonov, S. 43).

[4]) S. Pokrovskijs Artikel „Absoljutizm" in der ersten Auflage der „Großen Sowjetenzyklopädie" (Pokrovskij, Absoljutizm, S. 87 ff.). Vgl. auch ders., Russkaja istorija, S. 77 f. Plechanov, S. 11.

„Feudalwirtschaft" gegründet habe, sondern mit dem Bürgertum verbunden gewesen sei. Beide, Bürokratie und Bourgeoisie, hätten — getreu den Maximen des „ökonomischen Materialismus" — auf einer „Stärkung des Handelskapitals" basiert, dem charakteristischen Merkmal des 17. Jahrhunderts. Das Handelskapital stellte für Pokrovskij, dem wirtschaftstheoretische Kenntnisse ganz abgingen und der Definitionen vermissen ließ, auch die Basis des Absolutismus dar. Ähnlich argumentierte N.A. Rožkov, bei dem allerdings statt des „Bürgertums" der Adel als Beherrscher des Handelskapitals seit der Mitte des 16. Jahrhunderts auftrat.[1]

In den Diskussionen vor 1932 wurden also starke ständische Kräfte als selbstverständlich vorausgesetzt.[2] Auch als sich danach in der Auseinandersetzung mit Pokrovskij der Schwerpunkt der Geschichtstheorie von der Wirtschaft auf den Klassenkampf verlagerte, blieb die These von der „ständisch-repräsentativen Monarchie" für den Zeitraum zwischen der Mitte des 16. und der Mitte des 17. Jahrhunderts, also für die Periode der Reichsversammlungen, maßgebend. Sie erhielt durch S.V. Juškov in der zweiten Hälfte der 40er Jahren apodiktischen Charakter. Er definierte 1946 den russischen Absolutismus folgendermaßen: „Absolute Monarchie heißt die Regierungsform, bei der im Feudalstaat kein Organ existiert, das in der einen oder anderen Form die Macht des Zaren begrenzt und ohne dessen Einverständnis der Zar keine Entscheidungen treffen kann. In Monarchien der frühfeudalen Periode war eine feudale Kurie dieses Organ (bei uns die Bojarenduma), und in der Periode der ständisch-repräsentativen Monarchie waren dies ständisch-repräsentative Institutionen (in Rußland die Reichsversammlungen)."[3] Allerdings schränkte Juškov vier Jahre später ein, daß sich die Stände erst unter Peter endgültig formiert hätten.[4] Das Schwergewicht lag bei ihm deshalb auf „repräsentativ". Die Frage, wie noch nicht voll entwickelte Stände einen voll ausgebildeten Ständestaat tragen konnten, stellte er jedoch nicht. Nimmt man seine Definition wörtlich, hätten die Zaren im 17. Jahrhundert keine Entscheidung ohne Zustimmung der Versammlungen fällen können und wäre Rußland andererseits noch nicht einmal unter Peter dem Großen absolutistisch gewesen, obwohl Juškov den Beginn

---

[1] Rožkov, Bd. 4,1, SS. 66, 81 u. 229 f.; Bd. 5, S. 269 ff.; Pokrovskij, Die Entstehung, passim. Zur Kritik Pokrovskijs s. Hoetzsch, M.N. Pokrovskij, S. 264 f.
[2] Darüber mehr bei Torke, Die Entwicklung.
[3] Juškov, Razvitie, S. 148.
[4] Ders., K voprosu, passim u. bes. SS. 41 u. 47. Es war nur konsequent, daß Juškov auf der Existenz einer Wahlkapitulation aus dem Jahre 1613 bestand (s. Kap. 4).

des Absolutismus und der Autokratie (!) in die zweite Hälfte des 17. Jahrhunderts legte.

Juškovs überspitzte Ansichten galten bis in die jüngste Zeit, abgesehen von einer „Entschärfung" durch Bazilevič, Bachrušin, Čerepnin und andere, die die Reichsversammlungen eher im Bunde mit der Autokratie gegen die Bojaren sahen. Juškov warf ihnen 1950 vor, sie stünden noch unter dem Einfluß Ključevskijs,[1]) obwohl sie doch eigentlich nur den Klassenkampf stärker betonten. Fallengelassen wurde auch Juškovs These der Entstehung der Autokratie unter Aleksej Michajlovič. Der Beginn der absoluten Monarchie wird heute zwar immer noch in die zweite Hälfte des 17. Jahrhunderts gelegt, aber Absolutismus und Autokratie sind nicht mehr in Juškovs Sinn zeitlich identisch. Das heißt, daß auch die „ständisch-repräsentative Monarchie" als Erscheinungsform der Autokratie gesehen wird, ohne daß die terminologische Widersinnigkeit Anstoß erregt. Die neueste Formel lautet dabei, daß die zarische Gewalt durch die Reichsversammlungen formal beschränkt, aber faktisch unterstützt worden sei.[2]) S.V. Gal'perin trug den Stände-Gedanken sogar noch weiter und ließ die „ständische Monarchie" (nicht die „ständisch-repräsentative Monarchie") schon am Ende des 15. Jahrhunderts beginnen, weil die Bojarenduma an den Gesetzbüchern von 1497 und 1550 mitgewirkt habe. Er stützte sich dabei besonders auf den schon in der vorrevolutionären Forschung umstrittenen Paragraphen 98 des Sudebnik von 1550, der die Mitwirkung der Bojaren an der Kodifizierung auch für die Zukunft fixierte.[3]) Gal'perin blieb den Beweis dafür schuldig, daß die Duma aristokratisch und oppositionell gesinnt war; er mußte selbst zugeben, daß die Mitglieder dieser „ständischen Institution" nicht gewählt wurden. Sein völliges Mißverstehen der untrennbaren legislativen Aktionseinheit von Zar und Duma ist daher in der Sowjetunion selbst bald zurückgewiesen worden. Die Reichsversammlungen erschienen viel geeigneter zur Untermauerung des Gedankens einer Beschränkung der Autokratie. Allerdings sind die marxistischen Historiker mit dem Fatum belastet, daß Lenin nichts über die Reichsversammlungen gesagt hat, sondern im Gegenteil die Staatsform des 17. Jahrhunderts, also

---

[1]) Ebenda, S. 39.

[2]) Istorija gosudarstva, S. 318. Hoffman vertritt den Gedanken, daß die Autokratie die Regierungsformen der ständischen Monarchie, des frühen Absolutismus und des Absolutismus überlagert habe (Hoffmann, S. 114).

[3]) Gal'perin, Forma, SS. 26 ff. u. 55; ders., K voprosu, SS. 196 f., 206 u. 208. § 98 des Sudebnik s. in: PRP, Bd. 4, S. 260. Ebenda, S. 339, die Ansichten der vorrevolutionären Forschung.

die Epoche des Niedergangs der Duma, als „Monarchie mit Bojarenduma und Bojarenaristokratie" kennzeichnete. Auslegungen dieses Zitats enden in der Form eines geistigen Saltos der Art, die Duma sei charakteristisch für die Epoche der Reichsversammlungen gewesen.[1])

Sogar für die sich seit der Mitte des 17. Jahrhunderts an die Periode der Reichsversammlungen anschließende Phase des Übergangs zum Absolutismus mußte dieses Lenin-Zitat berücksichtigt werden, obwohl die Duma in dieser Zeit erst recht durch Bürokratisierung ihre frühere Bedeutung verloren hatte. A.A. Zimin behauptet dennoch, daß sie als Überbleibsel aus der Feudalzeit noch eine große Rolle gespielt habe.[2]) Dementsprechend sah zum Beispiel Pavlenko ihre Liquidierung durch Peter den Großen geradezu als juristischen Beginn des Absolutismus an.[3]) Die Frage der Fortführung der Duma-Funktionen durch den Senat blieb dabei unerörtert. Eine weitere Schwierigkeit ergab sich daraus, daß der ganze Prozeß des Übergangs zum Absolutismus quellenmäßig schlecht belegt ist.[4]) Vor allem aber sehen sich die Anhänger des historischen Materialismus vor das Problem gestellt, die marxistische Theorie von der Entstehung des Absolutismus in der Phase des Übergangs vom Feudalismus zum Kapitalimus auf Rußland zu übertragen. Nach vielen ideologisch bedingten Irrwegen setzte sich schließlich die Meinung durch, daß die Schwäche der Bourgeoisie und die Fortdauer der Leibeigenschaft als russische Besonderheiten zu gelten hätten, die dafür verantwortlich seien, daß die Entstehung des Kapitalismus rund 200 Jahre (bis 1861) gedauert habe. In einen so lange währenden dialektischen Prozeß des Kampfes zwischen Altem und Neuem lassen sich natürlich alle Widersprüche einordnen, etwa den, daß trotz der Schaffung eines „allrussischen Marktes" mit Jahrmärkten bei Nižnij Novgorod, Brjansk und Irbitsk innere Zollbarrieren und Staatsmonopole fortdauerten.[5]) Auch die von diesem Schlagwort abgeleitete These von der Entstehung einer russischen Nation ist in ihrer Ungereimtheit ein (hier nicht auszuführendes) besonderes Kapitel; Stalins Kriterien für den Nationsbegriff, die in den „Očerki istorii SSSR" (Skizzen der Geschichte der UdSSR), der repräsentativen Gesamtdarstellung der Geschichte Rußlands aus den 50er Jahren, auch auf das 17. Jahrhundert angewandt wurden, gelten noch heute.

---

[1]) So in PRP, Bd. 5, S. 557. Das Lenin-Zitat s. in: Lenin, S. 346. Zum Problem der Sowjethistoriographie bis zur Mitte der 50er Jahre vgl. auch Yaresh, S. 3 ff.

[2]) Zimin, Predislovie, S. 7.

[3]) Pavlenko, K voprosu, S. 74.

[4]) PRP, Bd. 7, S. 361.

[5]) Čerepnin, Predislovie, Bd. 7, SS. 5 u. 9 f.

Die „Očerki" führen als weitere Beweise für den beginnenden Absolutismus übrigens die Entstehung des Geheimamtes (tajnyj prikaz, prikaz
tajnych del) (1654) und einen fast vollständigen Sieg des Staates über
die Kirche an, die in ein „ergebenes ideologisches Werkzeug" verwandelt
worden sei.[1]) Dem ist in bezug auf das Geheimamt nur zuzustimmen,
wenn dabei nicht in erster Linie an eine Kontrolle gedacht wird. Die
Interpretation des Falles Nikon zeugt jedoch von wenig Verständnis
bzw. von viel Wunschdenken A.A. Novosel'skijs, des Verfassers des
betreffenden Kapitels. Bekanntlich ging es Aleksej Michajlovič nicht
um eine Unterordnung der Kirche unter den Staat, sondern nur um eine
Zurückweisung der entgegen der Tradition versuchten Überordnung der
Kirche. Ein „Werkzeug" im Dienste der Autokratie ist die Kirche seit
1448 immer gewesen. Die Behörde, die der Kirche einige materielle
Beschränkungen auferlegte, das Klosteramt, wurde übrigens bereits
1675/77 wieder aufgelöst. Erst Peter der Große ordnete die Kirche organi-
satorisch dem Staat unter. Mit Verwunderung liest man denn auch in
den „Očerki" zwei Seiten weiter die richtige Feststellung K.V. Bazilevičs,
S.K. Bogojavlenskijs und N.S.Čaevs, die Kirche habe im 17. Jahrhundert
ihre selbständige Organisation und ihren gewaltigen Landbesitz behalten.[2])

Noch befremdlicher fällt ein Blick in das Standardwerk der 60er und
70er Jahre aus. Darin schreibt A.A. Preobraženskij: „Die Autokratie,
die unbegrenzte Macht des Zaren, fand im Uloženie ihren gesetzgeberi-
schen Ausdruck."[3]) Das ist zwar richtig und wird durch angeführte
Beweise untermauert, verträgt sich aber ganz und gar nicht mit der
These von der beschränkten Monarchie. Denn nicht nur fiel das Uloženie
noch in die Blütezeit der Reichsversammlungen, es wurde sogar unter
Druck und Mitwirkung einer solchen erlassen. Die Stelle zeigt, wie
unsinnig es ist, bereits die vorpetrinische Autokratie in eine Periode der
„ständisch-repräsentativen Monarchie" und eine absolutistische Periode
zu unterteilen. Auch die Bojarenduma wird weiterhin — unvereinbar
mit der Überbewertung der Reichsversammlungen — als Charakteri-
stikum des 17. Jahrhunderts bezeichnet, und das Geheimamt erscheint
als gewaltige Agentenzentrale (die doch in Wirklichkeit nur von einem
Sekretär und von nur zehn Schreibern dirigiert wurde!). Daß die Voevo-

---

[1]) Očerki istorii SSSR, XVII v., S. 342 ff. Zum Problem der Nation s. Novosel'skijs,
Puškarevs u. Ustjugovs Artikel ebenda, S. 966 ff.

[2]) Ebenda, S. 345.

[3]) Istorija, Bd. 3, S. 62 ff.

den wie „kleine Zaren" regiert hätten, verträgt sich auch nicht gut mit der absoluten Stellung des Autokrators in der zweiten Jahrhunderthälfte. Auffällig ist übrigens, wie unkritisch Kotošichin als Zeuge herangezogen wird. Daß Preobraženskij mit dem oben angeführten Zitat die These von der beschränkten Monarchie quasi widerlegt, mußte auch anderen sowjetischen Historikern vor Augen führen, wie unbefriedigend die bisherige Absolutismus-Forschung in der Sowjetunion war.

Diese Unzufriedenheit fand ihren Ausdruck in einer seit dem Frühjahr 1968 mehr als vier Jahre lang geführten Diskussion auf den Seiten der Zeitschrift „Istorija SSSR" über diese Fragen, die sich zeitlich und inhaltlich an eine frühere Diskusion über den Übergang vom Feudalismus zum Kapitalismus anschloß und letzten Endes auch als Wiederaufnahme der Periodisierungs-Diskussion von 1946 bis 1954 angesehen werden kann. Eine sowjetisch-italienische Historiker-Konferenz und vor allem ein Artikel A.Ja. Avrechs lösten diese Absolutismus-Diskussion aus.[1] Aus der großen Schar der Diskussionsteilnehmer — allein in der genannten Zeitschrift äußerten sich elf weitere Historiker; mehrere Konferenzen fanden statt — seien hier nur einige Stimmen herausgegriffen.[2] A.M. Davidovič und S.A. Pokrovskij schlugen in einem gemeinsamen Aufsatz eine eigene Periodisierung des Absolutismus vor.[3] Die zweite Hälfte des 17. Jahrhunderts galt ihnen darin als Zeit seiner Entstehung und Verflechtung mit den alten Institutionen. Zur Rettung der Klassen-kampfidee verwiesen sie wenig überzeugend auf die Auseinandersetzungen zwischen weltlichen und kirchlichen Feudalherren, zwischen Dienstadel und Bojaren, zwischen Dienstguts- und Erbgutsbesitzern wegen der Fristjahre und schließlich auf unterschiedliche Meinungen innerhalb der Stadtbevölkerung hinsichtlich Azovs im Jahre 1642 (s. Kap. 4). Demgegenüber wies A.A. Preobraženskij auch in dieser Diskussion noch einmal darauf hin, daß der Dienstadel sich zumindest bis 1648 immer nur gegen die Bürokratie, nicht aber gegen die Bojaren gewandt habe, wofür auch seine Forderung nach Wiederbelebung des alten Bojarengerichts spreche. Es habe also keine antagonistischen Widersprüche gegeben. Andererseits las Preobraženskij aus dem Votum der Kaufleute von 1642 eine Stellungnahme gegen die Dienstleute heraus: Sie hätten sich beschwert, daß sie auch dienen müßten, ohne, wie die Dienstleute,

---

[1] Avrech, Russkij absoljutizm; Dokumenty. Die Konferenzen über den Übergang vom Feudalismus zum Kapitalismus fanden 1965 und 1966 statt.

[2] Eine ausführliche Wiedergabe und Würdigung der zeitlich bis ins frühe 20. Jahrhundert reichenden Diskussion s. bei Torke, Die neuere Sowjethistoriographie.

[3] Davidovič/Pokrovskij, S. 65 ff.

Güter zu haben.[1]) Als Indiz für einen Klassenkampf kann dieser Satz allerdings wohl kaum gewertet werden. Auch N.I. Pavlenko konnte in seinem Beitrag nur feststellen, daß ein Klassenkampf zwischen „Bürgertum" und Adel im 17. Jahrhundert nicht zu entdecken sei.[2]) Avrechs These von der durch die Fortdauer, ja sogar Weiterentwicklung der Leibeigenschaft bedingten Besonderheit des russischen Absolutismus kam somit einige Attraktivität zu. Wenn die dem westlichen Absolutismus eigenen sozial-ökonomischen Voraussetzungen aber nicht vorhanden waren, mußte nun auch den sowjetischen Historikern die Form des seit Peter dem Großen praktizierten „klassischen" Absolutismus als eine von außen aufgesetzte Sache erscheinen. Sie ist in der Tat auch in ihren Anfängen, in den oben genannten einzelnen absolutistischen Erscheinungen, Teil der „Europäisierung" Rußlands im 17. Jahrhundert.

Die Kardinalfrage dieser interessanten Diskussion formulierte L.V. Čerepnin so: War der russische Absolutismus ein russisches oder ein gesamteuropäisches Phänomen?[3]) Sie entspricht genau der Frage, die sich die Historiker vieler anderer Länder in bezug auf ihre eigene Geschichte vorgelegt haben. Für Rußland muß die Antwort lauten: Der russische Absolutismus trug seiner Erscheinungsform nach gesamteuropäische Züge, deren Beginn in die zweite Hälfte des 17. Jahrhunderts und deren volle Entwicklung in die Zeit Peters des Großen fallen; seinem Inhalt nach stellt der russische Absolutismus infolge der autokratischen Tradition eine Besonderheit dar. M.T. Beljavskij faßte auf einer Konferenz der Akademie der Wissenschaften, die sich im Herbst 1971 mit der Auswertung der Diskussion beschäftigte, diese Besonderheit in den folgenden sechs Punkten zusammen: 1. Der Absolutismus entstand erst n a c h der gesetzlichen Formulierung der Leibeigenschaft. 2. Schon vorher bestand die Autokratie, und die ständisch-repräsentativen Organe waren unvergleichlich schwächer als diejenigen des Westens — nie beschränkten sie die Zarenmacht. 3. Das Régime besaß selbst etwa 50 % der Bauern, d.h. eine große wirtschaftliche Macht, die sich im 18. Jahrhundert durch Industriebetriebe noch vergrößerte. 4. Die russische Stadt war nicht kapitalistisch. 5. In der russischen Gesellschaft gab es keine klare Einteilung in Stände mit gesetzlich fixierten Rechten und Privilegien. 6. Die orthodoxe Kirche spielte eine andere Rolle als die westliche

---

[1]) Preobraženskij, S. 110 ff.

[2]) Pavlenko, K voprosu, passim.

[3]) So in einer Auswertung der schriftlichen Diskussion durch eine Konferenz der Akademie der Wissenschaften der UdSSR (Rachmatullin, S. 76).

Kirche.[1]) Wieweit diese Einsichten, die mit den in dieser Arbeit auf anderen Wegen gewonnenen Erkenntnissen übereinstimmen, Allgemeingut der sowjetischen Forschung werden, müssen die kommenden Jahre erweisen. Dabei müßten monographische Untersuchungen besonderes Gewicht auf die Feststellung legen, daß die genannten Besonderheiten das Moskauer Reich keineswegs in die Nähe einer asiatischen Despotie rücken, wenn es auch vom Westen verschieden war.

Diese diffamierende Gleichsetzung von Despotie und Autokratie, wie sie auch in der beschriebenen Diskussion als Vorwurf an Avrech auftauchte, ist nicht neu, sondern hat eine alte Tradition, die in Rußland auf Plechanov und Belinskij zurückgeht und allgemein noch weiter zurückreicht. Den westlichen Reisenden des 17. Jahrhunderts mußte das Moskauer Reich in der Tat despotisch erscheinen, da sie von der Basis ihrer ständischen oder gar parlamentarischen Erfahrungen urteilten.[2]) Dem widersprechen die eingangs zitierten Äußerungen über die relative Milde des Régimes im Vergleich mit dem 16. Jahrhundert keineswegs; sie wurden ohnehin verdrängt, während die Urteile über den despotischen Charakter der russischen Obrigkeit das Rußlandbild bis heute wesentlich beeinflußt haben und, historiographisch gesehen, auch von Marx und Engels und schließlich von Lenin übernommen wurden.[3]) Sie wurden aber dadurch nicht wahrer, daß sie in neuerer Zeit von den wirtschaftlichen Gegebenheiten, d.h. vom Fehlen einer kapitalistischen Entwicklung, abgeleitet wurden. Daran änderte auch K. Wittfogels These von den asiatischen Wasserbaukulturen nichts. Sehr richtig hat Keep darauf hingewiesen, daß Rußland höchstens an der Verteidigungslinie der Südgrenze dieser historisch-soziologischen Erscheinungsform nahegekommen ist, sofern man freilich „Agrobürokratie"

---

[1]) Ebenda, S. 71.

[2]) Zum Beispiel schrieb der den Earl of Carlisle 1663 und 1664 an den russischen Hof begleitende Guy Miege 1669: „The State of Moscovie which in now before us, is Monarchical: but it is also Despotical and Absolute, insomuch as the Tzar being Lord and Master (as it were) over all his Subjects, disposeth uncontroulably of their lives and estates, as he thinks good..." (Miege, S. 57). Ähnlich behauptete der Segelmacher Jans Strauss, der 1668 ins Moskauer Reich kam, daß es in Europa keinen selbständigeren Monarchen gebe (Strjujs, S. 57). Immerhin fand Meyerberg, daß sich die Türken ihrem Herrscher noch williger unterordneten (Mayerberg, S. 116). Über die Vorstellungen, die man sich 1657 in Florenz über das Moskauer Régime machte, s. Pis'mo s svěděnijami, S. 315.

[3]) Darüber mehr bei Wittfogel, S. 375 ff. Vgl. auch Hintzes Ansicht zum russischen „Despotismus" (Kap. 4).

durch „Militär" ersetzt.[1]) Wenn von Regierungsformen gesprochen wird, kann man eben die Verfassungsgeschichte nicht ignorieren. Sie beweist für den Westen, daß „der adelige Freiheitsbegriff mit Mitsprache- und Widerstandrecht... den Despotismus" verhinderte,[2]) und sie lehrt für Rußland, daß der Zar nicht gegen sein christliches Gewissen handeln noch sich über Traditionen hinwegsetzen konnte. Im Gegensatz zum östlichen Despoten konnte er in Thronfolgefragen die Erblegitimität nicht ignorieren.[3]) Er erkannte wie der „klassische" absolutistische Fürst das göttliche, das historische und das dynastische Recht an. Križanić unterschied klugerweise zwischen einem solchen Herrscher und dem Tyrannen, wobei er allerdings die Regierungen Ivans IV. und Boris Godunovs als tyrannisch ansah.[4]) War der Zar insofern schon kein unumschränkter Despot, so lehrt darüber hinaus die verfassungsrechtliche Praxis des 17. Jahrhunderts, daß, wie die vorliegende Arbeit zeigen sollte, seit der Smuta die Zemlja und Teile der „Staatsdiener", ohne die zarische Macht formal zu beschränken, die Gesetzgebung partiell ihren Bedürfnissen unterwerfen konnten. Es war also eher umgekehrt, als die oben zitierte sowjetische Formel es glauben machen will: Die Autokratie war formal durchaus nicht beschränkt, wohl aber zeitweise faktisch, sei es durch eine pragmatische Politik des Nachgebens gegenüber bestimmten Forderungen, sei es durch „Entmachtung" während der Aufstände. Dies geschah auf Grund von Gruppeninteressen und nicht mit Hilfe eines

---

[1]) Keep, The Muscovite Élite, S. 204 f.; Wittfogel, bes. S. 179 ff. — Der Kuriosität halber sei angemerkt, daß der Häretiker Fürst Chvorostinin von Michail Fedorovič u.a. deswegen verbannt wurde, weil er den Zaren in einem Brief statt mit „Autokrat" mit „Despot" tituliert hatte, wenn auch im ursprünglichen griechisch-byzantinischen Sinne des Wortes, das natürlich sehr viel weniger Würde beinhaltete, als dem Zaren zukam (SGGD, Bd. 3, Nr. 90).

[2]) Bosl, S. 41.

[3]) Skalweit, bes. S. 79.

[4]) Nach Križanić bestand die „Tyrannei" dieser beiden Zaren im 17. Jahrhundert noch fort, und zwar hinsichtlich des Finanzsystems, durch das das Volk ausgebeutet würde (z.B. durch den Alkoholverkauf oder die Gerichtsgebühren), und hinsichtlich der unzureichenden Gesetzlichkeit der Zentralverwaltung (z.B. durch die kargen Gehälter der Beamten). Er hoffte, daß Aleksej Michajlovič, den er deshalb mit Augustus, Trajan und Konstantin verglich, diese „tyrannischen" Gesetze durch Reformen beseitigen würde, wobei die Reformen hauptsächlich in der Bildung von abgeschlossenen Ständen (mit Privilegien für die höheren Stände) und der Revision aller Gesetze durch eine Reichsversammlung bestehen sollten, wohlgemerkt unter gleichzeitiger Stärkung der Autokratie, deren Rechtfertigung er aus der Volkswahl der Romanovs herleitete (Val'denberg, Gosudarstvennyja idei, SS. 204 ff., 217, 237 f., 242 f. u. 254 f.).

Klassenkampfes;[1]) die Regierungsform war dabei nie in Gefahr. Aber die Restauration, der sich die Romanovs seit 1613 verschrieben hatten (s. Kap. 1), gelang letzten Endes nicht hinsichtlich einer völligen Rückkehr der Verhältnisse, die unter Ivan IV. geherrscht hatten. Die „Gesellschaft" stellte, obwohl staatsbedingt, im 17. Jahrhundert eine feste Größe in der Verfassungswirklichkeit dar. Auf nicht mehr, aber auch auf nicht weniger belief sich ihr Anteil an der altrussischen Herrschaftsverfassung. Daher nahm die Autokratie des 17. Jahrhunderts nicht nur geographisch eine Stellung *zwischen* Asien und Westeuropa ein.

Im Ausblick sei noch einmal betont, daß auch der russische Absolutismus seit Peter dem Großen diese Sonderstellung beibehielt. Er unterschied sich vom westlichen Absolutismus nicht nur im sozioökonomischen Sinne durch die Beibehaltung der Leibeigenschaft, sondern auch verfassungsrechtlich vor allem dadurch, daß im Westen, wenn man die Absolutismus-Betrachtung entdämonisiert, gewisse Freiheiten, insbesondere die korporative Libertät, wie sie Montesquieu vertrat, sozusagen zu seinem Wesen gehörten.[2]) Denn in Rußland kommt dem 17. Jahrhundert, dem „Übergangsjahrhundert", auch auf diesem Gebiet entscheidende Bedeutung zu: Bis heute wirkt nach, daß der Ansatz gesellschaftlicher Tätigkeit steckenblieb und sich im aufkommenden Absolutismus des 18. Jahrhunderts nicht entwickeln konnte.

---

[1]) Dazu sei noch einmal Keep zitiert: „...There can be no class struggle, since there are no autonomous classes" (Keep, The Muscovite Élite, S. 204 f.). Für „classes" setze man „Stände".

[2]) Raumer, passim.

GLOSSAR

Die Zahlen verweisen auf die Seiten des ersten Auftauchens bzw. der ersten ausführlicheren Erklärung eines Begriffes. Die Betonung wird durch Kursivierung des Vokals gekennzeichnet.

alt*y*n	s. rubl'
b*e*glyj 105	Läufling
b*e*loe m*e*sto 47	„weißer" (= steuerfreier) Platz
bezop*a*snost' 285	Sicherheit
blagod*e*nstvie 285	Wohlstand
bob*y*l' 111	landloser Bauer (auch Kaufmann oder Handwerker)
boj*a*re v pol*a*te 109	„Bojaren in der Kammer" (= Bojarengericht)
boj*a*rin 12	Bojar
bol'š*a*ja gosud*a*rstvennaja kn*i*ga 18	Großes Staatsbuch
bol'š*a*ja kazn*a* 54	Zentralamt der „Großen Kasse"
bol'š*a*ja tam*o*žnja 53	Großes Zollamt (in Moskau)
bol'š*i*e dvorj*a*ne	s. Moskovskij dvorjanin
bol'š*o*j prich*o*d 133	Zentralamt der „Großen Einnahme"
bol'š*o*j razrj*a*d	s. razrjad
bunt*a*šnoe vr*e*mja 216	aufrührerische Zeit
car' 10	Zar
car*e*vič 23	Zarensohn
c*a*rskij k*o*ren' 15	„zarische Wurzel" (= dynastischer Stamm)
c*a*rstvo 2	Reich, Zartum
čelob*i*t'e 89	Bittschrift, Klage, Beschwerde
čelob*i*tčik 94	Bittsteller; gewählter Überbringer einer Kollektivbittschrift
čelob*i*tnaja	s. čelobit'e
čelob*i*tnyj prik*a*z 106	Bittschriftenamt
celov*a*l'nik 49	Beauftragter (= niederer Wahlbeamter)
cerk*o*vnyj st*a*rosta	s. prichodskij starosta
čern' 158	Pöbel, niedere Stadtleute
č*e*rnaja slob*o*da 46	„schwarze" (= steuerpflichtige) „Vorstadt"
č*e*rnaja s*o*tnja 46	„schwarze" (= steuerpflichtige) Hundertschaft
čet'	s. četvert'
četv*e*rt' 149	„Viertel" (= Zentralamt); Getreidemaß; Landmaß (= 1/2 Desjatine oder 30 × 40 Sažen')
chleb-sol' 220	„Brot und Salz"
chol*o*p 47	Knecht; Bezeichnung für einen Dienstadligen
chud*y*e ljud*i*ška 249	Gesindel

čin 214, 272	Rang, soziale Gruppe, „Stand", Amt
dan' 102	steuerliche Abgabe
ded 15	Großvater, Vorfahr
denežnyj dvor 54	Münzamt
den'ga	s. rubl'; „Geld" (= Steuer)
deržava 2	Staatsmacht
desjatskij 58	Zehnerschaftsführer
deti bojarskie 99	Bojarenkinder
d'jačok 52	Schreiber (in der Lokalverwaltung)
dokladnaja zapiska 95	Bericht
dozornaja kniga 239	Revisionsbuch
dozorščik 178	vereideter Aufseher
duma 26	Bojarenrat, Duma
duma vseja zemli 119	„Duma des ganzen Landes" (= Reichsrat in der Smuta)
dušegubstvo 74	Mord
dvorcovye razrjady	Hofbücher
dvorcovyj prikaščik 48	Verwalter von Hofgütern
dvorjanin	s. gorodovoj dvorjanin
Galickaja čet' 60	Galič-Viertel (= Zentralamt)
gorodovoj dovrjanin 29	Provinzadliger
gost' 46	Großkaufmann
gostinnaja sotnja 46	Hundertschaft der Großkaufleute
gosudar' 1	Herrscher
gosudareva služba 135	Herrscherdienst (= Staatsdienst)
gosudarevo carstvennoe velikoe i zemskoe i litovskoe delo 46	„große Reichsangelegenheit des Herrschers, der Zemlja und Litauens"
gosudarevo delo 65	Herrscherangelegenheit
gosudarevo i gorodovoe delo 87	Angelegenheit des Herrschers und der Provinz
gosudarevo i zemskoe delo 1, 45	Angelegenheit des Herrschers und der Zemlja
gosudarevo i zemskoe velikoe carstvennoe delo 46	„große Reichsangelegenheit des Herrschers und der Zemlja"
gosudarevo slovo i delo 26	Beleidigung des Zaren in Wort und Tat
gosudarevo velikoe delo 183	große Staatsangelegenheit
gosudarevy služilye ljudi 45	herrscherliche Dienstleute
gosudarev zemskoj sud 136	herrscherliches Reichsgericht
gosudarskij 45	herrscherlich (= den Herrscher persönlich betreffend)
gosudarskoe velikoe delo 28	„große Herrscherangelegenheit" (= Anschlag auf Ehre, Gesundheit und Leben des Zaren)
gosudarstvennaja kniga 20	Staatsbuch
gosudarstvennye i zemskie dela 46	Angelegenheiten des Staates und der Zemlja
gosudarstvo 2	Staat, Herrschaft
grivna	s. rubl'

groznost' 36	Strenge und Macht (als Herrscherepitheton)
guba 47	Strafgerichtsbezirk, lokales Polizeigericht
gubnaja gramota 96	Strafgerichtsbarkeitsurkunde
gubnaja izba 75	Kriminalgerichtsstube
gubnoj starosta 26	Gerichtsbezirksältester
guljaščij čelovek 47	Wandertagelöhner
guljat' 47	als Wandertagelöhner arbeiten
izljublennyj golova 50	„gewähltes Haupt" (= ältere Bezeichnung für den Landrichter)
izljublennyj starosta	s. izljublennyj golova
izmena 28	Verrat (gegenüber dem Herrscher)
izvet 90	Anzeige, Denunziation
izvetnoe čelobit'e 90	Anzeige und Beschwerde
jamskie den'gi 60	„Postgelder" (= eine Steuer)
jamskoj prikaz 106	Postamt
jaryžnyj 52	Stadtpolizist und Feuerwehrmann
jasak 278	Abgabe der sibirischen Eingeborenen
javka 90	„Benachrichtigung" (= eine Klage)
kabackij golova	s. kružečnyj golova
kazennyj 46	der Krone oder Dynastie gehörig
knigi razrjadnye 176	Diensternennungsbücher
kopejka	s. rubl'
korm 70	Unterhaltsgabe (für Amtsleute)
kormlene 77	Beamtenunterhalt durch Geschenke und Sporteln
kost' 54	bäuerliche Steuereinheit
krepost' 109	Leibeigenschaftsdokument, Bindungsurkunde
krepostnoj ustav 116	Leibeigenschaftsstatut
krotost' 36	Milde (als Herrscherepitheton)
krug 258	„Kreis" (= kosakisches Selbstverwaltungsorgan)
kružečnyj dvor 61	„Krughof" (= Sitz der Alkoholverwaltung)
kružečnyj golova 52	Alkoholverwalter
kryl'cy 205	Kreml'-Freitreppe
larečnyj 58	Steuereinnehmer
ljudi 11	Leute, Untertanen
lučšie ljudi 53	„beste Leute" (= reiche und angesehene Einwohner)
mestničestvo 5	Rangplatzordnung
mežuusobnaja bran' 228	Zwietracht
mir 48	Gemeinde
mirskij schod 241	Gemeindeversammlung (in Pskov)
mirskij sovet 47	Gemeindeversammlung
mirskij starosta 52	Gemeindeältester (in Moskau)
mirskoe sobranie 235	Gemeindeversammlung, Volksversammlung

mjatež 267
Moskovskaja volokita 91
Moskovskij drvorjanin 99
mužik 229
mysl' 152

Aufruhr
„Moskauer Verschleppung" (Bürokratismus)
Moskauer Adliger (als Rang)
Bauer (pejorativ)
Gedanke, Votum

načal'nik 159
naddatočnyj 279

nadvornaja pechota 258
narečennyj 39
nemec 233
nemeckaja sloboda 46
nemeckij 159
neprigožie slova 27
nepristojnye reči
novaja čet' 24
novaja nemeckaja sloboda 100

Führer
„Ergänzungsrekrut" (= zur Strafe abgegebener
Bauer)
Hofinfanterie
erwählt
Nordwesteuropäer
„Deutsche Vorstadt" (= Ausländer-Viertel)
nordwesteuropäisch
„unanständige Worte" (= Majestätsbeleidigung)
s. neprigožie slova
Zentralamt des „Neuen Viertels"
„Neue Deutsche Vorstadt"

obida 172
obrok 102
obščee dobro 13
obščij zemskij sovet 133
odinačestvo 88
odinačnaja zapis' 87
odvorjanenie 282
oklad 61
okladčik 53
okol'ničij 134
okrug 60
opričnina 3
otčina
otkup 61
otpiska 142

Unrecht, Beleidigung
Zins der Bauern, Steuer, Abgabe
Allgemeinwohl
allgemeiner Reichsrat
„Solidarität"
„Solidaritätsverpflichtung"
„Verkleinadeligung"
festgesetzte Menge (Etat, Steuerveranlagung)
Heerbeauftragter
(ernannter) Bojar minderen Ranges
Steuerbezirk
Opričnina (Separatstaat Ivans IV.)
s. votčina
Pacht
Schreiben (eines Voevoden)

pamjat' 152

perepisčik 110
perepisnaja kniga sysknych del 116
piscovaja kniga 169
pisec 178

pjataja den'ga
pjatidesjatskij 58
pjatikoneckij starosta 58
pjatina 170

pjatinnaja den'ga

Memoire (der Zentralämter usw. untereinander);
Votum
Volkszähler
Verzeichnis der Untersuchungen
Grundbuch
Landvermesser und Grundbuchführer (früher:
Schreiber)
s. pjatina
Fünfzigerschaftsführer
Fünftelältester (in Novgorod)
„Fünfter" (= 20% des Vermögens und des Um-
satzes)
s. pjatina

pjat*i*nščik 170	Einsammler des „Fünften"
pod'ja*č*ij 31	Schreiber
podm*o*ga 73	Unterhalt für Wahlbeamte
podpisn*o*e čelob*it*'e 95	„unterschriebene Bittschrift (= Bittschrift mit zarischem Entscheid)
pog*o*st 49	Bezirk (im Norden)
polk*i* n*o*vago str*o*ja 214	Truppen neuer Ordnung
polonj*a*ni*č*nye d*e*n'gi 60	„Gefangenengelder" (Steuer)
pom*e*ta 95	Gegenzeichnung
pom*i*nki 77	„Ehrengeschenke" (als Bestechung)
pom*o*r'e 47	das nördliche Küstengebiet
po *o*čeredi 52	„der Reihe nach" (im Wahldienst)
pos*a*dnik 85	„Bürgermeister" (in Novgorod)
pos*a*dskie lj*u*di 46	Stadtleute
pos*o*l'skij prik*a*z 16	Außenamt
pos*y*l'ščik	s. čelobitčik
po v*e*re	s. vernyj
po v*e*rnosti	s. vernyj
pr*a*ded 15	Urgroßvater, Vorfahr
pr*a*vda 242	Gerechtigkeit
prich*o*dskij st*a*rosta 60	Kirchengemeindeältester
prigov*o*r 58	Beschluß
pr*i*chot' 151	Begierde, Laune
prigov*o*rnaja izlj*u*blennaja z*a*pis' 86f.	„Eidesbeschluß"
prik*a*z 52	Zentralamt, Kommission; Strelitzen- u. Kosakenregiment; Auftrag
prik*a*z kup*e*ckich del 101	Amt für die Angelegenheiten der Kaufleute
prik*a*znye lj*u*di 49	Amtsleute, „Beamte"
prik*a*z sysk*n*ych del 27	Untersuchungsamt (-kommission)
prik*a*z t*a*jnych del	s. tajnyj prikaz
pr*i*stav 288	Wärter, Polizist
priz*y*vn*a*ja gr*a*mota 141	Einberufungsschreiben (für eine Reichsversammlung)
progo*n*nye d*e*n'gi 74	„Postpferdegelder" (Steuer)
puškar' 142	Kanonier
rad*e*n'e 142	Eifer
rang 273	Rang (bei Peter dem Großen)
rask*o*l 14	Schisma
rassprosnye i p*y*točnye r*e*či 216	peinliches Verhör
rassprosnye r*e*či 216	Verhör
r*a*tnyj dvorjan*i*n 44	„Kriegsadliger" (im Unterschied zum Soldaten)
r*a*tnye lj*u*di 44	„Kriegsleute" (= aktive Krieger), Soldaten
r*a*tuša 57	„Rathaus" (in Westrußland)
razb*o*jnyj prik*a*z 27	„Räuberamt", Kriminalamt
razrj*a*d 17	Dienstlistenamt; Militärbezirk
razrj*a*dnye kn*i*gi	s. knigi razrjadnye
razrubn*o*j celov*a*l'nik 59	Steuergehilfe für die Veranlagung

razrubnoj okladčik   s. razrubnoj celoval'nik
reč' 152   Rede, Votum
rjadnaja zapis' 65   Mietsvertrag
rodoslovnaja kniga 14   Geschlechterbuch
rozrjadnye i zemskie dela 45   Angelegenheiten der Dienstlistenführung und der Zemlja
rubl' (1 rubl' = 10 grivny = 100 kopejki = 200 den'gi; 6 den'gi = 1 altyn)   Rubel (1 Rubel entsprach 1 Dukaten oder 5 holl. Gulden)
ružnik 202   Deputatsgeistlicher
rynda 21   zarischer Leibwächter

samoderžec 10   Selbstherrscher
samozvanec 22   falscher Thronprätendent
šatost' 113   Aufruhr
sejmik 40   Provinziallandtag
s-ezd 93   „Zusammenkunft" (der Dienstleute)
Sibirskij prikaz 53   Sibirien-Amt
sil'nyj 105   „stark" (= reich und mächtig)
šiša 242   Gesindel
skazka 152   Votum
skop i zagovor 28   Verschwörung
šljachetstvo 283   Adel (unter Peter dem Großen)
sloboda 46   Freistatt, „Vorstadt" (seit 1649 nur noch „Vorstadt")
služba na veru 63   „Vereidetendienst" (in Finanz-und Steuerämtern)
služilye ljudi 44   Dienstleute
služilye ljudi po otečestvu 86   obere und mittlere Dienstleute („auf Grund der Herkunft")
služilye ljudi po priboru 86   niedere Dienstleute („auf Grund von Ernennung")
služivye ljudi 44   Bedienstete
smuta 2   Wirren, Smuta
sobor 119   Versammlung
sobornoe uloženie 153   „Versammlungskodex" (Uloženie von 1649)
socha 54   bäuerliche Steuereinheit
sotnja   s. černaja sotnja
sotskij 58   Hundertschaftsführer
sovet 134   Rat
sovet vsego gosudarstva 133   Rat des ganzen Staates
sovet (vseja) zemli 133   Rat des (ganzen) Landes
stan 58   Bezirk
starec 126   frommer Greis
starina 14   gewohnheitsrechtliche Tradition
starosta 47   Ältester
statejnyj spisok 95   gegliederte Liste
stat'ja 122, 151, 187   Artikel, Gruppe, Adligenkategorie
stepennaja kniga 16   Stufenbuch

stol'nik 27	Truchseß
strelec 33	Strelitze, „Schütze"
streleckie den'gi 60	Strelitzengeld (Steuer)
streleckij chleb 60	Strelitzengetreide (Steuer)
strjapčij 32	Haushofmeister
sudebnik 109	Gesetzbuch (von 1497 u. 1550)
sudnyj moskovskij prikaz 106	Moskauer Gerichtsamt
sudnyj vladimirskij prikaz 106	Vladimirer Gerichtsamt
sujm (sejm) 58	Versammlung (in Westrußland)
sukonnaja sotnja 46	Hundertschaft der Tuchhändler
syščik 66	Untersuchungsbeamter
sysknoj prikaz	s. prikaz sysknych del
tajnyj prikaz 293	Geheimamt
tamožennyj golova 52	Zollverwalter
tišajšij car' 34	„der höchst sanfte Zar" (= Beiname Aleksej Michajlovičs)
tjaglo 103	Steuerpflicht, Steuerverband
tjaglye ljudi 44	„Steuerleute" (= Steuerzahler)
tjuremnyj celoval'nik 52	Gefängniswärter
uezd 141	Kreis
uezdnye ljudi 46	„Kreisleute" (= „schwarze" oder Staatsbauern)
ukaz 12	Erlaß
uličnyj starosta 58	Straßenältester (in Novgorod und Pskov)
Uloženie	s. sobornoe uloženie
uročnye leta (gody) 96	Fristjahre
Utverždennaja gramota 14, 157	„Bestätigungsurkunde" (= Wahlakt von 1613)
veče 121	Volksversammlung (in älterer Zeit)
velikij gosudar' 10	Großer Herrscher
velikij zemskij sovet 135	großer Reichsrat
vernyj 60	„Vereidigter"
vernyj golova	s. vernyj
vernyj celoval'nik	s. vernyj
vernyj sborščik 61	„vereidigter Einsammler" (von Zoll- u. Alkoholgebühren)
vest' 56	gerichtliche Benachrichtigung
v-ezžij korm 77	„Anreisegabe" (der Bevölkerung für einen neuen Voevoden)
vlasti 151	die hohe Geistlichkeit
voevoda 2	Voevode, oberster Provinzbeamter, Heerführer
voinskie ljudi 44	Truppen (des Feindes)
vol'nye ljudi 47	„Freie" (= wandernde Tagelöhner)
volokita	s. Moskovskaja volokita
volost' 49	Bezirk (im Norden)
volostel' 54	Bezirksverwalter (in älterer Zeit)
vor 25, 216	Übeltäter, Aufrührer

vorovsk*a*ja z*a*pis' 87   aufrührerische Schrift
vot*č*ina 3   Erbgut, Patrimonium
vsegorodn*o*j st*a*rosta 58   Stadtältester (in Novgorod)
vsegorodsk*a*ja izb*a* 240   „Stadtstube" (= Sitz der Wahlverwaltung in Pskov)

vsem*i*rnyj prigov*o*r 173   Beschluß aller Gemeinden
vsem*i*rnyj sov*e*t 133   Rat aller Gemeinden
vsenar*o*dnoe sobr*a*nie 133   Versammlung des ganzen Volkes
vseue*z*dnaja z*e*mskaja izb*a* 49   Kreislandesamt
vseue*z*dnyj z*e*mskij st*a*rosta 49   Kreislandältester
vsja zemlj*a* 119   „das ganze Land"
v*y*bor 52, 132, 142   Wahl, „Auswahl" (= Adelsrang); Wahlprotokoll

v*y*bornye iz gorod*o*v 132   auserwählte Provinzvertreter
v*y*bornyj dvorjan*i*n 132   „auserwählter" Adliger
v*y*bor za ruk*a*mi 57   unterschriebenes Wahlprotokoll

ž*a*dnaja kr*i*vda 262   gieriges Unrecht
zadv*o*rnyj 287   Hinterhöfer
zagov*o*r   s. skop
zakl*a*dčik 28   „Verpfändeter" (= Bewohner der Freistätten oder „weißen" Plätze)

zakl*a*dničestvo 47   „Verpfändung" (= Steuer- und Frondienstflucht)
zakup*č*ik 202   Aufkäufer
zaodin*a*čnaja z*a*pis' 87   s. odinačnaja zapis'
zaonež'e 237   Gebiet jenseits des Onega-Sees
zapisn*o*j prik*a*z 16   „Aufzeichnungsamt" (= Zentralamt für Historiographie)

zapr*o*s 173   Repartitionssteuer
z*a*sečnaja čert*a* 279   „Verhaulinie" (= die Südgrenze)
zat*i*nščik 142   Festungsschütze
zavel*i*č'e 234   Gebiet jenseits der Velikaja
zav*o*dnaja z*a*pis' 87   Beschluß zum Aufruhr, „Verschwörerschrift"
zemlj*a* 1   Land, Zemlja
zem*š*čina 3   das Land außerhalb der Opričnina
z*e*mskaja d*u*ma 119   „Landesduma"
z*e*mskaja izb*a* 59   „Landstube" (= Sitz des Landältesten)
z*e*mskaja sl*u*žba 135   Reichsdienst
z*e*mskie del*a* 115   Angelegenheiten der Zemlja
z*e*mskie i r*a*tnye del*a* 45   Angelegenheiten der Zemlja und des Heeres
z*e*mskie lj*u*di 1, 44   Zemlja-Leute
zz*e*mskij 84   „zivil" (= nicht dienend)
z*e*mskij gol*o*vnoj st*a*rosta 58   Oberlandältester
z*e*mskij kazn*a*čej 52   Landkämmerer
z*e*mskij prigov*o*r 44   Reichsbeschluß
z*e*mskij prik*a*z 109   Landesamt (in Moskau) (= „Rathaus")
z*e*mskij pr*i*stav 52   Provinzpolizist
z*e*mskij sob*o*r 2, 119   „Reichsversammlung"

zemskij sovet 31	Reichsrat
zemskij starosta 50	Landältester
zemskij sudejka	s. zemskij sud'ja
zemskij sud'ja 49	Landrichter
zemstvo 86	„Landschaft" (= Selbstverwaltungsorgan nach 1864)
žilec 32	Residenzadliger (als Rang); Einwohner
žileckie ljudi 134	Einwohner
žitnyj golova 55	Verwalter der Getreidemagazine
znak otčiča i dediča 19	„Vaters- und Großvaterszeichen" (= Schutz der Erbländer im zarischen Siegel
zvanie 282	Platz, Stelle, Beruf

BIBLIOGRAPHIE

1. SIGLEN

(Weitere Abkürzungen im Quellenverzeichnis)

AIJuS	Archiv istoriko-juridičeskich svedenij, otnosjaščichsja do Rossii
ČOIDR	Čtenija v Obščestve istorii i drevnostej rossijskich pri Moskovskom universitete
Drevnosti	Drevnosti. Trudy Archeografičeskoj kommissii Imperatorskago moskovskago archeologičeskago obščestva
FOG	Forschungen zur osteuropäischen Geschichte
HZ	Historische Zeitschrift
IA	Istoričeskij Archiv
IM	Istorik-marksist
ISb	Istoričeskij Sbornik
IV	Istoričeskij Vestnik
IZ	Istoričeskie Zapiski
JGO	Jahrbücher für Geschichte Osteuropas
K	Kiev
L	Leningrad
M	Moskva
NF	Neue Folge
OSP	Oxford Slavonic Papers
OZ	Otečestvennye Zapiski
PDPI	Pamjatniki drevnej pis'mennosti i iskusstva
Pg	Petrograd
PSS	Polnoe sobranie sočinenij
RA	Russkij Archiv
RIB	Russkaja Istoričeskaja Biblioteka
RM	Russkaja Mysl'
RS	Russkaja Starina
Sb(I)RIO	Sbornik (Imperatorskago) Russkago istoričeskago obščestva
S(EE)R	The Slavonic (and East European) Review
SPb	Sankt-Peterburg (St. Petersburg)
TODRL	Trudy Otdela drevne-russkoj literatury Instituta russkoj literatury
VI	Voprosy Istorii
VIMO	Vremennik Imperatorskago Moskovskago obščestva istorii i drevnostej rossijskich
ŽMNPr	Žurnal Ministerstva narodnago prosveščenija
ZOG	Zeitschrift für osteuropäische Geschichte

ZORSA
Zapiski odělenija russkoj i slavjanskoj archeologii Imperatorskago Russkago Archeologičeskago obščestva

2. QUELLEN

AAĖ
Akty sobrannye v bibliotekach i archivach Rossijskoj Imperii, Archeografičeskoju ėkspedicieju Imperatorskoj Akademii Nauk; Bd. 2-4; SPb 1836.

AI
Akty istoričeskie; Bd. 1-5; SPb 1841/42.

AJu
Akty juridičeskie, ili sobranie form starinnago děloproizvodstva; SPb 1838.

AJuZR
Akty otnosjaščiesja k istorii Južnoj i Zapadnoj Rossii; Bd. 3 (1638-1657) u. 11 (1672-1674); SPb 1879.

Starinnye akty
Starinnye akty, služaščie preimuščestvenno dopolneniem k opisaniju g. Šui i ego okrestnostej; M 1853.

Alekseev, V.P.
Novyj dokument k istorii Zemskago sobora 1648-49 god; in: Drevnosti, Bd. 2, H. 1, Sp. 79-86; M 1900.

AMG
Akty Moskovskago gosudarstva; hrsg. von N.A. Popov, Bd. 2; SPb 1894.

AZR
Akty, otnosjaščiesja k istorii Zapadnoj Rossii, sobrannye i izdannye Archeografičeskoju Kommissieju; Bd.4; SPb 1853.

Azar'in, S.
Kniga o čudesach pr. Sergija; in: PDPI 70; SPb 1888.

Barsov, S.A.
Iz rukopisej E.V. Barsova; in: ČOIDR, 1883, 1, V. S. 1-16; 1885, 4, V, S. 1-3; 1886, 2, V, S. 1-13.

Bělokurov, S.A.
Děla o licach govorivšich nepristojnyja slova; in: ČOIDR, 1887, 1, V, S. 185-216; 2, V, S. 217-255.

——
Pamjatniki diplomatičeskich snošenij Moskovskago gosudarstva s pol'sko-litovskim gosudarstvom; Bd. 5 (1609-1615 gg.); in: SbIRIO 142 (1913).

——
Utverždennaja Gramota ob izbranii na Moskovskoe gosudarstvo Michaila Fedoroviča Romanova; in: ČOIDR, 1906, 3, I, S. 1-110.

Berch, V.N.
Drevnija gosudarstvennyja gramoty, nakaznyja pamjati i čelobitnyja, sobrannyja v Permskoj gubernii; SPb 1821.

Bogojavlenskij, S.K.
Raspredělenie meždu gostjami carskich služb v 1675 g.; in: ČOIDR, 1913, 3, IV, S. 44-47.

Borisov, V.A.
Opisanie goroda Šui i ego okrestnostej, s priloženiem starinnych aktov; M 1851.

Buganov, V.I.
Novyj dokument o ssylke učastnikov „Mednogo bunta" 1662g.; in: IA, 1962, 4, S. 233-234.

——
Opisanie moskovskogo vosstanija 1648 g. v Archivskom sbornike; in: IA, 1957, 4, S. 227-230.

——
Vosstanie 1662 g. v Moskve. Sbornik dokumentov; M 1964.

——
Vosstanie v Moskve 1662 g. (po opisanijam G.N. Sobakina i neizvestnogo avtora); in: Chrestomatija po istorii SSSR. XVI-XVII vv.; hrsg. von A.A. Zimin; M 1962, S. 448-454.

Buganov, V.I./Kučkin, V.A.   Novye materialy o moskovskich vosstanijach XVII v.; in: IA, 1961, 1, S. 144-153.

Chilkov, G.   Sbornik knjazja Chilkova; SPb 1879.

Chrestomatija   Chrestomatija po istorii SSSR. XVI-XVII vv.; hrsg. von A.A. Zimin; M 1962.

Collins, S.   The Present State of Russia, in a Letter to a Friend at London; Written by an Eminent Person residing at the Great Tzars Court at Mosco for the space of nine years; London 1671.

Coyet, B.   Posol'stvo Kunraada fan-Klenka k carjam Aleksěju Michajloviču i Feodoru Alekseeviču - Voyagie van den Heere Koenraad van Klenk, Extraordinaris Ambassadeur van haer Ho: Mo: aen Zyne Zaarsche Majesteyt van Moscovien; SPb 1900.

DAI   Dopolnenija k Aktam istoričeskim; Bd. 1-5; SPb 1846-1878.

Děla   Děla ob opredělenii gubnych starost i voevod po gorodam; in: VIMO, 1849, 4, II, S. 32-52.

DRV   Drevnaja Rossijskaja Vivliofika, soderžaščaja v sebe: Sobranie drevnostej rossijskich, so istorii, geografii i genealogii rossijskija kasajuščichsja; Bd. 3, 4, 6, 8, 15 u. 16; 2. Aufl., M 1788-1791.

Fletcher, G.   Of the Rus Commonwealth; New York 1966.

Formy   Formy krestoprivodnych zapisej; in: VIMO, 1849, 4, III, S. 52-58.

Gordon, P.   Passages from the Diary of General Patrick Gordon of Auchleuchries. A.D. 1635-A.D. 1699; Aberdeen 1859.

Got'e (Gautier), Ju.V.   Akty, otnosjaščiesja k istorii zemskich soborov; M 1909 (Pamjatniki russkoj istorii 3).

Griboědov, F.A.   Istorija o carjach i velikich knjaz'jach zemli Russkoj; in: PDP 121 (SPb 1896).

Jakovlev, A.I.   Namestnič'i, gubnyja i zemskija ustavnyja gramoty Moskovskago Gosudarstva; M 1909.

Kabanov, A.K.   „Gosudarevo dělo" strjapčago Buturlina o zloupotreblenijach v Moskovskom gosudarstvě; in: Dějstvija Nižegorodskoj Gubernskoj Učenoj Archivnoj Kommissii 8 (Sbornik statej, soobščenij, opisej i dokumentov) (1909); S. 58-70.

Katyrev-Rostovskij, I.M.   Pověst' knjazja Ivana Michajloviča Katyrev-Rostovskago; in: RIB 13, H. 1 (Pamjatniki drevnej russkoj pis'mennosti, otnosjaščiesja k smutnomu vremeni), 3. Aufl., (L 1925), Sp. 559-624.

Knigi razrjadnyja   Knigi razrjadnyja po official'nym onych spiskam, 1614-79 gg.; Bd. 1-2; SPb 1853-1855.

Zapisnyja knigi   Zapisnyja knigi Moskovskago stola, 1636-1663 g.; in: RIB 10; SPb 1888.

Konovalov, S. Thomas Chamberlayne's Description of Russia, 1631; in: OSP 5 (1954), S. 107-116.

Kotošichin, G.K. O Rossii v carstvovanie Aleksěja Michajloviča; 4. Aufl., SPb 1906.

Kozačenko, A.I. K istorii Zemskogo sobora 1653 g.; in: IA, 1957, 4, S. 223-227.

Križanič, Ju. Politika; M 1965.

Kunkin, I.Ja. Gorod Kašin. Materialy dlja ego istorii; in: ČOIDR, 1903, 4, I, S. I-VIII, 1-102, I-II; 1905, 3, I, S. I-VI, 1-82.

Kurakin, F.A. Archiv knjazja F.A. Kurakina. Bumagi knjazja Borisa Ivanoviča Kurakina (1676-1727); Bd. 1; SPb 1890.

Latkin, V.N. Materialy dlja istorii Zemskich soborov XVII stolětija (1619-20, 1648-49 i 1651 godov); SPb 1884.

Lětopis' Lětopis' o mnogich mjatežach i O razorenii Moskovskago Gosudarstva ot vnutrennich i vněšnich neprijatelej i ot pročich togdašnich vremen mnogich slučaev, po prestavlenii Carja Ioanna Vasil'eviča, a pače o Meždugosudarstvovanii po končině Carja Feodora Ioannoviča, i o učinennom ispravlenii knig v Carstvovanie blagověrnago Gosudarja Carja Aleksěja Michajloviča v 7163/1655 godu. Sobrano iz drevnich těch vremen opisaniev; SPb 1771.

Pskovskie letopisi Pskovskie letopisi; Bd. 2, hrsg. von A.N. Nasonov; M 1955.

Lichačev, N.P. Novyja dannyja o zemskom sobořě 1616 goda; Russkij Istoričeskij Žurnal 8 (Petrograd 1922), S. 60-87.

Loewenson, L. The Moscow Rising of 1648; in: SEER 27 (1948), S. 146-156.

Matvěev, A.A. Zapiski Andreja Artamonoviča grafa Matveeva; SPb 1841 (Zapiski russkich ljudej. Sobytija vremen Petra Velikago).

Mayerberg, A. von Iter in Moschoviam Augustini Liberi Baronis de Mayerberg...; o.O.u.J. (um 1675).

Medvědev, S. Sozercanie kratkoe lět 7190, 91 i 92, v nich že čto sodějasja vo graždanstve; in: ČOIDR, 1894, 4, II, S. I-LII, 1-198.

Miege G. A Relation of Three Embassies From his Sacred Majestie Charles II to The Great Duke of Moscovie, The King of Sweden, and The King of Denmark, Performed by the Right H-ble the Earle of Carlisle in the Years 1663 and 1664; London 1669.

Nikon Mněnija patr. Nikona ob Uloženii i proč. (Iz otvětov Bojarinu Strešnevu); in: ZORSA 2 (1861), S. 423-498.

Novikov, N.I. Pověstvovatel' drevnostej Rossijskich, ili Sobranie raznych dostopamjatnych zapisok, služaščich k pol'zě Istorii i Geografii Rossijskoj; Teil I, 1; SPb 1776.

Novombergskij, N.Ja. Očerki vnutrennjago upravlenija v Moskovskoj Rusi XVII stolětija. Prodovol'stvennoe stroenie. Materialy; Bd. 1; Tomsk 1914 (Izvěstija Imperatorskago Tomskago universiteta 58).

——	Slovo i Delo Gosudarevy. (Processy do izdanija Uloženija Aleksěja Michajloviča 1649 goda); Bd. 1; M 1911 (Zapiski Moskovskago Archeologičeskago instituta 14).
Obolenskij, M.A.	Proekt ustava o služebnom staršinstvě bojar, okol'ničich i dumnych ljudej po 34 stepenjam, sostavlennyj pri carě Feodorě Aleksěevičě; in: AIJuS, 1876, 1, II, S. 21-44.
Ogloblin, N.N.	K istorii Tomskago bunta 1648 g.; in: ČOIDR, 1903, 3, I, S. 1-30.
Olearius, A.	Vermehrte Newe Beschreibung Der Muscowitischen und Persianischen Reyse...; Schleswig 1656.
Ostrovskaja, M.	K voprosu o broženii 1650 g.; in: ČOIDR, 1911, 4, III, S. 37-41.
Palicyn, A.	Skazanie Avraamija Palicyna; M-L 1955.
Pamjatniki diplomatiče-skich snošenij	Pamjatniki diplomatičeskich snošenij drevnej Rossii s deržavami inostrannymi; Bd. 6 (s 1682 po 1683 god); SPb 1862.
Pamjatniki drevnej pis'-mennosti	Pamjatniki drevnej pis'mennosti; Bd. 121; SPb 1896.
Pamjatniki istorii	Pamjatniki istorii staroobrjadčestva XVII v.; Bd. 1, H. 1; in: RIB 39 (1927).
Pis'mo s svěděnijami	Pis'mo s svěděnijami gospodina NN k gospodinu NN v Bolon'ě, s podrobnym opisaniem velikago knjažestva Moskovii...1657 g.; in: Bumagi Florentijskago Central'-nago Archiva, kasajuščijasja do Rossii, Teil 1; M 1871, S. 303-317, 319-360.
Platonov, S.F.	Novyj istočnik dlja istorii moskovskich volnenij 1648 g.; in: ČOIDR, 1893, 1, III, S. 1-19.
Polovcev, A.	Otčet Niderlandskich poslannikov... o ich posol'stve v Šveciju i Rossiju v 1615 i 1616 godach; in: SbIRIO 24 (1878).
Diplomatičeskoe prilo-ženie	Diplomatičeskoe priloženie; in: Trudy i lětopisi Obščestva istorii i drevnostej rossijskich, učreždennago pri Impera-torskom Moskovskom universitetě, Teil 6(1833), S. 193-275.
Tri čina prisjag	Tri čina prisjag; M 1654.
PRP	Pamjatniki russkogo prava; Bd. 4 (Pamjatniki prava perioda ukreplenija russkogo centralizovannogo gosu-darstva, XV-XVII vv.), 5 (Pamjatniki prava perioda soslovno-predstavitel'noj monarchii. Pervaja polovina XVII v.), 6 (Sobornoe Uloženie carja Alekseja Michajlo-viča 1649 goda) u. 7 (Pamjatniki prava perioda sozdanija absoljutnoj monarchii. Vtoraja polovina XVII v.); M 1956-1963.
PSRL	Polnoe sobranie russkich lětopisej; Bd. 1, 5, 14,1, 25 u. 31; SPb-L-M 1926², 1851, 1910, 1949 u. 1968.

PSZ	Polnoe sobranie zakonov Rossijskoj Imperii; Serija I, Bd. 1-5; SPb 1830.
Dvorcovye razrjady	Dvorcovye razrjady; Bd. 1 (1612-1628)-2 (1628-1645); SPb 1850-1851.
Rejtenfel's (Reutenfels), Ja.	Skazanija svetlejšemu gercogu Toskanskomu Koz'me Tret'jemu o Moskovii; M 1905.
Rodes (Rhodes), I.	Sostojanie Rossii v 1650-1655 gg. po donesenijam Rodesa; in: ČOIDR, 1915, 2, II, S. I-VIII, I-IV, 1-268.
Šaklovityj, F.	Rozysknyja děla o Feodorě Šaklovitom i ego soobščnikach; Bd. 3-4; SPb 1888-1889.
Ščerbačev, Ju.N.	Datskij archiv. Materialy po istorii drevnej Rossii, chranjaščiesja v Kopengageně, 1326-1690 gg.; in: ČOIDR, 1893, 1, I, S. I-VIII, 1-340.
——	Iz donesenij pervago datskago rezidenta v Moskve (1672-1676); in: ČOIDR, 1917, 2, II, S. 32-42.
SGGD	Sobranie gosudarstvennych gramot i dogovorov, chranjaščichsja v Gosudarstvennoj Kollegii inostrannych děl; Bd. 1-4; M 1813-1828.
Smirnov, P.P.	Čelobitnyja dvorjan i dětej bojarskich vsěch gorodov v pervoj polovine XVII věka; in: ČOIDR, 1915, 3, I, S. 1-70.
——	Neskol'ko dokumentov k istorii Sobornogo Uložen'ja i Zemskago Sobora 1648-1649 godov; in: ČOIDR, 1913, 4, IV, S. 1-20.
Storožev, V.N.	Dva čelobit'ja. (K bibliografii materialov dlja istorii russkago dvorjanstva); in: Bibliografičeskija zapiski, 1892, 1, S. 7-15.
Stroev, P.M.	Vychody Gosudarej Carej i Velikich Knjazej, Michaila Feodoroviča, Alekseja Michajloviča, Feodora Aleksieviča, vseja Russii Samoderžcev (s 1632 po 1682 god); M 1844.
Strjujs (Strauss), Ja.Ja.	Putešestvie po Rossii Gollandca Strjujsa; in: RA, 1880, 1, S. 5-108.
Šušerin, I.K.	Žitie Svjatejšago Patriarcha Nikona, pisannoe někotorym byvšim pri nem Klirikom; SPb 1784.
Russko-Belorusskie svjazi	Russko-Belorusskie svjazi. Sbornik dokumentov (1570-1667 gg.); Minsk 1963.
Theiner, A.	Monuments historiques relatifs aux règnes d'Alexis Michaélowitch, Féodor III et Pierre le Grand, czars de Russie. Extraits des archives du Vatican et de Naples; Rome 1859.
Tichomirov, M.N.	Dokumenty o Novgorodskom vosstanii 1650 g.; in: ders., Klassovaja bor'ba v Rossii XVII v.; M 1969, S. 333-351.
——	Dokumenty Pskovskogo vosstanija i Zemskogo sobora 1650 g.; in: ders., Klassovaja bor'ba v Rossii XVII v.; M 1969, S. 234-332.
——	Zapiski prikaznych ljudej konca XVII veka; in: TODRL 12 (1956), S. 442-457.

Tichomirov, M.N./Epi-   Sobornoe Uloženie 1649 goda. Učebnoe posobie dlja
fanov, P.P.   vysšej školy; M 1961.

Timofeev, I.   Vremennik Ivana Timofeeva; M-L 1951.

Titov, A.A.   Iosif, archiepiskop Kolomenskij. (Dělo o nem 1675-1676 gg.); in: ČOIDR, 1911, 3, I, S. I-VI, 1-160.

Veselovskij, S.B.   Akty podmoskovnych opolčenij i Zemskago sobora 1611-1613 gg.; in: ČOIDR, 1911, 4, I, S. I-XIV, 1-228.

Gorodskie vosstanija   Gorodskie vosstanija v Moskovskom Gosudarstve XVII v. Sbornik dokumentov; M-L 1936.

Vremennik   Vremennik Imperatorskago Moskovskago obščestva istorii i drevnostej rossijskich; 1851, 10, Materialy.

Wickhart, C.V.   Moscowittische Reiß-Beschreibung / Oder Außführliche Relation dessen / Was sich Mit der Röm: Kays: Majestät Leopoldi I. Abgeordneten / Zu dem Groß Czarn in Moscaw Alexium Michalovitz, Hannibal Frantzen von Bottoni / deß Heil. Röm. Reichs Ritter / und N. De. Regiments Rath / Wie auch Johann Carl Terlinger von Guzman / Kays. Rath. In dem 1675sten Jahr denckwürdiges zugetragen. Mit beygefügtem kurtzen Bericht von der Moscowitter Religion / und deren Politischen Standt: Wien o.J.

Zabělin, I.E.   Čelobitnaja strěl'cov Stremjannago Prikaza o ich službach i darovanii im l'goty; in: ČOIDR, 1881, 1, S. 1-4.

Zajcev, F.   Carskija gramoty na Koroču voevodam i čelobitnyja koročan carjam; in: ČOIDR, 1859, 2, II, S. I-II, 1-54, 1-254.

Zamjatin, G.A.   Dva dokumenta k istorii Zemskogo sobora 1616 g.; in: Trudy Vovonežskogo Gosudarstvennogo Universiteta 1 (1925), S. 299-310.

Zapiski   Zapiski Otdělenija russkoj i slavjanskoj archeologii Imperatorskago Russkago Archeologičeskago obščestva; Bd. 2 (SPb 1861).

Željabužskij, I.A.   Zapiski Ivana Afanas'eviča Željabužskago; in: Zapiski russkich ljudej. Sobytija vremen Petra Velikago; SPb 1841.

Zercalov, A.N.   Akty XVI-XVIII vv.; in: ČOIDR, 1894, 2, III, S. 13-19.

——   K istorii mjateža 1648 goda v Moskvě i drug. gorodach; in: ČOIDR, 1896, 1, I, S. I-IV, 1-36.

——   K istorii moskovskago mjateža 1648 g.; in: ČOIDR, 1893, 3, IV, S. I-VI, 7-12.

——   Novyja dannyja o zemskom soborě 1648-1649 gg.; in: ČOIDR, 1887, 3, IV, S. 1-80.

——   O mjatežach v gorodě Moskvě i v selě Kolomenskom, 1648, 1662 i 1771 gg.; in: ČOIDR, 1890, 3, I, S. 1-440.

Zimin, A.A.   Akty Zemskogo Sobora 1612-1613 gg.; in: Zapiski Otdela rukopisej. Gosudarstvennaja ordena Lenina biblioteka SSSR imeni V. I. Lenina 19 (1957), S. 185-193.

3. LITERATUR

Aksakov, K.S.   Kratkij istoričeskij očerk zemskich soborov; in: PSS K.S. Aksakova, Bd. 1 (Sočinenija istoričeskija); M 1861, S. 291-306.

—— Něskol'ko slov o russkoj istorii, vozbuždennych Istorieju g. Solov'eva. Po povodu I toma; in: PSS K.S. Aksakova, Bd. 1 (Sočinenija istoričeskija); M 1861, S. 39-58.

—— Ob osnovnych načalach russkoj istorii; in: PSS K.S. Aksakova, Bd. 1 (Sočinenija istoričeskija); M 1861, S. 1-16.

—— O vnutrennem sostojanii Rossii; in: Brodskij, N.L., Rannie slavjanofily. A.S. Chomjakov. I.V. Kirěevskij, K.S. i I.S. Aksakovy; M 1910 (Istoriko-literaturnaja biblioteka V), S. 69-96.

—— Po povodu VI toma Istorii Rossii, g. Solov'eva; in: PSS K.S. Aksakova, Bd. 1 (Sočinenija istoričeskija); M 1861, S. 125-172.

—— Semisotlětie Moskvy; in: PSS K.S. Aksakova, Bd. 1 (Sočinenija istoričeskija); M 1861, S. 598-605.

—— Zaměčanija na stat'ju g. Solov'eva: „Šlěcer i anti-istoričeskoe napravlenie"; in: PSS K.S. Aksakova, Bd. 1 (Sočinenija istoričeskija); M 1861, S. 173-213.

Aleksandrov, V.A./
Zimin, A.A.   Kommentarii; in: V.O. Ključevskij, Sočinenija v vos'mi tomach; Bd. 3; M 1957, S. 365-372.

Aleksěev V.P.   Bor'ba za ideju zakonnosti v Moskovskoj Rusi; M o.J. (um 1905/06).

—— Vopros ob uslovijach izbranija na carstvo M.F. Romanova; in: RM, 1909, 11, S. 1-23.

—— Zemskie sobory drevnej Rusi; Rostov-na-Donu 1904.

Alexeyev, B. (ders.)   The Restoration of Order and the First Romanovs; in: The Russian Review, vol. II (1913), No. 2, S. 14-50.

Almagro, le comte d'   Notice sur les principales familles de la Russie; Paris 1843.

Arsen'ev, Ju.V.   Iz děloproizvodstva Kaširskich gubnych starost vo vtoroj polovině XVII věka; in: Drevnosti, Bd. 2,1 (M 1900), Sp. 87-102.

Avaliani, S.A.   O predstavitel'stvě na zemskich soborach XVI v. i nač. XVII v.; in: Zapiski Imperatorskago Novorossijskago Universiteta Istoriko-filologičeskago fakul'teta 2 (1910), S. 1-80.

—— Zemskie sobory. Literaturnaja istorija Zemskich soborov; 2. Aufl., Odessa 1916.

Avrech, A.Ja.   Russkij absoljutizm i ego rol' v utverždenii kapitalizma v Rossii; in: Istorija SSSR, 1968, 2, S. 82-104.

Bachrušin, S.V.   Moskovskoe vosstanie 1648 g.; in: ders., Naučne trudy; Bd. 2; M 1954, S. 46-91.

Baron, S.   The Origins of Seventeenth-Century Moscow's Nemec-

kaja Sloboda; in: California Slavic Studies 5 (1970), S.
1-17.

—— The Weber Thesis and the Failure of Capitalist Development in „Early Modern" Russia; in: JGO NF 18 (Sept.
1970), S. 321-336.

Barsukov, N.A.   Soloveckoe vosstanie 1668-1676 gg.; Petrozavodsk 1954.

Bašilov, B.   Tišajšij car' i ego vremja; o.O.u.J.

Bazilevič, K.V.   Denežnaja reforma Alekseja Michajloviča i vosstanie v
                       Moskve v 1662 g.; M-L 1936.

—— Élementy merkantilizma v èkonomičeskoj politike pravitel'stva Alekseja Michajloviča; in: Učenye zapiski Moskovskogo ordena Lenina gosudarstvennogo universiteta
im. Lenina 41 (1940); Istorija, Bd. 1, S. 3-34.

—— Kollektivnye čelobit'ja torgovych ljudej i bor'ba za
russkij rynok v pervoj polovine XVII veka; in: Izvestija
AN SSSR, VII serija, Otdelenie obščestvennych nauk; L
1932, Nr. 2, S. 91-123.

Běljaev, I.D.   Položenie russkago obščestva v carstvovanie Michaila
                       Feodoroviča; in: Učenyja zapiski Kazanskago universi-
                       teta po otděleniju istoričesko-filologičeskich i politiko-
                       jurididičeskich nauk, 1862, 2, S. 245-253.

—— Sud'by zemščiny i vybornago načala na Rusi; in: ČOIDR,
1905, 4, III, S. 1-136.

Bělokurov, S.A.   Arsenij Suchanov (1632-1668 gg.); in: ČOIDR, 1891, 1,
                       III, S. I-IV, 1-328; 2, IV, S. 329-440, I-CLX, I-V; 1894,
                       2, I, S. I-LXX, I-XVI, 1-283.

Blum. J.   Lord and Peasant in Russia from the Ninth to the Nine-
                       teenth Century; New York 1964.

Bluntschli, J.C.   „Gesellschaft"; in: Deutsches Staatswörterbuch, Bd. 4;
                       Stuttgart-Leipzig 1859, S. 246-251.

Bogojavlenskij, S.K.   Chovanščina; in: IZ 10 (1941), S. 180-221.

—— Moskovskija smuty v XVII v.; in: Moskva v eja prošlom
i nastojaščem; Teil 3, H. 6, S. 123-140. (Ohne Jahr!)

Bogoslovskij, M.M.   Zemskija čelobitnyja v drevnej Rusi. (Iz istorii zemskago
                       samoupravlenija na severe v XVII v.); in: Bogoslovskij
                       Vestnik, 1911, 1, S. 133-150; 2, S. 215-241; 3, S. 403-419;
                       4, S. 685-696.

—— Zemskoe samoupravlenie na russkom sěverě v XVII v.;
Bd. 1 (Oblastnoe dělenie Pomor'ja. Zemlevladěnie i
obščestvennyj stroj. Organy samoupravlenija) u. 2 (Děja-
tel'nost' zemskago mira. Zemstvo i gosudarstvo); M 1909-
1912. (Rezension von M.A. D'jakonov in: ČOIDR, 1913,
4, V, S. 21-46.)

Bosl, K.   Die Gesellschaft in der Geschichte des Mittelalters;
                       Göttingen 1966.

Brunner, O.   Land und Herrschaft; Wien 1959.

Buganov, V.I.   Moskovskie vosstanija konca XVII veka; M 1969.

—— Moskovskoe vosstanie 1662 g.; M 1964.

——   Zapiski sovremennika o moskovskich vosstanijach 1648 i
                1662 godov; in: Archeografičeskij ežegodnik za 1958 g.;
                M 1960, S. 99-114.

Buščik, L.P.   XV-XVII vv. Illjustrirovannaja istorija SSSR. Posobie dlja
                učitelej i studentov pedagogičeskich institutov; M 1971.

Cam, H.M./Marongiu,   Recent work and present views on the origins and develop-
A.   ment of representative assemblies; Firenze (1955) (X
                Congresso Internazionale de Scienze Storiche; Bd. 1:
                Metodologia. Problemi generale. Scienze ausiliarie della
                storia).

Čerepnin, L.V. Klassovaja bor'ba v 1682 g. na juge Moskovskogo
                gosudarstva; in: IZ 4 (1938), S. 41-75.

——   K voprosu o skladyvanii absoljutnoj monarchii v Rossii
                (XVI-XVII vv.); in: Dokumenty sovetsko-ital'janskoj kon-
                ferencii istorikov, 8-10 aprelja 1968 goda; M 1970, S. 11-
                60.

——   Predislovie; in: PRP, Bd. 5; M 1959, S. 5-44; Bd. 7; M
                1963, S. 5-29.

——   „Smuta" i istoriografija XVII veka. (Iz istorii drevneruss-
                kogo letopisanija); in: IZ 14 (1945), S. 80-128.

——   Zemskie sobory i utverždenie absoljutizma v Rossii; in:
                Absoljutizm v Rossii (XVII-XVIII vv.); M 1964, S. 92-133.

Cherniavsky, M. Tsar and People. Studies in Russian Myths; New Haven-
                London 1961.

Chlěbnikov, N.I. O vlijanii obščestva na organizaciju gosudarstva v carskij
                period russkoj istorii; SPb 1869.

Čičerin, B.N.   Oblastnyja učreždenija Rossii v XVII-m věkě; M 1856.

——   O narodnom predstavitel'stvě; M 1866.

Čistjakova, E.V. Letopisnye zapisi o narodnych dviženijach serediny XVII
                v.; in: Problemy obščestvenno-političeskoj istorii Rossii
                i slavjanskich stran; M 1963, S. 242-252.

——   Narodnye dviženija v Rossii v seredine XVII v. (1635-
                1649); M 1966 (Avtoreferat dissertacii na soiskanie učenoj
                stepeni doktora istoričeskich nauk).

——   Prigovornye zapisi XVII veka; in: VI, 1956, 3, S. 136-137.

——   Social'no-ěkonomičeskie vzgljady A.L. Ordina-Naščokina
                (XVII vek); in: Trudy Voronežskogo gosudarstvennogo
                universiteta 20 (1950), Sbornik rabot po istorii, S. 3-57.

——   Sostav sledstvennych del o gorodskich vosstanijach na
                juge Rossii v seredine XVII veka; in: Archeografičeskij
                ežegodnik za 1958 god; M 1960, S. 91-98.

——   Volnenija služilych ljudej v južnych gorodach Rossii v
                seredine XVII v.; in: Russkoe gosudarstvo v XVII veke.
                Novye javlenija v social'no-ěkonomičeskoj, političeskoj i
                kul'turnoj žizni. Sbornik statej; M 1961, S. 254-271.

——   Voronež v seredine XVII veka i vosstanie 1648 goda;
                Voronež 1953.

318   BIBLIOGRAPHIE

Cook, J.Qu.   The Image of Russia in Western European Thought in
                           the Seventeenth Century; Ph. D. Thesis, University of
                           Minnesota, 1959.
Crummey, R.O.   The Reconstitution of the Boiar Aristocracy, 1613-1645;
                           in: FOG 18 (1973), S. 187-220.
Czerska, D.   Sobornoje Ułożenije 1649 roku. Zagadnienia społeczno-
                           ustrojowe; Wrocław-Warszawa-Kraków 1970 (Polska
                           AN [Oddział w Krakowie]. Prace Komisji nauk historycz-
                           nych 25).
Davidovič, A.M./   O klassovoj suščnosti i ětapach razvitija russkogo abso-
Pokrovskij, S.A.   ljutizma; in: Istorija SSSR, 1969, 1, S. 58-78.
Ditjatin, I.I.   Iz istorii městnago upravlenija; in: Ders., Stat'i po istorii
                           russkago prava; SPb 1895, S. 386-467.
——   K voprosu o zemskich soborach XVII st.; in: RM, 1883,
                           12, S. 84-106.

——   Rol' čelobitij i zemskich soborov v upravlenii Moskov-
                           skago gosudarstva; in: Ders., Stat'i po istorii russkago
                           prava; SPb 1895, S. 273-298.
D'jakonov, M.A.   Skizzen zur Gesellschafts- und Staatsordnung des alten
                           Rußlands; Breslau 1931.
Dokumenty   Dokumenty sovetsko-ital'janskoj konferencii istorikov,
                           8-10 aprelja 1968 g.; M 1970.
Dovnar-Zapol'skij, M.V.   Russkaja istorija v očerkach i stat'jach; Bd. 3; K 1912.
Ellersiek, H.E.   Russia unter Aleksei Mikhailovich and Feodor Aleksee-
                           vich, 1645-1682: The Scandinavian Sources; Ph.D. Thesis,
                           University of California — Los Angeles, 1955.
Eroškin, N.P.   Očerki istorii gosudarstvennych učreždenij dorevoljucion-
                           noj Rossii. Posobie dlja učitelej; M 1960.
Fedorov, B.   O formě prisjagi v Rossii so vremen jazyčestva do carst-
                           vovanija Petra Velikago; in: OZ 17 (1824), S. 387-410.
Fleischhacker, H.   Die staats- und völkerrechtlichen Grundlagen der mos-
                           kauischen Außenpolitik (14.-17. Jahrhundert); Breslau
                           1938.
Flërov, V.S.   Tomskoe vosstanie 1648 g.; in: Naučnaja Konferencija,
                           posvjaščennaja 20-letiju (Tomskogo gosudarstvennogo
                           pedagogičeskogo) instituta. Tezisy dokladov; Tomsk 1950,
                           S. 21-23.
Forsten, G.V.   Snošenija Švecii i Rossii vo vtoroj polovině XVII věka
                           (1648-1700); in: ŽMNPr, 1898, 5, S. 48-103.
——   Snošenija Švecii s Rossiej v carstvovanie Christiny; in:
                           ŽMNPr, 1891, 6, S. 348-375.
Gal'perin, G.V.   Forma pravlenija Russkogo centralizovannogo gosudar-
                           stva XV-XVI vekov; L 1964.
——   K voprosu o forme pravlenija russkogo gosudarstva
                           XV i pervoj poloviny XVI vv.; in: Učenye zapiski Lenin-
                           gradskogo Gosudarstvennogo Universiteta 255 (1958);
                           Serija juridičeskich nauk, H. 10, S. 195-210.

Gerhard, D.   Assemblies of Estates, and the Corporate Order; in: Liber Memorialis Georges de Lagarde; London 1968, S. 285-308.

——   Ständische Vertretungen und Land; in: Festschrift für Hermann Heimpel zum 70. Geburtstag...; Bd. 1; Göttingen 1971 (Veröffentlichungen des Max-Planck-Instituts für Geschichte 36/I), S. 447-472.

Glötzner, V.   Die strafrechtliche Terminologie des Uloženie 1649. Untersuchungen zur russischen Rechtsgeschichte und Gesetzessprache; Wiesbaden 1967 (Schriften zur Geistesgeschichte des östlichen Europa 2).

Golikov, I.I.   Dějanija Petra Velikago, mudrago preobrazitelja Rossii, sobrannyja iz dostověrnych istočnikov i raspoložennyja po godam; Bd. 13, 2. Aufl.; M 1840.

Golikova, N.B.   Organy političěskogo syska i ich razvitie v XVII-XVIII vv.; in: Absoljutizm v Rossii (XVII-XVIII vv.); M 1964, S. 243-280.

Russkoe gosudarstvo   Russkoe gosudarstvo v XVII veke. Novye javlenija v social'no-ěkonomičeskoj, političeskoj i kul'turnoj žizni. Sbornik statej; M 1961.

Gradovskij, A.D.   Obščestvennye klassy i administrativnoe delenie Rossii do Petra I; in: ŽMNPr, 1868, 4, S. 1-91; 5, S. 405-456; 6, S. 631-698; 7, S. 72-241.

Hellie, R.   Enserfment and Military Change in Muscovy; Chicago-London 1971.

——   Muscovite Law and Society. The Ulozhenie of 1649 as a Reflection of the Political and Social Development of Russia since the Sudebnik of 1589; Ph.D. Thesis, Chicago, 1965.

——   Readings for Introduction to Russian Civilization. Muscovite Society; Chicago 1967.

Hintze, O.   Staatenbildung und Kommunalverwaltung; in: Ders., Staat und Verfassung; Leipzig 1941, S. 206-231.

——   Staatenbildung und Verfassungsentwicklung. Eine historisch-politische Studie; in: Ders., Staat und Verfassung; Leipzig 1941, S. 24-41.

——   Weltgeschichtliche Bedingungen der Repräsentativverfassung; in: Staat und Verfassung; Leipzig 1941, S. 130-175.

Hoetzsch, O.   Adel und Lehnswesen in Rußland und Polen und ihr Verhältnis zur deutschen Entwicklung; in: Osteuropa und Deutscher Osten. Kleine Schriften zu ihrer Geschichte; Königsberg-Berlin 1934, S. 50-101.

——   M.N. Pokrovskij; in: Osteuropa und Deutscher Osten. Kleine Schriften zu ihrer Geschichte; Königsberg-Berlin 1934, S. 256-267.

——   Staatenbildung und Verfassungsentwicklung in der Ge-

	schichte des germanisch-slavischen Ostens; in: Osteuropa und Deutscher Osten. Kleine Schriften zu ihrer Geschichte; Königsberg-Berlin 1934, S. 1-49.
Hoffmann, P.	Entwicklungsetappen und Besonderheiten des Absolutismus in Rußland; in: Jahrbuch für Geschichte der sozialistischen Länder Europas, Bd. 14,2 (1970), S. 107-133.
Ilovajskij, D.I.	Istorija Rossii; Bd. 5; M 1905.
Indova, E.I./Preobra-ženskij, A.A./ Tichonov, Ju.A.	Narodnye dviženija v Rossii XVII-XVIII vv. i absoljutizm; in: Absoljutizm v Rossii (XVII-XVIII vv.); M 1964, S. 50-91.
Istorija gosudarstva	Istorija gosudarstva i prava SSSR; Bd. 1; M 1967.
Istorija	Istorija SSSR s drevnejših vremen do našich dnej v dvuch serijach v dvenadcati tomach; Bd. 2-3; M 1966-1967.
Jakubov, K.	Rossija i Švecija v pervoj polovine XVII v.; in: ČOIDR, 1897, 3, S. X-240; 4, S. 241-288; 1898, 1, S. 289-493.
Juškov, S.V.	K voprosu o soslovno-predstavitel'noj monarchii v Rossii; in: Sovetskoe gosudarstvo i pravo, 1950, 10, S. 39-51.
——	Razvitie russkogo gosudarstva v svjazi s ego bor'boj za nezavisimost'; M 1946 (Učenye trudy Vsesojuznogo instituta juridičeskich nauk Ministerstva justicii SSSR 8).
Kabanov, A.K.	Organizacija vyborov na zemskie sobory XVII věka; in: ŽMNPr, 1910, 9, S. 93-130.
Karamzin, N.M.	Istorija gosudarstva rossijskago; Bd. 10; SPb 1897.
Karěev, N.	Zemskie sobory drevnej Rusi; in: Juridičeskij Věstnik 21 (Febr. 1886), S. 255-268.
Kaufmann-Rochard, J.	Origines d'une bourgeoisie russe (XVIe et XVIIe siècles). Marchands de Moscovie; Paris 1969.
Keenan, E.L.	The Kurbskii-Groznyj Apocrypha. The Seventeenth-Century Genesis of the „Correspondence" Attributed to Prince A.M. Kurbskii and Tsar Ivan IV; Harvard U.P. 1971.
Keep, J.L.H.	Bandits and the Law in Muscovy; in: SEER 35 (1956/57), S. 201-222.
——	The Decline of the Zemsky Sobor; in: SEER 36 (1957/58), S. 100-122.
——	The Muscovite Élite and the Approach to Pluralism; in: SEER 47 (1970), S. 201-231.
——	The Régime of Filaret, 1619-1633; in: SEER 38 (1959/60), S. 334-360.
Ključevskij, V.O.	Kurs russkoj istorii, Teil 3; in: Sočinenija v vos'mi tomach; Bd. 3; M 1957.
——	Sostav predstavitel'stva na zemskich soborach drevnej Rusi; in: Ders., Opyty i izslědovanija. Pervyj sbornik statej; Pg 1918, S. 358-472.
Kločkov, M.V.	Zemskie sobory. Istoričeskij očerk; 2. Aufl., SPb 1914.
Kolesnikov, P.A.	Vosstanija v Tot'me i Totemskom uezde v XVII v.; in:

Russkoe gosudarstvo v XVII veke. Novye javlenija v social'no-ėkonomičeskoj, političeskoj i kul'turnoj žizni. Sbornik statej; M 1961, S. 272-283.

Konovalov, S.   Anglo-Russian Relations, 1620-4; in: OSP 4 (1953), S. 71-131.

Kozačenko, A.I.   Zemskij sobor 1653 goda; in: VI, 1957, 5, S. 151-158.

Kurskov, Ju.V.   Pskovskaja gorodskaja reforma 1665 goda. (K voprosu o social'no-ėkonomičeskich vzgljadach A.L. Ordina-Naščokina); in: Učenye Zapiski Leningradskogo gosudarstvennogo pedagogičeskogo instituta im. A.I. Gercena, Istoričeskie nauki; Bd. 194 (1958), S. 169-192.

Lappo-Danilevskij, A.S. Ideja gosudarstva i glavnějšie momenty ee razvitija v Rossii so vremeni smuty do ėpochi preobrazovanij; in: Golos minuvšago, 1914, 12, S. 5-38.

Latkin, V.N.   Zemskie sobory drevnej Rusi, ich istorija i organizacija sravnitel'no s zapadno-evropejskimi predstavitel'nymi učreždenijami. Istoriko-juridičeskoe izslědovanie; SPb 1885.

Lipinskij, M.A.   (Rezension von V.N. Latkin, Zemskie sobory...); in: ŽMNPr, 1886, 5, S. 106-143.

Ljubomirov, P.G.   Očerk istorii Nižegorodskago opolčenija 1611-1613 gg.; M 1939.

Mal'cev, A.N.   Nakazy belorusskich i litovskich šljachetskich sejmikov 1657 g.; in: Problemy obščestvenno-političeskoj istorii Rossii i slavjanskich stran; M 1963.

Markevič, A.I.   Izbranie na carstvo Michaila Feodoroviča Romanova; in: ŽMNPr, 1891, 9, S. 176-203; 10, S. 369-407.

——   Istorija městničestva v Moskovskom gosudarstvě v XV-XVII v.; Odessa 1888 (Zapiski Imperatorskago Novorossijskago Universiteta 47).

Medovikov, P.E.   Istoričeskoe značenie carstvovanija Aleksěja Michajloviča; M 1854.

Miljukov, P.N.   Gosudarstvennoe chozjajstvo Rossii v pervoj četverti XVIII stolětija i reforma Petra Velikago; 2. Aufl., SPb 1905.

Mitteis, H.   Land und Herrschaft. Bemerkungen zu dem gleichnamigen Buch Otto Brunners; in: HZ 163 (1941), S. 255-281, 471-489.

Müller G.F.   Izvěstie o Dvorjanech Rossijskich. O ich drevnem proischoždeniem, o starinnych činach, i kakija ich byli dolžnosti pri Gosudarjach, Carjach i Velikich Knjaz'jach, o vybore dokazatel'stv na dvorjanstvo, o rodoslovnoj knigě, o vladěnii dereven', o službe predkov i sobstvennoj i o diplomach; SPb 1790.

——   Sammlung Rußischer Geschichte des Herrn Collegienraths Müllers in Moscow; Teil 2; Offenbach 1777.

Neubauer, H.   Car und Selbstherrscher. Beiträge zur Geschichte der

Autokratie in Rußland; Wiesbaden 1964 (Veröffentlichungen des Osteuropa-Instituts München 22).

Nikol'skij, V.K. „Bojarskaja popytka" 1681 g.; in: Istoričeskija Izvěstija, izd. Istoričeskim Obščestvom pri Moskovskom universitetě, 1917, 2, S. 57-87.

—— Zemskij sobor o večnom mire s Pol'šej 1683-84 g.; M 1928 (Naučnye trudy [Industrial'no-pedagogičeskogo instituta im. K. Libknechta], Serija social'no-ėkonomičeskaja, H. 2).

Nosov, N.F. Stanovlenie soslovno-predstavitel'nych učreždenij v Rossii. Izyskanija o zemskoj reforme Ivana Groznogo; L 1969.

Novickij, G.A. Vosstanie v Kurske v 1648 g. (Iz istorii klassovoj bor'by v gorodach Moskovskogo gosudarstva v XVII v.); in: IM 6 (40) (1934), S. 24-36.

Novosel'skij, A.A. Kollektivnye dvorjanskie čelobit'ja po voprosam meževanija i opisanija zemel' v 80-ch godach XVII v.; in: „Učenye Zapiski Instituta Istorii" pri RANIONe, Bd. 4 (1929), S. 103-108.

—— Pobegi krest'jan i cholopov i ich sysk v Moskovskom gosudarstve vtoroj poloviny XVII veka; M 1926 (Trudy Naučnogo Instituta istorii RANION, H. 1).

—— Zemskij sobor 1639 g.; in: IZ 24 (1947), S. 14-29.

O'Brien, C.B. Russia and Eastern Europe. The Views of A.L. Ordin-Naščokin; in: JGO NF 17 (1969), S. 369-379.

—— Russia under Two Tsars, 1682-1689. The Regency of Sophia Alekseevna; Berkeley-Los Angeles 1952 (University of California Publications in History 42).

Očerki Očerki istorii SSSR. Period feodalizma; Konec XV v.-načalo XVII v.; M 1955; XVII v.; M 1955.

Ogloblin, N.N. Narodnaja smuta na Vjatkě iz-za „kormlenija" voevod; in: IV, 1892,7 , S. 165-184.

Ol'minskij (Aleksandrov), M.S. Gosudarstvo, bjurokratija i absoljutizm v istorii Rossii; 3. Aufl., M-L 1925.

Ostrogorsky, G. Das Projekt einer Rangtabelle aus der Zeit des Caren Fedor Aleksěevič; in: Jahrbücher für Kultur und Geschichte der Slawen NF 9 (1933), S. 86-138.

Palme, A. Die russische Verfassung; Berlin 1910.

Pavlenko, N.I. K voprosu o genezise absoljutizma v Rossii; in: Istorija SSSR, 1970, 4, S. 54-74.

—— Ob ocenke streleckogo vosstanija 1682 g. (po povodu monografiii V.I. Buganova „Moskovskie vosstanija konca XVII v.". M 1969); in: Istorija SSSR, 1971, 3, S. 77-94.

Pavlov-Sil'vanskij, N.P. Feodalizm v Drevnej Rusi; SPb 1907.

—— Gosudarevy služilye ljudi; 2. Aufl. in: Ders., Sočinenija, Bd. 1; SPb 1909, S. 1-297.

Pekarskij, P.P. Carica Marfa Matvěevna, uroždennaja Apraksina, vtoraja supruga Carja Feodora Alekséeviča, samoderžca vserossijskago; SPb 1858.

Philipp, W. — Grundfragen der Geschichte Rußlands bis 1917; in: Rußland - gestern und heute; Bd. 1; Bonn 1960, S. 73-84.

Platonov, S.F. — Bojarskaja Duma, - predšestvennica Senata; in: Ders., Stat'i po russkoj istorii (1883-1912) (Sočinenija, Bd. 1); 2. Aufl., SPb 1912, S. 444-494.

—— Car' Aleksěj Michajlovič. (Opyt charakteristiki); in: Ders., Stat'i po russkoj istorii (1883-1912) (Sočinenija, Bd. 1); 2. Aufl., SPb 1912, S. 26-39.

—— K istorii moskovskich Zemskich soborov; in: Ders., Stat'i po russkoj istorii (1883-1912) (Sočinenija, Bd. 1); 2. Aufl., SPb 1912, S. 279-338.

—— Lekcii po russkoj istorii; 8. Aufl., SPb 1913.

—— Moskovskija volnenija 1648 goda; in: Ders., Stat'i po russkoj istorii (1883-1912) (Socinenija, Bd. 1); 2. Aufl., SPb 1912, S. 62-75.

—— Moskovskoe pravitel'stvo pri pervych Romanovych; in: Ders., Stat'i po russkoj istorii (1883-1912) (Sočinenija, Bd. 1); 2. Aufl., SPb 1912, S. 339-406.

—— Moskva i zapad; Berlin 1926.

—— Očerki po istorii Smuty v Moskovskom gosudarstve XVII-XVII vv.; M 1937.

—— „Vsja zemlja"; in: P.G. Vasenko, S.F. Platonov, E.F. Turaeva-Cereteli, Načalo dinastii Romanovych. Istoričeskie očerki; SPb 1912, S. 220-234 (= Kap. 7).

—— Zamětki po istorii moskovskich Zemskich soborov; in: Ders., Stat'i po russkoj istorii (1883-1912) (Sočinenija, Bd. 1); 2. Aufl., SPb 1912, S. 1-25.

Plechanov, G.V. — Istorija russkoj obščestvennoj mysli; Bd. 1; 2. Aufl., M-L 1925, S. 11.

Pogodin, M.P. — O městničestvě; in: Ders. Istoriko-kritičeskie otryvki; Teil 1; M 1846, S. 173-188.

Pokrovskij, M.N. — Absoljutizm; in: Bol'šaja Sovetskaja Ènciklopedija; Bd. 1; M 1926, S. 87 ff.

—— Die Entstehung des russischen Absolutismus; in: Aus der historischen Wissenschaft der Sovet-Union; Königsberg-Berlin 1929 (Osteuropäische Forschungen NF 6), S. 1-32.

—— Mestnoe samoupravlenie v drevnej Rusi; in: Melkaja zemskaja edinica; Bd. 1; 2. Aufl., SPb 1903, S. 224-274.

—— Russkaja istorija s drevnejšich vremen; Bd. 2; M 1933.

Poršnev, B.F. — Razvitie „balašovskogo" dviženija v fevrale-marte 1634 g.; in: Problemy obščestvenno-političeskoj istorii Rossii i slavjanskich stran; M 1963, S. 225-235.

Preobraženskij, A.A. — O nekotorych spornych voprosach načal'nogo ètapa genezisa absoljutizma v Rossii; in: Istorija SSSR, 1971, 2, S. 108-117.

324 BIBLIOGRAPHIE

Rachmatullin, M.A.   K diskussii ob absoljutizme v Rossii; in: Istorija SSSR, 1972, 4, S. 65-88.

Raumer, K. von   Absoluter Staat, korporative Libertät, persönliche Freiheit; in: HZ 183 (1957), S. 55-96.

Rocca, F. de   Les Zemskié Sobors. Étude historique; Paris 1899.

Roginskij, Z.I.   Poezdka gonca Gerasima Semenoviča Dochturova v Angliju v 1645-1646 gg.; Jaroslavl' 1958.

Roždestvenskij, S.V.   O Zemskom sobore 1642 g.; in: Sbornik statej, posv. počitateljami Ak. V.I. Lamanskomu...; Teil 1; SPb 1907, S. 94-103.

Rožkov, N.A.   Russkaja istorija v sravnitel'no-istoričeskom osveščenii. (Osnovy social'noj dinamiki); Bd. 4,1 u. 5; Pg 1923.

Sacharov, A.M.   Kommentarii k devjatomu i desjatomu tomam „Istorii Rossii s drevnejših vremen"; in: S.M. Solov'ev, Istorija Rossii s drevnejših vremen, Buch 5; M 1961, S. 697-708.

——   Kommentarii k trinadcatomu i četyrnadcatomu tomam „Istorii Rossii s drevnejših vremen"; in: S.M. Solov'ev, Istorija Rossii s drevnejših vremen, Buch 7; M 1962, S. 667-682.

Šachmatov, M.V.   Ispolnitel' naja vlast' v Moskovskoj Rusi. (Vidy organov ispolnitel'noj vlasti i ich social'no-političeskaja istorija); Prag 1935 (Zapiski naučno-izsledovatel'skago ob-edinenija. Section des sciences philosophiques, historiques et sociales 5).

——   Kompetencija ispolnitel'noj vlasti v Moskovskoj Rusi; Teil 1 (Vnutrennjaja ochrana gosudarstva); Prag 1936 (Zapiski naučno-izsledovatel'skogo ob-edinenija. Section des sciences philosophiques, historiques et sociales 24).

Ščapov, A.P.   Zemskij sobor 1648-49 gg. i sobranie deputatov 1767 g.; in: Sobranie sočinenij; Bd. 1; SPb 1906, S. 710-752.

Sergeevič, V.I.   Otčet o 29 prisuždenii nagrad gr. Uvarova; in: Ders., Juridičeskaja bibliografija, Nr. 5.

——   Zemskie sobory v Moskovskom gosudarstve; in: Sbornik gosudarstvennych znanij, Bd. 2; SPb 1875, S. 1-60. (Rezension: Vladimirskij-Budanov, M.F.; in: Kievskie Universitetskie Izvestija, 1875, 10.)

Šestakov, A.V.   Materialy k izučeniju istorii SSSR; M-Ivanovo 1938.

SIÉ   Sovetskaja Istoričeskaja Énciklopedija; Bd. 11 u. 12; M 1968-1969.

Skalweit, St.   Das Herrscherbild des 17. Jahrhunderts; in: HZ 184 (1957), S. 65-80.

Šmelev, G.N.   Otnošenie naselenija i oblastnoj administracii k vyboram na zemskie sobory v XVII v.; in: Sbornik Statej, posvjašč. Vasiliju Osipoviču Ključevskomu; M 1909, S. 492-502.

Smirnov, P.P.   Iz istorii klassovoj bor'by v gorodach Moskovskogo gosudarstva XVII veka; in: ISb 3 (1934), S. 81-131.

——   Novoe čelobit'e Moskovskich torgovych ljudej o vysylke inozemcev 1627 goda. (Iz obščestvennych nastroenij gorožan XVII v.); in: Čtenija v (istor.) Obščestve Nestora-Lětopisca 23 (K 1912), H. 1, Teil 2, S. 3-32, u. Anhang, S. 97-102.

—— O načalě Uloženija i Zemskago sobora 1648-1649 g.; in: ŽMNPr, 1913, 9, S. 36-66.

—— Posadskie ljudi i ich klassovaja bor'ba do serediny XVII veka; Bd. 1-2; M-L 1947-1948.

—— Pravitel'stvo B.I. Morozova i vosstanie v Moskve 1648 g.; Taškent 1929 (Trudy Sredne-Aziatskogo Gosudarstvennogo Universiteta; Serija III-a. Istorija; H. 2).

Solov'ev, S.M.   Istorija Rossii s drevnejšich vremen; Buch 4-7; M 1960-1962.

—— Šlëcer i anti-istoričeskoe napravlenie; in: Russkij Vestnik, 1857, 8, S. 431-480.

—— Timoška Ankidinov (XI samozvanec); in: Finskij Vestnik 13 (1847), II, S. 1-38; 14 (1847), II, S. 1-34.

Sorokoletov, F.P.   Istorija voennoj leksiki v russkom jazyke XI-XVII vv.; L 1970.

Staševskij, E.D.   K istorii dvorjanskich čelobitnych. Kollektivnaja čelobitnaja 3 fevralja 145 g.; in: Sbornik statej, posvjašč. L.M. Savelovu; M 1915, S. 100-124.

—— Očerki po istorii carstvovanija Michaila Fedoroviča; Teil 1 (Moskovskoe obščestvo i gosudarstvo ot načala carstvovanija Michaila Fedoroviča do ėpochi Smolenskoj vojny); K 1913.

—— Pjatina 142-go goda i torgovo-promyšlennye centry Moskovskago gosudarstva; in: ŽMNPr, 1912, 4, S. 248-319.

Stökl, G.   s. Cam

—— Der Moskauer Zemskij Sobor. (Forschungsproblem und politisches Leitbild); in: JGO NF 8 (1960), S. 149-170.

—— Die Begriffe Reich, Herrschaft und Staat bei den orthodoxen Slawen; in: Saeculum 5 (1954), S. 104-118.

—— Gab es im Moskauer Staat „Stände"?; in: JGO NF 11 (1963), S. 321-342.

—— Russische Geschichte von den Anfängen bis zur Gegenwart; Stuttgart 1962.

Storoženko, N.V.   Zapadno-russkie provincial'nye sejmiki vo vtoroj polovine XVII věka; K 1888.

Storožev, V.N.   Bojarstvo i dvorjanstvo XVII věka; in: Tri věka. Rossija ot smuty do našego vremeni; Bd. 2; M 1912, S. 186-216.

Strahlenberg, Ph.J. von   Das Nord- und Östliche Theil Europas und Asia in so weit solches das gantze Russische Reich mit Sibirien und der grossen Tatarey in sich begreiffet in seiner historisch-geographischen Beschreibung der alten und neuen Zeiten...; Stockholm 1730.

Štrauch, A.N.   Streleckij bunt 1682 g.; M 1928 (Naučnye trudy Industrial'no-pedagogičeskogo instituta im. K. Libknechta; Serija social'no-ėkonomičeskaja 1).

326

Sumarokov, A.P. Der erste und wichtigste Aufstand der Strelizen in Moskau, im Jahre 1682 im Maymonate; Riga 1772. (Original: Pervyj i glavnyj Strěleckij bunt v Moskvě v 1682 godu v měsjacě Maii; SPb 1768.)

Taranovskij, F.V. Sobornoe izbranie i vlast' velikago gosudarja v XVII stolětii; in: Žurnal Ministerstva justicii, 1913, 5, S. 1-34.

Tatiščev, V.N. Istorija rossijskaja; Bd. 7; L 1968.

Tel'berg, G.G. Očerki političeskago suda i političeskich prestuplenij v Moskovskom gosudarstvě XVII věka; M 1912 (Učenyja Zapiski Imperatorskago Moskovskago Universiteta. Otděl juridičeskij, 39).

Tezisy Tezisy o vossoedinenii Ukrainy s Rossiej (1654-1954 gg.); M 1954.

Tichomirov, M.N. Istočnikovedenie istorii SSSR; Bd. 1 (S drevnejšego vremeni do konca XVIII veka. Učebnoe posobie); M 1962.

—— Novgorodskoe vosstanie 1650 g.; in: Ders., Klassovaja bor'ba v Rossii XVII v.; M 1969, S. 139-169.

—— Pskovskoe vosstanie 1650 g. Iz istorii klassovoj bor'by v Russkom gorode XVII v.; in: Ders., Klassovaja bor'ba v Rossii XVII v.; M 1969, S. 23-138.

—— Sobornoe Uloženie i gorodskie vosstanija serediny XVII v.; M 1969, S. 170-188.

Tichonov, Ju.A. Kommentarii k odinnadcatomu i dvenadcatomu tomam „Istorii Rossii s drevnejšich vremen"; in: S.M. Solov'ev, Istorija Rossii s drevnejšich vremen; Buch 6; M 1961, S. 633-644.

—— Les mouvements populaires en Russie au XVIIe siècle. Les guerres paysannes et les révoltes urbaines); in: Cahiers du Monde Russe et Soviètique 3 (1962), S. 486-504.

Torke, H.-J. Das russische Beamtentum in der ersten Hälfte des 19. Jahrhunderts; in: FOG 13 (1967), S. 7-345.

—— Die Entwicklung des Absolutismus-Problems in der sowjetischen Historiographie seit 1917; in : JGO 21 (1973), S. 493-508.

—— Die neuere Sowjethistoriographie zum Problem des russischen Absolutismus; in: FOG 20 (1973), S. 113-133.

Ulanov, V.Ja. Vlast' Moskovskich gosudarej v XVII v.; in: Tri věka. Rossija ot smuty do našego vremeni. Istoričeskij Sbornik; Bd. 1 (XVII věk. Pervaja polovina); M 1912, S. 248-256.

Undol'skij, V.M. Otzyv patriarcha Nikona ob Uloženii Carja Alekseja Michajloviča. Novye materialy dlja istorii zakonodatel'stva v Rossii; in: RA, 1886, 2, S. 605-620.

Val'denberg, V.Ė. Drevnerusskija učenija o predělach carskoj vlasti; Pg 1916.

—— Gosudarstvennyja idei Križaniča; SPb 1912.

Vasenko, P.G./Platonov, S.F./Turaeva-Cereteli, E.F. Načalo dinastii Romanovych. Istoričeskie očerki; SPb 1912.

Vejdemejer (Weyde-
meyer), A.I.
O Rossii pod državoju doma Romanovych do edinoder-
žavija Petra Velikago; SPb 1858.

Veselovskij, S.B.
Poslednie udely v severo-vostočnoj Rusi; IZ 22 (1947),
S. 101-131.

——
Prikaznoj stroj upravlenija Moskovskago gosudarstva;
K 1912.

——
Sem' sborov zaprosnych i pjatinnych deneg v pervye
gody carstvovanija Michaila Fedoroviča; in: ČOIDR,
1909, 1, III, S. 1-234.

Vodarskij, Ja.E.
Čislennost' i razmeščenie posadskogo naselenija v Rossii
vo vtoroj polovine XVII v.; in: Goroda feodal'noj Rossii;
M 1966, S. 271-297.

——
Čislennost' naselenija i količestvo pomestno-votčinnych
zemel' v XVII v. (po piscovym i perepisnym knigam); in:
Ežegodnik po agrarnoj istorii Vostočnoj Evropy. 1964
god; Kišinev 1966, S. 217-230.

Volkov, M.Ja.
Formirovanie gorodskoj buržuazii v Rossii, XVII-XVIII
vv.; in: Goroda feodal'noj Rossii; M 1966, S. 178-206.

Vossoedinenie
Vossoedinenie Ukrainy s Rossiej. (Dokumenty i materialy
v trech tomach); Bd. 3 (1651-1654 gody) ; M 1954.

Vvedenskij, A.A.
Klassovaja bor'ba i „odinačestvo" v pomor'e v XVI-
XVII vekach; in: VI, 1955, 5, S. 116-123.

Wittfogel, K.A.
Oriental Despotism. A Comparative Study of Total
Power; New Haven-London 1963.

Yaresh, L.
The Centralized Russian State of the Seventeenth Cen-
tury; in: Two Essays in Soviet Historiography; New York
1955 (Research Program on the U.S.S.R. Mimeographed
Series, No. 76), S. 1-29.

Zagoskin, N.P.
Istorija prava Moskovskago gosudarstva; Bd. 1; Kazan'
1877.

——
Uloženie Carja i Velikago Knjazja Alekseja Michajloviča
i „Zemskij Sobor 1648-49 gg."; Kazan' 1879.

Zamjatin, G.A.
K istorii Zemskago sobora 1613 g.; Voronež 1926 (Trudy
Voronežskogo gosudarstvennogo universiteta 3. Pedago-
gičeskij fakul'tet).

Zamyslovskij, E.E.
Carstvovanie Fedora Alekseeviča; Teil 1 (Vvedenie -
Obzor istočnikov); SPb 1871.

Zaozerskij, A.I.
K voprosu o sostavě i značenii zemskich soborov; in:
ŽMNPr, 1909, 6, S. 299-352.

——
Zemskie sobory; in: Tri věka. Rossija ot smuty do našego
vremeni. Istoričeskij sbornik; Bd. 1 (XVII věk. Pervaja
polovina); M 1912, S. 115-162.

SACHREGISTER

Die Stichwörter weisen nicht sämtliche vorhandenen Stellen nach, sondern nur auf größere Zusammenhänge hin.